D1240001

OCTOBRE ROUGE

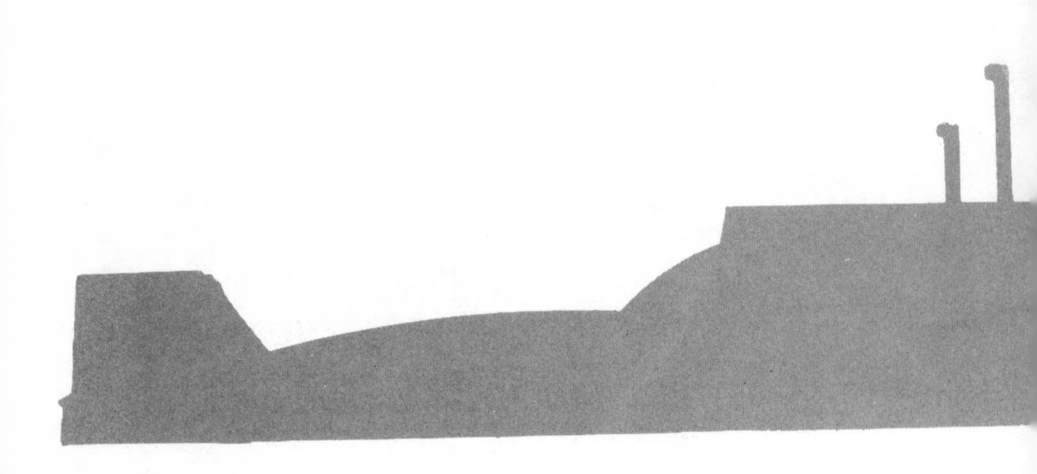

Traduit de l'américain par Marianne Véron
avec la collaboration de Jean Sabbagh, sous-marinier

TOM CLANCY

OCTOBRE ROUGE

ROMAN

Albin Michel

Tous les personnages de ce livre, à l'exception de Sergueï Gorchkov, Youri Padorine, Oleg Penkovski, Valery Sabline, Hans Tofte et Greville Wynne, sont fictifs et toute ressemblance avec des personnages existant ou ayant existé est purement fortuite. Les noms, événements, dialogues et opinions présentés sont le produit de l'imagination de l'auteur et ne doivent pas être pris pour la réalité. Rien ne doit être perçu ni interprété comme l'expression ou la représentation du point de vue de la Marine américaine ni d'aucun autre service au département gouvernemental.

Édition originale américaine
THE HUNT FOR RED OCTOBER

Édition française

22, rue Huyghens, 75014 PARIS
ISBN 2-226-02591-X

Pour Ralph Chatham
sous-marinier qui a dit la vérité
et pour tous ceux qui portent le même uniforme

LE PREMIER JOUR

Vendredi 3 décembre

A Polyarny, base des sous-marins de la Flotte soviétique du nord, le capitaine de vaisseau Ramius était à son poste de manœuvre sur la passerelle d'*Octobre rouge.* Il était engoncé dans la rude tenue arctique, avec un ciré et cinq épaisseurs de laine. Un remorqueur de port évitait l'étrave du sous-marin vers le nord. Après deux mois interminables, échoué dans un bassin à l'abri des intempéries, le bâtiment était de nouveau à flot. Au bout du bassin, un groupe de marins et d'ouvriers du port, silencieux et impassibles à la manière russe, observaient l'appareillage.

« Kamarov, machines avant lentes ! » ordonna Ramius. Le remorqueur s'éloignait. Ramius jeta un coup d'œil à l'arrière pour observer le bouillonnement créé par le démarrage des hélices. Le patron du remorqueur salua, et Ramius répondit. La tâche du patron avait été modeste, mais exécutée rondement. *Octobre rouge,* un sous-marin de la classe Typhon, était maintenant en route dans le chenal du fjord de Kola.

« Voilà le *Purga,* commandant ! » annonça Kamarov en désignant un brise-glace. Ramius acquiesça. Il avait vu le bâtiment qui devait le précéder dans le chenal pendant deux heures. La navigation n'allait pas poser de problème, mais Ramius savait qu'elle serait néanmoins éprouvante. Le vent glacé venait du nord, fait inhabituel pour la saison. L'automne avait été doux, et la neige était encore rare. La semaine précédente, une tempête hivernale avait soufflé avec violence. Le littoral de Mourmansk était ravagé, et il y avait des glaçons à la dérive. Le brise-glace allait être fort utile pour écarter les glaces flottantes. Dernier-né des sous-marins lance-missiles, *Octobre rouge* ne devait courir aucun risque.

Hachée et soulevée par le vent, la mer commençait à déferler par-dessus l'étrave arrondie, et des vagues roulaient sur le pont des missiles, à l'avant du kiosque. En surface, la mer était couverte d'huile rejetée par de nombreux navires. Le froid vif empêchait l'évaporation de cette pollution, qui marquait d'un anneau noir les murailles rocheuses du fjord. On aurait dit les bords de la baignoire d'un géant crasseux. « Bonne comparaison », songea Ramius. Le géant soviétique se moque bien de la crasse qu'il répand sur la terre. Mais Ramius, lui, avait appris son métier parmi les pêcheurs, et il savait ce que c'était que vivre en harmonie avec la nature.

Il ordonna « Machines avant un tiers ! » et Kamarov répéta l'ordre par téléphone. L'agitation de l'eau augmenta, tandis que le sous-marin chassait son poste derrière le brise-glace. Le capitaine de corvette Kamarov, officier de navigation du sous-marin, était récemment pilote de grands bâtiments à la direction du port de la base. Les deux officiers observaient le comportement du brise-glace, à trois cents mètres devant eux. Sur le pont arrière du *Purga,* quelques hommes d'équipage battaient la semelle ; l'un d'eux portait un tablier blanc de cuisinier. Ils voulaient assister au premier appareillage d'*Octobre rouge* et, d'ailleurs, les marins feraient n'importe quoi pour rompre la monotonie de leurs activités.

Normalement, Ramius se serait irrité d'être ainsi escorté — cette partie du chenal étant large et profonde — mais pas aujourd'hui. Il fallait prendre garde à la glace — et, pour Ramius, à bien d'autres choses encore.

« Alors, commandant, nous voilà repartis en mer pour servir la *Rodina*[1] *!* »

Le capitaine de frégate Ivan Yurevitch Poutine passa la tête dans le panneau — sans y être autorisé, comme d'habitude — et escalada l'échelle avec une gaucherie de terrien. La minuscule passerelle était déjà bien assez encombrée avec le commandant, l'officier de navigation et un veilleur. Poutine était le *zampolit*[2] du bord. Sa mission consistait à servir la *Rodina,* un mot qui se chargeait de connotations mystiques pour un Russe et qui, avec le nom de Lénine, servait de veau d'or au parti communiste.

« Hé oui, Ivan, répondit Ramius avec plus de chaleur qu'il n'en éprouvait. Deux semaines en mer. Que c'est bon de quitter le port !

1. *Rodina :* patrie. (N.d.T.)
2. *Zampolit :* officier politique. (N.d.T.)

Un marin appartient à la mer, et non à la terre, qui est surchargée de bureaucrates et d'ouvriers en bottes sales. Et puis nous aurons chaud.

— Vous trouvez qu'il fait froid ? » s'étonna Poutine.

Pour la centième fois, Ramius songea que Poutine était décidément le parfait officier politique. Il s'exprimait toujours d'une voix trop forte, avec une bonne humeur trop affectée. Jamais il ne laissait personne oublier qui il était. Parfait officier politique, Poutine inspirait la peur.

« J'ai trop vécu dans les sous-marins, mon ami. Je me suis habitué aux températures modérées, et à avoir un pont bien stable sous les pieds. »

Poutine ne releva pas l'insulte voilée. Il avait été affecté aux sous-marins après avoir dû interrompre sa première mission sur un escorteur à cause du mal de mer — et peut-être aussi parce qu'il tolérait bien le confinement à bord des sous-marins, alors que beaucoup d'hommes ne le supportaient pas.

« Ah ! Marko Aleksandrovitch, mais à Gorki, un jour comme celui-ci, les fleurs s'ouvrent !

— Et quel genre de fleurs serait-ce donc, camarade officier politique ? »

Ramius observait le fjord avec ses jumelles. A midi, le soleil s'élevait à peine au-dessus de l'horizon, projetant une lumière orange et des ombres violettes sur les murailles rocheuses.

« Des perce-neige, bien sûr ! répondit Poutine en riant très fort. Un jour comme celui-ci, les femmes et les enfants ont le visage rose vif, la respiration lance de jolis petits nuages de buée, et la vodka est meilleure que jamais. Ah ! être à Gorki un jour comme celui-ci ! »

« Ce salaud devrait travailler pour l'Intourist, marmonna intérieurement Ramius, sauf que Gorki est une ville fermée aux étrangers. » Il y était allé deux fois, et avait gardé l'impression d'une ville typiquement soviétique, pleine d'immeubles délabrés, de rues sales et de gens mal habillés. De même que dans la plupart des villes russes, l'hiver était la meilleure saison à Gorki. La neige cachait toute la saleté. Ramius, qui était à demi lituanien, avait des souvenirs d'enfance d'un plus bel endroit, un village côtier dont l'origine hanséatique avait laissé des rangées de constructions présentables.

Il était inhabituel que quelqu'un d'autre qu'un Grand Russe fût à bord d'un bâtiment de la marine soviétique — sans même parler de le commander. Le père de Marko, Aleksandre Ramius, avait été un héros du Parti, un communiste fervent et dévoué, qui avait servi Staline loyalement. Quand les Soviétiques avaient envahi la Lituanie en 1940, Ramius père avait participé à l'arrestation des dissidents politiques, des commerçants, des prêtres et de tous ceux qui risquaient de causer des problèmes au nouveau régime. Tous avaient été expédiés vers des destins que, maintenant encore, Moscou pouvait tout juste imaginer. Lors de l'invasion allemande, un an plus tard, Aleksandre s'était battu comme un lion, en tant que commissaire politique, et il s'était ensuite distingué à la bataille de Leningrad. En 1944, il avait regagné sa terre natale avec l'avant-garde de la 11e armée des gardes, pour exercer des représailles sanglantes contre ceux qui avaient collaboré avec les Allemands ou en étaient soupçonnés. Le père de Marko avait été un authentique héros soviétique — et Marko ressentait une profonde honte à être son fils. La santé de sa mère s'était ruinée pendant l'interminable siège de Leningrad, et elle était morte en lui donnant le jour. Il avait été élevé par sa grand-mère paternelle en Lituanie, tandis que son père plastronnait au comité central du Parti de Vilnius, en attendant sa promotion à Moscou. Il l'avait obtenue, et il était candidat au Politburo quand une crise cardiaque avait mis fin à ses jours.

La honte de Marko n'était cependant pas totale, car seule l'importance de son père rendait possible son objectif actuel, et Marko s'apprêtait à assener sa vengeance à l'Union soviétique, avec une force telle que, peut-être, elle satisferait les milliers de ses compatriotes morts avant sa naissance.

« Là où nous allons, Ivan Yurevitch, il fera encore plus froid. »

Poutine donna une claque sur l'épaule de son commandant. S'agissait-il d'une affection feinte ou réelle ? Marko se le demandait. Sans doute réelle. Ramius était un honnête homme, et il reconnaissait les sentiments humains dans ce type de manifestation brève et bruyante.

« Comment se fait-il, commandant, que vous paraissiez toujours heureux de quitter la *Rodina* pour naviguer ? »

Ramius sourit derrière ses jumelles. « Un marin a une patrie, Ivan Yurevitch, mais il a deux femmes. Vous ne comprenez jamais cela. Je pars maintenant vers mon autre femme, celle, froide et sans cœur, qui possède mon âme. » Ramius se tut. Son sourire s'effaça. « Ma seule femme, désormais. »

Marko remarqua que, pour une fois, Poutine ne répondait rien. Il avait assisté aux obsèques, et versé de vraies larmes quand le cercueil de pin ciré avait disparu dans la chambre crématoire. Pour Poutine, la mort de Natalia Bogdanova Ramius avait été une cause de réel chagrin, mais aussi le signe d'un Dieu désinvolte dont il niait habituellement l'existence. Pour Ramius, le crime incombait non pas à Dieu mais à l'Etat. Un crime inutile, monstrueux, un crime qu'il fallait châtier.

« Glace. Tribord, un quart, signala le veilleur.

— Aperçu. Glaces flottantes à tribord. Elles ne nous gêneront pas, commenta Kamarov.

— Commandant ! » Le haut-parleur de la passerelle avait une tonalité métallique. « Message de l'état-major.

— Lisez-le.

— Zone d'exercice claire. Pas d'ennemi dans les parages. Faites route selon vos ordres. Signé Amiral Korov.

— Bien reçu, dit Ramius. Ainsi donc, pas d'*Amerikanski* dans le secteur ?

— Douteriez-vous des sources de l'amiral ? insinua Poutine.

— J'espère qu'il est bien renseigné, répondit Ramius, plus sincèrement que ne pouvait l'apprécier son officier politique. Mais rappelez-vous la préparation de notre mission à l'état-major. »

Poutine remua les pieds. Peut-être sentait-il le froid, finalement.

« Ces sous-marins américains, Los Angeles, de type 688. Vous vous souvenez de ce qu'a dit l'un de leurs officiers à notre espion ? Qu'ils pouvaient s'approcher d'une baleine et la sodomiser avant qu'elle s'aperçoive de leur présence ? Je me demande comment le KGB s'est procuré ce renseignement-là. Sans doute une superbe espionne soviétique rompue aux méthodes décadentes de l'Ouest, trop maigre, comme les impérialistes aiment leurs femmes, blonde... » Le commandant eut un grognement amusé. « Et l'officier américain devait être un jeune vantard, qui s'efforçait d'en faire autant avec notre espionne, non ? Imbibé d'alcool, bien entendu, comme la plupart des marins. Mais quand même. Les Los Angeles et les nouveaux Trafalgars britanniques, voilà ce dont il faut nous méfier. Ce sont eux qui nous menacent.

— Les Américains sont de bons techniciens, commandant, répondit Poutine, mais pas des géants. Leur technologie n'est pas si terrible. *Nacha lutchaya,* conclut-il. La nôtre est meilleure. »

Ramius acquiesça songeusement, en se disant que les *zampoliti* auraient tout de même bien dû savoir quelque chose des bâtiments qu'ils surveillaient au nom de la doctrine du Parti.

« Ivan, les fermiers de la région de Gorki ne vous ont donc pas dit que c'est le loup qu'on ne voit pas qu'il faut redouter ? Mais ne vous inquiétez pas trop. Avec notre sous-marin, je pense que nous allons leur donner une leçon.

— Comme je l'ai dit à l'administration politique centrale », et

Poutine donna une nouvelle claque dans le dos de Ramius, « *Octobre rouge* est dans les meilleures mains ! »

Ramius et Kamarov sourirent tous deux à cette évocation. « Espèce de salaud ! songeait le commandant, tu as dit devant tous mes hommes que tu préférais *passer* sur mon aptitude au commandement ! Un type incapable de commander un radeau pneumatique par temps plat ! Dommage que tu ne puisses pas vivre assez longtemps pour ravaler ces paroles, camarade officier politique, et passer la fin de tes jours au goulag pour cette erreur de jugement. Cela vaudrait presque la peine de te laisser vivre ! »

Quelques minutes plus tard, la mer força, faisant rouler le sous-marin. Le mouvement était accentué par la hauteur du kiosque, et Poutine en prit prétexte pour descendre. Il n'avait toujours pas le pied marin. Ramius partagea en silence cette observation avec Kamarov, qui la reçut avec un sourire. Leur mépris muet pour le *zampolit* était une attitude très antisoviétique.

L'heure suivante passa vite. La force de la mer s'accentuait à mesure qu'on approchait de la haute mer, et le brise-glace commençait à piquer dans la plume. Ramius l'observait avec intérêt. Il n'avait jamais mis le pied sur un brise-glace, sa carrière entière s'étant déroulée dans les sous-marins. C'était plus confortable, mais également plus dangereux. Il avait l'habitude du danger, cependant, et ses années d'expérience allaient bien lui servir, désormais.

« Bouée en vue, commandant », annonça Kamarov. La bouée rouge lumineuse dansait dans la houle.

« Central, le fond ? demanda Ramius au téléphone.

— Cent mètres, commandant.

— A gauche dix, machines avant deux tiers. » Ramius regarda Kamarov. « Signalez notre changement de cap au *Purga,* en espérant qu'il ne tournera pas dans le mauvais sens. »

Kamarov prit le petit projecteur. La lente montée en allure des trente mille tonnes d'*Octobre rouge* commença. La vague d'étrave se transforma en une gerbe de trois mètres ; de longues lames balayaient le pont des missiles, heurtant de front le kiosque. Le *Purga* évolua vers la droite, dégageant la route du sous-marin.

Ramius contempla vers l'arrière les falaises du fjord Kola. Elles étaient taillées ainsi depuis des millénaires, par la pression impitoyable des gigantesques glaciers. Pendant ses vingt années de service dans la Flotte du nord, combien de fois avait-il regardé cette immense muraille ? Cette fois serait la dernière. Quelle que soit l'issue, jamais il ne reviendrait. Comment cela allait-il tourner ? Ramius reconnaissait en lui-même que peu lui importait. Peut-être les histoires que sa grand-mère lui avait enseignées étaient-elles vraies, en ce qui concernait Dieu et ses récompenses après une vie juste. Il l'espérait — ce serait tellement merveilleux si Natalia pouvait n'être pas vraiment morte. En tout cas, impossible de revenir. Il avait déposé une lettre dans le dernier sac postal porté à terre avant l'appareillage. Après cela, il ne pouvait plus retourner en arrière.

« Kamarov, signalez au *Purga :* " Plongée à... " il consulta sa montre, " ... 13 h 20. Exercice Gel d'octobre commence comme prévu. Vous pouvez disposer pour mission suivante. Nous reviendrons comme prévu. " »

Kamarov s'affaira avec le fanal pour transmettre le message. Le *Purga* répondit aussitôt, et Ramius déchiffra sans aide le signal lumineux : SI LES BALEINES NE VOUS MANGENT PAS, BONNE CHANCE À OCTOBRE ROUGE !

Ramius décrocha à nouveau le téléphone, et pressa le bouton du poste radio. Il fit adresser le même message au quartier général de la flotte, à Severomorsk. Il s'adressa ensuite au central.

« Le fond ?

— Cent quarante mètres, commandant.

— Paré à plonger. » Il se tourna vers le veilleur et lui ordonna de descendre. Le matelot se dirigea vers le panneau. Il était sans doute heureux de regagner la chaleur d'en bas, mais il prit le temps de lancer un dernier regard au ciel nuageux et aux falaises qui s'éloignaient. Appareiller à bord d'un sous-marin était toujours excitant, et toujours un peu triste aussi.

« Dégagez la passerelle. Prenez le quart, Gregori. » Kamarov acquiesça et laissa retomber le panneau, laissant le commandant seul.

Ramius fit un dernier tour d'horizon, soigneusement. Le soleil apparaissait à peine à l'arrière et, sous le ciel de plomb, la mer était noire à l'exception de l'écume blanche des crêtes. Il se demandait s'il disait adieu au monde. Dans ce cas, il aurait préféré en garder une dernière vision plus chaleureuse.

Avant de descendre, il vérifia le panneau, le ferma avec une chaîne, et s'assura que le mécanisme automatique fonctionnait bien. Il descendit ensuite de huit mètres à l'intérieur du kiosque, puis encore de deux jusqu'au central. Un *michman*[1] referma le second panneau et d'une forte poigne le souqua à fond.

« Gregori ? demanda Ramius.

1. *Michman :* maître principal. (N.d.T.)

— Nous sommes parés à plonger », répondit brièvement l'officier de navigation, en montrant le tableau de plongée. Tous les lumineux étaient verts.

Le commandant fit sa propre inspection des indicateurs mécaniques, électriques et hydrauliques. Il hocha la tête, et le *michman* de quart ferma les manches à air.

« Alerte. Immersion quarante mètres », ordonna Ramius et il s'approcha du périscope pour libérer Vasili Borodine, son *starpom* [1]. Kamarov fit retentir le klaxon dans tout le bâtiment.

« Ouvrez les purges. Sortez les barres avant. Assiette moins dix. »

En donnant ses ordres, Kamarov s'assurait du regard que chaque homme faisait exactement son travail. Quant à Ramius, il écoutait attentivement, mais sans regarder. Kamarov était le meilleur officier qu'il eût jamais eu, et avait depuis longtemps gagné sa confiance.

La coque d'*Octobre rouge* résonnait du bruit de l'air qui s'échappait par les purges. C'était une longue opération, car le sous-marin avait de nombreux ballasts, soigneusement séparés entre eux par des cloisons. Ramius régla le périscope et vit l'eau noire se transformer brièvement en écume.

Octobre rouge était le plus gros et le plus beau bâtiment que Ramius eût jamais commandé, mais il avait un défaut grave. Il possédait une puissance motrice et un nouveau système de propulsion qui, espérait Ramius, surclasseraient les Américains aussi bien que les Soviétiques, mais il était si gros qu'il changeait d'immersion à la manière d'une baleine blessée. Lent pour monter, et plus lent encore pour descendre.

« Rentrez le périscope. » Ramius s'écarta de l'instrument après ce qui parut une longue attente.

« Quarante mètres, annonça Kamarov.

— Cent mètres », ordonna Ramius. Il observait ses hommes, à présent. La première plongée pouvait impressionner, et la moitié de son équipage se composait de gars de la campagne, sortis tout droit du camp d'entraînement. La coque craquait sous la pression de l'eau, et c'était une chose à laquelle il fallait s'habituer. Quelques-uns parmi les plus jeunes pâlirent, mais ils restèrent fermes à leur poste.

Kamarov manœuvra pour rallier la profondeur requise. Ramius le regardait avec l'orgueil qu'il aurait éprouvé pour un fils,

1. *Starpom :* second. (N.d.T.)

tandis que le jeune officier donnait les ordres nécessaires avec précision. Il était le premier officier du bord que Ramius avait choisi. L'équipage du central lui obéissait sans broncher. Cinq minutes plus tard, le SM était à quatre-vingt-dix mètres, et il parcourut les dix derniers de manière à s'arrêter parfaitement à cent.

« Belle manœuvre, Kamarov. Prenez le quart. Réduisez la vitesse à un tiers. Veille sonar passive.

— Je prends », répondit Kamarov.

Ramius fit demi-tour pour quitter le central, en faisant signe à Poutine de le suivre.

Maintenant, tout allait commencer.

Ramius et Poutine se dirigèrent vers l'arrière, et Ramius ouvrit la porte du carré des officiers pour le *zampolit,* puis entra à sa suite et referma la porte à clé. Le carré était vaste, situé juste devant la cuisine, et derrière les chambres des officiers. Les parois en étaient insonorisées, et la porte équipée d'une serrure, car l'état-major savait que ce que des officiers pouvaient dire n'était pas nécessairement destiné à toutes les oreilles. La pièce était assez grande pour que tous les officiers du bord pussent s'y trouver ensemble à table, bien qu'il dût toujours y en avoir au moins trois de quart. Le coffre contenant les ordres du bord s'y trouvait, et non pas dans la chambre du commandant, où l'homme risquait de profiter de la solitude pour tenter de l'ouvrir lui-même. Le coffre était équipé de deux cadrans. Ramius détenait une combinaison, et Poutine l'autre. Cela ne présentait pas grande utilité, car Poutine connaissait certainement déjà leurs ordres de mission. Ramius les connaissait également, mais certains détails lui manquaient.

Poutine servit le thé tandis que le commandant vérifiait sa montre à l'heure du chronomètre mural. Quinze minutes avant l'heure prescrite pour ouvrir le coffre. L'amabilité de Poutine le mettait mal à l'aise.

« Encore deux semaines de réclusion, déclara le *zampolit* en tournant son thé.

— Les Américains y restent deux *mois,* Ivan. Evidemment, leurs sous-marins sont beaucoup plus confortables. » Bien qu'*Octobre rouge* fût énorme, les conditions de logement de l'équipage auraient fait honte à un geôlier de goulag. L'état-major comportait quinze officiers, logés dans des chambres à peu près convenables, à l'arrière, et l'équipage cent hommes dont les couchettes étaient casées dans les coins et recoins, à l'avant du local des missiles. La taille d'*Octobre* faisait illusion. L'intérieur de la coque était rempli de missiles, de torpilles, d'un réacteur nucléaire et de ses auxiliaires, d'un énorme moteur Diesel de secours, et d'une série de batteries au cadmium-nickel rangées à l'extérieur de la coque pressurisée, le tout représentant un volume dix fois supérieur à celui installé sur les sous-marins américains correspondants. La manœuvre et l'entretien du bâtiment constituaient une énorme charge pour un équipage aussi restreint, malgré une automatisation très poussée qui en faisait le plus moderne de tous les bâtiments de la marine soviétique. Peut-être les hommes n'avaient-ils pas besoin de logements classiques. Ils n'allaient guère disposer que de cinq ou six heures par jour pour en profiter, et cela jouerait en faveur de Ramius. La moitié de l'équipage était composée de recrues qui accomplissaient leur première mission opérationnelle, et même les plus expérimentés parmi les hommes d'équipage en savaient assez peu. La qualité de son personnel, contrairement à celle des équipages occidentaux, résidait bien davantage en ses onze *michmaniy*[1] qu'en ses *glavniy starshini*[2]. Tous étaient des hommes qui feraient exactement ce que leur ordonneraient leurs officiers. Telle était leur formation spécifique. Quant aux officiers, Ramius les avait choisis.

« Vous voulez naviguer pendant deux mois ? s'étonna Poutine.

— Je l'ai fait à bord de sous-marins diesel. Un sous-marin doit aller en mer, Ivan. Notre mission consiste à implanter la peur dans le cœur des impérialistes, et ce n'est pas en restant tout le temps amarrés dans notre grange de Polyarny que nous y parviendrons. Mais nous ne pouvons pas rester plus longtemps en mer parce que, au-delà de deux semaines, l'équipage perd de son efficacité. D'ici deux semaines, cette bande de gamins sera transformée en une meute de robots engourdis. » Ramius comptait sur ce fait.

« Et nous pourrions résoudre ce problème en adoptant les luxueuses pratiques capitalistes ? ricana Poutine.

— Un vrai marxiste doit être objectif, camarade officier politique, protesta Ramius, savourant cette dernière discussion avec Poutine. Objectivement, tout ce qui nous aide à réussir notre mission est bon, et tout ce qui nous en empêche est mauvais. L'adversité est censée aiguiser l'esprit et les compétences, et non pas les émousser. Le seul fait de se trouver à bord d'un sous-marin est suffisamment dur, non ?

— Pas pour vous, Marko. » Poutine eut un grand sourire derrière sa tasse.

1. *Michmaniy* : maîtres principaux. (N.d.T.)
2. *Glavniy starshini* : sous-officiers. (N.d.T.)

« Je suis marin. Nos hommes ne le sont pas, et pour la plupart ne le seront jamais. C'est une troupe de fils de fermiers et de garçons qui rêvent d'aller en usine. Il faut savoir nous adapter à notre temps, Ivan. Ces jeunes gens ne sont pas tels que nous étions.

— Cela est assez vrai, reconnut Poutine. Vous n'êtes jamais satisfait, camarade commandant. Ce sont sans doute les hommes comme vous qui nous imposent à tous le progrès. »

Les deux hommes savaient exactement pourquoi les sous-marins lance-missiles soviétiques passaient si peu de leur temps — environ quinze pour cent — en mer, et cela n'avait rien à voir avec le confort des hommes. *Octobre rouge* était équipé de vingt-six missiles SS-N-20, chacun portant huit têtes de cinq cents kilotonnes MIRV, permettant de détruire deux cents villes. Les bombardiers stationnés au sol ne pouvaient voler que quelques heures d'affilée avant de devoir regagner leur base. Les missiles stationnés au sol, le long du réseau ferré soviétique Est-Ouest, se trouvaient toujours là où les commandos paramilitaires du KGB pouvaient les atteindre, pour le cas où un commandant de base de missiles prendrait soudain conscience du pouvoir qu'il détenait à portée de main. Mais les sous-marins lance-missiles échappaient par définition à l'observateur terrestre. Leur mission consistait précisément à rester cachés.

Dans cet état de fait, Marko s'étonnait même que son gouvernement en possédât. L'équipage de tels bâtiments devait bénéficier d'une confiance absolue. Ils naviguaient donc moins que leurs équivalents occidentaux et, quand ils naviguaient, c'était toujours avec un officier politique à bord, une sorte de second commandant surveillant chaque décision.

« Pensez-vous que vous pourriez le faire, Marko ? Naviguer deux mois avec ces garçons de ferme ?

— Je préfère les jeunes à moitié formés, comme vous le savez. Ils ont moins à désapprendre. Je peux ainsi les entraîner à devenir de vrais marins, à ma façon. Peut-être est-ce mon culte de la personnalité ? »

Poutine alluma une cigarette en riant. « Cette observation a déjà été faite naguère, Marko. Mais vous êtes notre meilleur enseignant, et votre loyauté est bien connue. » Cela était fort vrai. Ramius avait formé des centaines d'officiers et de marins qui étaient ensuite allés sur d'autres sous-marins, dont les commandants avaient été bien heureux de les avoir. Il pouvait paraître assez paradoxal qu'un homme pût engendrer la confiance, dans une société qui en admettait à peine le concept. Bien entendu, Ramius était un loyal membre du Parti, fils d'un héros du Parti qui avait été porté en terre par trois membres du Politburo. Poutine agita un doigt. « Vous devriez diriger l'une de nos grandes écoles navales, camarade commandant. Vos compétences y seraient plus utiles à l'Etat.

— Mais je suis marin, Ivan Yurevitch. Seulement marin, et non maître d'école — malgré tout ce qu'on peut dire de moi. Le sage connaît ses limites. » Et l'audacieux saisit les occasions. Chaque officier à bord avait déjà servi sous Ramius, à l'exception de trois jeunes enseignes, qui obéiraient aux ordres aussi docilement que n'importe quel marin novice, et du médecin, qui ne servait à rien.

La pendule sonna le changement de quart.

Ramius se leva, et composa sa combinaison à trois chiffres. Poutine en fit autant, et le commandant fit basculer la barre pour ouvrir la porte circulaire du coffre. A l'intérieur se trouvaient une grosse enveloppe, ainsi que quatre dictionnaires et une table des objectifs. Ramius sortit l'enveloppe, puis referma le coffre en faisant tourner les cadrans avant de se rasseoir.

« Alors, Ivan, s'enquit Ramius d'une voix théâtrale, que pensez-vous de nos ordres ?

— Notre devoir, camarade. » Poutine sourit.

« Bien sûr. » Ramius brisa le cachet de cire et tira de l'enveloppe les quatre pages de l'ordre de mission. Il lut rapidement. Ce n'était pas compliqué.

« Bien, nous devons nous rendre au carreau 54-90 et y retrouver notre sous-marin d'attaque *V. K. Konovalov* — c'est le nouveau commandement du camarade Tupolev. Vous connaissez Viktor Tupolev ? Non ? Viktor nous protégera contre les incursions impérialistes, et nous ferons quatre jours d'exercice d'acquisition et de tenue de contact avec lui — s'il y arrive. » Ramius eut un petit rire. « Les petits gars du *Konovalov* n'ont pas encore trouvé la technique pour échapper à notre nouveau système de propulsion. Et les Américains non plus. Nous allons limiter nos opérations au carreau 54-90 et à ceux qui les entourent. Cela devrait faciliter un peu la tâche de Viktor.

— Mais vous ne vous laisserez pas repérer ?

— Certainement pas. » Ramius rit à nouveau. « Le laisser ? Viktor a été mon élève, naguère. On ne concède rien à l'ennemi, Ivan, même en exercice. Les impérialistes ne nous feront assurément pas de cadeaux ! En essayant de nous trouver, il s'entraîne également à détecter leurs sous-marins lance-missiles. Il aura une bonne chance de nous repérer, à mon avis. L'exercice se limite à neuf carreaux, quarante mille kilomètres carrés. Nous allons voir ce qu'il a appris, depuis qu'il a servi sous nos ordres — oh, c'est vrai, vous n'étiez pas avec moi, à l'époque. J'avais alors le *Suslov*.

— Seriez-vous déçu ?

— Non, pas vraiment. L'exercice de quatre jours avec le *Konovalov* sera une intéressante diversion. » « Salaud, maugréait-il intérieurement, tu connaissais déjà exactement les ordres — et tu connais très bien Viktor Tupolev, menteur. » Il était temps.

Poutine termina sa cigarette et son thé avant de se lever. « Et me voici une fois de plus autorisé à admirer le grand capitaine à l'œuvre — pour confondre un malheureux gamin. » Il se tourna vers la porte. « Je crois... »

Ramius lança un coup de pied dans les chevilles de Poutine au moment où celui-ci s'écartait de la table. Poutine tomba en arrière, et Ramius bondit sur ses pieds pour empoigner la tête de l'officier politique entre ses solides mains de pêcheur, puis il lui tordit le cou en arrière, pressé sur l'angle métallique aigu de la table. Au moment où le coup portait, Ramius pesa de tout son poids sur la poitrine de Poutine — geste inutile : avec un craquement écœurant, le cou de l'officier politique se rompit, l'épine dorsale brisée au niveau de la seconde vertèbre cervicale. Parfaite fracture de pendaison.

Poutine n'eut pas le temps de réagir. Les nerfs reliés au reste du corps furent instantanément isolés des organes et des muscles qu'ils contrôlaient. Poutine voulut crier, dire quelque chose, mais sa bouche s'ouvrait et se refermait sans émettre d'autre son que l'exhalation dernière de l'air contenu dans ses poumons. Il haletait comme un poisson sorti de l'eau, sans pouvoir respirer. Ses yeux se levèrent alors vers Ramius, écarquillés de stupeur — ils n'exprimaient ni l'émotion ni la souffrance, mais la surprise. Le commandant l'allongea délicatement sur le sol.

Ramius vit le visage de Poutine s'éclairer en le reconnaissant, puis s'assombrir. Il se pencha pour lui prendre le pouls, et près de deux minutes s'écoulèrent encore avant que le cœur s'arrête complètement. Quand Ramius fut bien sûr que l'officier politique était mort, il prit la théière et renversa par terre l'équivalent de deux tasses, en faisant bien attention de mouiller les chaussures de Poutine. Il souleva ensuite le corps jusque sur la table, et ouvrit brutalement la porte.

« Docteur Petrov au carré immédiatement ! »

L'infirmerie n'était qu'à quelques pas. Petrov arriva sur-le-champ, ainsi que Vasili Borodine, accouru du central.

« Il a glissé dans le thé que j'avais renversé, haleta Ramius, affairé à pratiquer un massage cardiaque sur Poutine. J'ai essayé de le retenir, mais sa tête a heurté la table. »

Petrov repoussa le commandant, retourna le corps, et sauta sur la table pour s'agenouiller à califourchon sur Poutine. Il lui déchira la chemise, puis lui examina les yeux. Les pupilles étaient agrandies, et fixes. Le médecin tâta le crâne, ses mains descendirent vers le cou, et s'y arrêtèrent. Il hocha lentement la tête.

« Le camarade Poutine est mort. Il a le cou brisé. » Les mains du médecin se détendirent, et il ferma les yeux du *zampolit.*

« Non ! cria Ramius. Il vivait encore il y a cinq minutes ! » Le commandant sanglotait. « C'est ma faute. J'ai voulu le retenir, mais je n'ai pas pu. C'est ma faute ! » cria-t-il en secouant la tête avec rage, luttant visiblement pour se maîtriser. Un numéro absolument parfait.

Petrov posa la main sur l'épaule du commandant. « C'est un accident, commandant. Ces choses-là arrivent, même à des hommes d'expérience. Ce n'était pas votre faute. Vraiment, camarade. »

Ramius jura à voix basse, se ressaisissant. « N'y a-t-il rien que vous puissiez faire ? »

Petrov secoua la tête. « Même dans la meilleure clinique d'Union soviétique, on ne pourrait plus rien faire. Une fois la moelle épinière sectionnée, tout espoir est perdu. La mort est pratiquement instantanée — mais également indolore », ajouta le médecin d'un ton consolant.

Ramius se redressa en prenant une longue inspiration, le visage tendu. « Le camarade Poutine était un bon marin, un loyal membre du Parti, et un officier de valeur. » Du coin de l'œil, il vit la bouche de Borodine se crisper. « Camarades, nous poursuivrons notre mission ! Docteur Petrov, vous porterez le corps de notre camarade dans la chambre froide. C'est... affreux, je le sais, mais il mérite des funérailles militaires honorables, avec tous ses compagnons de bord au garde-à-vous, comme il convient, et nous veillerons à ce que les honneurs lui soient rendus dès notre retour au port.

— Faut-il informer l'état-major ? s'enquit Petrov.

— Impossible. Les ordres sont formels : nous devons observer un silence radio absolu. » Ramius sortit de sa poche un jeu complet d'instructions et les tendit au médecin — mais pas celles du coffre. « Page trois, docteur Petrov. »

Les yeux de Petrov s'écarquillèrent tandis qu'il lisait les directives opérationnelles.

« J'aurais préféré faire un rapport, mais les ordres sont

explicites : une fois en plongée, aucune transmission d'aucune sorte, pour aucune raison. »

Petrov rendit les papiers. « Dommage. Notre camarade aurait pris le plus grand intérêt à la mission. Mais les ordres sont les ordres.

— Et nous les exécuterons.

— Poutine n'aurait rien voulu d'autre, acquiesça Petrov.

— Veuillez noter, Borodine : je prends la clé de contrôle des missiles accrochée au cou de notre camarade officier politique, comme il est prévu au règlement, déclara Ramius en empochant la clé et la chaîne.

— Je le note, et ce sera inscrit au journal de bord », répondit gravement le second.

Petrov alla chercher son assistant et, à eux deux, ils transportèrent le corps à l'infirmerie où ils le placèrent dans un linceul fermé par une glissière. L'assistant et deux matelots l'emportèrent ensuite, traversant le central, jusqu'au local des missiles. La chambre froide se trouvait sur le pont inférieur des missiles. Tandis que deux cuisiniers sortaient de la nourriture pour faire de la place, le corps fut respectueusement déposé dans un angle. A l'arrière, le médecin et le second procédèrent à l'indispensable inventaire des effets personnels, en trois exemplaires : l'un pour le dossier médical du bord, le second pour le journal de bord, et le troisième pour être scellé dans un coffret, qui fut enfermé à l'infirmerie.

Ramius reprit le quart au poste central plein d'hommes affligés, et fit venir le sous-marin au deux cent quatre-vingt-dix (ouest-nord-ouest). Le carreau 54-90 était à l'est.

LE SECOND JOUR

Samedi 4 décembre

Octobre rouge

Dans la marine soviétique, le règlement voulait que le commandant annonçât la mission du bâtiment, et exhortât l'équipage à l'exécuter en bons citoyens soviétiques. Les ordres étaient ensuite affichés à l'extérieur de la salle Lénine de manière que tous pussent les lire — et s'en inspirer. Sur les gros bâtiments, c'était un local consacré aux cours d'information politique. A bord d'*Octobre rouge,* il s'agissait d'une bibliothèque grande comme un placard, située à côté du carré des officiers, où étaient rassemblés des livres du Parti et diverses brochures idéologiques, à la disposition des hommes qui souhaitaient les lire. Ramius annonça la teneur des ordres dès le lendemain du départ, pour permettre aux hommes de s'adapter à la routine du bord. En même temps, il leur fit un petit discours pour leur gonfler le moral. Les discours de Ramius étaient toujours très bons. Il avait eu l'occasion de beaucoup s'exercer. A 8 heures, après la prise de quart, il entra au central et tira d'une poche intérieure quelques fiches.

« Camarades ! commença-t-il, devant le micro. Ici le commandant. Vous savez tous que notre cher ami et camarade, le commandant Ivan Yurevitch Poutine, est mort hier dans un tragique accident. Nos ordres ne nous permettent pas d'en rendre compte à l'état-major de la flotte. Camarades, nous consacrerons nos efforts et notre travail à notre camarade, Ivan Yurevitch Poutine — bon marin, honorable membre du Parti, et courageux officier.

« Camarades ! Marins et officiers d'*Octobre rouge !* Nous avons des ordres du haut commandement de la Flotte rouge du nord, et ce sont des ordres dignes de ce navire et de cet équipage !

« Camarades ! Nos ordres consistent à éprouver notre nouveau système de propulsion silencieuse. Nous allons faire route à l'ouest, passer le cap Nord au nord de la Norvège, cet Etat impérialiste fantoche des Etats-Unis, puis au sud-ouest vers l'océan Atlantique. Nous franchirons tous les barrages sonar impérialistes, et tout cela *sans* nous faire détecter ! Ce sera une vraie mise à l'épreuve de notre sous-marin et de ses possibilités. Notre flotte sera engagée dans un grand exercice anti-sous-marin pour nous repérer, et en même temps confondre les arrogantes marines impérialistes. Notre mission, avant tout, consiste à déjouer les détections, quelles qu'elles soient. Nous allons donner aux Américains une leçon qu'ils n'oublieront pas de sitôt, sur la technologie soviétique ! Nos ordres sont de poursuivre au sud-ouest, en longeant la côte américaine pour défier et dominer leurs sous-marins de chasse les plus récents. Nous continuerons ainsi jusque chez nos frères socialistes de Cuba, et nous serons le *premier navire* à utiliser une nouvelle base sous-marine ultra-secrète, que nous construisons sous le nez des impérialistes, sur la côte sud de Cuba. Un de nos navires de ravitaillement est en route pour nous y rejoindre.

« Camarades ! Si nous parvenons à atteindre Cuba sans nous faire repérer par les impérialistes — et nous y parviendrons ! — les hommes et les officiers d'*Octobre rouge* bénéficieront d'une semaine — *une semaine !* — de permission pour rendre visite à nos fraternels camarades socialistes, sur la belle île de Cuba. J'y suis allé, camarades, et vous la découvrirez telle exactement que vous avez pu en lire la description, un paradis de brises tièdes, de palmiers et de sympathique camaraderie. » Ramius faisait là allusion aux femmes. « Après quoi nous regagnerons la Mère Patrie par le même chemin. Entre-temps, bien sûr, les impérialistes auront appris qui nous sommes et ce que nous sommes, par leurs espions minables et leurs lâches avions de reconnaissance. Nous comptons sur le fait qu'ils le sauront, car nous échapperons de nouveau à leur détection sur le chemin du retour. Cela prouvera aux impérialistes qu'ils ne peuvent pas négliger les hommes de la marine soviétique, que nous pouvons approcher de leurs côtes quand nous le voulons, et qu'ils doivent respecter l'Union soviétique !

« Camarades ! Nous ferons en sorte que la première mission d'*Octobre rouge* reste mémorable ! »

Ramius releva les yeux du discours qu'il venait de lire. Les hommes de quart du central échangeaient des sourires joyeux. Ce n'était pas souvent qu'un marin soviétique pouvait faire escale dans un autre pays, et une visite en sous-marin dans un pays étranger, même allié, était quasiment sans précédent. De plus, l'île de Cuba paraissait aux Russes aussi exotique que Tahiti — une terre promise de plages de sable blanc et de filles très brunes. Ramius savait qu'il n'en était rien. Dans *L'Etoile rouge* et diverses autres revues d'Etat, il avait lu des récits concernant les joies du devoir à Cuba. Et puis il y était allé.

Ramius prit un nouveau jeu de fiches. Il leur avait donné les bonnes nouvelles. « Camarades ! Marins et officiers d'*Octobre rouge !* » Et maintenant, les mauvaises nouvelles que tout le monde attendait. « Cette mission ne sera pas facile. Elle requiert nos plus grands efforts. Nous devons garder un silence radio absolu, et l'entraînement opérationnel doit être *parfait !* Les récompenses sont réservées à ceux qui les méritent vraiment. Chaque officier et chaque homme à bord, depuis votre commandant jusqu'à la plus jeune recrue, doit faire son devoir socialiste et le faire bien ! Si nous travaillons ensemble en vrais camarades, en Nouveaux Hommes socialistes que nous sommes, nous réussirons. Vous, jeunes camarades qui êtes nouveaux en mer, écoutez vos officiers, vos *michaniy* et vos *starshini*. Apprenez bien vos tâches, et accomplissez-les rigoureusement. Il n'y a pas de petites tâches, sur ce bâtiment, ni de petites responsabilités. La vie de chaque camarade dépend de chacun des autres. Faites votre devoir, suivez vos ordres et, quand nous aurons terminé ce voyage, vous serez de vrais marins soviétiques ! C'est tout. » Ramius coupa le son et remit le micro en place. « Pas mauvais discours », décida-t-il — une grosse carotte et un petit bâton.

A l'arrière, au poste des maîtres, un officier marinier s'était immobilisé, une miche de pain tiède à la main et contemplait curieusement le haut-parleur mural. Ce n'étaient pas les ordres qu'ils étaient censés exécuter. Etait-ce là vraiment la mission ? Le *michman* lui fit signe de retourner à son poste de quart avec un sourire ravi à la perspective d'une semaine à Cuba. Il avait entendu beaucoup d'histoires sur Cuba et sur les Cubaines et attendait avec impatience de vérifier si c'était bien vrai.

Au central, Ramius s'attarda. « Je me demande s'il y a des sous-marins américains dans les parages ?

— Oui, commandant, répondit son second, Borodine, qui était de quart. Voulez-vous sortir la chenille ?

— Affirmatif, camarade.

— Les deux machines, stop ! ordonna Borodine.

— Les deux machines, stop ! » Le chef de quart, un *starshina,* composa la position STOP sur le transmetteur d'ordres. Un instant plus tard, l'ordre était confirmé au cadran et, quelques secondes après, le bourdonnement sourd des moteurs cessa.

Borodine décrocha le téléphone et pressa le bouton du compartiment machines.

« Camarade ingénieur, paré à sortir la chenille. »

Ce n'était pas le nom officiel du nouveau système de propulsion qui, en fait, n'avait pas d'autre nom qu'un numéro de projet. Ce surnom de *chenille* avait été attribué par un jeune ingénieur qui avait participé à la construction du sous-marin. Ni Ramius ni Borodine ne savaient pourquoi mais, comme cela se produit souvent avec les surnoms, celui-ci était resté.

« Paré, camarade Borodine, répondit l'ingénieur un instant plus tard.

— Ouvrez les portes avant et arrière », ordonna ensuite Borodine.

Le *michman* de quart leva le bras vers le tableau de contrôle et manœuvra quatre boutons de commande, dont les lumineux passèrent au vert. « Portes ouvertes, camarade.

— Chenille en route. Montez doucement à treize nœuds.

— Bien compris, montez en allure progressive à un-trois », répéta l'ingénieur.

La machine, qui s'était momentanément tue, émettait à présent un son nouveau. Les bruits de moteur étaient plus sourds, et très différents de ce qu'ils avaient été. Quant à ceux du réacteur, provenant essentiellement des pompes de circulation de l'eau de refroidissement, ils étaient presque imperceptibles. La chenille n'utilisait pas beaucoup d'énergie. Au poste du *michman,* le loch, qui était tombé à cinq nœuds, commença à remonter doucement. A l'avant du local des missiles, dans un recoin réservé au logement de l'équipage, les quelques hommes endormis s'agitèrent brièvement sur leurs couchettes en entendant un grondement intermittent à l'arrière et le bruit des moteurs à quelques mètres d'eux, séparé par la coque. Ils étaient suffisamment fatigués, dès leur premier jour en mer, pour ignorer le bruit et protéger leurs précieuses heures de sommeil.

« Chenille en route, commandant, annonça Borodine.

— Bien. Gouvernez au deux-six-zéro, ordonna Ramius.

— Deux-six-zéro, camarade. » Le barreur vint à gauche.

A bord du sous-marin américain Bremerton

A trente milles au nord-est, le *Bremerton* avait le cap au deux-deux-cinq, et sortait de la banquise. Sous-marin nucléaire d'attaque de type 688, le *Bremerton* se trouvait en mission de renseignement électronique dans la mer de Kara quand il avait reçu l'ordre de se diriger à l'ouest vers la péninsule de Kola. Le sous-marin lance-missiles soviétique n'était pas censé prendre la mer avant une semaine, et le commandant du *Bremerton* se sentit contrarié par ce nouveau contretemps. Il aurait été placé pour pister *Octobre rouge* si ce dernier avait respecté l'horaire prévu. Mais, même ainsi, les veilleurs du *Bremerton* avaient repéré le sous-marin soviétique quelques minutes plus tôt, malgré la vitesse de quatorze nœuds de leur sous-marin.

« Ici sonar, commandant. »

Le commandant Wilson prit l'appareil. « J'écoute.

— Contact perdu, commandant. Ses machines sont arrêtées depuis quelques minutes et ne redémarrent pas. Il y a d'autres activités à l'est, mais le lance-missiles fait le mort.

— Parfait. Il a dû régler l'allure au plus bas. Nous allons le rattraper en douceur. Veillez bien, mon vieux. » Tout en réfléchissant, le commandant Wilson se dirigea vers la table à cartes. Les deux officiers de quart, qui étaient responsables de la poursuite et qui venaient justement de tracer le relèvement du contact, levèrent la tête pour savoir ce qu'en pensait leur commandant.

« A sa place moi, j'augmenterais l'immersion et je viendrais très lentement par ici. » Wilson traça un cercle approximatif sur la carte, autour de la position d'*Octobre rouge*. « Alors approchons-nous. Réduisons la vitesse à cinq nœuds, et voyons si nous pouvons retrouver le bruit de ses réacteurs. » Wilson se tourna vers l'officier de quart. « Réduisez à cinq nœuds.

— Bien, commandant. »

A Severomorsk, URSS

Dans l'immeuble de la poste centrale de Severomorsk, un employé du tri, furieux, regardait un camionneur jeter un gros sac de toile sur sa table de travail avant de ressortir. Il était en retard — enfin, pas vraiment en retard, devait admettre l'employé, puisque jamais, en cinq ans, cet imbécile n'était arrivé à l'heure. C'était un samedi, et il enrageait de devoir travailler. La semaine de quarante-quatre heures existait déjà depuis plusieurs années en Union soviétique.

Malheureusement, ce progrès n'avait jamais affecté les services publics vitaux, comme la distribution du courrier. Et il était donc là, à travailler encore six jours par semaine, et sans supplément de salaire ! Une honte, se disait-il — il le répétait assez souvent chez lui, en jouant aux cartes avec ses collègues de travail, autour d'une bouteille de vodka et d'un plat de concombres.

Il dénoua la ficelle et renversa le sac. Plusieurs petits sacs tombèrent. Inutile de se presser. Ce n'était que le début du mois, et ils disposaient encore de plusieurs semaines pour expédier d'un côté de l'immeuble à l'autre leur quota de lettres et de paquets. En Union soviétique, tout travailleur est un employé de l'Etat, et l'on dit volontiers : tant que les patrons feront semblant de nous payer, nous ferons semblant de travailler.

Il ouvrit un petit sac de courrier et en tira une enveloppe d'allure très officielle, adressée à l'Administration politique centrale de la marine, à Moscou. L'employé marqua un temps d'arrêt, l'enveloppe à la main. Elle provenait sans doute d'un des sous-marins basés à Polyarny, de l'autre côté du fjord. Que disait cette lettre ? se demandait l'employé du tri, jouant à ce petit jeu mental qui amuse tous les postiers du monde. Etait-ce l'annonce que tout était prêt pour l'attaque finale contre l'impérialisme occidental ? Ou bien une liste des membres du Parti qui étaient en retard pour payer leurs cotisations, ou encore une réclamation pour une nouvelle allocation de papier hygiénique ? Impossible à dire. Ces sous-mariniers ! Tous des *prime donne* — jusqu'aux jeunes matelots frais émoulus de leurs fermes, qui avaient encore de la merde entre les doigts de pied et qui paradaient pourtant comme des membres de l'élite du Parti.

Cet employé avait soixante-deux ans. Dans la Grande Guerre patriotique, il avait servi sur un tank, dans un corps attaché au premier front ukrainien de Konev. Voilà, se disait-il, voilà un vrai travail d'homme, à servir sur l'un de ces énormes tanks de combat, pour se lancer à la poursuite de ces soldats d'infanterie allemands qui se terraient lâchement dans leurs trous. Quand il fallait faire quelque chose contre ces bons à rien, on le *faisait !* Mais maintenant, qu'était-il advenu des combattants soviétiques ? Ils vivaient à bord de luxueux vaisseaux, avec des vivres en abondance et de bons lits douillets ! Le seul lit vraiment chaud qu'il eût jamais eu, c'était au-dessus de la bouche de ventilation du diesel de son tank — et encore, il avait dû se battre pour l'avoir ! C'était fou, ce que le monde était devenu. De nos jours, les marins se comportaient en princes tsaristes, et ils écrivaient des tonnes de lettres en appelant cela du travail. Ces garçons choyés ne savaient rien de la dureté de la vie. Et leurs privilèges ! Le moindre mot qu'ils écrivaient devenait courrier prioritaire. Des lettres pleurnichardes à leurs petites amies, pour la plupart, et il était là à trier tout ce fatras un samedi, pour que leurs péronnelles reçoivent leur courrier au plus vite — alors que les réponses ne pourraient pas leur parvenir avant deux semaines. Ce n'était décidément plus comme dans le bon vieux temps.

D'une pichenette, le postier expédia l'enveloppe vers le sac du courrier par surface à destination de Moscou, à l'extrémité de sa table de travail. La lettre manqua son but, et tomba sur le sol en ciment. Elle parviendrait un jour plus tard à bord du train. Le postier s'en moquait bien. Il y avait ce soir un match de hockey, le plus important de la saison : l'Armée centrale contre les Ailes. Il avait parié un litre de vodka sur les Ailes.

A Morrow, Angleterre

« Le plus grand succès populaire de Halsey constitua également sa plus grande erreur. En posant au héros populaire d'une agressivité légendaire, l'amiral allait aveugler les générations à venir sur ses remarquables aptitudes intellectuelles et son instinct de joueur... » Jack Ryan fronça le sourcil en contemplant son ordinateur. Cela sonnait trop comme une thèse de doctorat, et il en avait déjà fait une. Il envisagea d'effacer tout le passage de la disquette, mais décida de n'en rien faire. Il lui fallait suivre cette ligne de raisonnement pour son introduction. Bien qu'elle fût mauvaise, elle servait de guide à ce qu'il voulait dire. Pourquoi l'introduction semblait-elle toujours constituer la partie la plus ardue d'un livre d'histoire ? Depuis trois ans qu'il travaillait à cette biographie de l'amiral américain William Halsey, la quasi-totalité du livre était enregistrée sur une demi-douzaine de disquettes étalées autour de son ordinateur Apple.

« Papa ? » La fille de Ryan le dévisageait.

« Ah, comment va ma petite Sally, ce matin ?

— Bien. »

Ryan la souleva et la posa sur ses genoux, en prenant soin de reculer sa chaise pour s'écarter du clavier. Sally savait tout sur les jeux et les programmes éducatifs, et il lui arrivait de penser que cela l'autorisait aussi à manipuler l'ordinateur de son père. Et cela avait un jour entraîné la perte de vingt mille mots de manuscrit enregistré. Cela avait également fini par une fessée.

Elle appuya sa tête sur l'épaule de son père.

« Cela n'a pas l'air d'aller. Qu'est-ce qui tourmente ma petite fille ?

— Eh bien, tu vois, papa, c'est bientôt Noël et... je ne suis pas sûre que le Père Noël sache où nous trouver. Nous ne sommes plus au même endroit que l'année dernière.

— Ah ! je comprends. Et tu as peur qu'il ne vienne pas ?

— Oui.

— Pourquoi ne me l'as-tu pas demandé avant ? Bien sûr, qu'il va venir ici. C'est promis.

— Pour de bon ?

— Oui, c'est promis.

— Bon. » Elle embrassa son père et quitta la pièce en courant, pour retourner voir les dessins animés à la télévision. Ryan était ravi de cette interruption. Il ne voulait pas oublier de faire quelques achats quand il irait à Washington. Où était donc... ah oui. Il tira une disquette d'un tiroir et la glissa dans l'ordinateur. Il dégagea l'écran, et fit apparaître sa liste de Noël — tout ce qu'il lui fallait encore acheter. D'un simple geste, il établit une copie de la liste sur l'imprimante, puis détacha le feuillet et le rangea dans son portefeuille. Le travail ne lui disait rien, ce samedi matin. Il décida de jouer plutôt avec ses enfants. Après tout, il allait rester coincé à Washington pendant presque toute la semaine suivante.

A bord du V. K. Konovalov

En barrage, le sous-marin soviétique *V. K. Konovalov* patrouillait en mer de Barents à trois nœuds par fond de sable dur. Il était dans l'angle sud-ouest du carreau 54-90 et, depuis dix heures, il se déplaçait lentement sur son côté nord-sud, en attendant l'arrivée d'*Octobre rouge* pour l'exercice Gel d'octobre. Le commandant Viktor Alexievitch Tupolev faisait tranquillement les cent pas autour du périscope, au central de son rapide petit sous-marin d'attaque. Il attendait son ancien maître, et espérait lui jouer quelques bons tours. Il avait servi deux ans avec le maître. Il s'en souvenait comme de deux bonnes années et, tout en jugeant son ancien commandant un peu cynique, surtout en ce qui concernait le Parti, il n'aurait pas hésité à témoigner de la compétence et de l'habileté de Ramius.

Et des siennes propres non plus. Tupolev était maintenant dans sa troisième année de commandement, après avoir été l'un des élèves-vedettes du maître. Son bâtiment actuel était un Alfa tout neuf, le sous-marin le plus rapide qui eût jamais été construit. Un mois auparavant, tandis que Ramius équipait *Octobre rouge* après sa première sortie d'essai, Tupolev et trois de ses officiers étaient allés tout exprès voir le prototype destiné à l'expérimentation du nouveau système de propulsion. Long de trente-deux mètres, ce petit sous-marin diesel électrique était basé en Caspienne, loin des regards des espions impérialistes et protégé de leurs satellites photographiques par un hangar couvert. Ramius avait collaboré à la mise au point de la chenille, et Tupolev y reconnaissait la marque du maître. Le sous-marin à chenille serait virtuellement impossible à détecter. Pas totalement impossible, cependant. Après avoir suivi le prototype pendant une semaine dans le nord de la mer Caspienne, à bord d'une embarcation silencieuse équipée du meilleur matériel sonar passif que son pays eût jamais produit, il pensait avoir trouvé un défaut. Pas gros, mais juste assez gros pour qu'on pût l'exploiter.

Bien entendu, le succès n'était nullement garanti. Il ne se mesurait pas seulement à une machine, mais aussi à son commandant. Tupolev connaissait admirablement la zone d'exercice. La qualité isothermique de l'eau était presque parfaite ; il n'existait pas de couche thermique sous laquelle pût se dissimuler un sous-marin. Ils étaient suffisamment loin des embouchures des fleuves du nord de la Russie pour n'avoir pas à se préoccuper des interférences imputables aux variations de salinité. Le *Konovalov* était doté des meilleurs équipements sonar construits par l'Union soviétique, copiés fidèlement sur les DUUV-23 français, et même améliorés, à en croire les techniciens.

Tupolev avait l'intention d'imiter la tactique américaine consistant à avancer très lentement, avec juste assez de vitesse pour maintenir l'immersion dans un silence absolu, jusqu'à ce qu'*Octobre rouge* croise sa route. Il le suivrait alors de très près, en notant chaque changement de cap et d'allure, afin de montrer au maître, quand ils compareraient leurs journaux dans quelques semaines, que son ancien élève l'avait battu à son propre jeu. Il était bien temps que quelqu'un le fît.

« Du nouveau au sonar ? » Tupolev devenait nerveux. La patience n'était pas son fort.

« Rien de nouveau, commandant. » Le *starpom* tapota l'X indiquant la position sur la carte du *Rokossovski,* un sous-marin lance-missiles de la classe Delta qu'ils suivaient depuis plusieurs heures dans le même secteur d'exercice. « Notre ami continue à tracer un cercle lent. Pensez-vous que le *Rokossovski* soit là dans l'intention de nous embrouiller ? Serait-ce le commandant Ramius qui l'a envoyé, pour nous compliquer la tâche ? »

Cette pensée avait effleuré Tupolev.

« Peut-être, mais c'est peu probable. Korov en personne a organisé cet essai. Nos ordres de mission étaient scellés, et ceux de Marko devaient l'être aussi. Il est cependant vrai que l'amiral Korov est un vieil ami de notre cher Marko. » Tupolev se tut un moment, puis secoua la tête. « Non. Korov est un homme d'honneur. Je présume que Ramius procède ainsi, le plus lentement possible, pour nous rendre nerveux et nous obliger à nous poser des questions. Il sait sûrement que nous devons le pister et va s'organiser en conséquence. Sans doute va-t-il pénétrer dans le secteur sous un angle inattendu — ou en tout cas, nous le donner à penser. Vous n'avez jamais servi sous Ramius, lieutenant. C'est un vrai renard, rusé et plein d'expérience. Nous allons continuer à patrouiller comme nous le faisons pendant encore quatre heures. Si d'ici là nous ne l'avons pas retrouvé, nous passerons dans le carreau jusqu'à son coin sud-est, et avancerons peu à peu jusqu'au centre. Oui. »

Pas un seul instant Tupolev n'avait envisagé que ce pût être facile. Jamais aucun commandant de sous-marin d'attaque n'était parvenu à embarrasser Ramius, et il était bien décidé à être le premier. La difficulté de la tâche ne ferait que confirmer sa propre habileté. D'ici un an ou deux, Tupolev avait bien l'intention de devenir le nouveau maître.

LE TROISIÈME JOUR

Dimanche 5 décembre

*A bord d'*Octobre rouge

Octobre rouge n'avait pas d'heure spécifique. Pour lui, le soleil ne se levait ni ne se couchait, et les jours de la semaine ne signifiaient pas grand-chose. Contrairement aux navires de surface, qui adoptent l'heure locale là où ils se trouvent, les sous-marins se conforment habituellement à une heure de référence unique. Pour les sous-marins américains, il s'agit de « Zoulou » — l'heure de Greenwich. Pour *Octobre rouge,* c'était l'heure de Moscou, qui, d'après les normes habituelles, avait en fait une heure d'avance, pour économiser l'énergie.

Ramius arriva au central vers le milieu de la matinée. Au cap deux-cinq-zéro, vitesse treize nœuds, le sous-marin était à trente mètres au-dessus du fond, à la bordure ouest de la mer de Barents. D'ici quelques heures, le fond allait chuter à une profondeur abyssale, ce qui lui permettrait de descendre beaucoup plus bas. Ramius commença par étudier la carte, puis les nombreux tableaux de bord qui couvraient les deux cloisons. Il nota ensuite plusieurs remarques dans le journal d'opérations.

« Ivanov ! lança-t-il d'un ton bref au jeune officier de quart.

— Oui, commandant ! » Frais émoulu de l'Ecole du Komsomol de Lénine à Leningrad, Ivanov était un jeune homme pâle, maigre et plein d'ardeur.

« Je vais convoquer une réunion des officiers supérieurs. Pendant ce temps, vous serez l'officier de quart. C'est votre première mission, Ivanov. Cela vous plaît-il ?

— C'est bien plus intéressant que je ne l'avais espéré, commandant, répondit Ivanov avec plus de confiance qu'il ne pouvait en éprouver réellement.

— Parfait. J'ai pour habitude de donner aux jeunes officiers autant de responsabilités qu'ils peuvent en assumer. Pendant que les officiers supérieurs tiendront leur réunion politique hebdomadaire, c'est *vous* qui aurez la haute main sur le bâtiment ! La sécurité du sous-marin et de tout l'équipage se trouve sous *votre* responsabilité ! On vous a enseigné tout ce que vous avez besoin de savoir, et mes instructions se trouvent dans ce registre. Si nous détectons un autre sous-marin ou un navire de surface, vous m'en ferez aussitôt avertir, et commencerez la manœuvre d'évasion. Des questions ?

— Non, commandant. » Ivanov se tenait au garde-à-vous.

« Bien. » Ramius sourit. « Pavel Ilych, vous vous rappellerez toujours ce moment comme l'un des plus grands de votre vie. Je le sais, car je me souviens encore de mon premier quart. N'oubliez pas vos ordres, ni vos responsabilités ! »

La fierté étincelait dans les yeux du jeune homme. Dommage pour lui, ce qui allait lui arriver, se surprit à songer Ramius, resté très professeur. Ivanov semblait précisément avoir l'étoffe d'un bon officier.

Ramius se dirigea d'un pas décidé vers le bureau du médecin.

« Bonjour, docteur.

— Bonjour, commandant. Est-ce l'heure de notre réunion politique ? » Petrov était plongé dans la lecture du manuel concernant le nouvel appareil radiographique du sous-marin.

« Oui, en effet, mais je ne tiens pas à ce que vous y assistiez. J'ai autre chose pour vous. Pendant la réunion des officiers supérieurs, j'ai placé trois nouveaux au quart de la salle de contrôle et des machines.

— Ah ? » Les yeux de Petrov s'écarquillèrent. C'était la première fois depuis plusieurs années qu'il se trouvait à bord d'un sous-marin.

Ramius sourit. « Détendez-vous, camarade. Entre le carré des officiers et le central, j'en ai pour vingt secondes, comme vous le savez, et le camarade Melekhine peut regagner son précieux réacteur dans le même délai. Tôt ou tard, nos jeunes officiers doivent apprendre à devenir autonomes. Je préfère qu'ils apprennent tôt. Je voudrais donc que vous les gardiez à l'œil. Je sais qu'ils disposent tous des connaissances suffisantes pour faire leur devoir. Mais je veux savoir s'ils en ont le tempérament. Si c'est Borodine ou moi-même qui les surveillons, ils ne se comporteront pas normalement. Et de toute façon, il s'agit d'un jugement médical, non ?

— Ah, vous voulez que j'observe comment ils réagissent à leurs responsabilités ?

— Oui, sans la pression de se sentir observés par leurs officiers supérieurs, expliqua Ramius. Il faut savoir donner aux jeunes l'occasion de s'affirmer — mais pas trop. Si vous remarquez quelque chose d'anormal, rendez-moi compte aussitôt. Mais il ne devrait y avoir aucun problème. Nous sommes en haute mer, il n'y a aucun navire dans les parages, et le réacteur ne tourne qu'à une fraction de sa puissance totale. Cette première épreuve offerte à nos jeunes officiers devrait se dérouler sans difficulté. Trouvez un prétexte pour aller et venir, et garder ainsi un œil sur les gamins. Posez-leur des questions sur ce qu'ils font ! »

Petrov se mit à rire. « Ah, et vous espérez sans doute que j'en profiterai pour m'instruire un peu, commandant ? On m'a parlé de vous, à Severomorsk. Très bien, on fera comme vous dites ! Mais ce sera la première réunion politique que je manque depuis bien des années.

— D'après ce que j'ai pu lire dans votre dossier, mon cher Yevgeni Konstantinovitch, vous pourriez enseigner la doctrine du Parti au Politburo. » « Mais cela en dit long sur vos compétences médicales », ajouta intérieurement Ramius.

Le commandant rejoignit ses officiers au carré, où ils l'attendaient. Un steward avait apporté des pots de thé, ainsi que des tranches de pain noir et du beurre. Ramius jeta un rapide coup d'œil vers le coin de la table. La tache de sang était depuis longtemps nettoyée, mais il se rappelait exactement l'aspect qu'elle avait eu. Cela représentait une différence notable entre lui-même et l'homme qu'il avait tué. Ramius, lui, avait une conscience. Avant de s'asseoir, il se retourna pour fermer la porte à clé. Ses officiers étaient tous au garde-à-vous, mais assis car la pièce n'était pas assez grande pour qu'ils pussent y tenir debout quand les sièges étaient déployés.

En mer, les réunions politiques se déroulaient habituellement le dimanche. Et normalement, c'était Poutine qui aurait officié, lisant des éditoriaux de la *Pravda,* suivis de citations choisies des œuvres de Lénine, puis d'une discussion sur les leçons à retenir de ces lectures. Cela ressemblait tout à fait à un service religieux.

Avec la disparition du *zampolit,* la direction de la réunion incombait désormais au commandant, mais Ramius doutait que le règlement eût prévu le type de discussion qui était à l'ordre du jour. Tous les officiers présents trempaient dans la conspiration. Ramius retraça les grandes lignes du projet — il y avait eu quelques changements mineurs, qu'il n'avait pas encore eu le loisir de leur signaler. Puis il leur parla de la lettre.

« Ainsi donc, observa Borodine, pas question de revenir en arrière.

— Nous nous sommes tous mis d'accord sur l'action à suivre. Nous y sommes désormais engagés. » Leurs réactions à ses paroles furent exactement telles qu'il l'avait prévu — calmes. Et c'était normal. Ils étaient tous célibataires : aucun ne laissait derrière lui de femme ni d'enfant. Tous étaient membres du Parti, jouissant d'une bonne réputation, tous à jour dans leurs cotisations jusqu'à la fin de l'année, et portant leur carte du Parti comme il le fallait, c'est-à-dire « sur leur cœur ». Et chacun partageait avec ses camarades une profonde insatisfaction, pouvant aller jusqu'à la haine, à l'égard du gouvernement soviétique.

Le projet était né peu de temps après la mort de sa très chère Natalia. La rage qu'il avait presque inconsciemment refoulée pendant toute sa vie avait explosé avec une violence et une passion qu'il n'avait pu contenir qu'au prix d'un effort considérable. Une vie entière de maîtrise de soi lui avait permis de la dissimuler, et une vie entière d'expérience navale lui avait permis de choisir un but digne de sa fureur.

Ramius n'avait pas encore commencé d'aller à l'école, lorsqu'il avait pour la première fois entendu d'autres enfants lui parler de ce qu'avait fait son père Aleksandre en Lituanie en 1940, puis après la prétendue libération de ce pays en 1944. Les enfants ne faisaient que répéter ce que chuchotaient leurs parents. Une petite fille avait raconté à Marko une histoire qu'il répéta à Aleksandre et, à sa plus grande horreur, le père de la petite fille disparut. Pour cette erreur involontaire, Marko se retrouva étiqueté comme « cafteur ». Torturé par ce qualificatif qui lui était imposé pour avoir commis un crime — qui, selon l'Etat, n'en était d'ailleurs pas un — dont la monstruosité n'avait depuis lors jamais cessé de lui tourmenter la conscience, il n'avait plus jamais rien répété.

Pendant les années formatrices de sa vie, cependant que Ramius père dirigeait le comité central du parti lituanien à Vilnius, l'enfant privé de mère avait grandi chez sa grand-mère paternelle, comme cela se faisait assez couramment dans ce pays dévasté par quatre années de guerre sanglante. Elle avait vu son fils unique la quitter très jeune pour rejoindre les gardes rouges de Lénine et, pendant son absence, elle avait conservé ses anciennes habitudes, allant chaque jour à la messe jusqu'en 1940, et gardant à l'esprit l'éducation religieuse qu'elle avait reçue. Ramius se souvenait d'elle comme d'une vieille femme aux cheveux argentés, qui lui racontait de merveilleuses histoires pour l'endormir. Des histoires religieuses. Elle aurait couru un trop grand danger en menant Marko aux cérémonies religieuses qui n'avaient jamais pu être totalement supprimées, mais elle était parvenue à le faire baptiser peu après que son père l'eut abandonné chez elle. Jamais elle n'en avait parlé à Marko. Le risque eût été trop grand. Le catholicisme avait été violemment réprimé dans les Etats baltes. En grandissant, Marko avait appris que le marxisme-léninisme était un dieu jaloux, et que c'était une religion qui ne tolérait aucune concurrence.

Le soir, sa grand-mère Hilda lui racontait des histoires tirées de la Bible, dont chacune enseignait une leçon sur le bien et le mal, sur la vertu et sur les récompenses. Dans son enfance, il les avait simplement jugées divertissantes, mais il n'en avait cependant jamais parlé à son père, car déjà il savait qu'Aleksandre s'y serait opposé. Lorsque Ramius père avait repris le contrôle de la vie de son fils, cette éducation religieuse s'était estompée dans la mémoire de Marko mais, s'il ne s'en souvenait plus vraiment, il ne l'avait toutefois pas oubliée complètement.

Dès sa prime jeunesse, Ramius avait senti, plus qu'il n'avait su, que le communisme soviétique négligeait une aspiration essentielle de l'être humain. Parvenu à l'adolescence, il avait instauré une certaine cohérence dans ses impressions. Le bien du Peuple constituait un objectif assez louable mais, en niant l'existence de l'âme comme élément permanent de la personne humaine, le marxisme détruisait les fondements de la dignité humaine et de la valeur individuelle. Il écartait également la mesure objective de la justice et de la morale qui, de l'avis de Ramius, constituait le principal apport de la religion à la vie civilisée. Depuis le début de son existence adulte, Marko avait une opinion bien établie sur le bien et le mal, qu'il ne partageait guère avec l'Etat. Cette opinion personnelle lui donnait un moyen d'évaluer ses actions et celles des autres. Il prenait grand soin de n'en rien laisser paraître, mais elle servait d'ancre à son âme et, comme toutes les ancres, elle demeurait enfouie au-dessous de la surface visible.

Alors même que le jeune garçon se débattait dans les premiers doutes concernant sa patrie, personne n'aurait pu s'en douter. De même que tous les enfants soviétiques, Ramius avait adhéré au mouvement des petits octobristes, puis des jeunes pionniers. Il défilait devant les sanctuaires militaires en bottes cirées et foulard rouge, et montait gravement la garde devant la dépouille mortelle de quelque soldat inconnu, en serrant sur son cœur une mitraillette déchargée, et le dos bien droit devant la flamme éternelle. La solennité d'une telle tâche n'avait rien d'accidentel. Dans sa jeunesse, Marko était persuadé que les hommes courageux, dont il gardait les tombeaux avec tant de ferveur, avaient trouvé la mort avec ce même dévouement héroïque qu'il pouvait admirer dans les innombrables films de guerre qui passaient dans le cinéma de son quartier. Ils avaient combattu les Allemands tant haïs pour protéger les femmes, les enfants et les vieillards restés à l'arrière. Et tel le fils d'un aristocrate de l'ancienne Russie, il s'enorgueillissait particulièrement d'être le fils d'un dirigeant du Parti. Le Parti, avait-il entendu plus de cent fois avant même d'atteindre l'âge de cinq ans, était l'Ame du Peuple ; l'unité du Parti, le Peuple et la Nation, telle était la sainte trinité de l'Union soviétique, quoique l'un de ces éléments dominât nettement les deux autres. Son père s'assimilait aisément à l'image cinématographique d'un *apparatchik* du Parti. Sévère mais juste, il était aux yeux de Marko un homme souvent absent, bourru, qui rapportait à son fils tous les cadeaux qu'il pouvait trouver, et faisait en sorte qu'il pût bénéficier de tous les avantages auxquels était en droit de prétendre le fils d'un secrétaire du Parti.

Bien qu'il apparût comme l'enfant modèle soviétique, il se demandait intérieurement pourquoi tout ce qu'il apprenait de son père ou bien à l'école était en conflit avec les autres enseignements de sa jeunesse. Pourquoi certains parents empêchaient-ils leurs enfants de jouer avec lui ? Pourquoi, quand il passait près d'eux, ses camarades de classe chuchotaient-ils *stukatch,* épithète cruelle qui signifiait « cafteur » ? Son père et le Parti enseignaient que le rapportage constituait un acte patriotique, mais, pour l'avoir fait une fois, il se retrouvait en quarantaine. Il souffrait des insultes de ses camarades, mais jamais ne s'en était plaint à son père, sachant que c'eût été une chose terrible.

Quelque chose n'allait pas du tout — mais quoi ? Il avait décidé qu'il lui faudrait trouver les réponses tout seul. Par choix, Marko devint individualiste dans ses pensées et, sans le savoir, commit ainsi le plus grave péché du panthéon communiste. Apparaissant comme le fils modèle d'un membre du Parti, il jouait le jeu avec soin et respectait toutes les règles. Il faisait son devoir dans toutes les organisations du Parti, et il était toujours le premier à se porter volontaire pour les corvées réservées aux enfants qui aspiraient à devenir membres du Parti, car il savait que c'était là le seul moyen de parvenir au succès, ou même au confort, en Union soviétique. Il excellait en sport. Pas les sports d'équipe — il concentrait ses efforts sur les exercices où il pouvait concourir individuellement et se mesurer aux performances des autres. Au fil des ans, il apprit à faire de même dans tout ce qu'il entreprenait, à observer et juger les actes de ses compatriotes et de ses collègues officiers avec un détachement glacial, le visage muré dans une impassibilité qui dissimulait totalement ses conclusions personnelles.

Au cours de son huitième été, son existence subit un changement décisif. Comme personne ne voulait jouer avec « le petit *stukatch* », il descendait flâner sur la jetée du petit village de pêche où sa grand-mère s'était établie. Une flotte disparate de vieux bateaux en bois partait chaque matin, derrière un écran de patrouille côtière formé par le MGB — comme s'appelait alors le KGB — afin d'extorquer une humble moisson au golfe de Finlande. Leur pêche complétait en protéines le régime du village, et fournissait aux pêcheurs un minuscule revenu. L'un de ces patrons-pêcheurs était le vieux Sacha. Ancien officier de la marine du tsar, il s'était mutiné avec l'équipage du croiseur *Aurora,* participant à la chaîne d'événements qui avait changé la face du monde. Marko n'apprit que bien des années plus tard que l'équipage de l'*Aurora* avait rompu avec Lénine — et s'était fait massacrer par les gardes rouges. Sacha avait passé vingt ans dans les camps de travail pour son rôle dans cette indélicatesse collective, et n'avait été relâché qu'au début de la Grande Guerre patriotique. La *Rodina* s'était trouvée en grand besoin de marins expérimentés pour piloter les navires dans les ports de Mourmansk et d'Arkhangelsk, où les Alliés apportaient des armes, des vivres et les divers équipements qui permettent à une armée moderne de fonctionner. Sacha avait bien appris sa leçon, au goulag : il faisait son devoir efficacement, sans rien demander en retour. Après la guerre, il avait reçu une sorte de liberté, pour ses états de service : le droit d'effectuer un travail éreintant dans une atmosphère de suspicion permanente.

A l'époque de sa rencontre avec Marko, Sacha avait passé la soixantaine. Chauve, noueux, et l'œil perçant, il avait un talent de conteur qui laissait le garçon pantois. Il avait été aspirant sous le fameux amiral Makarov à Port-Arthur, en 1906. Makarov avait sans aucun doute été le plus grand navigateur de l'histoire russe, et sa réputation de patriote et de combattant était demeurée suffisamment lumineuse pour qu'un gouvernement communiste jugeât par la suite opportun de nommer un bâtiment porte-missiles à sa mémoire. Sacha avait commencé par se méfier de la réputation du garçon, mais il avait vite décelé en lui certains traits qui échappaient aux autres. Le garçon sans amis et le marin sans famille étaient devenus camarades. Pendant des heures et des heures d'affilée, Sacha racontait à Marko ses expériences sur le vaisseau amiral, le *Petropavlovsk,* et sa participation à l'unique victoire russe sur les Japonais si détestés — tout cela pour voir son navire couler, et son amiral sauter sur une mine en rentrant au port. Ensuite, Sacha avait entraîné ses hommes dans l'infanterie de marine, et gagné trois décorations pour son courage au front. Cette expérience — et il agitait gravement le doigt à l'adresse du garçon — lui avait fait prendre conscience de l'égoïste corruption du régime tsariste et l'avait convaincu de participer à l'un des premiers soviets de la marine, à une époque où cela revenait à signer son arrêt de mort entre les mains de la police secrète du tsar, l'*okhrana.* Il lui racontait sa propre version de la révolution d'Octobre, du passionnant point de vue d'un témoin direct. Mais Sacha prenait grand soin de ne rien révéler de la suite.

Il emmenait Marko en mer et lui enseignait les rudiments de la navigation, de telle sorte que, à peine âgé de neuf ans, l'enfant avait déjà décidé que la mer serait son destin. On avait en mer une liberté qui n'existait pas à terre. Et puis il y avait là quelque chose de romantique, qui touchait l'homme en devenir au sein de l'enfant. Il y avait également des dangers mais, au fil de l'été, Sacha enseigna clairement à l'enfant que la discipline, la science et une bonne préparation permettaient de faire face à n'importe quelle forme de danger; et que le danger affronté intelligemment ne devait pas inspirer de peur. Bien des années plus tard, Marko allait souvent réfléchir à l'importance qu'avait revêtu pour lui cet été, et se demander où aurait pu aller la carrière de Sacha, si d'autres événements ne l'avaient pas interrompue.

Marko parla de Sacha à son père vers la fin de ce long été baltique, et il l'emmena même pour lui présenter le vieux loup de mer. Impressionné par l'homme et ce qu'il avait fait pour son fils, Ramius père avait fait en sorte que Sacha se voie confier le commandement d'un bateau plus important, plus récent, et qu'il monte plus vite sur la liste d'attente pour obtenir un appartement. Marko faillit croire que le Parti était capable de bonnes actions — et que lui-même venait d'accomplir sa première bonne action d'homme. Mais Sacha mourut l'hiver suivant, et la bonne action ne servit à rien. Des années plus tard, Marko se rendit compte qu'il n'avait jamais su le nom de famille de son ami. Même après des années de bons et loyaux services envers la *Rodina,* Sacha était demeuré une non-personne.

A l'âge de treize ans, Marko se rendit à Leningrad pour entrer à l'Ecole Nakhimov. Et ce fut là qu'il décida de devenir, lui aussi, officier de marine. Marko allait poursuivre cette quête d'aventure qui, depuis des siècles, attirait les jeunes hommes vers la mer. L'Ecole Nakhimov offrait trois années de cours préparatoires aux jeunes gens qui souhaitaient faire une carrière navale. La marine soviétique n'était alors guère plus qu'une force de défense côtière, mais Marko souhaitait ardemment y entrer. Son père l'encourageait vivement à choisir la voie d'une carrière au sein du Parti, en lui promettant une promotion rapide, une existence confortable et privilégiée. Mais Marko ne voulait rien gagner que par son mérite personnel, il refusait d'être le simple successeur du « libérateur » de la Lituanie. Et la perspective d'une vie en mer lui ouvrait un tel espoir d'aventures et d'enthousiasmes qu'il en arrivait à tolérer l'idée de servir l'Etat. La marine n'avait guère de tradition sur laquelle s'appuyer. Marko sentait qu'il y trouverait la place de se développer, et observait que bien des élèves de l'Ecole navale étaient comme lui — sinon des réfractaires, tout au moins des esprits aussi indépendants qu'il était possible dans une société aussi étroitement surveillée. L'adolescent se régalait de sa première expérience de camaraderie.

A l'approche des examens de fin d'études, sa classe fut initiée aux diverses composantes de la flotte russe. Ramius eut le coup de foudre pour les sous-marins. Les navires de l'époque étaient petits, crasseux, et il y régnait une puanteur due aux cales ouvertes que l'équipage utilisait comme latrines. Parallèlement, les sous-marins constituaient l'unique arme offensive de la marine, et Marko n'aspirait qu'à servir du côté du tranchant. Il avait suivi assez de cours sur l'histoire navale pour savoir que, par deux fois, les sous-marins avaient failli étrangler l'empire maritime de l'Angleterre, et qu'ils avaient bel et bien émasculé l'économie japonaise. Cela lui avait causé un vif plaisir ; il était ravi que les Américains eussent écrasé la marine japonaise, qui avait si bien failli tuer son mentor.

Il sortit major de l'Ecole Nakhimov, remportant le sextant plaqué or pour sa maîtrise de la navigation théorique. En vertu de sa première place, Marko put entrer dans l'université de son choix. Il sélectionna la Haute Ecole navale pour la navigation sous-marine, VVMUPP, du Komsomol de Lénine, qui demeure la principale école de navigation sous-marine d'Union soviétique.

Les cinq années qu'il y passa furent les plus dures de sa vie, et ce d'autant plus qu'il était déterminé non à réussir, mais à exceller. Il fut chaque année premier, dans toutes les matières. Son mémoire sur la signification politique de la puissance navale soviétique fut transmis à Sergieï Georgiyevitch Gorchkov, alors commandant en chef de la flotte de la Baltique, et visiblement l'homme de l'avenir de la marine soviétique. Gorchkov avait fait publier l'essai dans *Morskoï Sbornik* (« Revue maritime »), la principale revue navale de l'Union soviétique. C'était un véritable modèle de pensée progressiste, dans la ligne du Parti, et citant Lénine à six reprises.

Le père de Marko était alors candidat au Praesidium, comme on appelait le Politburo, et son fils lui inspirait une grande fierté. Ramius père n'était point sot. Il avait fini par comprendre que la Flotte rouge était en pleine croissance, et que son fils y tiendrait un jour un rôle important. Son influence accélérait la carrière de son fils.

A trente ans, Marko avait son premier commandement, et venait de se marier. Natalia Bogdanova était la fille d'un autre membre du Praesidium, dont les responsabilités lui avaient fait parcourir le monde entier, avec sa famille. Natalia n'avait jamais eu une bonne santé, et ses trois grossesses s'étaient terminées par des fausses couches, dont la dernière avait bien failli la tuer. C'était une jolie femme délicate, raffinée suivant les critères russes, et qui aidait son mari à améliorer sa connaissance passable de l'anglais par la lecture de livres américains et anglais — des ouvrages politiquement reconnus, bien sûr, surtout des auteurs occidentaux engagés à gauche, mais aussi quelques œuvres de vraie littérature, et en particulier d'Upton Sinclair, d'Hemingway, de Mark Twain. Natalia avait représenté, avec sa carrière navale, le cœur même de son existence. Les longues absences et les joyeux retours qui émaillaient leur vie conjugale rendaient leur amour plus précieux encore.

Lorsque commença la construction de la première série de sous-marins nucléaires soviétiques, Marko se retrouva sur les chantiers à apprendre comment étaient conçus, puis fabriqués, les requins d'acier. Il eut tôt fait d'acquérir la réputation d'un homme dur à satisfaire, dans son rôle de jeune inspecteur du contrôle de la qualité. Sa survie, il s'en rendait compte, dépendrait du travail de ces soudeurs et de ces ajusteurs si souvent ivres. Il devint un véritable expert en ingénierie nucléaire, fut *starpom* pendant deux ans, et reçut son premier commandement nucléaire. C'était un sous-marin d'attaque de type Novembre, première ébauche des Soviétiques pour construire un bâtiment stratégique qui pût jouer un vrai rôle dans une guerre, en menaçant les navires et lignes de communication occidentales. Moins d'un mois plus tard, un bâtiment jumeau se trouvait en panne de réacteur dans les eaux norvégiennes, et Marko arriva sur place le premier. Suivant les ordres reçus, il parvint à sauver l'équipage puis coula le sous-marin afin que les marines occidentales n'en découvrent pas les secrets. Il accomplit ces deux tâches avec une parfaite efficacité, ce qui représentait un remarquable tour de force pour un jeune commandant. Il avait toujours jugé important de récompenser la réussite chez ses subordonnés, et le commandant supérieur du moment partageait ce sentiment. Marko fut bientôt muté sur un nouveau sous-marin de type Charles.

C'étaient des hommes comme Ramius qui faisaient des sorties pour narguer les Anglais et les Américains. Marko ne conservait guère d'illusions. Il savait que les Américains bénéficiaient d'une longue expérience dans le domaine de la guerre navale — leur plus grand combattant, Jones, avait naguère servi dans la marine russe, sous la tsarine Catherine. L'habileté de leurs sous-mariniers était légendaire, et Ramius se trouvait confronté aux derniers des Américains rompus à la guerre, des hommes qui avaient surmonté la terrible peur du combat sous-marin et avaient écrasé une marine moderne. Le redoutable jeu de cache-cache qu'il menait avec eux était difficile, d'autant plus que leurs sous-marins avaient des années d'avance sur ceux de l'Union soviétique. Mais on remportait tout de même quelques succès.

Ramius, peu à peu, avait appris à jouer suivant les normes américaines, en formant soigneusement ses hommes et ses officiers. Il disposait rarement d'équipages aussi bien entraînés qu'il l'aurait voulu — cela demeurait le problème majeur de la marine soviétique — mais alors que tant d'autres commandants se contentaient de maudire leurs hommes en cas d'échec, Marko s'imposait de corriger ces échecs. Son premier sous-marin de type Charles s'appelait *Académie Vilnius*, en partie pour railler ses origines à demi lituaniennes — bien que, depuis sa naissance à Leningrad d'un père de Grande Russie, son passeport l'eût désigné comme Grand Russe — mais surtout pour reconnaître que les officiers arrivaient chez lui avec une formation insuffisante, et repartaient prêts pour l'avancement, pour des postes de commandement. Il en allait de même pour ses hommes d'équipage. Ramius n'admettait pas les brimades excessives qui se pratiquaient normalement dans les bas échelons de l'armée soviétique. Il jugeait de son devoir de former des marins, et obtenait un taux de réengagements plus élevé qu'aucun autre commandant de sous-marins. Dans les forces sous-marines de la Flotte du nord, neuf *michmaniy* sur dix étaient des professionnels formés par Ramius. Les autres commandants étaient toujours ravis d'avoir à bord ses *starshini,* à qui il arrivait d'ailleurs assez souvent de fréquenter ensuite une école d'officiers.

Après dix-huit mois de dur labeur et de formation intensive, Marko et son *Académie Vilnius* étaient prêts à jouer leur partie de renard contre les chiens. Il rencontra au large de la Norvège le *Triton* américain, et le pourchassa impitoyablement pendant douze heures. Par la suite, il fut ravi d'apprendre que le *Triton* avait été retiré du service peu de temps après, parce que, disait l'explication officielle, ce bâtiment encombrant s'était révélé impuissant face aux nouveaux modèles soviétiques. Quant aux sous-marins diesel anglais et norvégiens qu'il avait eu l'occasion de croiser lors de ses plongées, il les avait traqués sans répit, et bien souvent en les attaquant vicieusement au sonar. Il parvint même une fois à entrer en contact avec un sous-marin lance-missiles américain, et à maintenir ce contact pendant près de deux heures avant qu'il ne disparaisse comme un fantôme dans les eaux noires.

La rapide croissance de la marine soviétique et son besoin d'officiers qualifiés, au début de la carrière de Ramius, évita à celui-ci de suivre les cours de l'Académie Frunze, qui constituait normalement une étape de carrière *sine qua non* dans toutes les armes. Située à Moscou près de l'ancien monastère Novodevichy, ainsi nommée à la mémoire d'un héros de la Révolution, l'Académie Frunze était l'école dont rêvait quiconque aspirait à un poste de haut commandement et, bien qu'il n'en eût pas suivi les cours, les prouesses opérationnelles de Ramius lui avaient valu d'y obtenir un poste d'instructeur. Il s'agissait là d'un honneur obtenu par le seul mérite de sa valeur personnelle, et son père si haut placé n'y était pour rien. C'était important pour Ramius.

Le directeur de la section navale de Frunze aimait présenter Marko comme « le pilote d'essai de nos sous-marins ». Ses cours devinrent rapidement une attraction fort prisée non seulement des stagiaires, mais aussi de tous ceux qui venaient l'écouter parler d'histoire navale et de stratégie maritime. Pendant les week-ends qu'il passait dans la datcha officielle de son père, dans le village de Zhukova-1, il écrivait des manuels sur les opérations sous-marines, pour la formation des équipages, ainsi que des théories détaillées sur l'offensive sous-marine idéale. Certaines de ses idées ouvraient des controverses assez vives pour que son ancien maître, Gorchkov, devenu commandant en chef de la marine soviétique, en fût troublé — mais cela ne déplaisait pas vraiment au vieil amiral.

Ramius proposait que les officiers sous-mariniers fussent limités à un seul type de sous-marins — mieux encore, au même sous-marin

— pendant plusieurs années, afin qu'ils pussent apprendre au mieux leur métier et les possibilités de leur bâtiment. Les commandants compétents, suggérait-il, ne devaient pas être forcés de quitter leur commandement pour des promotions de type administratif. Il louait en passant la tradition de l'Armée rouge, qui consistait à laisser les officiers de commandement en poste aussi longtemps qu'ils le désiraient, et opposait délibérément à son point de vue sur cette question la procédure des marines impérialistes. Il soulignait le besoin d'une formation renforcée du service dans la marine, d'un allongement de la durée des engagements, et d'une amélioration des conditions de vie à bord des sous-marins. Certaines de ses idées trouvaient une oreille complaisante au haut commandement, mais pas toutes, et Ramius se trouvait ainsi condamné à ne jamais devenir amiral. Mais cela lui était devenu indifférent. Il aimait trop ses sous-marins pour vouloir les quitter au profit d'un commandement d'escadre ou même de flotte.

Arrivé à la fin de ses cours à Frunze, il était effectivement devenu pilote d'essai des sous-marins. Nommé capitaine de vaisseau, Marko Ramius allait désormais diriger les essais de chaque sous-marin tête de série pour écrire son « devis de campagne », relevé de ses points forts et de ses faiblesses, et mettre au point les instructions techniques et les consignes de mise en œuvre. Il eut le premier des Alfas, ainsi que le premier Delta et le premier Typhon. A l'exception d'un incident tout à fait fortuit à bord d'un Alfa, sa carrière n'était qu'une succession de réussites.

Au fil des ans, il était devenu le mentor de nombreux jeunes officiers. Il se demandait souvent ce qu'aurait pensé Sacha, tandis qu'il enseignait l'art exigeant des opérations sous-marines à des classes de jeunes officiers assidus. Bon nombre d'entre eux étaient eux-mêmes devenus commandants, mais davantage encore avaient échoué. Ramius suivait de près ceux qui lui plaisaient — et suivait de près aussi ceux qui lui plaisaient moins. Une autre raison pour laquelle il n'était jamais devenu amiral, c'était sa réticence à promouvoir les officiers dotés de pères puissants comme le sien, mais dont les aptitudes ne le satisfaisaient pas. Jamais il ne faisait de favoritisme quand il s'agissait de devoir, et les fils d'une demi-douzaine de hauts dignitaires du Parti s'étaient vu attribuer des notations sévères en dépit de leur zèle dans les discussions hebdomadaires des réunions du Parti. Ils étaient pour la plupart devenus *zampoliti*. Cette intégrité valait à Marko la confiance du haut commandement de la flotte. Quand un travail particulièrement ardu se présentait, le nom de Ramius était généralement le premier envisagé.

Au fil de sa carrière, il s'était également attaché un certain nombre de jeunes officiers, que Natalia et lui-même avaient virtuellement adoptés. Ils remplaçaient la famille que Marko et sa femme n'avaient jamais eue. Ramius se retrouvait à la tête d'un groupe d'hommes assez semblables à lui, assaillis de doutes longtemps refoulés sur le mode de gouvernement de leur pays. Il était d'un abord facile pour quiconque avait fait ses preuves. A ceux que tourmentaient des doutes politiques, ou de justes griefs, il donnait le même conseil : « Adhérez au Parti. » Presque tous étaient déjà membres du Komsomol, bien sûr, et Marko les encourageait vivement à franchir l'étape suivante. Tel était le prix d'une carrière navale et, poussés par leur soif d'aventure, la plupart des officiers payaient ce prix. Ramius lui-même avait reçu l'autorisation de s'inscrire au Parti dès dix-huit ans, l'âge le plus jeune, grâce à l'influence de son père. Lorsqu'il lui arrivait de prendre la parole lors des réunions hebdomadaires, il récitait à la perfection la ligne du Parti. Ce n'était vraiment pas difficile, expliquait-il patiemment à ses officiers. Il suffisait de répéter ce que disait le Parti — en se contentant de modifier légèrement quelques mots ici et là. C'était bien plus facile que la navigation — il n'y avait qu'à regarder l'officier politique pour s'en convaincre ! Ramius acquit ainsi la réputation d'un commandant dont les officiers se révélaient à la fois compétents et des modèles de discipline politique. Il était pour le Parti l'un des meilleurs recruteurs de toute la marine.

Puis sa femme mourut. Ramius se trouvait alors à terre, ce qui n'avait rien de singulier pour un commandant de sous-marin lance-missiles. Il disposait d'une *datcha* personnelle, dans les forêts situées à l'ouest de Polyarny, d'une voiture Zighuli et d'un chauffeur, comme tous les officiers de son rang, ainsi que d'un certain nombre d'avantages en nature dus à son rang et à l'influence de son père. Il appartenait à l'élite du Parti, de sorte que, quand Natalia s'était plainte de douleurs abdominales, ils avaient tout naturellement commis l'erreur de se rendre à la clinique du Quatrième Département, qui était réservée à la classe privilégiée — on disait en Union soviétique : « A bon médecin, plancher de bois brut. » La dernière fois qu'il avait vu sa femme vivante, elle était allongée sur un chariot et roulait en souriant vers la salle d'opération.

Le chirurgien de service était arrivé en retard, ivre, et s'était offert un peu trop de bouffées d'oxygène pur pour se dessoûler avant d'entreprendre la tâche simple d'opérer un appendice enflammé.

L'organe enflé avait éclaté au moment même où il écartait les tissus pour y accéder. Une péritonite avait aussitôt suivi, compliquée d'une perforation de l'intestin due à la hâte du chirurgien maladroit pour réparer les dommages.

Natalia avait donc été placée sous antibiotiques, mais il y avait alors pénurie de médicaments. Les produits étrangers — habituellement français — que l'on employait dans les services du Quatrième Département étant épuisés, on leur substitua des antibiotiques soviétiques, des produits du « Plan ». Dans l'industrie soviétique, la pratique voulait que les ouvriers pussent gagner des primes lorsqu'ils dépassaient leur quota, mais les produits ainsi manufacturés ne correspondaient guère aux rares normes en vigueur dans la nation. Ce lot de médicaments n'avait jamais été vérifié ni expérimenté. *Et les flacons avaient sans doute été remplis d'eau distillée au lieu d'antibiotiques,* avait-on dit à Marko le lendemain. Natalia sombra dans un état de choc comateux, et mourut avant que cette succession d'erreurs eût pu être corrigée.

Les funérailles se déroulèrent avec toute la solennité appropriée, se souvenait Ramius avec amertume. Des camarades officiers sous ses ordres y avaient assisté, ainsi que plus de cent hommes avec qui il s'était lié d'amitié au fil des années, la famille de Natalia, et des représentants locaux du comité central du Parti. Marko s'était trouvé en mer au moment du décès de son père et, comme il connaissait l'étendue des crimes d'Aleksandre, il n'avait guère éprouvé le sentiment d'une perte. Mais la mort de sa femme, au contraire, constituait une réelle tragédie personnelle. Peu de temps après leur mariage, Natalia avait observé en plaisantant que tous les marins avaient besoin d'une femme vers qui retourner, et que toutes les femmes avaient besoin d'attendre quelqu'un. C'était aussi simple que cela — et infiniment plus complexe aussi, l'union de deux personnes intelligentes qui, pendant quinze ans, avaient appris à connaître les forces et les faiblesses de l'autre, et à devenir plus proches.

Marko Ramius regarda le cercueil glisser vers la salle de crémation aux sinistres accords d'un requiem classique, éperdu du désir de prier pour l'âme de Natalia, et se prenant à espérer que Grand-Mère Hilda avait eu raison, qu'il existait autre chose derrière cette porte d'acier et cette masse de flammes. Alors seulement la force du drame l'avait frappé : *l'Etat ne l'avait pas seulement dépossédé de sa femme, mais aussi du moyen d'apaiser son chagrin par la prière, il lui avait volé l'espoir — même si ce n'était qu'une illusion — de jamais la revoir un jour.* Si douce et tendre, Natalia avait été l'unique bonheur de sa vie, depuis ce fameux été au bord de la Baltique. Ce bonheur était désormais évanoui à jamais. A mesure que passaient les semaines et les mois, le souvenir de Natalia le tourmentait : il suffisait d'une coiffure, d'une démarche, d'un rire au coin d'une rue ou dans un magasin de Mourmansk, pour la ramener au premier plan de sa conscience et, quand il songeait à sa perte, il n'avait plus rien d'un officier de marine professionnel.

Natalia Bogdanova Ramius avait perdu la vie entre les mains d'un chirurgien ivre pendant son service de garde — cela relevait de la cour martiale dans la marine soviétique — mais Marko ne pouvait pas faire sanctionner le coupable : ce chirurgien était lui-même le fils d'un dignitaire du Parti, et bénéficiait d'une situation bien assise. Natalia aurait pu être sauvée par des soins adéquats, mais l'on avait manqué de produits pharmaceutiques étrangers, et ceux que l'on fabriquait en Union soviétique n'étaient pas fiables. Impossible de faire payer le médecin, impossible de faire payer les ouvriers de l'industrie pharmaceutique — cette pensée résonnait dans la tête de Ramius, alimentant sa rage jusqu'au jour où il avait décidé que ce serait alors à l'Etat de payer.

L'idée s'était forgée au fil de plusieurs semaines, et résultait de toute une carrière de formation et d'esprit d'initiative. Quand la construction d'*Octobre rouge* avait repris, après deux ans d'interruption, Ramius savait que le commandement lui en serait confié. Il avait participé à la conception de son système de propulsion révolutionnaire et étudié le prototype, qui avait circulé en mer Caspienne dans le plus grand secret pendant plusieurs années. Il demanda à être relevé de son commandement pour pouvoir se concentrer sur la construction et l'équipement d'*Octobre rouge,* choisir et former ses officiers à l'avance, afin de pouvoir mettre le sous-marin en service complet le plus tôt possible. Sa requête fut acceptée par le commandant en chef de la Flotte rouge du nord, un homme sentimental qui avait également pleuré aux funérailles de Natalia.

Ramius savait quels seraient ses officiers. Tous issus de l'*Académie Vilnius* et, pour un bon nombre, « fils » de Marko et de Natalia, c'étaient des hommes qui devaient leur rang et leur poste à Ramius ; des hommes qui maudissaient l'incapacité de leur pays à construire des sous-marins dignes de leur compétence ; des hommes qui avaient adhéré au Parti par discipline, et qui avaient perdu leurs dernières illusions sur leur patrie en découvrant que le seul moyen d'obtenir de l'avancement consistait à prostituer leur cerveau et leur âme, à devenir des perroquets très bien payés et revêtus de l'uniforme bleu, dont chaque mot prononcé au sein du Parti était un irritant exercice de maîtrise de soi. Pour la plupart, c'étaient des hommes pour qui cette démarche dégradante n'avait pas porté de fruits. Dans la marine soviétique, il existait trois voies d'avancement. On pouvait devenir *zampolit,* et être un paria parmi ses pairs. On pouvait être officier de navigation, et parvenir à un poste de commandement. Ou bien l'on pouvait être aiguillé vers une spécialité où l'on monterait en grade et en solde — mais jamais à un commandement. C'était ainsi qu'un chef ingénieur, à bord d'un bâtiment de la marine soviétique, pouvait être plus gradé que son commandant, mais demeurer son subordonné.

Ramius contempla ses officiers rassemblés autour de la table. Presque tous avaient été empêchés de poursuivre la carrière qu'ils souhaitaient, en dépit de leur compétence et de leur appartenance au Parti. De mineures infractions de jeunesse — dont l'une, en particulier, commise à l'âge de huit ans — privaient définitivement de confiance deux d'entre eux. Quant à l'officier missilier, c'était parce qu'il était juif; bien que ses deux parents eussent toujours été d'ardents communistes, dévoués et sincères, jamais leur fils ni eux-mêmes n'avaient bénéficié de la moindre confiance. Dans le cas d'un autre, son frère aîné avait manifesté contre l'invasion de la Tchécoslovaquie en 1968, plongeant toute sa famille dans la disgrâce. Melekhine, l'ingénieur en chef, qui avait le même grade que Ramius, n'avait jamais été autorisé à prendre un commandement parce que ses supérieurs préféraient le garder comme ingénieur. Quant à Borodine, qui était tout à fait prêt à commander, il avait un jour accusé d'homosexualité un *zampolit ;* et l'homme qu'il avait ainsi dénoncé était le fils du chef *zampolit* de la Flotte du nord. Nombreuses sont les voies qui mènent à la trahison.

« Et s'ils nous repèrent ? interrogea Kamarov.

— Je doute que les Américains eux-mêmes puissent nous détecter quand la chenille entrera en action. Et je suis certain que nos propres sous-marins en sont incapables. Camarades, j'ai participé à la conception de ce bâtiment.

— Que va-t-il nous arriver ? marmonna l'officier missilier.

— Commençons par accomplir nos tâches immédiates. Un officier qui regarde trop loin en avant risque fort de trébucher sur ses propres bottes.

— Ils vont nous chercher, observa Borodine.

— Bien sûr. » Ramius sourit. « Mais ils ne sauront pas où chercher, jusqu'au moment où il sera trop tard. Notre mission, camarades, consiste à éviter toute détection. Eh bien, nous la réussirons. »

LE QUATRIÈME JOUR

Lundi 6 décembre

Au quartier général de la CIA

Ryan se trouvait dans le corridor du dernier étge de l'immeuble de la CIA à Langley, en Virginie. Il avait déjà franchi trois contrôles de sécurité, dont aucun ne lui avait fait ouvrir son attaché-case fermé à clé, et maintenant caché par le duffle-coat beige qu'il portait sur son bras, souvenir d'un officier de la Royal Navy qui le lui avait offert.

La responsabilité de ce qu'il portait incombait essentiellement à sa femme, à savoir un coûteux complet provenant de Savile Row et d'une coupe qui, sans être trop conservatrice, n'était pas non plus à l'avant-garde de la mode. Il possédait un certain nombre de costumes de ce type, soigneusement rangés dans une penderie par ordre de couleur, et il les portait avec des chemises blanches et des cravates rayées. Ses seuls bijoux consistaient en une alliance et une chevalière de sa fraternité universitaire, ainsi qu'une montre à quartz modeste mais précise, montée sur un bracelet en or moins modeste. Ryan n'attachait guère d'importance aux apparences. Son métier consistait au contraire à rechercher la dure vérité, au travers des apparences.

Physiquement, il passait inaperçu ; à peine plus d'un mètre quatre-vingts, et sa silhouette, au niveau de la ceinture, souffrait quelque peu du manque d'exercice que lui imposait l'affreux climat de l'Angleterre. Ses yeux bleus arboraient une expression trompeusement vide ; souvent perdu dans ses réflexions, il laissait son visage en pilotage automatique tandis que son cerveau procédait à des recherches ou des analyses pour son livre en cours. Les seules personnes que Ryan eût besoin d'impressionner étaient précisément celles qui le connaissaient : il se souciait fort peu des autres. Il ne nourrissait aucune ambition d'être célèbre. Il trouvait sa vie déjà bien assez compliquée — nettement plus qu'on ne l'aurait imaginé à le voir. Cette vie comprenait une femme qu'il aimait et deux enfants dont il était gâteux, un métier qui mettait son intelligence à l'épreuve et une indépendance financière lui permettant de choisir sa propre voie. La voie qu'avait choisie Jack Ryan, c'était la CIA. La devise officielle de l'Agency était « La Liberté dans la Vérité ». Le truc, se répétait-il au moins une fois par jour, c'était de dénicher cette fameuse vérité et, tout en doutant de jamais parvenir à ce suprême état de grâce, il tirait une paisible fierté de son aptitude à la déceler, miette par miette.

Le bureau du directeur adjoint des services de renseignements occupait un angle du dernier étage, dominant la vallée ombragée du Potomac. Il restait un dernier contrôle de sécurité à franchir.

« Bonjour, monsieur Ryan.

— Salut, Nancy. » Ryan lui sourit. Nancy Cummings occupait ce poste de secrétaire depuis vingt ans. Elle avait servi sous huit directeurs et, dans le domaine du renseignement, elle aurait sans doute pu en remontrer aux importants personnages qui occupaient la pièce adjacente. C'était comme dans toutes les grandes entreprises — les patrons allaient et venaient, mais les bonnes secrétaires de direction restaient.

« Comment va la petite famille, monsieur Ryan ? On attend Noël avec impatience ?

— Je pense bien ! sauf que ma petite Sally s'inquiète un peu. Elle n'est pas sûre que le Père Noël soit au courant de notre déménagement, et elle a peur qu'il ne la retrouve pas, jusqu'en Angleterre ! Mais il la retrouvera, dit Ryan.

— Que c'est mignon, quand ils sont encore petits. » Elle pressa un bouton caché. « Vous pouvez entrer, monsieur.

— Merci, Nancy. » Ryan tourna la poignée à protection électronique de la porte, et pénétra dans le bureau du directeur.

Le vice-amiral James Greer était confortablement installé dans son fauteuil de juge à haut dossier, et parcourait un dossier. Son immense table d'acajou disparaissait littéralement sous des piles de dossiers marqués de rouge et portant diverses inscriptions codées.

« Salut, Jack ! s'exclama-t-il. Café ?

— Oui, volontiers, amiral. »

A soixante-six ans, James Greer avait dépassé l'âge de la retraite pour un officier de marine, mais il continuait à travailler avec une compétence implacable, tout à fait comme Hyman

Rickover avant lui, sauf que Greer était d'un contact plus facile. C'était un « mustang », un homme entré dans la marine comme simple engagé et qui s'était hissé jusqu'à l'Ecole navale à la force du poignet, consacrant quarante années à grimper jusqu'aux trois étoiles, d'abord comme commandant de sous-marins, puis à plein temps comme spécialiste du renseignement. Greer était un patron exigeant, mais il savait choyer ceux qui lui plaisaient. Ryan était de ceux-là.

Au vif chagrin de Nancy, Greer aimait faire lui-même son café, avec un percolateur West Bend qui trônait sur le meuble placé derrière son bureau et qu'il pouvait manœuvrer en pivotant d'un simple demi-tour. Ryan s'en versa une demi-tasse — plus exactement, la moitié d'une sorte de grande tasse sans anse, comme on en utilise dans la marine. C'était un café de marin traditionnel, très fort, avec une pincée de sel.

« Vous avez faim, Jack ? » Greer sortit d'un tiroir une boîte de biscuits. « J'ai là quelques trucs poisseux.

— Eh bien, ce n'est pas de refus. Je n'ai pas mangé grand-chose dans l'avion. » Ryan en prit un avec une serviette en papier.

« Décidément, vous n'aimez toujours pas voler ? » Greer s'amusait visiblement.

Ryan prit place en face de son patron. « Depuis le temps, je devrais bien finir par m'y habituer. Mais j'aime mieux le Concorde que les gros engins. On a peur moins longtemps !

— Comment va la famille ?

— Très bien, merci. Sally est entrée à la grande école — ravie. Quant au petit Jack, il marche, maintenant, et il parcourt la maison de fond en comble. Ces biscuits sont diantrement bons.

— Nouvelle boulangerie qui vient de s'ouvrir tout près de chez moi. Je passe devant tous les matins. » L'amiral se redressa sur son siège. « Alors, qu'est-ce qui vous amène aujourd'hui ?

— Des photographies du nouveau sous-marin lance-missiles soviétique, *Octobre rouge*.

— Ah, et que veulent nos chers cousins britanniques en échange ? s'enquit Greer soupçonneusement.

— Ils veulent jeter un coup d'œil sur les nouveaux gadgets de Barry Somers. Pas les engins eux-mêmes — pour commencer — juste le produit fini. Je crois que c'est un marché honnête. » Ryan savait que la CIA ne possédait aucune photo du nouveau sous-marin. La direction des opérations n'avait pas d'homme sur le chantier de Severodvinsk, ni d'homme de confiance à la base sous-marine de Polyarny. Pis encore, les rangées de « bassins » construits pour abriter les sous-marins lance-missiles, sur le modèle de ceux des Allemands pendant la Seconde Guerre mondiale, rendaient impossibles les photographies par satellite. « Nous avons dix clichés, pris d'assez bas à l'oblique, cinq de chaque étrave et de l'arrière, et une de chaque perspective reste à développer, de sorte que Somers pourra démarrer à zéro. Nous n'avons pas d'engagement, amiral, mais j'ai dit à Sir Basil que vous y réfléchiriez. »

L'amiral grommela. Sir Basil Charleston, le chef des services secrets britanniques, était un maître dans l'art du troc, et il lui arrivait d'offrir à ses riches cousins de partager ses sources, quitte à leur demander un mois plus tard quelque chose en échange. Le jeu du renseignement ressemblait parfois à une scène de marché primitif. « Pour utiliser le nouveau système, Jack, il nous faut l'appareil qui a pris ces clichés.

— Je sais. » Ryan tira de la poche de son manteau un appareil de photo. « C'est un Kodak à disque modifié. Sir Basil prétend que c'est le nouveau grand truc, dans les appareils photo d'espionnage, bien plat. Minimum d'encombrement. Celui-ci, m'a-t-il dit, était caché dans une tabatière.

— Comment saviez-vous que... que nous avions besoin de l'appareil ?

— Vous voulez dire, comment Somers se sert de lasers pour...

— Ryan ! interrompit Greer d'une voix cinglante. Que savez-vous encore ?

— Détendez-vous, amiral. Rappelez-vous, en février dernier, quand j'étais venu discuter des nouveaux sites de SS-20 à la frontière chinoise. Somers était là, et vous m'avez demandé de le conduire à l'aéroport. En roulant, il a commencé à me parler de cette nouvelle idée géniale à laquelle il retournait travailler, dans l'Ouest. Il m'en a parlé pendant tout le trajet jusqu'à l'aéroport de Dulles. Du peu que j'ai pu comprendre, je déduis qu'il projette des rayons laser au travers des lentilles de caméra pour obtenir un modèle mathématique de la lentille. A partir de là, je suppose qu'il peut prendre le négatif exposé, réduire l'image à... aux rayons de lumière entrés originellement, sans doute, et puis à l'aide d'un ordinateur la repasser par une lentille théorique électronique pour reconstruire une image parfaite. Mais j'ai sûrement mal compris. » Ryan voyait bien au visage de Greer qu'il avait parfaitement compris.

« Somers parle sacrément trop.

— Je le lui ai dit, amiral. Mais une fois qu'il est lancé, comment peut-on arrêter le bonhomme ?

— Et que savent les Britanniques ?

— Je n'en ai pas la moindre idée. Sir Basil m'a interrogé sur cette question, et je lui ai dit qu'il se trompait d'adresse, mes diplômes se limitent à l'économie et à l'histoire, je ne connais rien à la physique. Je lui ai dit que nous avions besoin de l'appareil — mais il le savait déjà. Il l'a sorti de son tiroir, et me l'a lancé. Je ne lui ai pas dit un seul mot de tout cela.

— Je me demande à combien d'autres gens il a raconté cela. Ah, les génies ! Ils vivent dans leurs petits univers cinglés. Somers se comporte parfois comme un véritable gosse. Et vous connaissez la règle d'or en matière de sécurité : " Le risque de divulgation d'un secret est proportionnel au *carré* du nombre de personnes qui sont au courant. " » C'était le dicton favori de Greer.

Le téléphone sonna. « Greer... bien. » Il raccrocha. « Charlie Davenport est dans l'ascenseur, Jack. L'idée vient de vous. Il aurait dû être ici depuis une demi-heure. Sans doute la neige. » L'amiral brandit une main impatiente vers la fenêtre. Une couche de cinq centimètres recouvrait le sol et on prévoyait une nouvelle chute dans la journée. « Un malheureux flocon tombe sur cette ville, et rien ne va plus ! »

Ryan se mit à rire. Originaire du Maine, Greer semblait incapable de comprendre ce problème.

« Ainsi donc, Jack, vous pensez que cela en vaut la chandelle ?

— Il y a déjà un certain temps que nous voulons ces photos, avec toutes les informations contradictoires que nous avons reçues au sujet de ce sous-marin. C'est à vous-même et au juge d'en décider, mais, oui, je pense qu'elles en valent la peine. Ce sont des photos fort intéressantes.

— Nous devrions avoir nos hommes à nous, sur ce fichu chantier », gronda Greer. Ryan ignorait comment le service des opérations avait raté ce coup-là. Il s'intéressait peu aux opérations sur le terrain. Il était analyste. La manière dont les données parvenaient sur son bureau n'était pas de son ressort, et il prenait grand soin de ne pas chercher à le savoir. « J'imagine que Sir Basil s'est bien gardé de vous parler de leur homme ? »

Ryan secoua la tête en souriant. « En effet, et je n'ai pas posé de questions. » Greer approuva d'un signe de tête.

« Bonjour, James ! »

Ryan se retourna, et vit le vice-amiral Charles Davenport, directeur des services secrets de la marine, traînant un commandant dans son sillage.

« Salut, Charlie. Tu connais Jack Ryan, non ?

— Bonjour, Ryan.

— Nous nous sommes déjà rencontrés, dit Ryan.

— Je vous présente le commandant Casimir. »

Ryan serra la main des deux hommes. Il avait connu Davenport quelques années plus tôt, en faisant sa thèse à l'Ecole de guerre navale de Newport, à Rhode Island. Davenport lui avait fait passer de rudes moments lors de la soutenance. Il avait la réputation d'être une vraie brute avec ses collaborateurs ; ancien pilote, il n'avait plus le droit de voler depuis une certaine histoire de bris de barrières, et l'on disait qu'il en gardait une forte rancœur. Contre qui ? Nul n'en savait rien.

« Il doit faire un temps aussi exécrable en Angleterre qu'ici, non, Ryan ? » Davenport laissa tomber sa vareuse sur le duffle-coat de Ryan. « Je vois que vous avez volé un manteau à la Royal Navy. »

Ryan aimait beaucoup son duffle-coat. « C'est un cadeau, monsieur. Et fort chaud.

— Seigneur, mais vous parlez comme un Britiche ! Il faut ramener ce garçon chez nous, James.

— Sois gentil avec lui, Charlie. Il a un cadeau pour toi. Sers-toi un café. »

Casimir se précipita pour remplir une tasse à l'intention de son patron, puis s'assit à sa droite. Ryan les fit attendre un peu avant d'ouvrir son attaché-case. Il en tira quatre chemises, et leur en distribua trois, gardant la dernière pour lui.

« Il paraît que vous avez fait du bon travail, Ryan », déclara Davenport. Jack savait qu'il était changeant, affable et coupant tour à tour. Sans doute pour désarçonner ses collaborateurs. « Et... bon Dieu ! » Davenport avait ouvert sa chemise.

« Messieurs, je vous présente *Octobre rouge,* offert par les services secrets britanniques ! » annonça Ryan solennellement.

Les chemises contenaient les photos rangées par paires, quatre, chacune constituée d'épreuves dix sur dix. Au-dessous se trouvaient des agrandissements vingt-cinq sur vingt-cinq de chaque cliché. Ces photos avaient été prises d'un angle oblique assez bas, sans doute du bord du bassin de radoub où était resté le bâtiment pendant sa remise en état, après sa première sortie. Les prises étaient toutes couplées, avant et arrière, avant et arrière.

« Messieurs, comme vous pouvez le voir, la lumière n'était pas formidable. Rien de bien sophistiqué. C'était un petit appareil instantané, chargé avec du 400 en couleur. La première paire a été développée normalement, pour établir les niveaux lumineux. La seconde a été poussée pour obtenir une meilleure luminosité, par des procédés normaux. La troisième paire a été poussée électroniquement pour forcer les couleurs, et la quatrième aussi, pour faire ressortir les lignes. J'ai des prises non développées de chaque vue, pour que Barry Somers puisse s'amuser un peu.

— Ah ? » Davenport releva brièvement les yeux. « Voilà un bien bon service que nous rendent les Britiches. Quel prix en veulent-ils ? »

Greer le lui dit.

« Payez. Cela en vaut la peine.

— C'est ce que dit Jack.

— Logique, rétorqua Davenport en riant. Tu sais, en vérité il travaille pour eux. »

Ryan se hérissa. Il aimait les Anglais, il aimait travailler avec leurs services de renseignements, mais il savait quelle était sa patrie. Jack respira profondément. Davenport aimait aiguillonner les gens et, s'il réagissait, Davenport aurait gagné.

« Je crois donc comprendre que Sir John Ryan demeure bien introduit de l'autre côté de l'Océan ? » reprit Davenport, poussant plus loin le sarcasme.

Le titre de Ryan était purement honorifique. Il l'avait reçu en récompense de son intervention pour empêcher un attentat à Saint James's Park, à Londres. Il n'était alors qu'un touriste, un innocent Américain à l'étranger, bien longtemps avant que la CIA ne lui propose un poste. Le fait qu'il eût fortuitement empêché l'assassinat de deux personnalités de premier plan lui avait valu plus de publicité qu'il n'eût souhaité, mais cela lui avait aussi valu de rencontrer beaucoup de gens, dont la plupart étaient fort intéressants. Ces relations lui avaient donné une valeur telle que la CIA l'avait invité à faire partie d'un groupe de liaison anglo-américain. C'était ainsi qu'il avait pu établir un bon rapport de travail avec Sir Basil Charleston.

« Nous avons beaucoup d'amis là-bas, et certains d'entre eux ont eu la bonté de vous donner ces documents », observa froidement Ryan.

Davenport s'adoucit. « D'accord, Jack, alors faites-moi plaisir. Vous comprenez bien que celui qui nous les donne reçoit un beau cadeau dans ses souliers. Cela vaut très cher. Alors, qu'avons-nous là, exactement ? »

Pour un observateur non qualifié, ces photos représentaient un sous-marin nucléaire classique. La coque d'acier avait une extrémité ronde et l'autre effilée. Les ouvriers debout au bord du bassin donnaient l'échelle — c'était un bâtiment énorme. Il y avait deux hélices de bronze à l'arrière, de part et d'autre d'un appendice que les Russes appelaient la queue de castor, d'après les rapports de renseignements. Avec ses deux hélices, l'arrière n'avait rien de bien remarquable, à l'exception d'un détail.

« A quoi servent ces ouvertures ? s'étonna Casimir.

— Hum. C'est un sacré monstre. » Davenport n'avait manifestement pas entendu. « Onze mètres de plus que nous ne pensions, à première vue.

— Douze, approximativement. » Ryan n'aimait pas beaucoup Davenport, mais il fallait admettre qu'il connaissait son boulot. « Somers nous calibrera cela. Et puis, plus de largeur, deux mètres de plus que les autres Typhons. C'est manifestement un succédané de la classe Typhon, mais...

— Vous avez raison, commandant, interrompit Davenport. A quoi servent ces ouvertures ?

— C'est précisément pour cela que je suis venu. » Ryan s'était demandé combien de temps s'écoulerait avant qu'on y vienne. Il avait vu leur jeu dans les cinq premières secondes. « Je n'en sais rien, et les Britiches non plus. »

Octobre rouge avait deux portes, à l'avant et à l'arrière, chacune d'environ deux mètres de diamètre, mais pas tout à fait rondes. Elles apparaissaient fermées sur la photo, et ne se voyaient bien que sur la paire de clichés numéro quatre.

« Deux portes de tubes lance-torpilles ? Mais non... il y a quatre tubes à l'intérieur... » Greer fouilla dans son tiroir et en tira une loupe. En cette époque d'images agrandies par l'ordinateur, Ryan trouva l'anachronisme irrésistible.

« C'est *toi* le pilote de sous-marin, James, observa Davenport.

— Il y a vingt ans de cela, Charlie. » Il avait quitté ses fonctions d'officier de marine pour celle d'espion professionnel au début des années soixante. Ryan observa que le commandant Casimir portait l'insigne de l'aéronautique navale et qu'il avait le bon sens de ne rien dire. Ce n'était pas un « nuc ».

« Bon, ce ne peuvent pas être des portes de tubes lance-torpilles. Les quatre portes habituelles sont là, à l'avant, en deçà des ouvertures. A deux mètres ou deux mètres cinquante. Et si c'étaient des rampes de lancement pour le nouveau missile qu'ils construisent ?

— C'est ce que pense la Royal Navy. J'ai eu l'occasion d'en parler avec les types de leur service de renseignements. Mais je n'y crois pas. Pourquoi placer une arme anti-surface sur une plate-forme stratégique ? Nous ne le faisons pas, et nous déployons nos grosses bêtes bien plus à l'avant qu'eux. Les ouvertures sont symétriques par rapport à l'axe du bâtiment. On ne peut pas lancer un missile par l'arrière, monsieur. Les ouvertures frôlent presque les hélices.

— Déploiement de réseau sonar, suggéra Davenport.

— Oui, ce serait possible, s'ils n'avaient qu'une seule hélice. Mais pourquoi deux ouvertures ? »

Davenport lui lança un regard mauvais. « Ils adorent les redondances.

— Deux portes à l'avant, deux à l'arrière. Des sorties de missiles, je veux bien. Un équipement sonar, je veux bien. Mais *deux* séries d'ouvertures exactement de la même taille ? » Ryan hocha la tête. « Je ne crois pas aux coïncidences. Je pense qu'il s'agit plutôt d'une nouveauté. Et c'est précisément ce qui a dû interrompre la construction pendant si longtemps. Ils ont conçu quelque chose de nouveau, et ils ont passé les deux dernières années à modifier la configuration du Typhon pour l'y intégrer. Remarquez également qu'ils ont ajouté six missiles supplémentaires, pour faire bonne mesure.

— C'est une opinion, observa Davenport.

— Et c'est justement pour cela que je suis payé.

— D'accord, Jack... Alors, que pensez-vous que ce soit ?

— Pas idée, monsieur. Je ne suis pas ingénieur. »

L'amiral Greer scruta ses visiteurs pendant quelques instants. Puis il sourit, et se carra dans son fauteuil. « Eh bien, messieurs, qu'avons-nous ici ? Quatre-vingt-dix années d'expérience navale rassemblées dans cette pièce, plus ce jeune amateur. » Il désigna Ryan du menton. « Bon, d'accord, Jack, vous nous avez monté tout ce numéro pour une raison. Pourquoi avez-vous apporté ces photos personnellement ?

— Je veux les montrer à quelqu'un.

— A qui ? » Greer inclina soupçonneusement la tête.

« Le commandant Tyler. L'un d'entre vous le connaît ?

— Oui. » Casimir hocha la tête. « Il était dans la promotion juste après la mienne, à Annapolis. Est-ce qu'il n'a pas été blessé, ou accidenté ?

— Si, répondit Ryan. Il a perdu une jambe dans un accident de voiture, il y a quatre ans. Il devait prendre le commandement du *Los Angeles*, et un ivrogne lui est rentré dedans. Maintenant, il est professeur d'énergie à l'Académie navale, et il travaille beaucoup comme consultant avec le Commandement des systèmes d'armes — analyse technique, étude de leurs plans de construction. Il a passé un doctorat au MIT, et il sait faire fonctionner son imagination.

— Côté sécurité ? s'enquit Greer.

— Autorisé. Très secret et même mieux, amiral, à cause de son travail à Crystal City.

— Des objections, Charlie ? »

Davenport fronça les sourcils. Tyler n'appartenait pas à la communauté des services secrets. « Est-ce le type qui a fait l'évaluation du nouveau *Kirov ?*

— Oui, en effet, maintenant que vous m'y faites penser, répondit Casimir. Avec Saunders, au Commandement des systèmes maritimes.

— C'était du beau boulot. Aucune objection en ce qui me concerne.

— Quand voulez-vous le voir ? demanda Greer à Ryan.

— Dès aujourd'hui si cela vous convient, monsieur. Je dois me rendre à Annapolis de toute façon, pour prendre quelque chose à la maison, et... puis, faire quelques rapides achats de Noël.

— Ah ? Des poupées, sans doute ? » ricana Davenport.

Ryan se retourna pour fixer Davenport droit dans les yeux. « Oui, monsieur. Justement. Ma petite fille veut une poupée Barbie skieuse, et des vêtements de poupée Jordache. N'avez-vous donc jamais joué au Père Noël, amiral ? »

Davenport comprit que Ryan n'allait plus se laisser faire. Ce n'était pas un subordonné qu'il pût bousculer. Ryan pouvait toujours s'en aller. Il tenta un nouvel assaut. « Ils vous ont dit qu'*Octobre* avait appareillé vendredi ?

— Ah ? » Ils ne le lui avaient pas dit. Ryan se trouvait pris au dépourvu. « Je croyais qu'il ne devait partir que vendredi prochain.

— C'était aussi ce que nous croyions. Le commandant s'appelle Marko Ramius. Vous le connaissez ?

— Seulement par ouï-dire. Les Anglais le trouvent très fort.

— Mieux que cela, précisa Greer. Il est leur meilleur sous-marinier, un vrai fonceur. Nous avions un dossier énorme sur lui, quand j'étais dans les services de la Défense. Qui le file, Charlie ?

— C'était *Bremerton,* mais il avait changé de position pour faire du renseignement électronique quand Ramius a appareillé. Il a aussitôt reçu l'ordre de reprendre son poste. Le pacha, c'est Bud Wilson. Tu te souviens de son père ? »

Greer éclata de rire. « Red Wilson ? Ah, voilà un sous-marinier qui avait de l'ardeur ! Le fils est bien ?

— On le dit. Ramius est le meilleur des Soviétiques, mais Wilson a un 688. D'ici la fin de la semaine, nous pourrons commencer un nouveau livre sur *Octobre rouge.* » Davenport se leva.

« Nous devons filer, James. » Casimir se hâta de ramasser les manteaux. « Je peux garder cela ?

— Je suppose, oui, Charlie. Mais ne les accroche pas au mur, même pour jouer aux fléchettes ! J'imagine que vous souhaitez partir aussi, Jack ?

— Oui, en effet. »

Greer décrocha son téléphone. « Nancy, M. Ryan aura besoin d'une voiture et d'un chauffeur dans un quart d'heure. Bien. » Il raccrocha, et attendit que Davenport fût sorti. « Inutile d'aller vous faire tuer dans la neige. D'ailleurs, vous conduiriez sans doute du mauvais côté de la route, après un an d'Angleterre. Une poupée Barbie skieuse, n'est-ce pas ?

— Vous n'avez eu que des garçons, n'est-ce pas ? Les filles sont très différentes. » Ryan sourit. « Vous n'avez jamais vu ma petite Sally.

— La chouchoute de son papa ?

— Ouais. Et que Dieu vienne en aide à celui qui l'épousera ! Puis-je laisser ces photos à Tyler ?

— J'espère que vous ne vous trompez pas sur son compte, mon garçon. Oui, il peut les garder... mais seulement s'il a un bon endroit où les ranger.

— Compris.

— Quand vous rentrerez... il sera sans doute tard, vu l'état des routes. Vous êtes au Marriott ?

— Oui. »

Greer réfléchit. « Je vais sûrement travailler tard. Arrêtez-vous un moment avant d'aller vous coucher. J'aurai peut-être deux ou trois points à voir avec vous.

— Pas de problème. Et merci pour la voiture. » Ryan se leva.

« Filez acheter vos poupées, mon garçon. »

Greer le regarda partir. Il aimait beaucoup Ryan, qui ne craignait pas de dire ce qu'il pensait. Cela lui venait en partie du fait qu'il avait de l'argent, et qu'il avait épousé un beau parti. Ce genre d'indépendance ne manquait pas d'avantages. Ryan ne pouvait pas se faire acheter, corrompre, ou intimider. Il pouvait toujours retourner travailler à plein temps sur ses livres d'histoire. Ryan avait lui-même gagné tout ce qu'il possédait, en travaillant pendant quatre ans comme agent de change, jouant son argent sur des coups à haut risque et gagnant gros avant de tout plaquer — parce que, disait-il, il n'avait pas voulu forcer la chance. Greer n'en croyait rien. Il était persuadé que Jack s'était lassé — lassé de gagner beaucoup d'argent. Il hocha la tête. Ryan consacrait désormais à la

CIA le talent qui lui avait permis de repérer les gros coups en Bourse. Il s'annonçait rapidement comme l'un des plus grands analystes de Greer, et ses relations britanniques le rendaient doublement précieux. Ryan savait trier une pile de données pour en sortir les trois ou quatre faits essentiels. Cette qualité était hélas bien rare à la CIA, où l'on continuait à dépenser trop d'argent pour obtenir des données, de l'avis de Greer, et pas assez pour les classer. Les analystes manquaient de ce fameux talent — une illusion créée par Hollywood — des agents secrets en poste à l'étranger. Mais Jack savait analyser les rapports expédiés par ces hommes, ainsi que les données provenant de sources techniques. Il savait prendre une décision, et ne craignait pas de dire ce qu'il pensait, sans se préoccuper de savoir si cela plairait ou non à ses supérieurs. Cela irritait parfois le vieil amiral, mais dans l'ensemble il aimait bien avoir des subordonnés qu'il pût respecter. La CIA comptait trop de gens dont l'unique talent consistait à lécher les culs.

L'Académie navale des Etats-Unis

L'amputation de sa jambe gauche au-dessus du genou n'avait rien ôté de son charme espiègle à Olivier Wendell Tyler, surnommé Skip, ni de son goût pour la vie. Sa femme pouvait en témoigner. Depuis qu'il avait quitté le service actif quatre ans auparavant, ils avaient ajouté trois enfants aux deux qu'ils avaient déjà, et travaillaient à en produire un sixième. Ryan le trouva assis devant un bureau, dans une salle de cours déserte de Rickover Hall, le bâtiment des sciences et des techniques de l'Académie navale. Il notait des devoirs.

« Comment ça va, Skip ? » Ryan s'était adossé au chambranle de la porte. Son chauffeur fourni par la CIA attendait dans le couloir.

« Jack ! Salut ! Je te croyais en Angleterre ! » Tyler bondit sur son pied — selon sa propre expression — et s'élança en boîtant vers Ryan pour lui serrer la main. Sa jambe artificielle se terminait par un pilon carré en caoutchouc, au lieu d'une prothèse en forme de pied. Le genou ployait un peu, mais fort peu. Seize ans auparavant, Tyler avait été intercepteur avant dans la seconde équipe des All American, et il avait tout le corps aussi dur que l'aluminium et la fibre de verre de sa prothèse. Sa poignée de main aurait fait tressaillir un gorille. « Alors, qu'est-ce que tu fabriques ici ?

— Un peu de boulot et quelques achats. Comment vont Jane et... les cinq ?

— Cinq trois quarts.

— Encore ? Jane devrait te faire stériliser !

— C'est ce qu'elle m'a dit, mais on m'a suffisamment coupé de trucs ! » Tyler se mit à rire. « Ce doit être une compensation pour toutes mes années de vie monacale dans les sous-marins. Entre donc, assieds-toi. »

Ryan s'assit sur le coin de la table, et ouvrit son attaché-case. Il tendit à Tyler un dossier.

« Je voudrais que tu regardes ces photos.

— Okay. » Tyler ouvrit la chemise. « A qui... Il est russe ! Quel monstre. C'est la ligne générale du Typhon. Mais beaucoup de modifications. Vingt-six missiles au lieu de vingt. Paraît plus long. Et puis la coque plus hydrodynamique. Le maître-bau ?

— Environ deux ou trois mètres de plus.

— J'ai entendu dire que tu travaillais pour la CIA. Pas question d'en parler, bien sûr ?

— Quelque chose de ce genre. Et bien entendu, Skip, tu n'as jamais vu ces photos. Tu comprends le topo ?

— Parfaitement. » Les yeux de Tyler pétillèrent. « Dans quel but veux-tu que je ne les aie pas vues ? »

Ryan tira les agrandissements du dossier. « Ces ouvertures, à l'avant et à l'arrière.

— Ho-ho. » Tyler les posa côte à côte. « Grand format. Dans les deux mètres, et couplées avant-arrière. Elles ont l'air symétriques par rapport à l'axe. Pas de sorties de missiles, hein ?

— Sur une grosse bête ? Tu mettrais un truc comme ça sur un sous-marin balistique ?

— Les Russkoffs sont des drôles de types, Jack, et ils font les choses à leur façon. Ce sont eux qui ont construit la classe Kirov avec un réacteur nucléaire *et* un appareil propulsif au mazout. Hum... deux hélices. Les ouvertures de l'arrière ne peuvent pas servir à mouiller des réseaux. Cela bousillerait les hélices.

— Et s'ils en freinaient une ?

— C'est ce qu'ils font sur les bâtiments de surface pour économiser le combustible, et parfois même sur leurs escorteurs. Mais manœuvrer un lance-missiles à deux hélices sur une seule béquille, ce serait assez risqué, surtout que le bébé est gros ! Il paraît que les Typhons présentent des difficultés de manœuvre, et les veaux qui manœuvrent mal imposent des réglages propulsifs délicats. On finit par danser la gigue sans pouvoir tenir l'immersion. As-tu remarqué que les axes des portes arrière convergent ?

— Ah, non, je n'avais pas vu. »

Tyler releva la tête. « Mais oui, bon Dieu ! J'aurais dû

comprendre tout de suite. C'est un système de propulsion. Tu n'aurais pas dû venir me surprendre quand je corrigeais des copies, Jack. Cela ramollit le cerveau.

— Un système de propulsion ?

— Nous avons étudié la question — oh, cela doit bien faire vingt ans — quand j'étais étudiant ici. Mais nous n'avons rien fait, finalement. Ce n'est pas suffisamment efficace.

— Bon, explique-moi.

— On l'appelait la propulsion sous voûte ou hydrodynamique. Tu sais que dans l'Ouest ils ont des quantités d'usines hydroélectriques ? Surtout des barrages. L'eau retombe sur des roues qui font tourner les générateurs. Il en existe de nouveaux, qui font la même chose à l'envers. On les branche sur des rivières souterraines, et l'eau fait tourner des turbines, qui font tourner des générateurs au lieu d'une roue de moulin améliorée. Une turbine, c'est comme une hélice, sauf que c'est l'eau qui l'actionne, au lieu du contraire. Il y a aussi quelques petites différences techniques, mais rien d'important. Tu suis, jusque-là ? Avec ce modèle, tu fais l'inverse. Tu aspires l'eau à l'avant, et tes turbines l'éjectent à l'arrière, pour faire avancer le bateau. » Tyler s'interrompit, le sourcil froncé. « D'après mes souvenirs, il en faut plus d'un par tunnel. Ils s'y sont intéressés dans les années soixante et sont même allés jusqu'au stade des maquettes, avant d'abandonner. Ce qu'ils avaient découvert en particulier, c'est qu'une turbine ne marche pas aussi bien que plusieurs. Une histoire de pression à l'arrière. C'était un nouveau principe, quelque chose d'inattendu qui s'est présenté. Ils ont fini par en employer quatre, je crois, et cela devait plus ou moins ressembler aux compresseurs d'un avion à réaction.

— Pourquoi avons-nous laissé tomber ? » Ryan prenait des notes rapides.

« Surtout pour des questions de rendement. On ne peut pas faire entrer plus d'une certaine quantité d'eau dans les tuyaux, quelle que soit la puissance des moteurs. Et puis ce système est très encombrant. Ils avaient en partie amélioré cet inconvénient avec un nouveau type de moteur à induction, je crois, mais même ainsi on se retrouvait avec beaucoup d'auxiliaires à l'intérieur de la coque. Les sous-marins n'ont pas tellement d'espace à gaspiller, même ce monstre-là. La vitesse maximale se situait aux alentours de dix nœuds, et ce n'était pas assez, même si cela éliminait pratiquement les bruits de cavitation.

— Cavitation ?

— Quand une hélice tourne très vite dans l'eau, elle crée une zone de basse pression derrière le bord inférieur de la pale. Cela peut créer une vaporisation, avec une nuée de petites bulles. Elles ne peuvent guère durer, sous la pression de l'eau et, quand elles retombent, l'eau revient en force sur les pales. Cela entraîne trois conséquences. Premièrement, cela fait du bruit. Et nous autres sous-mariniers avons horreur du bruit. Deuxièmement, cela peut causer des vibrations — autre chose que nous n'aimons guère. Les bons vieux paquebots de ligne, par exemple, avaient des vibrations de dix ou quinze centimètres à l'arrière, uniquement à cause de la cavitation et du rippement. Il faut une sacrée force, pour faire vibrer un bâtiment de cinquante mille tonnes ; ce type de force-là peut casser des choses. Troisièmement, la cavitation tord les hélices. Celles de grand diamètre ne duraient que quelques années. Cela t'explique pourquoi, autrefois, les hélices étaient vissées sur le moyeu au lieu d'être construites d'un seul bloc. La vibration est surtout un problème de navire de surface, et la détérioration des hélices a finalement cessé grâce au progrès de la technologie des métaux.

« Bon, ce système de propulsion sous voûte règle la question de cavitation. C'est-à-dire que la cavitation demeure, mais que le bruit s'étouffe sous les voûtes. C'est une bonne chose. Mais le problème, c'est qu'on ne peut pas faire de vitesse, sauf en faisant des voûtes trop importantes pour être pratiques. Pendant qu'une équipe travaillait sur ce point, une autre s'efforçait d'améliorer les hélices. L'hélice d'un sous-marin actuel est de grand diamètre, ce qui lui permet de tourner plus lentement pour atteindre une vitesse donnée. Et plus elle tourne lentement, plus la cavitation est faible. La profondeur joue aussi. A mesure qu'on descend, la pression de l'eau retarde la formation des bulles.

— Alors pourquoi les Soviétiques ne copient-ils pas nos modèles d'hélices ?

— Pour plusieurs raisons, vraisemblablement. On conçoit une hélice pour un modèle donné de coque et de moteur, de sorte que nos hélices ne les aideraient pas nécessairement. Et puis, pour une large part, ces recherches sont encore très empiriques. Il y entre encore beaucoup de tâtonnements et d'erreurs. C'est beaucoup plus difficile, par exemple, que de mettre au point un profil, parce que la coupe de la pale change radicalement d'un point à un autre. A mon avis, cela s'explique aussi par le fait que leur technologie métallurgique ne vaut pas la nôtre — et c'est pour cela que leurs moteurs à réaction et leurs fusées sont moins performants. Ces nouvelles conceptions reposent en grande partie sur l'existence d'alliages de haute résistance. Mais c'est une spécialité dont je ne connais que les caractères généraux.

— Bon, tu me dis qu'il s'agit d'un système de propulsion silencieuse, avec une vitesse maximale limitée à dix nœuds ? » Ryan voulait être sûr de ces deux points.

« C'est approximatif. Il me faudrait un ordinateur pour resserrer le chiffre. Nous avons sans doute encore les données dans un coin du Labo Taylor. » Tyler voulait parler du centre de conception du Commandement des systèmes, sur la rive nord de la Severn River. « Sans doute encore classé secret, et il ne faudrait surtout pas le prendre pour argent comptant.

— Comment cela ?

— Tout ce travail date d'une vingtaine d'années. Ils n'ont pas fait de maquettes de plus de cinq mètres — c'est petit, pour ce genre de choses. Souviens-toi qu'ils avaient déjà trébuché sur un principe nouveau, cette histoire de pression en retour. Il peut fort bien y avoir eu d'autres choses. Ils ont dû essayer par l'approche électronique aussi, à mon avis, mais même s'ils l'ont fait, les techniques mathématiques d'alors étaient simples comme bonjour. Pour le reproduire aujourd'hui, il faudrait que j'aie les anciennes données et les programmes de Taylor, que je vérifie tout, puis que j'établisse un nouveau programme fondé sur cette configuration. » Il tapota du doigt les photographies. « Cela fait, il faudrait que je puisse accéder à un gros ordinateur pour le réaliser.

— Mais tu pourrais le faire ?

— Bien sûr. Il me faudrait les dimensions exactes de ce bijou, mais j'ai déjà fait cela pour les types de Crystal City. Le plus dur, c'est d'obtenir le temps d'utilisation de l'ordinateur. Il m'en faut un vraiment gros.

— Je pourrai sans doute te faire prêter le nôtre. »

Tyler se mit à rire. « Sûrement insuffisant, Jack. C'est un truc très spécialisé. Je te parle d'un Cray-2, un vrai monstre. Pour ce travail, il faut effectuer une simulation mathématique du comportement de millions de petites particules d'eau, à l'extérieur et — dans ce cas précis — à l'intérieur de la coque. Le même genre de truc que la NASA pour la navette spatiale. Le travail en soi est assez facile — c'est l'*échelle* qui pose des problèmes. Ce sont des calculs simples, mais il faut en faire des millions par seconde. Cela veut dire un gros Cray, et il n'y en a pas tellement en circulation. La NASA en a un à Houston, je crois. La marine en a quelques-uns à Norfolk pour ses recherches sur la lutte anti-sous-marine — inutile même d'y songer.

L'armée de l'air en a un au Pentagone, je crois, et tous les autres sont en Californie.

— Mais tu pourrais le faire ?

— Bien sûr.

— Eh bien, tu peux t'y mettre, Skip. Et je vais voir si on peut t'avoir un ordinateur. Pour combien de temps ?

— Selon la qualité de ce que je trouverai au Labo Taylor, peut-être une semaine. Peut-être moins.

— Combien veux-tu pour le faire ?

— Allons, Jack, voyons ! » Tyler agita le bras en signe de dénégation.

« Nous sommes lundi. Tu nous donnes le modèle vendredi, et il y a vingt mille dollars pour toi. Tu les vaux, et nous tenons à ces données. C'est d'accord ?

— Marché conclu. » Ils se serrèrent la main. « Je peux garder les photos ?

— Je peux te les laisser si tu as un endroit sûr où les mettre. Personne ne doit les voir, mon vieux. Personne.

— Il y a un bon coffre dans le bureau du major général.

— Parfait, mais il ne doit pas les voir. » Le major général était un ancien sous-marinier.

« Cela ne va pas lui plaire, dit Tyler. Mais c'est entendu.

— Dis-lui d'appeler l'amiral Greer s'il n'est pas d'accord. Voici le numéro. » Ryan lui tendit un carton. « Tu me trouveras là si tu as besoin de moi. Si je n'y suis pas, demande l'amiral.

— C'est très important ?

— Assez. Tu es le premier à trouver une explication plausible à ces panneaux. C'est pour cela que je suis venu. Si tu peux nous refaire le modèle, ce sera diablement utile. Une dernière fois, Skip : secteur ultra-délicat. Si tu laisses quelqu'un les voir, c'est ma peau.

— Bien, Jack. Bon, tu m'as fixé un délai, je ferais mieux de m'y mettre. Salut. » Après une solide poignée de main, Tyler prit un bloc de papier et entreprit d'établir la liste de tout ce qu'il avait à faire. Ryan quitta le bâtiment avec son chauffeur. Il se souvenait d'un magasin de jouets situé sur la route 2, à la sortie d'Annapolis, et il tenait à trouver cette poupée pour Sally.

Au quartier général de la CIA

Ryan avait regagné la CIA ce soir-là à huit heures. Il franchit rapidement les barrages de sécurité et entra dans le bureau de Greer.

Greer leva la tête. « Alors, vous avez trouvé votre Barbie nageuse ?

— Barbie skieuse, corrigea Ryan. Oui, amiral. Allons, n'avez-vous jamais joué au Père Noël ?

— Ils ont grandit trop vite, Ryan. Même mes petits-enfants ont dépassé ce stade. » Il se détourna pour prendre du café. Ryan se demanda s'il lui arrivait de dormir. « Nous avons du nouveau sur *Octobre rouge*. Les Russes semblent faire un grand exercice de guerre anti-sous-marins dans le nord de la mer de Barents. Une demi-douzaine d'avions de chasse anti-sous-marins, un paquet d'escorteurs, et un Alfa d'attaque, qui tournent tous en rond.

— Probablement un exercice d'acquisition. Skip Tyler dit que ces ouvertures sont faites pour un nouveau système de propulsion.

— Très bien. » Greer se carra dans son fauteuil. « Racontez-moi cela. »

Ryan sortit ses notes, et résuma ce qu'il avait appris sur la technologie des sous-marins. « Skip estime qu'il peut nous fournir une simulation d'efficacité », conclut-il.

Greer haussa les sourcils. « D'ici combien de temps ?

— Fin de la semaine, sans doute. Je lui ai dit que si c'était prêt vendredi, il serait payé. Vingt mille, cela paraît raisonnable ?

— Cela ressemblera à quelque chose ?

— S'il obtient les données dont il a besoin, oui, sûrement. Skip est un type très calé. Le MIT ne distribue pas ses doctorats dans des pochettes-surprises, et il était dans les cinq premiers de sa classe d'académie.

— Il vaut vingt mille dollars de *notre* argent ? » Greer était notoirement radin.

Ryan savait que répondre à cela. « Si nous suivions la procédure normale, monsieur, nous ferions appel à un bandit périphérique... » Ryan faisait ainsi allusion aux sociétés de consultants qui fourmillaient dans la banlieue de Washington, « ... il nous demanderait cinq ou six fois plus, et nous aurions bien de la chance s'il nous fournissait les données d'ici Pâques. De cette façon, au contraire, nous aurons peut-être tout en main pendant que l'engin est encore en mer. Au pire, je paierai l'addition moi-même. Je pensais que vous voudriez ces renseignements le plus tôt possible, et c'est précisément sa spécialité.

— Vous avez raison. » Ce n'était pas la première fois que Ryan court-circuitait la procédure normale. Les fois précédentes, tout s'était toujours passé au mieux. Et Greer s'intéressait avant tout aux résultats.

« Bon, les Soviétiques ont un nouveau lance-missiles à propulsion silencieuse. Qu'est-ce que cela signifie ?

— Rien de bon. Nous dépendons entièrement de notre aptitude à détecter leurs grosses bêtes avec nos bâtiments anti-sous-marins. Sapristi, c'est bien pour cela qu'ils ont accepté notre proposition, il y a quelques années, de ne pas approcher à moins de huit cents kilomètres de nos côtes respectives, et pour cela aussi qu'ils gardent leurs sous-marins lance-missiles au port, la plupart du temps. Cela pourrait changer considérablement la donne. A propos, la coque d'*Octobre,* je n'ai pas vu en quoi elle est faite ?

— En acier. Bien trop grosse pour une coque en titane, ou alors pour un coût exorbitant ! Vous savez ce que leur coûtent leurs Alfas.

— Bien trop pour ce qu'ils leur rapportent. Dépenser tout cet argent pour une coque ultra-résistante, et puis y flanquer des machines bruyantes, quel gâchis.

— Peut-être. Mais je ne cracherais pas sur une vitesse pareille. De toute façon, si ce système de propulsion silencieuse marche vraiment, ils risquent de débarquer sans crier gare sur notre plate-forme continentale.

— Tir à trajectoire surbaissée », compléta Ryan. C'était l'un des pires scénarios de guerre nucléaire, où un missile était lancé de la mer, sur une cible située à quelques centaines de kilomètres. Washington est à moins de quinze cents kilomètres de l'océan Atlantique. Bien qu'un missile volant vite à basse altitude perde une bonne part de sa précision, il suffirait d'en lancer plusieurs pour qu'ils explosent en moins de cinq minutes au-dessus de Washington, sans donner au président le temps de réagir. « Si les Soviétiques étaient capables de tuer le président aussi rapidement, la désintégration de la chaîne de commandement qui en résulterait leur donnerait amplement le temps de détruire nos missiles de seconde frappe basés à terre car plus personne n'aurait l'autorité requise pour les lancer. Ce scénario est la version en plus grand d'une simple agression de rue, songea Ryan. Un agresseur ne vise pas les bras de sa victime — il va droit à la gorge. » « Vous pensez qu'*Octobre* a été construit dans cet esprit ?

— Ils y ont sûrement pensé, répondit Greer. Nous y aurions pensé aussi. Enfin, nous avons le *Bremerton* pour le tenir à l'œil et, si ces données se révèlent utilisables, nous verrons ce que nous pourrons trouver comme riposte. Comment vous sentez-vous ?

— Je suis en route depuis ce matin, 5 h 30, heure de Londres. C'est une longue journée.

— Je l'imagine, en effet. Bon, nous étudierons cette affaire d'Afghanistan demain matin. Allez vite dormir, mon garçon.

— Avec joie. » Ryan prit son manteau. « Bonne nuit. »

Le Marriott était à un quart d'heure, en voiture. Ryan commit l'erreur d'allumer la télévision au début du match de football du lundi soir. Cincinnati contre San Francisco, et les deux meilleurs *quarterbacks* de la catégorie face à face. A vivre en Angleterre, le football lui manquait, et il parvint à rester éveiller près de trois heures, avant de s'endormir devant son poste allumé.

Au central des oreilles de la mer SOSUS[1]

A l'exception du fait que tout le monde était en uniforme, un visiteur non averti aurait pu se croire dans une salle de la NASA. Il s'y trouvait six énormes rangées de consoles, chacune équipée d'un écran, d'un clavier, ainsi que de touches allumées, de cadrans, de casques d'écoute, et de contrôles analogiques et digitaux. Deke Franklin, maître technicien océanographe, occupait la console 15.

Cette salle était le central Atlantique SOSUS, situé dans un immeuble quelconque, l'une de ces bâtisses gouvernementales dénuées de toute inspiration, avec des murs en béton dépourvus de fenêtres, une énorme installation d'air conditionné sur un toit plat, et un panneau de signalisation bleu, sur une pelouse bien entretenue mais jaunie. Des hommes en armes montaient discrètement la garde à l'intérieur des trois entrées. Le sous-sol abritait deux superordinateurs Cray-2 que faisaient fonctionner vingt informaticiens et, derrière l'immeuble, se trouvaient trois stations de communication par satellite, en aller et retour vertical. Les hommes placés aux consoles et aux ordinateurs étaient électroniquement reliés par satellite et ligne au sol, au système SOSUS.

Dans tous les océans, et en particulier dans les passages que devaient franchir les sous-marins soviétiques pour parvenir en haute mer, les Etats-Unis et leurs alliés de l'OTAN avaient déployé des séries de récepteurs sonar ultrasensibles. Les centaines de détecteurs SOSUS recevaient et transmettaient une quantité incroyable de renseignements et, pour aider les opérateurs du système à les classer et les analyser, il avait fallu concevoir une nouvelle famille d'ordinateurs. SOSUS était remarquable. Pratiquement aucun sous-marin ne pouvait franchir ses barrières sans être détecté. Même

1. SOSUS : Sonar Surveyance System, réseau d'écoute microphonique. (N.d.T.)

sous-marins d'attaque britanniques et américains, pourtant très silencieux, se faisaient généralement repérer. Les détecteurs placés au fond de la mer étaient régulièrement améliorés ; désormais, nombre d'entre eux avaient leurs propres processeurs de signaux, pour faire un premier tri des données qu'ils transmettaient, allégeant ainsi la charge des ordinateurs centraux et permettant une classification plus rapide et plus précise des objectifs.

La console occupée par Franklin recevait des données d'une chaîne de détecteurs plantés au large de la côte d'Islande. Franklin assumait la responsabilité d'une zone de quarante milles nautiques carrés, et son secteur recoupait ceux situés à l'est et à l'ouest de sorte que, théoriquement, trois opérateurs surveillaient en permanence chaque point du barrage. S'il recevait un contact, il avertissait d'abord ses collègues opérateurs, puis entrait sur son terminal un rapport de contact qui apparaîtrait ensuite sur l'écran central de contrôle, au fond de la salle. Pendant son quart l'officier responsable avait toute autorité — et l'exerçait fréquemment — pour pister un contact avec un vaste éventail de moyens, depuis les navires de surface jusqu'aux avions de chasse anti-sous-marins. Deux guerres mondiales avaient enseigné aux officiers américains et anglais la nécessité de maintenir les routes maritimes ouvertes.

Bien que le « service des oreilles de mer », d'une discrétion quasiment tombale, n'eût jamais été présenté au public, et qu'il fût dépourvu de tout le caractère spectaculaire habituellement associé à la vie militaire, les hommes de quart dans cette salle remplissaient une fonction essentielle au service de leur pays. Sans eux, des nations entières auraient risqué de mourir de faim en cas de guerre.

Confortablement installé dans son fauteuil pivotant, Franklin tirait pensivement sur sa bonne vieille pipe de bruyère. Tout autour de lui régnait un silence absolu et, même si ce n'avait pas été le cas, son casque d'écoute à cinq cents dollars l'aurait efficacement retranché du monde extérieur. Depuis vingt-six ans, le maître Franklin avait fait toute sa carrière à bord d'escorteurs et de frégates. Pour lui, tous les sous-marins et les sous-mariniers étaient des ennemis, quel que pût être leur drapeau ou leur uniforme.

Il haussa un sourcil, et pencha de côté sa tête presque chauve. Les mouvements de succion sur la pipe se firent irréguliers. Sa main droite se tendit vers le panneau et mit hors circuit divers filtres afin de pouvoir écouter le son sans interférence. Mais c'était inutile. Il y avait trop de bruit de fond. Il remit les filtres. Il essaya ensuite quelques réglages dans les circuits d'azimétrie. Les oreilles SOSUS étaient conçues pour vérifier les positions grâce à l'utilisation sélective de récepteurs individuels, que l'on pouvait interroger électroniquement pour obtenir d'abord une position, puis employer un groupe voisin pour faire la triangulation. Le contact était très faible, mais pas trop loin de la ligne, lui semblait-il. Franklin interrogea son terminal. Le sous-marin américain *Dallas* se trouvait là-bas. « Bien joué ! » triompha-t-il intérieurement avec un mince sourire. Un autre bruit lui parvint, une sorte de roulement à basse fréquence qui dura seulement quelques secondes avant de s'évanouir. Mais pas tellement discret, tout de même. Pourquoi ne l'avait-il pas entendu avant de brancher le répétiteur d'azimut ? Il posa sa pipe et fit quelques réglages sur sa console.

« Franklin ? » La voix du chef de quart résonna dans ses écouteurs.

« Oui, commandant ?

— Pouvez-vous venir au poste de contrôle ? J'ai quelque chose à vous faire entendre.

— J'arrive, commandant. » Franklin se leva sans bruit. Le commandant Quentin était un ancien capitaine de frégate, en service auxiliaire depuis sa victoire sur le cancer. « *Presque* victoire », corrigea Franklin *in petto*. La chimiothérapie avait tué le cancer... mais elle avait presque entièrement détruit son système pileux, et transformé sa peau en une sorte de parchemin translucide. « Dommage », songea-t-il. Quentin était un type bien.

Le poste de contrôle était surélevé, pour permettre à ses occupants de voir l'équipe entière des opérateurs au travail, ainsi que le grand panneau tactique qui occupait le mur du fond. Il était cependant séparé du reste de la salle par une vitre, afin qu'on pût y parler sans déranger les opérateurs. Franklin trouva Quentin à son poste de commandement, d'où il pouvait se brancher à tout moment sur n'importe quelle console.

« Bonjour, commandant. » Franklin observa que l'officier reprenait un peu de poids. Il était temps. « Qu'avez-vous donc pour moi ?

— Oreilles de la mer de Barents. » Quentin lui tendit un casque. Franklin écouta pendant plusieurs minutes, mais sans s'asseoir. Comme beaucoup de gens, il redoutait viscéralement que le cancer fût contagieux.

« Ils m'ont l'air fichtrement actifs, là-dedans. Je repère deux Alfas, un Charles, un Tango, et plusieurs navires de surface. Qu'est-ce que ça donne ?

— Il y a aussi un Delta, mais il vient de faire surface et de stopper ses machines.

— Surface sur ordre ?

— Ouais. Ils le harcelaient au sonar actif, et puis un escorteur l'a appelé au téléphone sous-marin.

— Hum-hum. Jeu d'acquisition, et le sous-marin a perdu.

— Peut-être. » Quentin se frotta les yeux. Il paraissait fatigué. Il s'imposait un rythme trop dur, et sa résistance n'était pas la moitié de ce qu'il aurait fallu. « Mais les Alfas s'acharnent, et maintenant ils font route à l'ouest, comme vous avez pu l'entendre.

— Ah ! » Franklin réfléchit un moment. « Alors ils cherchent un autre bâtiment. Peut-être le Typhon qui était censé appareiller l'autre jour ?

— C'est ce que je pensais... sauf qu'il est parti vers l'ouest, et la zone d'exercice est située au nord-est du fjord. Nous l'avons perdu au SOSUS, l'autre jour. Le *Bremerton* est sur place pour tâcher de renifler la piste.

— C'est un commandant bien méfiant, décida Franklin. Il a stoppé ses machines et il se laisse dériver.

— Ouais, acquiesça Quentin. Je voudrais que vous preniez la console de surveillance du barrage cap Nord, pour voir si vous le retrouvez. Il doit avoir encore son réacteur en marche, et émettre un faible rayonnement sonore. Les opérateurs qui couvrent ce secteur sont encore un peu jeunes. Je vais en reprendre un et lui confier votre console pendant un petit moment.

— Okay, commandant », dit Franklin. Cette partie de l'équipe manquait encore un peu d'expérience, car ils avaient toujours servi en mer. SOSUS requérait davantage de finesse. Quentin n'avait pas besoin de préciser que Franklin devrait contrôler toutes les consoles de l'équipe du cap Nord et, sans doute, donner quelques petites leçons tout en écoutant leurs bruiteurs.

« Avez-vous repéré notre *Dallas ?*

— Oui, très faiblement, mais je crois qu'il a traversé mon secteur en direction de Toll Booth, au nord-ouest. Si nous arrivons à y expédier un avion Orion, je crois que nous parviendrons à le piéger. Pouvons-nous secouer un peu la cage ? »

Quentin se mit à rire. Il n'aimait pas beaucoup les sous-mariniers non plus. « Non, l'exercice allié Dauphin malin est fini, mon vieux. Nous allons juste l'enregistrer et rendre compte au commandant quand il rentrera au bercail. Joli travail, toutefois. Vous connaissez sa réputation. Nous étions censés de ne pas pouvoir l'entendre du tout, ce *Dallas*.

— Ce jour-là n'est pas arrivé ! ricana Franklin.
— Tenez-moi au courant de ce que vous trouverez, Deke.
— Ouais, ouais, commandant. Et vous, ne vous surmenez pas trop, vu ? »

LE CINQUIÈME JOUR

Mardi 7 décembre

Moscou

Ce n'était pas le bureau le plus somptueux du Kremlin, mais il convenait parfaitement à son détenteur. L'amiral Youri Ilych Padorine apparut comme toujours à 7 heures, arrivant en voiture de son appartement de six pièces situé sur le Kutuzovski Prospekt. Les grandes fenêtres de son bureau dominaient les murs du Kremlin, qui l'empêchaient de voir la Moskova présentement solidifiée par la glace. La vue du fleuve ne manquait guère à Padorine, bien qu'il eût gagné ses galons quarante ans auparavant sur les aviso-torpilleurs fluviaux, en traversant la Volga pour ravitailler Stalingrad. Padorine était désormais le directeur politique de la marine soviétique. Son métier s'appliquait aux hommes, et non aux navires.

D'un bref signe de tête, il salua en passant son secrétaire, un homme de quarante ans, qui bondit sur ses pieds et s'empressa de suivre son amiral dans le cabinet de travail pour le débarrasser de son pardessus. Le veston bleu marine de Padorine étincelait de rubans et de la médaille d'or la plus convoitée de toutes les décorations militaires, celle du Héros de l'Union soviétique. Il l'avait gagnée au combat, quand il n'était qu'un garçon de vingt ans au visage couvert de taches de rousseur, et qu'il faisait inlassablement la navette sur la Volga. C'était le bon temps, se disait-il, quand il fallait esquiver les bombes des stukas allemands et les tirs d'artillerie plus imprécis par lesquels les fascistes avaient tenté de barrer la voie à son escadron... Comme tant d'autres hommes, il avait oublié l'affreuse terreur du combat.

C'était un mardi matin, et une pile de courrier attendait Padorine sur sa table. Son aide de camp lui apporta un pot de thé et un verre — l'habituel verre russe encerclé dans un montant métallique, en argent massif dans le cas de l'amiral. Padorine avait beaucoup travaillé pour obtenir les avantages qui allaient avec ce bureau. Il s'installa dans son fauteuil et commença par parcourir les dépêches des services de renseignements, qu'expédiaient matin et soir les services de liaison opérationnels de la marine soviétique. Un officier politique devait se tenir au courant, pour savoir ce que manigançaient les impérialistes et pouvoir informer ses hommes des menaces.

Ensuite venait le courrier officiel du Commissariat du peuple de la marine, et du ministère de la Défense. Il avait accès à toutes les correspondances du premier, tandis que celui du second avait été revu d'abord, car les services des armées soviétiques partagent le moins d'information possible. Il n'y avait pas trop de courrier, ce jour-là. L'habituelle réunion du lundi après-midi avait couvert l'essentiel de ce qu'il y avait à faire cette semaine, et presque tout ce qui intéressait Padorine était déjà entre les mains de ses services, pour être traité. Il se servit un second verre de thé et ouvrit un nouveau paquet de cigarettes sans filtres, une habitude dont il n'avait pas pu se défaire en dépit d'une petite crise cardiaque survenue trois ans auparavant. Il vérifia son emploi du temps — bon, aucun rendez-vous avant 10 heures.

Presque en bas de la pile, il vit une enveloppe d'aspect officiel qui venait de la Flotte du nord. Le numéro de code inscrit dans l'angle supérieur gauche révélait la provenance : *Octobre rouge*. Ne venait-il pas de lire quelque chose à ce sujet ?

Padorine vérifia une seconde fois ses dépêches opérationnelles. Ainsi donc, Ramius ne s'était pas montré dans sa zone d'exercice ? Il haussa les épaules. Les sous-marins lance-missiles étaient censés échapper à toute détection, et le vieil amiral n'aurait guère été surpris d'apprendre que Ramius avait joué quelques tours pendables. Le fils d'Aleksandre Ramius était une véritable prima donna, apparemment en proie à la troublante habitude de construire son propre culte de la personnalité : il gardait certains des hommes qu'il formait et en rejetait d'autres. Padorine savait que les recalés du service actif étaient devenus d'excellents *zampoliti*, faisant preuve de connaissances doctrinales bien plus étendues que la norme. Néanmoins, Ramius était un capitaine qu'il fallait tenir à l'œil. Padorine le soupçonnait parfois d'être trop marin, et pas assez communiste. Par ailleurs, son père avait été un membre modèle du Parti, et un héros de la Grande Guerre patriotique. Lituanien ou non, il avait été très coté. Et le fils ? Des années de tenue parfaite, ainsi que de loyale adhésion au Parti. Il était réputé pour la ferveur de sa participation et pour le brio de ses interventions occasionnelles. D'après la branche navale du GRU, le service de renseignements militaire soviétique, les impérialistes le considéraient comme un ennemi dangereusement habile. Bien, se dit Padorine, ces salauds font bien de craindre nos hommes. Et il reporta son attention sur l'enveloppe.

Octobre rouge, quel beau nom pour un bâtiment de guerre soviétique ! Nommé non seulement en l'honneur de la révolution qui avait à jamais changé l'histoire du monde, mais aussi pour l'usine de tracteurs d'Octobre rouge. Combien de fois Padorine n'avait-il pas regardé vers l'ouest, en direction de Stalingrad, pour s'assurer que l'usine était toujours dressée là, symbole des combattants soviétiques acharnés contre les envahisseurs hitlériens. L'enveloppe portait l'indication *Confidentielle,* et son secrétaire ne l'avait pas ouverte comme il faisait pour le courrier ordinaire. L'amiral tira d'un tiroir son coupe-papier, un objet fortement chargé de souvenirs, son ancien couteau de l'armée. Quand son premier bateau avait coulé sous lui, par une chaude nuit d'août 1942, il avait nagé jusqu'à la côte, où un soldat d'infanterie allemande s'était jeté sur lui, ne craignant aucune résistance de la part d'un marin à demi noyé. Padorine l'avait surpris en lui plongeant son couteau dans la poitrine et en brisant la lame dans l'acte de tuer. Plus tard, un mécanicien avait limé la lame et, bien que ce ne fût plus vraiment un couteau utilisable, Padorine n'allait certes pas se défaire d'un tel souvenir.

Camarade amiral, commençait la lettre — mais les caractères avaient été grattés, et remplacés à la main par *Oncle Youri.* Des années auparavant, c'était ainsi que Ramius l'avait moqueusement surnommé, lorsque Padorine était officier politique en chef de la Flotte du nord. *Merci pour votre confiance, et pour l'occasion que vous m'avez donnée de commander ce magnifique bâtiment !* Ramius pouvait bien être reconnaissant, se dit Padorine. Compétence ou non, on ne confiait pas ce genre de commandement à...

Quoi ? Padorine interrompit sa lecture et reprit au début. Il en oubliait la cigarette qui se consumait dans le cendrier, tandis qu'il parvenait au bas de la première page. Une plaisanterie. Ramius était connu pour ses plaisanteries. Mais celle-ci, il la payerait cher. Il allait foutrement trop loin ! Padorine tourna la page.

Ce n'est pas une plaisanterie, Oncle Youri... Marko.

Padorine s'interrompit à nouveau, et regarda par la fenêtre. A cet endroit, le mur du Kremlin était une véritable ruche, bourrée d'alvéoles pour les fidèles du Parti. Il ne pouvait pas avoir lu cette lettre correctement. Il entreprit de la relire. Ses mains commencèrent à trembler.

Une ligne directe le reliait à l'amiral Gorchkov, sans aucun barrage de secrétaire ni d'aide de camp.

« Ici Padorine, amiral.

— Bonjour, Youri, répondit aimablement Gorchkov.

— Il faut que je vous voie immédiatement. J'ai une affaire délicate.

— Quel genre d'affaire ? s'enquit Gorchkov, inquiet.

— Il faut que je vous en parle personnellement. J'arrive. » Impossible d'en parler au téléphone ; il savait qu'il était sur écoute.

A bord de l'USS[1] Dallas

Le matelot Ronald Jones était dans son habituelle transe, observa son officier. Ce jeune matelot affecté au sonar, qui avait raté ses études, était voûté au-dessus de sa console, le corps inerte, les yeux clos, le visage fermé dans la même expression vide que quand il écoutait l'une de ses nombreuses cassettes de Bach, sur son coûteux magnétophone personnel. Jones était du genre à définir ses cassettes par leurs défauts, un mauvais tempo au piano, une flûte loupée, un cor d'harmonie hésitant. Il écoutait les sons de la mer avec la même intensité critique. Dans toutes les marines du monde, les sous-mariniers étaient considérés comme une race étrange, et les sous-mariniers eux-mêmes considéraient les opérateurs sonar comme de drôles de gens. Leurs excentricités étaient cependant les mieux tolérées dans le monde militaire. L'officier en second aimait à raconter l'histoire d'un chef opérateur sonar avec qui il avait servi pendant deux ans, un homme qui avait patrouillé les mêmes secteurs en sous-marin nucléaire pendant pratiquement toute sa carrière, et qui s'était si bien familiarisé avec les baleines qu'il avait commencé à les distinguer par des petits noms. Lors de sa mise à la retraite, il était allé travailler à l'Institut océanographique Woods Hole, où son talent avait suscité moins d'amusement que d'effarement.

Trois années auparavant, Jones avait été prié de quitter l'Institut de technologie de Californie au milieu de sa troisième année. Il avait monté l'un de ces beaux coups pour lesquels les

1. USS : *United States Ship,* navire des Etats-Unis. (N.d.T.)

étudiants de « Cal Tech » étaient justement réputés, mais celui-là n'avait pas marché. Il s'était donc engagé dans la marine, pour pouvoir financer ensuite son retour à l'université. Il avait le dessein avoué de faire un doctorat de cybernétique et de traitement des signaux. En contrepartie de cette sortie prématurée, il retournerait diplôme en main travailler à l'Institut de recherche navale. Le lieutenant Thompson y croyait ferme. En arrivant à bord du *Dallas* six mois plus tôt, il avait lu les dossiers de tous ses hommes. Jones avait un QI de 158 — de loin le plus élevé à bord. Il avait un visage placide, et des yeux bruns tristes que les femmes trouvaient irrésistibles. A terre, Jones menait de front des activités qui auraient épuisé tout un bataillon de marines. Le lieutenant n'y comprenait rien : il avait été le footballeur chéri d'Annapolis, alors que Jones n'était qu'un gamin malingre occupé à écouter du Bach sans répit. C'était invraisemblable.

L'USS *Dallas,* un sous-marin d'attaque de la classe 688, se trouvait à quarante milles de la côte d'Islande, approchant de sa zone de patrouille — nom de code : Poste de péage. Il avait deux jours de retard. La semaine précédente, il avait participé à l'exercice de guerre de l'OTAN Dauphin malin, qu'il avait fallu reporter de plusieurs jours parce qu'un temps épouvantable sur l'Atlantique Nord, le pire en vingt ans, avait retardé d'autres navires participants. Couplé pour cet exercice avec le HMS [1] *Swiftsure,* le *Dallas* avait profité du mauvais temps pour pénétrer et dévaster la formation ennemie simulée. C'était là un nouveau succès éclatant pour le *Dallas* et son commandant, le capitaine de frégate Bart Mancuso, l'un des plus jeunes commandants de la marine américaine. La mission avait été suivie d'une visite de courtoisie à la base de la Royal Navy, en Ecosse, d'où venait *Swiftsure,* et l'équipage américain n'avait pas fini de dissiper les effets de la célébration... Ils avaient maintenant une mission différente, un nouveau développement du jeu sous-marin en Atlantique. Pendant trois semaines, le *Dallas* devait rendre compte de tout le trafic entrant et sortant, sur la Route rouge numéro un.

Au cours des derniers dix-huit mois, les nouveaux sous-marins soviétiques avaient employé une tactique étrange et efficace pour semer leurs poursuivants américains et britanniques. Au sud-ouest de l'Islande, les bâtiments russes fonçaient le long d'une arête rocheuse sous-marine pointée vers le fond du bassin atlantique. Séparées par des intervalles de un à huit kilomètres, ces montagnes

1. HMS : *Her Majesty Ship.* (N.d.T.)

escarpées en roches éruptives friables rivalisaient en taille avec la chaîne des Alpes. Les sommets pointaient à environ trois cents mètres au-dessous de la surface houleuse de l'Atlantique Nord. Jusque vers la fin des années soixante, les sous-marins n'avaient guère pu approcher des sommets, sans parler d'explorer leurs myriades de vallées. Pendant les années soixante-dix, on avait pu voir les bâtiments soviétiques de surveillance navale patrouiller le long de cette arête — en toutes saisons, par tous les temps, quadrillant et requadrillant la région au cours de milliers d'expéditions. Et puis, quatorze mois avant la mission actuelle du *Dallas*, l'USS *Los Angeles* avait chassé un sous-marin d'attaque soviétique de la classe Victor-II. Le Victor avait effleuré la côte islandaise, et plongé très profondément à l'approche de la chaîne. Le *Los Angeles* avait suivi. Le Victor avançait à huit nœuds, jusqu'au moment où il passa entre les deux premiers sommets, surnommés les Jumeaux de Thor. Il augmenta alors la vitesse, et se dirigea vers le sud-ouest. Le commandant du *Los Angeles* décida de poursuivre le Victor, et en sortit tout secoué. Les sous-marins de classe 688 étaient plus rapides que les vieux Victor, mais le sous-marin soviétique n'avait tout simplement jamais ralenti — pendant quinze heures d'affilée, comme on l'apprit par la suite.

Ce n'avait d'abord pas été dangereux. Les sous-marins avaient un système de navigation inertielle de haute précision, capable de fixer leur position à quelques centaines de mètres près, en deux secondes. Mais le Victor passait au ras des falaises comme si son commandant avait pu les voir, tel un avion de combat feintant dans un canyon pour esquiver le tir d'un missile surface-air. Le *Los Angeles* ne pouvait pas garder le contact des falaises. Au-delà de vingt nœuds, ses systèmes sonar actifs et passifs devenaient inutilisables, y compris le sondeur. Le *Los Angeles* se retrouva donc en navigation aveugle. C'était, raconta par la suite son commandant, comme conduire une voiture aux vitres opaques, avec le seul recours d'une carte et d'un chronomètre. Théoriquement, la chose était possible, mais le commandant n'avait pas tardé à constater que le système de navigation inertielle comprenait un facteur d'erreur de plusieurs centaines de mètres, aggravé par des troubles gravitationnels qui affectaient le « vertical local », lequel, à son tour, affectait le problème inertiel. Pis encore, ses cartes étaient conçues pour des navires de surface. Au-dessous de quelques centaines de mètres, on savait que les données topographiques pouvaient être situées avec plusieurs kilomètres d'erreur — ce qui n'avait jamais jusqu'alors dérangé personne. L'intervalle entre les montagnes n'avait pas tardé à devenir très inférieur au cumul de ses erreurs de navigation — tôt ou tard, son sous-marin allait aborder une montagne à une vitesse de plus de trente nœuds. Le commandant américain abandonna la partie. Le Victor s'en tira.

On avait d'abord supposé que les Soviétiques étaient parvenus à découvrir une route spécifique, que leurs sous-marins pouvaient suivre à grande allure. Les commandants russes étaient réputés pour la folie de certaines de leurs navigations, et peut-être se fiaient-ils à un ensemble de systèmes inertiels, et de compas magnétiques et gyroscopiques réglés sur un parcours spécifique. Cette théorie n'avait jamais suscité de réelle adhésion et, en quelques semaines, on sut avec certitude que les sous-marins soviétiques lancés à toute vitesse dans cette chaîne de montagnes suivaient une multitude de parcours. La seule chose que pouvaient faire les sous-marins américains et britanniques consistait à stopper périodiquement pour vérifier leur position par sonar, puis se précipiter à nouveau. Mais les sous-marins soviétiques ne ralentissaient jamais, et les 688 aussi bien que les Trafalgars les perdaient toujours.

Le *Dallas* était au poste de péage pour repérer les sous-marins russes qui passaient, pour surveiller l'entrée du passage que la marine américaine appelait maintenant Route rouge numéro un, et pour guetter tout signe extérieur d'un nouveau gadget permettant aux Soviétiques de parcourir la chaîne avec cette audace. Tant qu'ils n'arriveraient pas à copier ce gadget, les Américains resteraient devant ces trois choix désagréables : continuer à perdre le contact avec les Russes ; poster leurs meilleurs sous-marins d'attaque aux sorties connues de la Route rouge ; ou mettre en œuvre une nouvelle ligne de SOSUS.

La transe de Jones dura dix minutes — plus que d'habitude. Il repérait normalement un contact en beaucoup moins longtemps. Puis il se détendit et, s'adossant à son siège, alluma une cigarette.

« J'ai quelque chose, monsieur Thompson.

— Quoi ? » Thompson était adossé à la cloison.

« Je ne sais pas. » Jones prit un autre jeu d'écouteurs et les tendit à l'officier. « Ecoutez. »

Thompson préparait une maîtrise d'ingénieur en électricité, et il était expert en conception de systèmes sonar. Ses yeux se plissèrent en se fermant tandis qu'il se concentrait sur le son. C'était un faible bourdonnement à basse fréquence — un bruissement. Il n'était pas sûr. Il écouta plusieurs minutes avant de quitter les écouteurs, et hocha la tête.

« Je l'ai pris, il y a une demi-heure, sur le réseau latéral », expliqua Jones. Il parlait d'une dérivation du sonar sous-marin BQQ-5 multifonctionnel. La composante essentielle était un dôme de six mètres de diamètre, situé à l'étrave. Ce dôme servait aux veilles sonar actives et passives. Un nouvel élément du système consistait en une série de senseurs passifs suspendus à soixante-dix mètres, de part et d'autre de la coque. Il s'agissait là d'une réplique électronique des organes sensoriels d'un requin. « Je l'ai perdu, retrouvé, perdu, retrouvé, poursuivit Jones. Ce n'est pas un bruit d'hélice, ni de baleine ou de poisson. Plutôt de l'eau dans une canalisation, sauf qu'il y a aussi ce drôle de ronflement intermittent. De toute façon, le relèvement est à peu près deux-cinq-zéro, c'est-à-dire entre nous et l'Islande — il ne peut pas être bien loin.

— Voyons un peu à quoi ça ressemble. Nous en tirerons peut-être des éclaircissements. »

Jones prit un raccord à double fiche, dont l'une se branchait sur son panneau sonar, et l'autre sur un oscilloscope. Les deux hommes passèrent plusieurs minutes à s'activer sur les contrôles sonar pour isoler le signal. Ils finirent par obtenir une courbe sinusoïdale irrégulière, qu'ils ne parvenaient à maintenir que quelques secondes à la fois.

« C'est bien irrégulier, observa Thompson.

— Oui, bizarre. C'est régulier à l'oreille, mais irrégulier sur l'écran. Vous voyez ce que je veux dire, monsieur Thompson ?

— Non, vous avez l'oreille plus fine.

— Parce que j'écoute de la meilleure musique. Le rock finira par vous tuer l'oreille ! »

Thompson savait qu'il avait raison, mais un diplômé d'Annapolis n'a nul besoin de recevoir ce genre de leçon d'un simple matelot. Ses précieuses cassettes de Janis Joplin ne regardaient que lui. « Etape suivante.

— Bien. » Jones ôta la fiche de l'oscilloscope pour la brancher sur un panneau placé à gauche du cadran sonar, près d'un terminal d'ordinateur.

Lors de son dernier carénage, le *Dallas* avait reçu un joujou très spécial, pour compléter son système sonar BQQ-5. Il s'agissait du BC-10, l'ordinateur le plus puissant jamais installé à bord d'un sous-marin. Guère plus encombrant qu'un bureau de travail, il coûtait plus de cinq millions de dollars, et pouvait effectuer quatre-vingts millions d'opérations par seconde. Il utilisait des puces à soixante-quatre bits, ainsi qu'une architecture de traitement ultrarécente. Sa mémoire-bulle pouvait aisément répondre aux besoins informatiques de toute une escadrille de sous-marins. D'ici cinq ans, tous les sous-marins d'attaque de la flotte en seraient équipés. Son but, tout comme celui du système SOSUS, beaucoup plus vaste, consistait à traiter et analyser les signaux sonar; le BC-10 éliminait les bruits ambiants et ceux produits naturellement par la mer, afin de trier et d'identifier les sons produits artificiellement. Il pouvait reconnaître nommément les navires, d'après leur signature acoustique individuelle, de la même manière que l'on peut identifier l'empreinte digitale ou vocale d'un être humain.

Aussi important que l'ordinateur, il y avait le logiciel de programmation. Quatre années auparavant, un candidat à l'agrégation de géophysique qui travaillait au laboratoire géophysique de « Cal Tech » avait mis au point un programme de six cent mille pas, destiné à prévoir les tremblements de terre. Le problème que tentait de résoudre le programme était celui du signal par opposition au bruit. Il surmontait la difficulté que rencontraient les séismologues pour différencier les bruits fortuits qu'enregistraient en permanence les séismographes, des signaux réellement spécifiques qui annoncent un événement sismique.

Le département de la Défense avait pour la première fois employé ce programme dans le cadre du Commandement des applications techniques de l'armée de l'air (AFTAC) où il s'était révélé tout à fait efficace dans sa mission de détection des opérations nucléaires en œuvre dans le monde entier, en fonction des traités de contrôle des armements. Le laboratoire de recherche de la marine s'en était également inspiré pour construire des programmes répondant à ses exigences spécifiques. Bien qu'il ne fût pas parfait pour les prévisions sismiques, le SAPS[1] analysait fort bien les signaux sonar.

« ENTRÉE SIGNAL SAPS, composa Jones sur le clavier vidéo du terminal.

— PRÊT, répondit aussitôt le BC-10.

— EXÉCUTION. »

Malgré la vitesse fantastique, les six cent mille pas du programme, ponctués par les nombreuses boucles GOTO, prirent un certain temps, cependant que le BC-10 éliminait les bruits naturels grâce à ses critères de courbe intermittente puis isolait le signal particulier. Cela dura vingt secondes, une éternité en temps d'ordinateur. La réponse s'inscrivit sur l'écran. Jones pressa une touche pour obtenir une copie sur l'imprimante. Avec un petit ricanement déçu, Jones déchira le feuillet. « SIGNAL ANORMAL ÉVA-

1. SAPS : Signal Algorythmic Processing, traitement du signal. (N.d.T.)

LUÉ COMME MOUVEMENT DE MAGMA. C'est leur façon de dire prenez deux aspirines et rappelez-moi à la fin du quart. »

Thompson eut un petit rire complice. En dépit de tout le charivari qui avait accompagné l'installation du nouveau système, celui-ci ne jouissait pas d'une réputation bien flatteuse dans la flotte. « Vous souvenez-vous de ce qu'ont annoncé les journaux, pendant notre séjour en Angleterre ? Une histoire d'activité sismique autour de l'Islande, comme quand une île avait surgi de la mer, dans les années soixante. »

Jones alluma une nouvelle cigarette. Il connaissait l'étudiant qui, à l'origine, avait conçu cet avorton surnommé SAPS et l'avait affligé de détestables habitudes, en particulier celle de se tromper sur le signal à analyser — et rien dans le résultat ne permettait de déceler l'erreur.

Et puis, comme il avait été conçu, originellement, pour rechercher les événements sismiques, Jones lui soupçonnait une nette tendance à interpréter toutes les anomalies comme des événements sismiques. Cette préconception ne lui plaisait guère, et il avait le sentiment que le laboratoire de recherche ne l'avait pas entièrement fait disparaître. C'était une chose d'employer les ordinateurs comme outils, et une tout autre chose de les laisser penser pour vous. Et d'ailleurs, ils découvraient sans cesse de nouveaux bruits marins que jamais personne n'avait entendus auparavant, ni, bien moins encore, analysés.

« Eh bien, d'abord la fréquence est complètement fausse — pas du tout assez basse. Et si j'essayais une autre piste sur ce signal avec le R-15 ? » Jones faisait allusion au réseau de détecteurs passifs que le *Dallas* tirait derrière lui à faible vitesse.

Le commandant Mancuso entra à cet instant, avec son éternelle tasse de café à la main. Ce qu'il y avait d'effrayant avec le commandant, songea Thompson, c'était son talent pour apparaître dès qu'il y avait quelque chose. Avait-il fait truffer de micros tout le bâtiment ?

« Je ne fais que passer, lança-t-il négligemment. Quoi de neuf, par cette belle journée ? » Le commandant s'adossa à la cloison. C'était un homme de taille plutôt petite, aux alentours d'un mètre soixante-dix, qui avait lutté toute sa vie contre son tour de taille et finissait par perdre la bataille, à cause de la bonne cuisine et du manque d'exercice qui caractérisaient la vie à bord d'un sous-marin. Ses yeux sombres étaient entourés de rides rieuses, qui se creusaient toujours quand il jouait un tour à un autre bâtiment.

Faisait-il jour ? se demanda Thompson. Le cycle du quart établi en « trois fois six » facilitait l'organisation du travail mais, après quelques changements, il devenait nécessaire de consulter sa montre pour savoir quel jour on était, et tenir correctement le journal de bord.

« Commandant, Jones a repéré un drôle de signal sur le latéral. L'ordinateur dit qu'il s'agit d'un mouvement de magma.

— Et notre bouillant Jonesy n'est pas d'accord. » Mancuso n'avait même pas besoin de poser la question.

« Non, commandant, je ne suis pas d'accord. Je ne sais pas ce que c'est, mais je suis sûr que ce n'est pas cela.

— Vous voilà encore en désaccord avec la machine ?

— Commandant, SAPS marche bien la plupart du temps, mais il lui arrive aussi de se comporter en véritable savate. Et d'abord, la fréquence est complètement fausse.

— Bon, alors que pensez-vous ?

— Je ne sais pas, commandant. Ce n'est pas un bruit d'hélice, mais ce n'est non plus aucun son naturel que j'aie pu entendre jusqu'à présent. A part cela... » L'absence de formalité de cette discussion avec son commandant frappa Jones, même après trois ans de vie à bord de sous-marins nucléaires. L'équipage du *Dallas* vivait comme une grande famille, l'une de ces vieilles familles de l'époque héroïque où tout le monde travaillait très durement. Le commandant était le père. Quant au second, tout le monde aurait admis d'emblée qu'il représentait la mère. Les officiers étaient les aînés des enfants, et les engagés, les cadets. L'important, c'était que, quand on avait quelque chose à dire, le commandant vous écoutait. Pour Jones, cela comptait beaucoup.

Mancuso hocha pensivement la tête. « Bien, continuez. Il serait dommage de laisser perdre tout ce coûteux matériel. »

Jones sourit. Un jour, il avait expliqué en détail au commandant comment il aurait pu transformer cet équipement en une fabuleuse chaîne hi-fi. Mancuso lui avait alors fait observer que cela n'aurait rien eu d'un exploit, vu qu'à lui seul, l'appareil sonar valait plus de vingt millions de dollars.

« Bon Dieu ! » Le jeune technicien se redressa brusquement sur son siège. « Quelqu'un vient d'écraser le champignon. »

Jones tenait le quart au sonar. Les deux autres hommes de quart notèrent le nouveau signal, et Jones brancha ses écouteurs sur le réseau déployé à l'arrière, tandis que les deux officiers faisaient en sorte de ne pas déranger. Le BQR-15 était l'équipement sonar le plus sensible de tout le bâtiment, mais ce contact n'exigeait pas une telle sensibilité.

« Merde, murmura Jones tout doucement.

— Un Charles », suggéra le jeune technicien.

Jones secoua la tête. « Un Victor. Classe Victor, aucun doute. Il pousse à trente nœuds — bruit de cavitation énorme, il fait des trous dans l'eau, et il se moque bien qu'on l'entende ou non. Relèvement zéro-cinq-zéro. Commandant, nous avons de l'eau entre lui et nous, le signal est très faible. Il n'est pas tout près. » C'était l'estimation la plus précise que pût fournir Jones. Pas tout près signifiait n'importe quoi au-delà de dix milles. Il retourna à ses commandes. « Je crois que nous connaissons ce monsieur. C'est celui qui a une lame d'hélice courbe, on dirait qu'il est monté sur des chaînes.

— Branchez-le sur haut-parleur », ordonna Mancuso à Thompson. Il ne voulait pas déranger les opérateurs. L'officier entrait déjà le signal sur le BC-10.

Le haut-parleur fixé sur la cloison aurait coûté plusieurs milliers de dollars dans un magasin de matériel hi-fi, pour sa clarté et la perfection de sa dynamique ; de même que tout l'équipement de ce sous-marin de classe 688, c'était ce qui se faisait de mieux. Pendant que Jones travaillait sur les contrôles sonores, ils entendirent le gémissement caractéristique de la cavitation de l'hélice, léger grincement associé à une lame courbe, ainsi que le grondement plus sourd d'un réacteur de Victor marchant à pleine puissance. Mancuso entendit ensuite l'imprimante.

« Victor classe un, numéro six, annonça Thompson.

— Oui, acquiesça Jones. Vic-six, relèvement toujours zéro-cinq-zéro. » Il brancha le micro sur son casque. « Alerte, sonar, nous avons un contact. Un classe Victor, relèvement zéro-cinq-zéro, vitesse estimée trente nœuds. »

Mancuso se pencha vers le couloir pour s'adresser au lieutenant Pat Mannion, officier de quart. « Pat, rappelez l'équipe de tir.

— Oui, commandant.

— Un instant ! » Jones leva la main. « J'en ai un autre ! » Il manipula quelques boutons. « Celui-ci est de la classe Charles. Ma parole, il fait des trous dans l'eau, lui aussi. Plus à l'est, relèvement zéro-sept-trois, vitesse environ vingt-huit nœuds. Nous connaissons ce type-là aussi. Ouais, c'est Charles II numéro onze. » Jones écarta l'écouteur d'une de ses oreilles. « Commandant, les Russkis ont-ils une course de sous-marins prévue pour aujourd'hui ?

— Pas que je sache. Mais, évidemment, nous ne recevons pas leur page des sports, ici. » Mancuso se mit à rire en faisant tourner son café dans sa tasse, et dissimulant ses vraies pensées. Que diable se passait-il ? « Je crois que je vais aller jeter un coup d'œil là-dessus. Beau boulot, les gars. »

Il avança de quelques pas vers le poste central. L'habituelle atmosphère enflammée du quart était déclenchée. Mannion était de quart, avec un jeune officier et sept hommes. Un technicien du contrôle de tir entrait des données de l'analyseur de mouvement de la cible sur l'ordinateur Mark 117 de contrôle de tir. Un autre officier entrait les éléments pour commencer la recherche. Il n'y avait là rien d'inhabituel. Toute l'équipe de quart travaillait intensément, mais avec l'attitude détendue que lui permettaient des années d'entraînement et d'expérience. Alors que les autres éléments militaires américains procédaient à des exercices de routine contre des alliés ou même entre eux pour rivaliser avec la tactique du bloc de l'Est, la marine faisait faire leurs exercices aux sous-marins d'attaque contre le véritable objectif — et cela, constamment. Les sous-mariniers opéraient en permanence au poste de combat.

« Alors, nous avons de la compagnie, observa Mannion.

— Oh, pas si près, répondit l'enseigne Charles Goodman. Les relèvements n'ont pas changé d'un poil.

— Alerte, sonar. » C'était la voix de Jones. Mancuso prit la communication.

« J'écoute. Qu'y a-t-il, Jonesy ?

— Nous en avons un autre, commandant. Alfa 3, relèvement zéro-cinq-cinq. Il fonce à pleine gomme. On dirait un tremblement de terre, mais faible, commandant.

— Alfa 3 ? C'est notre vieil ami le *Politovsky*. Longtemps qu'on ne l'avait pas rencontré. Vous avez autre chose ?

— Simple supposition, commandant. Celui-ci faisait des trémolos, puis il s'est calmé, comme s'il virait. Je crois qu'il vient par ici — c'est un peu trembloté. Et il y a encore du bruit au nord-est. Trop confus pour le moment, mais nous y travaillons.

— Bien. Joli travail, Jonesy. Continuez.

— Pas de problème, commandant. »

Mancuso reposa les écouteurs en souriant, les yeux fixés sur Mannion. « Vous savez, Pat, je me demande parfois si Jonesy n'est pas un peu sorcier. »

Mannion étudiait les graphiques de recherche que Goodman traçait pour compléter le processus informatique. « C'est vrai : il n'est pas mal du tout. Le problème, c'est qu'il croit que nous travaillons pour lui.

— En ce moment, nous travaillons pour lui. » Jones était leurs yeux et leurs oreilles, et Mancuso se sentait sacrément heureux de l'avoir.

« Chuck? interrogea Mancuso, s'adressant à l'enseigne Goodman.

— Relèvement constant des trois bruiteurs, commandant. » Ce qui signifiait probablement qu'ils faisaient route vers le *Dallas*. Cela signifiait également, faute de variation d'azimut, qu'ils ne pouvaient pas calculer les éléments de la distance nécessaires au tir. Non pas que quelqu'un voulût tirer, bien sûr, mais c'était tout de même le but de l'exercice.

« Faisons varier le relèvement, Pat. Déplacez-nous d'une dizaine de milles à l'est », ordonna Mancuso d'une voix très détendue. Il y avait deux raisons à cela. Premièrement, cela établirait un relèvement de base pour programmer une distance de tir. Deuxièmement, le plus grand fond assurerait de meilleures conditions acoustiques. Pendant que l'officier de navigation donnait les ordres nécessaires, le commandant étudia la carte pour évaluer la situation tactique.

Bartolomeo Mancuso était le fils d'un coiffeur qui, chaque année, à l'automne, fermait sa boutique de Cicero, dans l'Illinois, pour aller chasser le chevreuil sur la péninsule nord du Michigan. Bart accompagnait son père dans ces expéditions de chasse, et il avait abattu son premier chevreuil à l'âge de douze ans, continuant ainsi chaque année jusqu'à son entrée à l'Ecole navale. Dès lors, il ne s'y était jamais plus intéressé. Car, en devenant officier à bord de sous-marins nucléaires, il avait appris un jeu beaucoup plus passionnant. Maintenant, il chassait des hommes.

Deux heures plus tard, une sonnerie d'alerte retentit au poste radio TBF[1]. Comme tous les sous-marins nucléaires, le *Dallas* traînait une longue antenne réglée sur l'émetteur à très basse fréquence situé au centre des Etats-Unis. L'étroitesse de la bande de données de la station était frustrante. Contrairement à une chaîne de télévision, qui transmettait des milliers de bits d'information par vue, la radio TBF passait les données lentement, à peu près un caractère toutes les trente-six secondes. L'opérateur radio attendait patiemment que l'information fût enregistrée sur bande. Quand le message était terminé, il passait la bande à grande vitesse et transcrivait le message, puis le confiait à l'officier de transmissions qui attendait avec son dictionnaire.

Le signal n'était pas exactement un code, mais un système de

1. TBF : très basse fréquence. (N.d.T.)

chiffre à emploi unique. Un livre publié tous les six mois, et distribué à tous les sous-marins nucléaires, était rempli de transpositions établies au hasard pour chaque lettre du signal. Chaque groupe de trois lettres du livre correspondait à un mot ou une expression présélectionnés dans un autre livre. Le déchiffrage à la main du message prit moins de trois minutes et, quand ce fut fini, l'officier le porta au commandant.

NHG	JPR	YTR
DE COMSUBLANT	AUX SOUS-MARINS EN OPÉRATIONS	ALERTE

OPY	TBD	QED	GER
INDICES	IMPORTANT	DÉPLOIEMENT	A GRANDE ÉCHELLE

ASF	MAL	NME
FLOTTE ROUGE	IMPRÉVUE	EN COURS

TYQ	ORV
MISSION INCONNUE	COMPLÉMENT PAR MESSAGE TBF

HWZ
VEILLEZ SSIX

Comsublant — commandant des sous-marins en Atlantique — était le grand patron de Mancuso, le vice-amiral Vincent Gallery. Le Vieux envisageait manifestement un redéploiement de la flotte entière, ce n'était pas une mince affaire. Le prochain signal d'alerte, AAA — codé, bien sûr —, leur enjoindrait de se placer à l'immersion périscopique pour recevoir des instructions plus détaillées de SSIX, le satellite de communications réservé aux sous-marins.

La situation tactique devenait plus claire, même si les implications stratégiques dépassaient les possibilités de compréhension de Mancuso. Son déplacement de dix milles vers l'est était heureux. Il lui avait fourni de bons renseignements sur la distance des trois premiers bruiteurs, et d'un autre Alfa qui était apparu quelques minutes plus tard. Le premier contact, *Vic-6*, se trouvait désormais à portée de torpille. Une Mark 48 était pointée sur lui, mais son commandant ne pouvait absolument pas savoir que le *Dallas* était là. Pour Mancuso *Vic-6* était comme un chevreuil au bout de son fusil — mais la chasse était fermée.

Pas beaucoup plus rapide que les Victors et les Charles, et à dix nœuds de moins que les petits Alfas, le *Dallas* et ses frères pouvaient avancer presque en silence à près de vingt nœuds. Cela constituait un triomphe de la construction navale américaine, résultant de dizaines d'années de travail. Mais manœuvrer de manière discrète n'était utile que si le chasseur pouvait en même temps détecter sa proie. Les performances des sonars baissaient lorsque le bâtiment porteur accélérait. Le BQQ-5 du *Dallas* n'avait plus que vingt pour cent d'efficacité à vingt nœuds, rien d'enthousiasmant. A grande vitesse, les sous-marins devenaient aveugles, et incapables de nuire à qui que ce fût. En conséquence, la patrouille d'un sous-marin d'attaque ressemblait beaucoup à celle d'un soldat d'infanterie de combat. Dans le cas du fantassin, cela s'appelait bondir et se couvrir ; pour le sous-marin, sprinter et stopper. Dès qu'il détectait un but, le sous-marin chassait une position avantageuse, stoppait pour réacquérir sa proie, puis s'élançait à nouveau jusqu'à ce qu'il eût trouvé une position de tir. Le but du SM se déplaçait aussi et, si le sous-marin pouvait se placer sur la route de son but, il ne lui restait qu'à se tapir et attendre, tel un grand chat sauvage prêt à bondir.

Le métier de sous-marinier requérait bien autre chose que de la simple habileté. Il exigeait de l'instinct, et un peu de sens artistique ; une confiance absolue en soi, et l'agressivité d'un boxeur professionnel. Mancuso possédait toutes ces capacités. Il avait passé quinze ans à apprendre son art, en observant toute une génération de commandants sous lesquels il servait et en écoutant attentivement les fréquents débats qui faisaient de la vie de sous-marinier une profession très humaine, dont les leçons se transmettaient par la tradition orale. Il avait consacré ses périodes de vie à terre à s'entraîner sur divers programmes de simulation, à suivre des séminaires, à comparer notes et idées avec ses collègues. A bord des navires de surface et des avions de patrouille maritime, il avait appris comment « l'ennemi » — c'est-à-dire les marins de surface — jouait à son propre jeu de chasse.

Les sous-mariniers s'en tenaient à une devise fort simple : il existe deux sortes de bâtiments, les sous-marins... et les buts. Qu'est-ce que le *Dallas* allait chasser ? se demandait Mancuso. Des sous-marins russes ? Eh bien, si tel était le jeu, et si les Russes continuaient à faire la course, ce serait sans doute assez facile. Le *Swiftsure* et lui-même venaient tout juste de battre une équipe d'experts de l'OTAN en avions radars, des hommes dont leurs patries dépendaient pour tenir ouvertes les voies maritimes. Son bâtiment et son équipage accomplissaient le maximum de ce qu'on pouvait humainement exiger. En Jones, il avait l'un des dix meilleurs opérateurs sonar de toute la flotte. Mancuso était prêt, quel que fût le gibier. Comme au jour de l'ouverture de la chasse, les considérations extérieurs s'estompaient. Il devenait une arme.

Quartier général de la CIA

Il était 4 h 45 du matin, et Ryan somnolait à l'arrière de la Chevrolet de la CIA qui le conduisait du Marriott à Langley. Il était venu combien de temps ? Vingt heures ? A peu près, oui, pour voir son patron, voir Skip, acheter les cadeaux de Noël de Sally, et jeter un coup d'œil sur la maison : elle paraissait en bon état. Il l'avait louée à un professeur de l'Ecole navale. Il aurait pu obtenir un loyer cinq fois plus élevé de quelqu'un d'autre, mais il ne voulait pas de fêtes délirantes chez lui. L'officier était un bigot du Kansas avec sa bible à portée de main, et faisait un locataire-gardien tout à fait acceptable.

Cinq heures et demie de sommeil dans les dernières... trente heures ? Quelque chose d'approchant ; il était trop fatigué pour regarder sa montre. Ce n'était pas juste. Le manque de sommeil tue le jugement. Mais il était inutile de se le dire, et plus encore de le dire à l'amiral.

Il entra dans le bureau de Greer cinq minutes plus tard.

« Navré d'avoir dû vous réveiller, Jack.

— Ce n'est pas grave, mentit Ryan à son tour. Qu'y a-t-il ?

— Venez vous servir du café. La journée va être longue. »

Ryan laissa tomber son manteau sur le canapé et alla se verser une tasse de café du plus pur style marin. Il décida de ne prendre ni sucre ni succédané. Mieux valait le subir brut et recevoir la caféine de plein fouet.

« Un endroit où je peux me raser, amiral ?

— Le cabinet de toilette est derrière la porte, dans le coin, là. » Greer lui tendit un télex. « Lisez-moi cela. »

SECRET DÉFENSE
072200Z ++++ 38976
BULLETIN DE RENSEIGNEMENT DE AGENCE NATIONAL SÉCURITÉ (ANS)
OPÉRATIONS NAVALES SOVIÉTIQUES
VOICI MESSAGE
1. LE 072145Z NOS STATIONS D'ÉCOUTE (mots rayés) (mots rayés) et (mots rayés) INTERCEPTENT MESSAGES ÉMIS EN TRÈS BASSE FRÉQUENCE (TBF) PAR STATION DES SOUS-MARINS SEMIPOLIPINSK XX MESSAGE ENREGISTRÉ PAR NOS SOINS COMPORTE ÉMISSION DURÉE 10 MINUTES XX STRUCTURE EN 6 ÉLÉMENTS CE MESSAGE POURRAIT ÊTRE UN AVIS DE MISE EN GARDE

2. LE 072000Z STATION SOVIÉTIQUE DE TOULA RELAYÉE PAR SATELLITES 3 ET 4 ÉMET MESSAGE GÉNÉRAL SUR FRÉQUENCES HF VHF ET UHF XX DURÉE ÉMISSION 39 SECONDES XX RÉPÉTITION À 072010 Z ET 072020Z XX 475 GROUPES CHIFFRES DIFFUSION À TOUS ÉLÉMENTS FORCES DU NORD BALTIQUE ET MÉDITERRANÉE XX FORCES DU PACIFIQUE EXCLUES JE RÉPÈTE EXCLUES
ACCUSE RÉCEPTION EN COURS ANALYSE ET ÉVALUATION
3. DEPUIS 072100Z NOS STATIONS ÉCOUTE (mots rayés) (mots rayés) et (mots rayés) RELÈVENT AUGMENTATION TRAFIC RADIO BASES DE POLYARNY, SEVEROMORSK, PECHENGA, TALLINN, KRONSTADT ET MÉDITERRANÉE ORIENTALE XX MÊMES TENDANCES DANS FORCES SOVIÉTIQUES À LA MER XX DÉTAILS SUIVRONT
4. HYPOTHÈSE PROVISOIRE UN EXERCICE TRÈS IMPORTANT ET INOPINÉ EST EN COURS AVEC ORDRE AUX FORCES DE RENDRE COMPTE DE LEUR DISPONIBILITÉ OPÉRATIONNELLE XX
FIN DU BULLETIN
SIGNÉ ANS WASHINGTON 072200Z

Ryan consulta sa montre. « Travail rapide chez les gars de l'ANS, et rapide aussi chez nous, pour mettre tout le monde en alerte. » Il vida sa tasse et alla la remplir. « Qu'en pense-t-on, chez les analystes des réseaux de transmissions ?

— Voici. » Greer lui tendit un second télex.

Ryan le parcourut. « Cela fait beaucoup de bâtiments. Il doit y avoir là à peu près tout ce qu'ils ont de disponible. Mais pas grand-chose sur ceux qui sont au mouillage, toutefois.

— Circuit terrestre, observa Greer. Ceux qui sont au port peuvent téléphoner à Moscou, aux autorités opérationnelles de la flotte. A propos, ce sont en effet tous les bâtiments qu'ils ont en mer dans l'hémisphère Nord. Tous sans exception. Vous avez une idée ?

— Voyons, nous avons ce surcroît d'activité dans la mer de Barents. On dirait un exercice d'acquisition de moyenne ampleur. Peut-être qu'ils le développent. Ont-ils un grand exercice prévu dans leur programme ?

— Non. Ils viennent de terminer Tempête écarlate le mois dernier. »

Ryan hocha la tête. « Ouais, il leur faut habituellement deux bons mois pour en évaluer tous les résultats... et puis qui voudrait s'amuser à des petits jeux, là-bas, en cette saison ? Il paraît que le temps est minable. Ont-ils déjà fait de grands exercices en décembre ?

— Grands, non, mais la plupart de nos informations proviennent des sous-marins, mon gars, et les sous-marins se préoccupent assez peu du temps qu'il fait.

— Bon, étant donné la situation de départ, on pourrait dire que c'est un assez mauvais signe. Aucune idée de ce que disait le signal, hein ?

— Non, ils utilisent des chiffres programmés sur ordinateur, comme nous. Si les espions de l'ANS arrivent à les lire, ils ne m'en disent rien. » Théoriquement, l'Agence nationale de sécurité dépendait du directeur de la CIA. En fait, elle avait ses propres lois. « C'est toute la question de l'analyse des réseaux, Jack. On essaie de deviner leurs intentions d'après qui parle à qui.

— Oui, mais quand tout le monde parle avec tout le monde...

— Ouais.

— Rien en état d'alerte ? Leur armée ? PVO Voyska ? » Ryan faisait allusion au réseau de défense aérienne soviétique.

« Non. Juste la flotte. Sous-marins, navires et aviation navale. »

Ryan s'étira. « Cela aurait assez bien l'air d'un exercice, amiral. Mais il va nous falloir un peu plus d'informations sur ce qu'ils font, toutefois. Avez-vous parlé à l'amiral Davenport ?

— C'est l'étape suivante. Pas eu le temps. J'ai juste eu le temps de me raser et de brancher la cafetière. » Greer s'assit, et brancha le haut-parleur de son téléphone avant de composer le numéro.

« Vice-amiral Davenport. » La voix était brève.

« Salut, Charlie, ici James. Tu as reçu le rapport ANS-976 ?

— Bien sûr, mais ce n'est pas cela qui m'a alerté. Nos oreilles de mer sont comme enragées depuis quelques heures.

— Ah ? » Greer contempla un instant le téléphone, puis Ryan.

« Ouais, pratiquement tous les bâtiments soviétiques à la mer viennent d'écraser le champignon, et tous au même moment.

— Et qu'est-ce qu'ils font, Charlie ? questionna Greer.

— Nous en sommes encore au stade des suppositions. On dirait que beaucoup de bateaux vont en Atlantique Nord. Les unités de la mer de Norvège foncent vers le sud-ouest. Trois bâtiments de Méditerranée occidentale ont pris la même direction, mais nous n'avons pas encore de vue très précise. Il nous faudra encore quelques heures.

— Qu'ont-ils en opération, au large de nos côtes ? s'enquit Ryan.

— Oh, ils vous ont réveillé, Ryan ? Bien. Deux vieux Novembres. L'un transformé pour faire du renseignement électronique au large du cap. Et l'autre posté au large de King's Bay, à casser les pieds de tout le monde. »

Ryan sourit intérieurement.

« Il y a un Yankee, poursuivit Davenport, à mille milles au sud de l'Irlande, et le premier rapport dit qu'il va vers le nord. Sûrement faux. Confusion de positions, erreur de transcription, quelque chose de ce genre. Nous vérifions. C'est sûrement une erreur, car il avançait vers le sud. »

Ryan releva la tête. « Et leurs autres lance-missiles ?

— Leurs Deltas et leurs Typhons sont dans la mer de Barents et la mer d'Okhotsk, comme d'habitude. Rien de neuf en ce qui les concerne. Oh, nous avons des sous-marins d'attaque là-bas, bien sûr, mais Gallery ne veut pas qu'ils rompent le silence radio, et il a raison. Nous n'avons donc pour l'instant que le rapport sur le Yankee égaré.

— Et nous, Charlie, que faisons-nous ? demanda Greer.

— Gallery a lancé une alerte générale à tous ses bâtiments. Ils se tiennent prêts pour un éventuel redéploiement. Le NORAD a haussé la posture d'alerte », me dit-on. Il s'agissait du Commandement de la défense aérienne du continent nord-américain. « Les états-majors de Cinclant et Cincpac sont tous debout à courir dans tous les sens, comme on pourrait s'y attendre. Quelques P-3 supplémentaires travaillent à partir de l'Islande. Pas grand-chose d'autre pour le moment. Il faut d'abord que nous trouvions ce qu'ils manigancent.

— D'accord. Tiens-moi au courant.

— Pas de problème. Dès qu'on a du nouveau, je te le dirai. Et j'espère bien que...

— Oui, oui. Promis. » Greer coupa la communication. Il brandit l'index sous le nez de Ryan. « Et vous, n'allez pas vous aviser de me plaquer pour aller dormir !

— Après avoir bu ce truc-là ? » Ryan agita sa tasse.

« Vous n'éprouvez guère d'inquiétude, à ce que je vois.

— Amiral, je ne vois encore rien qui justifie l'inquiétude. Il est — quoi ? une heure de l'après-midi, là-bas ? Ce doit être un amiral, peut-être même le vieux Sergei en personne, qui a décidé de faire faire un peu d'exercice à ses petits gars. Il ne devait pas être tellement content de leur Tempête écarlate, et il a dû décider de secouer quelques puces — y compris les nôtres, bien sûr. Bon sang, leur armée et leur aviation ne sont pas dans le jeu, et je suis fichtrement sûr que, s'ils mijotaient un sale coup, les autres départements le sauraient. Il va falloir suivre la situation de près, mais jusqu'à présent je ne vois rien qui justifie — Ryan se retint de dire " l'insomnie " — un bain de sueur.

— Quel âge aviez-vous, à Pearl Harbor ?

— Mon père avait dix-neuf ans, amiral. Il ne s'est marié qu'après la guerre, et je n'ai pas été le premier des petits Ryan. » Ryan sourit. Greer savait tout cela. « D'après ce que je crois me rappeler, vous n'étiez vous-même pas si vieux.

— J'étais matelot sur le vieux *Texas.* » Greer n'avait pas réussi à faire la guerre. Reçu juste au début de la guerre à l'Ecole navale, il avait ensuite suivi les cours de l'école des sous-marins, et était arrivé au Japon, pour son premier voyage, le lendemain de la fin de la guerre. « Mais vous savez ce que je veux dire.

— Bien sûr, amiral, et c'est précisément pour cela que nous avons la CIA, la DIA, la NSA et le NRO, entre autres. Si les Russkoffs peuvent nous duper tous, peut-être alors devrions-nous relire Marx !

— Tous ces sous-marins lancés vers l'Atlantique...

— J'aime mieux savoir que le Yankee fait route vers le nord. Ils ont eu le temps de s'assurer que c'était un fait réel. Davenport ne veut sans doute pas le croire avant d'en avoir confirmation. Si l'Oncle Ivan voulait jouer aux durs, ce Yankee irait vers le sud. Les missiles de ces vieux bateaux ne vont pas très loin. Et donc... nous restons en éveil et guettons. Heureusement, amiral, vous faites un café très correct.

— Que penseriez-vous d'un petit déjeuner ?

— Pourquoi pas. Si nous terminons cette affaire d'Afghanistan, je pourrai peut-être repartir dem... ce soir.

— Pas impossible. Et vous finirez peut-être par apprendre à dormir en avion. »

On leur monta le petit déjeuner vingt minutes plus tard. Les deux hommes étaient accoutumés à un service copieux, et c'était exceptionnellement bon. D'habitude, la nourriture de la cafétéria de la CIA se distinguait presque à force de banalité, et Ryan se demanda si l'équipe de nuit, ayant moins de monde à nourrir, prenait le temps de faire son travail proprement. Ou peut-être était-ce plutôt qu'on avait fait venir ce repas de l'extérieur. Les deux hommes attendirent jusqu'à 6 h 45 que Davenport rappelle.

« C'est un fait acquis. Toutes les grosses bêtes prennent le chemin du bercail. Nous avons des indications précises en ce qui concerne deux Yankees, trois Deltas et un Typhon. Le *Memphis* a signalé que son Delta avait appareillé pour rentrer, après cinq jours en station, et puis Gallery a repéré le *Queenfish.* Même histoire — on dirait qu'ils ont tous pris le chemin de la bergerie. Nous venons aussi de recevoir des photos prises au passage d'un Gros Oiseau au-dessus du fjord — pour une fois qu'il n'était pas couvert de nuages — et nous avons une flopée de navires de surface avec de belles signatures d'infrarouges, comme s'ils mettaient toute la gomme.

— Et pour *Octobre rouge* ? questionna Ryan.

— Rien. Nos renseignements étaient peut-être mauvais, et il n'a pas appareillé. Ce ne serait pas la première fois.

— Vous pensez qu'ils l'ont perdu ? » réfléchit Ryan à voix haute.

Davenport y avait déjà songé. « Cela expliquerait l'activité au nord, mais pas la Baltique et la Méditerranée ?

— Il y a deux ans, nous avons eu la même peur pour le *Tullibee*, rappela Ryan. Et le chef d'état-major de la marine était si vexé qu'il a monté une grande opération d'exercice de sauvetage dans les deux océans.

— Possible », admit Davenport. On racontait qu'après ce fiasco, on avait pataugé dans le sang jusqu'aux chevilles, à Norfolk. L'USS *Tullibee*, petit prototype de sous-marin d'attaque, avait longtemps eu une réputation de malchance et, cette fois-là, beaucoup d'autres avaient reçu des éclaboussures.

« En tout cas, cela paraît beaucoup moins inquiétant que cela ne l'était voici deux heures. Ils ne rappelleraient pas leurs grosses bêtes s'ils mijotaient quelque chose contre nous, pas vrai ? suggéra Ryan.

— Je vois que Ryan continue à tenir ta boule de cristal, James.

— C'est pour ça que je le paie, Charlie.

— Quand même, reprit Ryan. C'est curieux. Pourquoi rappeler tous leurs lance-missiles ? L'avaient-ils déjà fait ? Et qu'advient-il de ceux du Pacifique ?

— Pas entendu parler de ceux-là. J'ai demandé au Cincpac de m'informer, mais je n'ai encore rien. Quant à l'autre question, non, ils n'ont jamais rappelé toutes leurs grosses bêtes d'un coup, mais il leur arrive de redistribuer toutes leurs positions d'un seul coup. C'est sans doute ce qui se passe cette fois-ci. J'ai dit qu'ils prenaient la direction du bercail, mais pas qu'ils y rentraient. Nous ne saurons que d'ici deux jours.

— Et s'ils craignaient d'en avoir perdu un ? hasarda Ryan.

— Ce serait trop beau, répliqua sèchement Davenport. Ils n'en ont pas perdu depuis ce *Golf* que nous avions pêché au large de Hawaii, quand vous étiez encore au lycée, Ryan. Ramius est trop bon commandant pour que cela lui arrive. »

« Le capitaine Smith du *Titanic* aussi », songea Ryan.

« Merci pour l'info, Charlie. » Greer raccrocha. « On dirait que vous aviez raison, Jack. Pas de quoi s'inquiéter pour le moment. Voyons un peu cette affaire d'Afghanistan — et puis, juste pour le principe, nous jetterons ensuite un coup d'œil sur les photos de Charles pour voir un peu leur Flotte du nord. »

Dix minutes plus tard, un planton arriva du fichier central en poussant un chariot. Greer était le genre d'homme qui aimait voir les documents lui-même. Cela convenait parfaitement à Ryan. Il avait connu plusieurs analystes qui fondaient leurs rapports sur des données présélectionnées, et à qui ce type avait brisé les reins. Les documents placés sur le chariot provenaient de diverses sources mais, pour Ryan, les plus significatifs étaient les interceptions radio effectuées par des postes d'écoute sur la frontière pakistanaise et, pensait-il, en Afghanistan même. La nature et le rythme des opérations soviétiques n'indiquaient aucun recul, contrairement à ce que semblaient suggérer deux récents articles parus dans *L'Etoile rouge* et certaines sources de renseignement situées en Union soviétique. Ils étudièrent les différentes données pendant trois heures.

« Je crois que Sir Basil se fie trop aux services d'analyse politique, et pas assez à ce que relèvent nos postes d'écoute. Ce ne serait pas la première fois que les Soviétiques cacheraient à leurs commandements militaires sur le front ce qui se passe à Moscou, bien sûr, mais dans l'ensemble je ne vois rien de bien clair », conclut Ryan.

L'amiral le dévisagea. « Je vous paie pour répondre, Jack.

— La vérité, amiral, c'est que Moscou a mis le doigt dans l'engrenage par erreur. Nous le savons aussi bien par les rapports des services de renseignements militaires que politiques. La teneur de ces données est très claire. Mainenant, de là où je suis assis, je ne vois pas qu'ils sachent vraiment ce qu'ils veulent. Dans une affaire comme celle-ci, l'esprit bureaucratique trouve plus aisé de ne rien faire. Leurs forces armées reçoivent donc l'ordre de poursuivre la mission, pendant que les dirigeants du Parti cherchent à tâtons une solution qui leur permette de se couvrir d'avoir engagé la connerie.

— Bien. Nous savons donc que nous ne savons pas.

— Exactement, amiral. Cela ne me plaît pas plus qu'à vous, mais je mentirais en vous disant autre chose. »

L'amiral grogna. Ce n'était pas ce qui manquait à Langley, des types des renseignements qui donnaient des réponses sans même connaître les questions. Ryan était encore assez nouveau dans la partie pour reconnaître quand il ne savait pas. Greer se demanda si cela changerait avec le temps. Il espérait que non.

Après le déjeuner, un planton du NRO [1] apporta les photographies prises plus tôt dans la journée lors de deux passages successifs d'un satellite KH-11. Ce seraient les dernières pour un bon moment, à cause des restrictions imposées par la mécanique spatiale et le mauvais temps qui régnait sur la péninsule de Kola. La première série de clichés pris une heure après le déclenchement du signal Flash par Moscou, montrait la flotte à l'ancre ou amarrée à quai. A l'infrarouge, un certain nombre d'entre eux brillaient sous l'effet de la chaleur intérieure, ce qui prouvait que les machines étaient en fonction. Quant à la seconde série, elle avait été prise à un angle très bas, lors du passage suivant. Ryan scruta les agrandissements. « Ho ho ! *Kirov, Moskva, Kiev,* trois Kara, cinq Kresta, quatre Krivak, huit Udaloy et cinq Sovremenny.

— Exercice de recherche et de secours, hein ? » Greer fixait sur Ryan un regard dur. « Regardez au fond, là. Tous les pétroliers rapides de leur flotte les suivent. Il y a là l'essentiel des forces de leur Flotte du nord et, s'ils ont besoin de ravitailleurs, c'est qu'ils se voient partis pour un bon moment !

— Davenport aurait pu être plus précis. Mais nous avons quand même le fait que leurs grosses bêtes rentrent. Rien d'amphibie sur cette photo, seulement des combattants. Et seulement les plus récents, ceux qui vont vite et qui tirent loin.

— Et les meilleures armes.

— Ouais. » Ryan hocha la tête. « Et tous au branle-bas de combat en quelques heures. Amiral, s'ils avaient prévu cela à l'avance, nous l'aurions su. La décision ne doit dater que d'aujourd'hui. Intéressant.

— Vous avez pris aux Anglais la manie des litotes ! » Greer se leva et s'étira. « Il faut que vous restiez un jour de plus, Jack.

— Bien. » Il consulta sa montre. « Vous permettez que j'appelle ma femme ? Je ne veux pas qu'elle aille m'attendre en vain à l'aéroport.

— Bien sûr, et ensuite je voudrais que vous descendiez voir quelqu'un à la DIA, qui a travaillé pour moi naguère. Voyez ce que vous pourrez trouver comme renseignements opérationnels sur cette grande manœuvre. S'il s'agit d'un exercice, nous le saurons assez vite, et vous pourrez rapporter votre Barbie plongeuse chez vous. »

C'était une Barbie skieuse, mais Ryan renonça à le lui dire.

1. NRO : National Reconnaissance Office. (N.d.T.)

LE SIXIÈME JOUR

Mercredi 8 décembre

Quartier général de la CIA

Ryan était déjà allé plusieurs fois dans le bureau du directeur des services de renseignements, pour transmettre des informations ou parfois des messages personnels de Sir Basil Charleston à Sa Grandeur, le directeur. C'était une pièce plus vaste que le bureau de Greer, avec une meilleure vue sur la vallée du Potomac, et la décoration en avait apparemment été conçue par un professionnel, dans un style compatible avec les origines du directeur. Arthur Moore était un ancien juge de la cour suprême de l'Etat du Texas, et son bureau reflétait bien l'héritage du Far West. Il était assis avec l'amiral Greer sur un canapé, près des fenêtres. Greer fit signe à Ryan d'approcher et lui tendit un dossier.

C'était une chemise rouge plastifiée, et dotée d'un fermoir, avec un encadrement blanc et une simple étiquette blanche sur laquelle on pouvait voir : À LIRE UNIQUEMENT Δ, et SAULE. Ces inscriptions n'avaient rien d'insolite. Au sous-sol de l'immeuble de Langley, un ordinateur sélectionnait des noms au hasard lorsqu'on pressait une touche. Cela empêchait qu'un agent étranger pût rien déduire du nom d'une opération. Ryan ouvrit le dossier et lut d'abord l'index. Il n'existait manifestement que trois copies du document Saule, chacune paraphée par son détenteur. Celle-ci portait les initiales du directeur en personne. Un document de la CIA n'existant qu'en trois exemplaires était chose assez rare pour que Ryan, dont le plus haut degré d'habilitation était Nebula, n'en eût jamais rencontré. A l'expression grave de Greer et de Moore, il devina que ces deux-là devaient être des officiers habilités au degré Δ, et l'autre, sans doute, le directeur adjoint des opérations, un Texan du nom de Robert Ritter.

Ryan tourna la page de l'index. Le rapport était une photocopie d'un texte qui avait dû être tapé sur une machine manuelle, et il comportait bien trop de ratures pour que ce pût être l'œuvre d'une vraie secrétaire. Si Nancy Cummings et les autres secrétaires d'élite de la direction n'avaient pas été autorisées à le lire... Ryan releva les yeux.

« Allez-y, Jack, dit Greer. Vous venez d'être habilité pour Saule. »

Ryan s'installa plus commodément et, malgré son excitation, se mit à lire le document lentement et attentivement.

Le nom de code de l'agent était Cardinal. Il s'agissait de l'agent sur place le plus gradé que la CIA eût jamais eu, et il était de l'étoffe dont on fait les légendes. Cardinal avait été recruté plus de vingt ans auparavant par Oleg Penkovski. Une autre légende — posthume, celle-ci — car Penkovski avait été colonel du GRU, l'agence soviétique de renseignements militaires, plus importante et plus active que la DIA, son équivalent américain. Sa position lui avait donné accès quotidiennement à toutes les facettes de l'organisation militaire soviétique, depuis la structure de commandement de l'Armée rouge jusqu'à la disponibilité opérationnelle des missiles intercontinentaux. Les renseignements qu'il faisait sortir par l'intermédiaire de son contact britannique, Greville Wynne, étaient de la plus grande valeur, et les nations occidentales avaient fini par en dépendre — beaucoup trop. Penkovski fut découvert lors de la crise de la baie des Cochons en 1962. Ce furent ses renseignements, réclamés et livrés en grande hâte, qui avertirent le président Kennedy que les systèmes stratégiques soviétiques n'étaient pas prêts pour une guerre, et lui permirent de coincer Khrouchtchev dans un angle d'où il était fort difficile de sortir. Cette célèbre partie de bras de fer dont on attribue le succès à la solidité nerveuse de Kennedy avait, comme si souvent au cours de l'histoire dans ce genre d'événements, été facilitée par l'avantage de connaître les cartes de l'adversaire. Et cet avantage, il le devait à un courageux agent que jamais il ne rencontrerait. La réaction de Penkovski à la requête Flash de Washington fut trop vive. Déjà soupçonné, il fut perdu. Il paya sa trahison de sa vie. Ce fut Cardinal qui, le premier, découvrit qu'une surveillance bien supérieure à la norme dans une société où tout le monde est surveillé s'attachait à Penkovski. Il l'en avertit — mais trop tard. Quand il devint clair que le colonel ne pourrait pas être extrait d'Union soviétique, ce fut Penkovski lui-même qui ordonna à Cardinal de le trahir. Ce fut là l'ultime plaisanterie d'un homme courageux, de faire en sorte que sa propre mort serve à avancer la carrière d'un agent qu'il avait lui-même recruté.

Le travail de Cardinal était, par nécessité, aussi secret que son nom. Important conseiller et homme de confiance d'un membre du Politburo, Cardinal le représentait souvent auprès du haut commandement militaire. Il avait donc accès à des renseignements politiques et militaires de la plus haute importance. Cela conférait à ses informations une valeur extraordinaire — et, paradoxalement, une méfiance tout aussi extraordinaire. Les quelques officiers traitants qui le connaissaient estimaient impossible qu'il n'eût pas été retourné en cours de route par l'un des innombrables officiers du contre-espionnage soviétique, dont l'unique tâche consistait à surveiller tout et tout le monde. Pour cette raison, le matériel codé Cardinal faisait généralement l'objet de vérifications, auprès des rapports d'autres espions et d'autres sources. Mais il avait survécu à beaucoup d'agents de moindre envergure.

A Washington, le nom Cardinal n'était connu que des trois plus hauts directeurs de la CIA. Le premier jour de chaque mois, un nouveau nom de code était choisi pour ses informations, et seul l'échelon le plus haut des officiers et des analystes en était informé. Ce mois-ci, on l'appelait Saule. Avant d'être transmise, à contre-cœur, à des gens de l'extérieur, l'information Cardinal subissait un lavage aussi soigneux que dans la Mafia, afin de dissimuler toute trace de la source. Un certain nombre d'autres mesures protégeaient également l'agent, n'existant que pour lui. Par crainte d'une révélation cryptographique de son identité, le matériel Cardinal n'était transmis qu'à la main, et jamais par radio ni câble. Cardinal était pour sa part un homme fort prudent — il avait tiré la leçon du destin de Penkovski. Il faisait parvenir ses renseignements au chef de station de la CIA à Moscou par tout un circuit d'intermédiaires. Il avait connu douze chefs de station différents, dont l'un, officier d'active en retraite, avait un frère jésuite. Celui-ci, professeur de philosophie et de théologie à l'université Fordham de New York, disait chaque matin une messe pour la sécurité et le salut éternel d'un homme dont jamais il ne connaîtrait le nom. L'explication en valait une autre, pour justifier que Cardinal survécût ainsi.

En quatre occasions distinctes, il s'était vu offrir de quitter l'Union soviétique, et chaque fois il avait refusé. Certains y voyaient la preuve qu'il avait été retourné, mais d'autres le contraire, à savoir que, comme la plupart des très bons agents, Cardinal était motivé par quelque chose que lui seul connaissait — et donc que, comme la plupart des très bons agents, il était sans doute un peu fou.

Le document que lisait Ryan avait circulé pendant vingt heures, dont cinq pour parvenir à l'ambassade des Etats-Unis à Moscou, où il avait été aussitôt transmis au chef de station. Officier de renseignements de grande expérience, il avait été journaliste au *New York Times* et exerçait comme couverture les fonctions d'attaché de presse de l'ambassade. Il développa lui-même le film dans sa chambre noire personnelle. Trente minutes après la livraison, il examinait les cinq clichés à la loupe et envoyait un télex prioritaire Flash à Washington pour annoncer qu'un message Cardinal était en route. Il transcrivit ensuite le message de la pellicule sur sa propre machine à écrire portative, en traduisant du russe à mesure qu'il écrivait. Cette mesure de sécurité garantissait la disparition de l'écriture de l'agent et, grâce à la paraphrase inévitable lorsqu'on traduit, toutes les éventuelles tournures de phrase qui auraient pu caractériser leur auteur. Il avait ensuite réduit la pellicule en cendres, puis inséré le rapport dans un boîtier métallique qui ressemblait beaucoup à un étui à cigarettes, et qui contenait une petite charge explosive que déclencherait automatiquement toute tentative d'ouverture ou secousse inopinée ; deux signaux de Cardinal avaient ainsi été perdus, lorsque les boîtiers étaient tombés accidentellement. Le chef de station porta ensuite l'objet au courrier-résident de l'ambassade, qui avait déjà réservé une place sur le prochain vol Aeroflot pour Londres. A l'aéroport de Heathrow, le courrier sprinta pour attraper le 747 de la Pan Am qui assurait la correspondance pour l'aéroport Kennedy de New York, où il prit la navette pour l'aéroport national de Washington. A 8 heures du matin, la valise diplomatique se trouvait au département d'Etat, où un officier de la CIA prit aussitôt le boîtier et, en voiture, le porta à Langley pour le remettre entre les mains du directeur. L'ouverture fut effectuée par un instructeur des services techniques de la CIA, et le directeur fit trois photocopies du texte avant de le brûler dans son cendrier. Ces mesures de sécurité avaient paru risibles à plus d'un directeur de la CIA, mais jamais le rire n'avait persisté au-delà du premier rapport de Cardinal.

Quand il eut terminé la lecture du rapport, Ryan reprit la seconde page et la relut attentivement, en hochant la tête d'un air pensif. Le document Saule renforçait davantage encore son désir d'ignorer la façon dont les éléments de renseignements parvenaient jusqu'à lui. Il referma le dossier et le rendit à l'amiral Greer.

« Bon Dieu, amiral, soupira-t-il.

— Jack, je sais qu'il est inutile de vous le préciser, mais ce que vous venez de lire, personne — ni le président, ni Sir Basil, ni Dieu Lui-même s'Il vous le demandait —, *personne* ne peut en avoir connaissance sans l'autorisation expresse du directeur. Comprenez-vous ?

— Oui, amiral. » Ryan secouait la tête comme un écolier.

Le juge Moore tira un cigare de la poche de sa veste et l'alluma en fixant Ryan dans les yeux, à travers la flamme. Tout le monde s'accordait à dire qu'en son temps, le juge avait été un sacré officier de terrain. Il avait travaillé avec Hans Tofte pendant la guerre de Corée, et prêté la main à l'une des missions légendaires de la CIA, la disparition d'un navire norvégien transportant du personnel et du matériel médical à l'intention des Chinois. Cette perte avait retardé de plusieurs mois l'offensive chinoise, sauvant ainsi plusieurs milliers de vies américaines et alliées. Mais l'opération n'était pas allée sans mal. Tous les passagers chinois et la totalité de l'équipage norvégien avaient disparu, ce qui était une bagatelle dans les mathématiques simplistes de la guerre, mais la moralité de la mission était une autre question. Pour cette raison ou une autre, Moore avait ensuite quitté assez vite le service du gouvernement pour devenir avocat dans son Texas natal. Il avait fait là-bas une carrière spectaculaire, passant de son confortable cabinet privé à la respectable situation de juge d'appel. Et puis, trois ans auparavant, la CIA avait de nouveau fait appel à lui, à cause de sa compétence unique en matière d'opérations ténébreuses, associée à une intégrité personnelle absolue. Le juge Moore cachait un diplôme de l'université de Harvard et un cerveau admirablement organisé derrière une façade de cow-boy texan, ce qu'il n'avait jamais été, mais simulait avec la plus grande aisance.

« Alors, monsieur Ryan, qu'en pensez-vous ? interrogea Moore au moment où le directeur adjoint des opérations entrait. Salut, Bob, venez donc par ici. Nous montrions justement à Ryan, que voici, le dossier Saule.

— Ah ? » Ritter approcha un siège, bloquant totalement Ryan dans son coin. « Et qu'est-ce que le chouchou de l'amiral en pense ?

— Messieurs, commença Ryan prudemment, je crois comprendre que vous considérez tous ces renseignements comme authentiques ? » Son auditoire fit divers signes d'approbation. « Monsieur, si ce message vous avait été livré par l'archange saint Michel, j'aurais du mal à y croire — mais puisque vous estimez, messieurs, qu'on peut s'y fier... » Ils voulaient connaître son avis. Le problème, c'était que son avis était trop invraisemblable. « Bah, décida-t-il finalement, je suis arrivé là où je suis en donnant toujours honnête opinion... »

Ryan prit une profonde inspiration, et leur communiqua ce qu'il en pensait.

« Très bien, monsieur Ryan, acquiesça le juge Moore d'un air avisé. Je voudrais d'abord que vous me disiez ce que cela pourrait être d'autre, et puis que vous défendiez votre propre analyse.

— Monsieur, l'hypothèse la plus visible ne résiste guère à l'analyse. D'ailleurs, ils auraient pu le faire dès vendredi et ne l'ont pas fait », répondit Ryan d'une voix soigneusement maintenue à un niveau calme et mesuré, car il s'était entraîné à l'objectivité. Il énonça les quatre hypothèses qu'il avait envisagées, en prenant soin de les étudier chacune en détail. Ce n'était pas le moment de laisser ses opinions personnelles déborder sur son raisonnement. Il parla dix minutes.

« Je pense qu'il reste une dernière possibilité, monsieur, conclut Ryan. Il pourrait s'agir d'une désinformation visant à détruire cette source. Je ne peux pas évaluer cette possibilité.

— L'idée nous en était venue aussi. Bien, maintenant que vous êtes arrivé jusqu'ici, vous pourriez tout aussi bien nous faire part de vos recommandations opérationnelles.

— Monsieur, l'amiral peut vous dire ce qu'en dira la marine.

— Je m'en doutais déjà, mon garçon, répondit Moore en riant. Mais vous, que pensez-vous ?

— Monsieur, il ne sera pas facile d'établir l'organigramme des décisions — il y a là trop de variables, trop de contingences possibles. Mais je dirais oui. Si c'est possible, si nous pouvons mettre au point les détails, cela vaut la peine d'essayer. La grande question, c'est la disponibilité de nos atouts. Avons-nous les pièces nécessaires en place ? »

Greer répondit : « Nos atouts sont minces. Le porte-avions *Kennedy*. J'ai vérifié. Le *Saratoga* est bloqué à Norfolk, avec un problème de machines. Par contre, le HMS *Invincible* était justement par ici pour cet exercice de l'OTAN, il a quitté Norfolk lundi soir. L'amiral White, je crois, commandant un petit groupe aéronaval.

— Lord White, monsieur ? interrogea Ryan. Le comte de Weston ?

— Vous le connaissez ? demanda Moore.

— Oui, monsieur. Nos femmes sont assez liées. J'ai chassé le coq de bruyère en Ecosse avec lui, en septembre dernier. Il a l'air assez fort dans sa partie, et j'entends dire qu'il a bonne réputation.

— Vous croyez que nous pourrions vouloir leur emprunter

leurs bateaux, James ? demanda Moore. Dans ce cas, nous allons devoir leur parler de cette affaire. Mais il faut d'abord en informer notre camp. Le Conseil national de sécurité va se réunir à 15 heures. Ryan, vous préparerez le dossier et le présenterez vous-même. »

Ryan cilla. « Cela ne me laisse pas beaucoup de temps, monsieur.

— James dit que vous travaillez bien sous pression. Prouvez-le. » Il se tourna vers Greer. « Faites une copie de ses notes de présentation, et tenez-vous prêt à partir pour Londres. C'est le président qui décidera. Si nous voulons leurs bateaux, il va bien falloir leur expliquer pourquoi. Cela signifie qu'il faudra présenter l'affaire au Premier ministre, et c'est à vous de jouer. Bob, je voudrais que vous confirmiez ce rapport. Faites ce qu'il faudra, mais n'impliquez pas Saule.

— D'accord », répondit Ritter.

Moore consulta sa montre. « Nous nous retrouverons ici à 15 h 30, suivant l'horaire de la réunion. Ryan, vous avez une heure et demie. Au boulot ! »

« Dans quel but suis-je ainsi mis à l'épreuve ? » se demandait Ryan. La rumeur courait, à la CIA, que le juge Moore allait bientôt quitter sa charge pour un poste confortable d'ambassadeur, peut-être à la cour de Saint James, comme il convenait à un homme qui, pendant longtemps, s'était donné beaucoup de mal pour rétablir une étroite relation avec les Anglais. Si le juge Moore partait, l'amiral Greer prendrait sans doute sa place, car il alliait aux vertus de l'âge — il ne resterait sans doute pas très longtemps — celles de nombreuses amitiés au Capitole. Ritter ne jouissait pas plus des unes que des autres. Il s'était trop longtemps et trop ouvertement plaint des parlementaires qui laissaient filtrer des fuites sur ses opérations et ses agents, provoquant des morts d'hommes dans le seul but de prouver leur importance dans le circuit des cocktails et des réceptions. Il entretenait également un état de guerre continu avec le président de la Commission de sélection de renseignements.

Avec ce genre de redistribution des cartes au sommet et cet accès soudain à de nouvelles informations fantastiques... qu'est-ce que cela signifie pour moi ? se demandait Ryan. Ils n'envisageaient tout de même pas de le faire nommer directeur adjoint, à la place de Greer. Il savait bien que l'expérience nécessaire pour assumer ce genre de fonctions lui faisait gravement défaut — mais après tout, peut-être que dans cinq ou six ans...

Chaîne de Reykjanes

Ramius examina sa table de situation. *Octobre rouge* faisait route vers le sud-ouest, sur la route 8, la plus surveillée de tout le parcours que les sous-mariniers de la Flotte du nord surnommaient la Voie ferrée de Gorchkov. Vitesse treize nœuds. Pas un instant l'idée ne l'effleura que, dans la superstition anglo-saxonne, il s'agissait d'un chiffre funeste. Il allait maintenir le cap et la vitesse pendant encore vingt heures. Juste derrière lui, Kamarov était assis devant le panneau du gravitomètre, avec une grande carte roulée à portée de main. Le jeune enseigne fumait sans discontinuer et paraissait tendu, tandis qu'il pointait leur position sur la carte. Ramius prenait soin de ne pas le déranger. Kamarov connaissait bien son métier, et dans deux heures Borodine viendrait le relever.

Dans la quille du bâtiment était placé un instrument de haute précision, le gradiomètre, essentiellement constitué de deux gros poids en plomb placés à cent mètres l'un de l'autre. Un système de laser et d'informatique mesurait l'espace entre les deux poids à une fraction d'angström près. Les distorsions de cette distance ou les mouvements latéraux indiquaient les variations du champ gravitationnel local. L'officier de navigation comparait ces données locales extrêmement précises aux valeurs inscrites sur sa carte. Grâce à l'emploi vigilant des gravitomètres dans le système de navigation inertielle du SM il pouvait calculer la position du bâtiment à cent mètres près, soit la moitié de sa longueur.

Ce système de mesure des masses commençait à équiper tous les sous-marins capables de l'accueillir. Ramius savait que de jeunes commandants de sous-marins d'attaque s'en servaient pour parcourir la Voie ferrée à grande vitesse. Parfait pour la vanité du commandant, jugeait Ramius, mais un peu dur pour l'officier de navigation. Il n'éprouvait aucun besoin d'audace. Peut-être la lettre avait-elle été une erreur... Non, elle réglait la question d'un éventuel changement d'avis. Et les sonars des sous-marins d'attaque n'étaient tout simplement pas assez fins pour repérer *Octobre rouge,* tant qu'il maintiendrait son allure silencieuse. Ramius en était certain ; il les avait tous utilisés. Il irait où il voudrait, ferait ce qu'il voudrait, et personne, ni ses compatriotes ni même les Américains, n'y pourrait rien. C'était pourquoi, un peu plus tôt, il avait souri en entendant passer un Alfa à trente milles à l'est.

La Maison-Blanche

La voiture de fonction du juge Moore était une limousine Cadillac, avec un chauffeur et un garde du corps qui gardait en permanence une mitraillette Uzi sous le tableau de bord. Le chauffeur quitta Pennsylvania Avenue sur la droite, pour s'engager dans Executive Drive, une impasse qui servait de parking aux hauts fonctionnaires et aux journalistes qui travaillaient à la Maison-Blanche ou dans l'Executive Office Building, « Old State », cet exemple magnifique du rococo institutionnel qui dominait la résidence. Le chauffeur se gara en douceur à une place réservée aux VIP et quitta aussitôt la voiture pour ouvrir les portières dès que le garde du corps eut parcouru du regard les alentours. Le juge Moore sortit le premier et, en le rattrapant, Ryan se surprit à marcher légèrement en retrait de son patron, sur sa gauche. Il lui fallut un moment pour se rappeler que cette attitude instinctive lui venait de son passage chez les marines, où il avait appris que c'était la seule façon correcte pour un jeune officier d'accompagner ses supérieurs. Cela força Ryan à se rappeler comme il était encore novice.

« Déjà venu ici, Jack ?

— Non, monsieur. Jamais. »

Moore parut amusé. « C'est vrai, vous venez de l'autre côté. Mais si vous veniez de plus loin, vous auriez déjà fait plusieurs fois le voyage. » Un garde leur ouvrit la porte. A l'intérieur, un agent des services secrets les inscrivit sur un registre. Moore hocha la tête au passage.

« Allons-nous dans la salle du Conseil, amiral ?

— Non. Situation Room, en bas. C'est plus confortable et mieux équipé pour ce genre de choses. Les diapos dont vous aurez besoin sont déjà en bas, tout est prêt. Nerveux ?

— Oui, bien sûr, amiral. »

Moore eut un petit rire.

« Détendez-vous, mon garçon. Il y a déjà un moment que le président veut vous rencontrer. Il a beaucoup aimé le rapport que vous aviez fait sur le terrorisme, voici quelques années, et je lui en ai montré plusieurs autres, celui sur les opérations des sous-marins lance-missiles soviétiques, et celui que vous venez de terminer sur les méthodes directoriales de leurs industries d'armements. Dans l'ensemble, vous pourrez voir que c'est un type assez bien. Soyez prêt à répondre aux questions. Il entendra chacune de vos paroles, et il n'a pas son pareil pour vous en balancer quelques-unes bien senties quand il veut. »

Moore bifurqua pour descendre un escalier. Ryan le suivit jusqu'au troisième étage en sous-sol, où ils se trouvèrent devant une porte qui s'ouvrait sur un corridor. Le juge tourna à gauche et se dirigea vers une autre porte, gardée par un agent des services secrets.

« Bonjour, monsieur le directeur. Le président ne va pas tarder à descendre.

— Merci. Voici M. Ryan. Je me porte garant pour lui.

— Bien. » L'agent leur fit signe d'entrer.

La salle n'était pas aussi spectaculaire que Ryan s'y était attendu. La Situation Room n'était sans doute pas plus grande que le Bureau ovale, en haut. De coûteux lambris recouvraient les murs, qui devaient être en béton. Cette partie de la Maison-Blanche datait de la reconstruction effectuée sous la présidence de Truman. Le pupitre destiné à Ryan se trouvait tout de suite à gauche, face à une table octogonale et, au fond de la salle, à un écran. Sur le pupitre, une note précisait que le projecteur placé au milieu de la table était déjà chargé et réglé, et indiquait l'ordre des photographies qui avaient été fournies par le National Reconnaissance Office.

Presque tout le monde était déjà là, et en particulier tous les chefs d'état-major et le ministre de la Défense. Ryan se souvint que le secrétaire d'Etat continuait à faire la navette entre Athènes et Ankara pour s'efforcer de régler les nouveaux développements de l'affaire de Chypre. Cette sempiternelle blessure dans le flanc sud de l'OTAN venait de se raviver quelques semaines plus tôt, lorsqu'un étudiant grec avait renversé un enfant turc avec sa voiture puis péri sous les coups de la foule quelques minutes plus tard. A la fin de la journée, on dénombrait cinquante blessés et les deux pays putativement alliés se jetaient de nouveau à la gorge l'un de l'autre. A présent, deux porte-avions américains patrouillaient dans la mer Egée, tandis que le secrétaire d'Etat faisait l'impossible pour apaiser les deux camps. Il était navrant que deux gamins eussent été tués, songeait Ryan, mais cela ne justifiait pas la mobilisation d'une armée nationale.

Autour de la table se trouvait également le général Thomas Hilton, président des chefs d'état-major, ainsi que le conseiller du président pour la sécurité nationale, Jeffrey Pelt, un homme assez pompeux que Ryan avait rencontré des années auparavant, au Centre d'études internationales et stratégiques de l'université de Georgetown. Pelt parcourait des papiers et des télex, les chefs d'état-major bavardaient cordialement entre eux lorsque le commandant du corps des marines releva la tête et repéra Ryan. Il se leva et approcha.

« Vous êtes Jack Ryan ? interrogea le général David Maxwell.

— Oui, mon général. » Maxwell était un homme trapu, massif, dont la chevelure hirsute semblait étinceler d'énergie et d'agressivité. Il évalua Ryan du regard avant de lui serrer la main.

« Ravi de vous connaître, mon garçon. J'ai apprécié ce que vous avez fait à Londres. Excellent pour le prestige des marines. » Il faisait allusion à l'incident terroriste où Ryan avait failli se faire tuer. « C'était bien, de l'action rapide, commandant.

— Merci, mon général. J'ai eu de la chance.

— Un bon officier doit avoir de la chance. J'ai entendu dire que vous aviez quelque chose d'intéressant à nous dire.

— Oui, mon général. Je crois que vous ne regretterez pas d'être venu.

— Nerveux ? » Le général vit la réponse et sourit brièvement. « Détendez-vous, mon gars. Tous les gens rassemblés dans cette foutue cave enfilent leur pantalon comme vous. » Il donna à Ryan une tape sur l'estomac, et regagna son siège. Le général chuchota quelque chose à l'amiral Daniel Foster, chef des opérations navales, qui contempla un moment Ryan avant de reprendre le fil de ce qu'il faisait.

Le président arriva un instant plus tard et tout le monde se leva tandis qu'il gagnait sa place, à droite de Ryan. Il adressa quelques paroles brèves à Pelt, puis se tourna vers Moore.

« Messieurs, si nous sommes prêts à commencer, je crois que le juge Moore a quelque chose à nous dire.

— Merci, monsieur le président. Messieurs, nous avons reçu des renseignements fort intéressants aujourd'hui, en ce qui concerne l'opération navale soviétique qui a démarré hier. J'ai prié M. Ryan, ici présent, de présenter l'affaire. »

Le président se tourna vers Ryan. Le jeune homme se sentit scruté et évalué. « Nous vous écoutons. »

Ryan but une gorgée d'eau glacée du verre posé sur son pupitre. Il disposait d'une télécommande pour le projecteur, et de plusieurs baguettes. Une lampe très puissante éclairait ses notes. Les pages étaient couvertes de ratures et de corrections griffonnées. Il n'avait pas eu le temps de recopier son texte.

« Merci, monsieur le président. Messieurs, je m'appelle Jack Ryan, et mon exposé traitera des récentes activités navales de l'Union soviétique en Atlantique Nord. Avant d'y arriver, il conviendrait que je vous présente d'abord l'arrière-plan. J'espère que vous voudrez bien m'accorder quelques minutes, et n'hésitez surtout pas à m'interrompre pour poser des questions quand vous le jugerez opportun. » Ryan alluma le projecteur et, automatiquement, les lumières situées près de l'écran s'atténuèrent.

« Ces photos nous ont été aimablement fournies par les Anglais », commença Ryan. Il bénéficiait à présent de l'attention générale. « Le bâtiment que vous voyez ici est le sous-marin lance-missiles *Octobre rouge,* de la flotte soviétique, photographié par un agent britannique à leur base de Polyarny, près de Mourmansk, au nord de la Russie. Comme vous pouvez le voir, c'est un très grand bâtiment, plus de deux cents dix mètres de long, vingt-huit mètres de large environ, et un déplacement en plongée évalué à trente-deux mille tonnes. Ces chiffres sont plus ou moins comparables à ceux d'un cuirassé de la Première Guerre mondiale. »

Ryan prit une baguette. « En plus du fait qu'il est nettement plus gros que nos sous-marins de la classe Ohio, *Octobre rouge* présente un certain nombre de différences techniques. Il porte vingt-six missiles au lieu de nos vingt-quatre. Les premiers bâtiments de la classe Typhon, dont il est dérivé, n'en ont que vingt. *Octobre* porte également le nouveau missile balistique SS-N-20, le Seahawk. C'est un missile à combustible solide, avec une portée d'environ onze mille kilomètres, et équipé de huit têtes indépendantes, les MIRV, chacune d'une puissance estimée à cinq cents kilotonnes. Ce sont les mêmes têtes que sur leurs SS-18, mais il y en a moins par lanceur.

« Comme vous pouvez le voir, les tubes de missiles sont placés à l'avant du kiosque, et non à l'arrière comme les nôtres. Les barres de plongée avant se replient dans les fentes que voici, ménagées dans la coque, tandis que les nôtres sont sur le kiosque. Il a deux hélices, et sur les nôtres une seule. Enfin, leur coque est aplatie, au lieu d'être cylindrique comme la nôtre, elle est nettement aplatie aux deux extrémités. »

Ryan passa à la seconde photographie. Elle montrait deux vues superposées de l'arrière et de l'avant. « Ces clichés nous ont été livrés non développés. Ils ont été traités par le National Reconnaissance Office. Vous remarquerez les portes ici à l'avant, et là à l'arrière. Les Anglais étaient un peu surpris, et cela vous explique pourquoi ils m'ont permis d'apporter ces photos ici au début de la semaine. Nous n'avons pas su déterminer non plus à la CIA à quoi ces portes pouvaient servir, et il fut donc décidé de demander l'avis d'un consultant extérieur.

— Qui a décidé ? s'exclama le ministre de la Défense, mécontent. Bon Dieu, je ne les ai même pas encore vues !

— Nous ne les avons eues que lundi, Bert, répondit le juge Moore d'un ton apaisant. Les deux que vous voyez sur l'écran n'ont encore que quatre heures. Ryan nous a suggéré la collaboration d'un expert extérieur, et James Greer a approuvé. Moi aussi.

— Il s'appelle Oliver W. Tyler. C'est un ancien officier de marine devenu professeur d'architecture navale à l'école navale, et consultant rémunéré du commandement des systèmes d'armes. Il est expert en analyse de la technologie navale soviétique. Skip... euh, Tyler... a conclu que ces portes sont les bouches d'admission et d'échappement d'un nouveau système de propulsion silencieuse. Il est en train d'établir un modèle informatique du système, et nous espérons le recevoir d'ici la fin de la semaine. Le système en lui-même est fort intéressant. » Ryan exposa brièvement l'analyse de Tyler.

« D'accord, monsieur Ryan. » Le président se pencha en avant. « Vous venez de nous dire que les Soviétiques ont construit un sous-marin lance-missiles que nos hommes auront du mal à détecter. Je ne pense pas que ce soit une surprise. Continuez.

— Le commandant d'*Octobre rouge* s'appelle Marko Ramius. Il s'agit d'un nom lituanien, bien que son passeport interne le définisse vraisemblablement comme biélorusse. Il est le fils d'un haut dignitaire du Parti, et leur meilleur commandant de sous-marins. C'est lui qui a mis en service les prototypes de toutes les classes de sous-marins sovétiques depuis dix ans.

« *Octobre rouge* a appareillé vendredi dernier. Nous ne savons pas exactement quels étaient ses ordres mais, d'habitude, leurs SNLE — enfin, ceux qui ont les nouveaux missiles à longue portée — limitent leurs activités à la mer de Barents et aux secteurs voisins, où ils peuvent être protégés de nos bâtiments d'attaque par leur aviation de patrouille, leurs navires de surface, et leurs SM d'attaque. Dimanche dernier, vers midi heure locale, nous avons observé une activité de recherche accrue en mer de Barents. Sur le moment, nous avons pensé qu'il s'agissait d'un exercice local et puis, à partir de lundi, c'est apparu comme une expérimentation du nouveau système de propulsion d'*Octobre rouge*.

« Comme vous le savez tous, le début de la journée d'hier a vu un net accroissement de l'activité navale soviétique. Presque tous leurs navires de surface affectés à la Flotte du nord sont maintenant en mer, accompagnés de tous leurs pétroliers ravitailleurs les plus rapides. Des auxiliaires supplémentaires ont quitté leurs bases de la Baltique et de la Méditerranée occidentale. Plus troublant encore est le fait que presque tous leurs sous-marins nucléaires affectés à la

Flotte du nord — la plus importante — semblent se diriger vers l'Atlantique Nord. Cela en comprend également trois de la Méditerranée, puisqu'ils dépendent de la Flotte du nord et non de la Flotte de la mer Noire. Désormais, nous pensons savoir pourquoi cela s'est produit. » Ryan passa la photo suivante, qui montrait l'Atlantique Nord, de la Floride jusqu'au pôle, avec les navires soviétiques marqués en rouge.

« Le jour où *Octobre rouge* a appareillé, nous savons que le commandant Ramius a posté une lettre adressée à l'amiral Youri Ilych Padorine. Padorine est le directeur politique de leur marine. Nous ignorons ce que disait cette lettre, mais nous en voyons ici les résultats. Tout a commencé moins de quatre heures après l'ouverture de cette lettre. Cinquante-huit sous-marins nucléaires et vingt-huit grosses unités de surface ont pris la direction de la côte américaine. Voilà une réaction bien remarquable, en quatre heures. Et ce matin, nous avons appris quels étaient les ordres.

« Messieurs, ces navires ont reçu l'ordre de retrouver *Octobre rouge* et, le cas échéant, de le couler. » Ryan marqua une pause pour l'effet. « Comme vous pouvez le voir, toutes les forces de surface navales soviétiques sont ici, à mi-chemin entre le continent européen et l'Islande. Leurs sous-marins, ceux-ci en particulier, ont tous pris la direction sud-ouest, vers la côte américaine. Vous pouvez observer qu'on ne décèle aucune activité inhabituelle de part et d'autre du Pacifique — mais nous savons que les sous-marins lance-missiles de la flotte soviétique — les grosses bêtes — dans les *deux* océans sont tous rappelés à leur base.

« Par conséquent, et bien que nous ignorions ce qu'a dit exactement le commandant Ramius, nous pouvons tirer certaines conclusions de ces formes d'activité. Le commandement soviétique semblerait croire que Ramius se dirige vers nous. Etant donné sa vitesse, entre dix et trente nœuds, il peut se trouver n'importe où entre ici, au sud de l'Islande, et là, au large de nos côtes. Vous remarquerez que, dans un cas comme dans l'autre, il a parfaitement réussi à éviter toute détection de la part des quatre barrières de nos oreilles de mer SOSUS...

— Attendez un instant. Vous dites qu'ils ont donné l'ordre à leurs bâtiments de couler l'un de leurs propres sous-marins ?

— Oui, monsieur le président. »

Le président se tourna vers le directeur de la CIA. « Il s'agit là d'une information fiable, Moore ?

— Oui, monsieur le président, nous la jugeons solide.

— Okay, monsieur Ryan, nous attendons tous la suite. Qu'est-ce que ce Ramius mijote ?

— Monsieur le président, notre évaluation de ces données est qu'*Octobre rouge* essaie de passer à l'Ouest. »

Une chape de silence tomba sur l'assemblée. Ryan entendait ronronner le moteur du projecteur, tandis que les membres du Conseil national de sécurité digéraient la nouvelle. Il posa ses mains à plat sur le pupitre pour les empêcher de trembler sous le regard des dix hommes assis devant lui.

« Voilà une conclusion fort intéressante. » Le président sourit. « Défendez-la.

— Monsieur le président, aucune autre conclusion n'intègre toutes ces données. Le fait vraiment crucial, toutefois, c'est le rappel de leurs autres lance-missiles. Ils ne l'avaient encore jamais fait. Ajoutez à cela le fait qu'ils ont donné l'ordre de couler leur sous-marin le plus récent et le plus puissant, et qu'ils se sont tous mis en chasse dans cette direction, et l'on est réduit à conclure qu'ils pensent qu'*Octobre rouge* a quitté le bercail pour venir ici.

— Fort bien. Qu'est-ce que cela pourrait être d'autre ?

— Il pourrait aussi leur avoir dit qu'il allait lancer ses missiles. Sur nous, sur eux, sur les Chinois ou sur n'importe qui d'autre.

— Mais vous ne le pensez pas ?

— Non, monsieur le président. Le SS-N-20 a une portée de onze mille kilomètres. Cela signifie qu'il aurait pu atteindre n'importe quelle cible dans l'hémisphère Nord dès l'instant où il quittait sa base. Il a eu six jours pour le faire, mais il n'a pas tiré. D'ailleurs, s'il avait menacé de lancer ses engins, il lui aurait fallu envisager la possibilité que les Soviétiques sollicitent notre assistance pour le détecter et le couler. Après tout, si nos systèmes de surveillance détectaient le lancement de missiles nucléaires dans une quelconque direction, la situation pourrait très rapidement devenir tendue.

— Vous savez cependant qu'il pourrait déclencher une troisième guerre mondiale en lançant ses engins dans les deux directions, observa le ministre de la Défense.

— Oui, monsieur le ministre. Dans ce cas, nous aurions affaire à un fou furieux — et même plusieurs, en fait. Sur nos SNLE, il y a cinq officiers qui doivent être unanimes pour lancer leurs missiles. Les Soviétiques en ont le même nombre. Pour des raisons politiques, leurs procédures de sécurité en matière d'armements nucléaires sont encore plus compliquées que les nôtres. Cinq personnes ou davantage, qui voudraient toutes provoquer la fin du monde ? » Ryan secoua la tête. « Cela paraît fort improbable, monsieur, et, permettez-moi de le répéter, les Soviétiques seraient bien inspirés de nous en avertir et de nous appeler à l'aide.

— Croyez-vous vraiment qu'ils nous avertiraient ? » interrogea Pelt. Le ton disait assez ce qu'il en pensait.

« Il s'agit là d'une question psychologique, plutôt que technique, et je m'occupe essentiellement de problèmes techniques. Plusieurs personnes présentes ont déjà eu l'occasion de rencontrer leurs homologues soviétiques, et sont donc mieux armées que moi pour répondre à cette question. Ma réponse, toutefois, est oui. Ce serait pour eux la seule chose logique à faire et, même si je ne trouve pas toujours les Soviétiques rationnels suivant nos critères, ils ont néanmoins une logique à eux. Ils n'ont pas coutume de jouer aussi gros jeu.

— Ni eux ni personne, observa le président. Que pourrait-ce être d'autre ?

— Plusieurs choses, monsieur le président. Ce pourrait n'être qu'un grand exercice naval pour vérifier s'ils peuvent fermer nos lignes maritimes de communication, et voir comment nous réagirions, le tout dans un délai très bref. Nous rejetons cependant cette hypothèse pour deux raisons. D'une part, cela arrive trop tôt après leur exercice d'automne, Tempête écarlate, et ils n'utilisent que leurs sous-marins nucléaires ; aucun bâtiment diesel ne paraît impliqué. Manifestement, cette opération requiert avant tout une vitesse maximale. Et par ailleurs, d'un point de vue pratique, ils n'organisent jamais d'exercice important en cette saison.

— Et pourquoi cela ? » voulut savoir le président.

Ce fut l'amiral Foster qui répondit à la place de Ryan. « Monsieur le président, il fait un temps exécrable, là-bas, en cette saison. Même nous, nous ne prévoyons pas d'exercice dans ces conditions.

— Il me semble pourtant me rappeler que nous venons de faire un exercice dans le cadre de l'OTAN, amiral, observa Pelt.

— Oui, monsieur. Au sud des Bermudes, où le temps est infiniment plus favorable. A l'exception d'un exercice anti-sous-marin au large des Iles britanniques, toute l'affaire Dauphin malin s'est déroulée de notre côté du lac !

— Bon, retournons aux hypothèses, ordonna le président.

— Eh bien, monsieur, ce pourrait ne pas être un exercice du tout. Ce pourrait être une vraie opération. Ce pourrait être le début d'une guerre conventionnelle contre l'OTAN, dont la première étape serait le blocus des communications maritimes. Dans ce cas, ils ont réussi une surprise stratégique complète et la gâchent en opérant si ouvertement que nous ne pouvons pas ne pas le voir et réagir fortement. Par ailleurs, on n'observe aucune activité correspondante dans leurs autres armées. Leur armée de terre et leur aviation — à l'exception de la surveillance — ainsi que leur Flotte Pacifique, poursuivent des opérations d'entraînement de routine.

« Enfin, il pourrait s'agir d'une tentative de provocation ou de diversion, pour attirer notre attention par là tandis qu'ils nous prépareraient une surprise ailleurs. Dans ce cas, ils s'y prennent d'une curieuse manière. Quand on essaie de provoquer quelqu'un, on ne le fait pas devant sa porte. L'Atlantique, monsieur le président, nous appartient encore. Comme vous pouvez le voir sur cette carte, nous détenons des bases ici en Islande, aux Açores, et tout au long de nos côtes. Nous avons des alliés des deux côtés de l'océan, et nous pouvons établir notre suprématie aérienne sur tout l'Atlantique si nous le voulons. Leur marine est numériquement forte, plus que la nôtre, dans certains secteurs critiques, mais ils ne peuvent pas projeter d'aussi grande force que nous — pas encore, tout au moins — et certainement pas à proximité de nos côtes. »

Ryan but une nouvelle gorgée d'eau.

« Ainsi donc, messieurs, nous avons un sous-marin lance-missiles soviétique en mer, alors qu'ils rappellent tous les autres, dans les deux océans. Nous avons leur flotte en mer, avec l'ordre de couler ce sous-marin, et il est manifeste qu'ils le poursuivent dans notre direction. Comme je vous l'ai dit, c'est l'unique conclusion qui corresponde à ces données.

— Combien d'hommes à bord, Ryan ? interrogea le président.

— A notre avis, environ cent dix.

— Ainsi donc, cent dix hommes ont décidé de passer à l'Ouest tous ensemble. Ce n'est pas que l'idée soit mauvaise, ajouta-t-il avec une grimace, mais ce n'est guère vraisemblable. »

Ryan avait déjà une réponse. « Il y a un précédent, monsieur le président. Le 8 novembre 1975, une frégate lance-missiles de la classe Krivak, la *Storozhevoy,* a tenté de quitter Riga, en Lettonie, pour gagner l'île suédoise de Gotland. L'officier politique du bord, Valery Sabline, avait mutiné l'équipage, composé d'appelés. Ils ont enfermé les officiers dans leurs chambres et appareillé très rapidement. Ils ont bien failli réussir, mais des unités aériennes et navales les ont attaqués et forcés à s'arrêter, à cinquante milles des eaux territoriales suédoises. Deux heures de plus, et ils réussissaient. Sabline et vingt-six autres passèrent en cour martiale, et furent fusillés. Plus récemment, nous avons reçu des rapports faisant état de mutineries à bord de plusieurs navires soviétiques — surtout des sous-marins. En 1980, un sous-marin d'attaque de la classe Echo a fait surface au large du Japon. Le commandant a prétendu qu'un incendie s'était déclaré à bord, mais des photos prises par notre aéronautique navale — et aussi celle des Japonais — ne révélaient la présence d'aucune fumée ni de débris calcinés jetés à la mer. Toutefois, les hommes visibles sur le pont portaient assez de traces de violences pour confirmer l'hypothèse que des combats s'étaient déroulés à bord. Nous avons reçu d'autres rapports similaires, plus sommaires, au cours de ces dernières années. Bien qu'il s'agisse d'un exemple extrême, je l'admets, notre conclusion n'est absolument pas sans précédents. »

L'amiral Foster fouilla dans sa veste, et en tira un cigare à embout de plastique. Ses yeux étincelaient derrière l'allumette. « Figurez-vous que je pourrais presque y croire.

— Eh bien, j'aimerais que vous disiez pourquoi, amiral, déclara le président. Car je n'y crois toujours pas.

— Monsieur le président, la plupart des mutineries sont dirigées par des officiers, et non des hommes d'équipage. La raison en est simplement que les hommes d'équipage ne savent pas faire marcher le bateau. De plus, les officiers ont la formation et l'expérience suffisantes pour savoir qu'une rébellion peut réussir. Ces deux facteurs seraient encore plus vrais dans la marine soviétique. Et si c'était uniquement le fait des officiers ?

— Et le reste de l'équipage se contenterait de suivre le mouvement ? rétorqua Pelt. Sachant ce qui leur arriverait, à eux et à leurs familles ? »

Foster tira quelques bouffées de son cigare. « Jamais été en mer, monsieur Pelt ? Non ? Imaginons un moment que vous faites une croisière autour du monde, disons, sur le *Queen Elizabeth II*. Un beau jour, vous vous trouvez au milieu de l'océan Pacifique — mais comment pouvez-vous savoir exactement où vous êtes ? Vous n'en savez rien. Vous n'en savez que ce que vous disent les officiers. Oh, bien sûr, si vous connaissez un peu d'astronomie, peut-être saurez-vous estimer votre latitude à quelques centaines de milles près. Avec une bonne montre et quelques connaissances de trigonométrie sphérique, vous pourrez peut-être même calculer votre longitude à quelques centaines de milles près aussi. D'accord ? Mais cela se passe à bord d'un navire, d'où vous pouvez voir.

« Ces types sont à bord d'un sous-marin. On n'y voit pas grand-chose. Alors maintenant, si ce sont les officiers — et même pas nécessairement tous — qui font le coup ? Comment l'équipage pourrait-il savoir ce qui se passe? » Foster hocha la tête. « Ils ne peuvent pas deviner. Ils ne peuvent rien savoir. Même nos gars à nous en seraient incapables, et ils ont pourtant une formation bien supérieure : leurs matelots sont pratiquement tous des conscrits, ne l'oubliez pas. A bord d'un sous-marin nucléaire, on est absolument coupé du monde extérieur. Aucune radio à l'exception de TBF et VLF — et c'est entièrement codé; les messages doivent tous passer par l'officier de transmissions. Il faut donc qu'il en soit. Même chose pour l'officier de navigation. Ils emploient des systèmes de navigation inertielle, comme nous. Nous avons l'un de leurs, celui de ce *Golf* que nous avons pincé près de Hawaii. Dans leurs machines, les données sont également codées. Le quartier-maître lit les chiffres sur la machine, et l'officier de navigation calcule la position d'après un dictionnaire. Dans l'Armée rouge, *à terre,* les cartes sont des documents secrets. Même chose dans leur marine. Les hommes d'équipage ne voient jamais les cartes, et rien ne les encourage à tenter de savoir où ils sont. Ce serait particulièrement vrai sur des sous-marins lance-missiles, non?

« En plus de tout cela, ces gars sont des matelots qui travaillent. Quand on est en mer, on a un boulot à faire, et on le fait. Sur leurs bâtiments, cela représente des journées de quatorze à dix-huit heures. Ce sont tous des recrues à la formation très sommaire. On leur apprend à accomplir une ou deux tâches — et à suivre exactement les ordres. Les Soviétiques forment les gens à travailler mécaniquement, en pensant le moins possible. Cela vous explique pourquoi, dans les cas de réparations importantes, on voit des officiers manier les outils. Leurs hommes n'auront ni le temps ni l'idée d'interroger les officiers sur ce qui se passe. Chacun fait son boulot, et on dépend du boulot de tous. Voilà ce que c'est, la discipline en mer. Il est infiniment plus facile de rassembler dix ou douze dissidents que cent.

— *Plus* facile, sans doute, mais facile, non, Dan, objecta le général Hilton. Enfin, bon Dieu, ils doivent avoir au moins un officier politique à bord, sans compter les taupes de leurs services de renseignements. Vous croyez vraiment qu'un tâcheron du Parti marcherait dans la combine?

— Pourquoi pas? Vous avez entendu Ryan, c'était l'officier politique qui dirigeait la mutinerie, sur cette frégate.

— Ouais, et depuis ils ont fait un branle-bas de combat dans toute la hiérarchie, répliqua Hilton.

— Nous avons sans arrêt des types du KGB qui passent chez nous, et ce sont toujours d'irréprochables membres du Parti », observa Foster. Visiblement, l'idée d'un sous-marin russe réfugié aux Etats-Unis lui plaisait beaucoup.

Le président réfléchit un moment, puis s'adressa à Ryan. « Monsieur Ryan, vous êtes parvenu à me convaincre que votre scénario est une hypothèse possible. Maintenant, dites-moi ce que la CIA pense que nous devons faire ?

— Monsieur le président, je suis analyste et non pas...

— Je sais fort bien qui vous êtes, monsieur Ryan. J'ai lu suffisamment de rapports établis par vous. Mais je vois bien que vous avez une opinion. Je veux l'entendre. »

Ryan ne regarda même pas le juge Moore. « On saute dessus, monsieur le président.

— Juste comme cela ?

— Non, monsieur le président, sans doute pas. De toute façon, Ramius risque de faire surface au large de la Virginie d'ici un jour ou deux, et de demander l'asile politique. Il serait souhaitable que nous nous préparions à cette éventualité, et, à mon avis, nous devrions l'accueillir à bras ouverts. » Ryan vit tous les chefs d'état-major acquiescer. Enfin, il avait quelqu'un dans son camp.

« Vous avez pris des risques, dans cette affaire, observa aimablement le président.

— Vous m'avez demandé mon opinion, monsieur le président. Ce ne sera sans doute pas facile. Ces Alfas et ces Victors accourent visiblement vers nos côtes, très certainement dans l'intention d'établir une force d'interdiction — en fait, un blocus de notre côte atlantique.

— *Blocus,* répéta le président. Quel mot déplaisant !

— Juge Moore, interpella le général Hilton, il vous est sûrement venu à l'esprit que ce pourrait être un numéro de désinformation visant à faire sauter la source haut placée qui est à l'origine de ce rapport ? »

Le juge Moore affecta un sourire ensommeillé. « Oui, oui, général. Si c'est un coup monté, il est sacrément bien monté. Jack Ryan a été prié de préparer cette réunion d'information sur la base d'une information jugée vraie. Si elle se révèle fausse, la responsabilité sera mienne. » Dieu vous bénisse, juge, songea Ryan en se demandant quelle était l'épaisseur du placage or de cette source Saule. Le juge poursuivit : « De toute façon, messieurs, il va falloir réagir à cette activité soviétique, que notre analyse soit juste ou non.

— Vous faites confirmer tout cela, juge ?

— Oui, monsieur le président. C'est en cours.

— Bien. » Le président se tenait très droit, et Ryan observa que sa voix se faisait plus sèche. « Le juge a raison. Quels que soient leurs projets, nous devons réagir. Messieurs, la marine soviétique se dirige vers nos côtes. Que faisons-nous à ce propos ? »

L'amiral Foster répondit en premier. « Monsieur le président, notre flotte appareille en ce moment. Tout ce qui marche est en route, ou le sera d'ici demain soir. Nous avons rappelé nos porte-avions de l'Atlantique Sud, et nous redéployons nos sous-marins nucléaires afin de faire face à cette menace. Nous avons commencé ce matin à saturer l'air au-dessus de leurs forces de surface, avec des Orion-P-3C appuyés par des Nimrods britanniques basés en Ecosse. Général ? » Foster se tourna vers Hilton.

« En ce moment, nous avons des Sentinelles E-3A de type AWACS [1] qui leur tournent autour avec les Orions de Dan, appuyés par des chasseurs Eagle F-15 basés en Islande. Vendredi à cette heure-ci, nous aurons une escadrille de B-52 opérant à partir de la base aérienne de Loring, dans le Maine. Ils seront armés de missiles air-surface Harpoon, et ils se relaieront pour tourner autour des Soviétiques. Rien d'agressif, vous comprenez », Hilton sourit. « Juste pour leur faire comprendre que nous nous intéressons à ce qu'ils font. S'ils persistent à venir par ici, nous redéploierons quelques unités tactiques aériennes vers la côte Est et, sous réserve de votre accord, nous pourrons également mettre discrètement en œuvre quelques escadrilles de réserve et de surveillance du territoire.

— Et comment ferez-vous tout cela " discrètement " ? voulut savoir Pelt.

— Monsieur Pelt, nous avons prévu un certain nombre de manœuvres de sécurité à la base Red Flag de Nellis, dans le Nevada, à partir de dimanche prochain. Entraînement de routine. Ils iront dans le Maine au lieu du Nevada. Les bases y sont grandes, et elles appartiennent au Commandement stratégique aérien. Très bonne sécurité, aussi.

— Combien de porte-avions avons-nous sous la main ? demanda le président.

— Un seul pour l'instant, monsieur le président. Le *Kennedy*. Le *Saratoga* a eu une panne de turbine la semaine dernière, il y en a pour un mois de réparation. Le *Nimitz* et l'*America* sont en Atlantique Sud en ce moment, l'*America* au retour de l'océan Indien,

1. AWACS : Airborne Warning & Control System, système aérien de contrôle et d'alerte. (N.d.T.)

et le *Nimitz* en route vers le Pacifique. Pas de chance. Pouvons-nous rappeler un porte-avions de Méditerranée orientale ?

— Non. » Le président secoua la tête. « Cette affaire de Chypre est encore trop sensible. En avons-nous réellement besoin ? Si quelque chose de... regrettable arrive, pouvons-nous faire face à leur flotte de surface avec ce que nous avons là ?

— Oui, répondit aussitôt Hilton. Ryan l'a dit : l'Atlantique nous appartient. A elle seule, l'aviation aura plus de cinq cents appareils affectés à cette opération, et encore trois ou quatre cents de la marine. Si la moindre compétition de tir intervient, cette flotte soviétique aura eu une vie excitante, mais brève.

— Nous essaierons d'éviter cela, bien sûr, répondit calmement le président. Les premiers comptes rendus de presse sont apparus ce matin. Nous avons reçu en fin de matinée un appel de Bud Wilkins, du *New York Times*. Si le peuple américain apprend trop tôt quelle est l'étendue de ce... Jeff ?

— Monsieur le président, envisageons un instant que l'analyse de M. Ryan soit juste. Je ne vois pas ce que nous pouvons y faire, dit Pelt.

— Quoi ? s'exclama Ryan. Je, euh, veuillez m'excuser, monsieur.

— Nous ne pouvons tout de même pas voler un SM nucléaire soviétique.

— Pourquoi pas ! s'écria Foster. Bon Dieu, ce ne sont pourtant pas leurs tanks ni leurs avions qui nous ont manqué ! »

Les autres chefs d'état-major acquiescèrent.

« Un avion avec un équipage d'un ou deux hommes est une chose, amiral. Un sous-marin nucléaire armé de vingt-six missiles et de plus de cent hommes en est une autre. Naturellement, nous pouvons fort bien accorder l'asile politique aux officiers qui le demanderont.

— Ainsi donc, répondit Hilton, vous trouvez que si cette chose vient s'échouer à Norfolk, il faudra la rendre ! Mais bon Dieu, mon vieux, il porte deux cents ogives ! Ils pourraient parfaitement se servir un jour de ces saloperies contre nous, vous savez ! Etes-vous *bien sûr* de vouloir les rendre ?

— C'est un engin qui vaut un milliard de dollars, général », rétorqua Pelt avec raideur.

Ryan vit le président sourire. On disait qu'il aimait les discussions animées. « Juge, quelles sont les ramifications légales ?

— C'est le droit de la mer, monsieur le président. » Moore paraissait mal à l'aise, pour une fois. « Je n'ai jamais eu de poste d'amiral, et cela me ramène au bon temps de la faculté de droit. Le droit maritime est *jus gentium* — théoriquement, les mêmes codes régissent tous les pays. Traditionnellement, le tribunaux maritimes américain et britannique citent chacun les jugements de l'autre. Mais quant aux droits concernant un équipage mutiné — je n'en ai pas la moindre idée.

— Juge, il ne s'agit ni de mutinerie ni de piraterie, observa Foster. Le terme juste est *baraterie,* me semble-t-il. La mutinerie définit la rébellion de l'équipage contre l'autorité légale, tandis que l'inconduite grave des officiers s'appelle baraterie. Cependant, je ne pense pas que nous ayons besoin d'attacher une étiquette juridique à une situation qui implique des armes nucléaires.

— Peut-être que si, amiral, suggéra le président, songeur. Comme l'a dit Jeff, il s'agit d'un navire de grande valeur qui leur appartient légalement, et ils sauront que nous l'avons. Nous sommes sûrement tous d'accord sur le fait que l'équipage ne peut pas être entièrement dans le coup. Dans ce cas, ceux qui sont innocents de cette mutinerie — baraterie si vous préférez — voudront rentrer chez eux. Et il faudra bien les laisser repartir, non ?

— Faudra, faudra, marmonna le général Maxwell en griffonnant des petits dessins sur un papier.

— Général, déclara le président d'un ton ferme, nous n'accepterons pas, je répète, *nous n'accepterons pas* que soient emprisonnés ou tués des hommes dont le seul désir est de regagner leurs foyers. Est-ce compris ? » Il parcourut du regard l'assistance. « S'ils savent que nous l'avons, ils voudront le récupérer. Et ils sauront que nous l'avons par le témoignage des hommes d'équipage qui voudront rentrer chez eux. De toute façon, gros comme il est, nous ne pourrions guère le cacher.

— Oh si ! répondit Foster d'une voix neutre. Mais, comme vous le disiez, l'équipage constitue une complication. Je présume que nous aurons au moins une chance de l'examiner un peu ?

— Vous voulez parler d'une inspection de quarantaine, d'un contrôle de tenue de mer, et peut-être aussi vous assurer qu'ils ne font pas de trafic de drogue chez nous ? » Le président sourit. « Je crois que nous devons pouvoir y parvenir. Mais nous regardons un peu trop loin. Il reste encore beaucoup de chemin à faire avant d'en arriver là. Et du côté de nos alliés ?

— Les Anglais avaient justement un porte-avions par ici. Pourriez-vous l'emprunter, Dan ?

— Oui, s'ils veulent bien nous le prêter. Nous venons de terminer cet exercice au sud des Bermudes, et les Britiches se sont très bien comportés. Nous pourrions trouver un emploi à l'*Invincible*, aux quatre escorteurs et aux trois sous-marins d'attaque. Leurs forces sont rappelées à grande vitesse, à cause de cette affaire.

— Sont-ils au courant de ces nouveaux développements, juge ? interrogea le président.

— Non, à moins qu'ils ne l'aient découvert eux-mêmes. Ces renseignements ne datent que de quelques heures. » Moore se gardait bien de révéler que Sir Basil avait ses propres sources au Kremlin. Ryan n'en savait pas grand-chose non plus, à part quelques grognements décousus qu'il avait pu entendre. « Avec votre permission, j'ai demandé à l'amiral Greer de se tenir prêt à partir pour l'Angleterre afin de mettre au courant le Premier ministre.

— Pourquoi ne pas envoyer simplement... »

Le juge Moore secouait la tête. « Monsieur le président, cette information — disons qu'elle ne peut être livrée qu'en mains propres. » Des sourcils se haussèrent tout autour de la table.

« Quand part-il ?

— Ce soir, si vous voulez. Il y a deux vols spéciaux qui partent ce soir d'Andrews. Destinés au Congrès. » C'était l'habituelle saison des petites gâteries de fin de session. Noël en Europe, sous prétexte de missions diverses.

« N'avons-nous rien de plus rapide, général ? demanda le président à Hilton.

— Nous devrions pouvoir gratter un VC-141. Lockheed Jet Star, presque aussi rapide qu'un 135. Il pourrait décoller d'ici une demi-heure.

— Okay. Allez-y.

— Bien. Je m'en occupe tout de suite. » Hilton se leva et se dirigea vers un téléphone, placé dans un angle de la salle.

« Juge, dites à Greer de boucler son sac. Il trouvera une lettre de créances dans l'avion, pour la remettre au Premier ministre. Amiral, vous voulez l'*Invincible ?*

— Oui, monsieur le président.

— Je vous l'aurai. Bon, ensuite, que dirons-nous à nos hommes en mer ?

— Si *Octobre rouge* arrive tout simplement ici, ce ne sera pas nécessaire, mais s'il nous faut communiquer...

— Excusez-moi, monsieur, intervint Ryan, mais il est fort probable que nous devrons communiquer avec *Octobre*. Leurs bâtiments d'attaque auront sûrement atteint la côte avant lui. Dans ce cas, nous serons bien obligés de lui conseiller de s'éloigner, ne serait-ce que pour sauver les officiers félons. Ils sont tous partis pour le repérer et le couler.

— Nous ne l'avons pas encore détecté. Qu'est-ce qui vous fait penser qu'ils y parviendront? interrogea Foster, piqué par cette suggestion.

— Ils l'ont construit, amiral. Ils pourraient donc fort bien connaître des choses leur permettant de le repérer plus facilement que nous.

— Cela paraît logique, dit le président. Cela signifie que quelqu'un devra aller avertir les commandants de flotte. Nous ne pouvons pas annoncer cela par radio, n'est-ce pas, juge?

— Monsieur le président, cette source est trop précieuse pour qu'on prenne le moindre risque. C'est tout ce que puis révéler ici.

— Très bien, quelqu'un ira les voir. L'étape suivante, c'est que nous allons devoir parler de cela aux Soviétiques. Pour le moment, ils peuvent répondre qu'ils opèrent dans leurs eaux territoriales. Quand passeront-ils l'Islande?

— Demain soir, à moins qu'ils changent de cap, dit Foster.

— Bon, donnons-leur vingt-quatre heures, pour qu'ils aient le temps de renoncer et nous, d'avoir la confirmation de ce rapport. Juge, il me faut quelque chose pour étayer ce conte de fées dès demain. S'ils n'ont pas fait demi-tour demain à minuit, je convoquerai l'ambassadeur Arbatov dans mon bureau vendredi matin. » Il se tourna vers les chefs d'état-major. « Messieurs, je veux voir des projets de dispositifs pour faire face aux différentes possibilités d'évolution de la situation demain après-midi. Nous nous réunirons ici demain à quatorze heures. Une dernière chose : *pas de fuites !* L'information ne sort pas de cette pièce sans mon autorisation personnelle. Si l'histoire filtre dans la presse, il tombera des têtes sur mon bureau. Oui, général?

— Monsieur le président, pour pouvoir établir ces projets, déclara Hilton après s'être rassis, il va nous falloir la collaboration de nos commandants et de nos équipes opérationnelles. Il nous faudra en particulier la coopération de l'amiral Blackburn. » Blackburn était Cinclant, le commandant en chef de l'Atlantique.

« Donnez-moi le temps d'y réfléchir. Je vous répondrai d'ici une heure. Combien de gens sont au courant, à la CIA?

— Quatre, monsieur le président. Ritter, Greer, Ryan et moi-même. C'est tout.

— N'y changez rien. » Le président était exaspéré, depuis plusieurs mois, par des fuites.

« Bien, monsieur le président.

— La réunion est terminée. »

Le président se leva. Moore fit le tour de la table pour l'empêcher de partir aussitôt. Pelt resta également, tandis que tous les autres sortaient. Ryan attendit à la porte.

« C'était très bien. » Le général Maxwell lui empoigna la main. Il attendit que tout le monde se fût éloigné dans le couloir avant de poursuivre. « Je crois que vous êtes fou, mon garçon, mais vous avez flanqué un sacré chardon sous la selle de Dan Foster. Non, c'est encore mieux : je crois qu'il bande. » Le petit général gloussa. « Et si nous mettons la main sur ce sous-marin, nous arriverons peut-être à faire changer d'avis au président et à faire disparaître l'équipage. Le juge a déjà fait cela, autrefois, vous savez. » Cette pensée fit frémir Ryan, tandis qu'il regardait Maxwell s'éloigner d'un pas chaloupé.

« Jack, vous voulez bien revenir une minute ? appela la voix de Moore.

— Vous êtes historien, n'est-ce pas ? » interrogea le président en consultant ses notes. Ryan ne l'avait même pas vu, son stylo à la main.

« Oui, monsieur le président. J'ai fait un doctorat. » Ryan serra la main qu'il lui tendait.

« Vous avez bien le sens de la progression dramatique, Jack. Vous auriez fait un bon avocat d'assises. » Le président s'était forgé une réputation de procureur impitoyable. Il avait survécu à une tentative d'assassinat par la Mafia au début de sa carrière, et cela n'avait pas le moins du monde freiné son ambition politique. « Fichtrement bon exposé.

— Merci, monsieur le président. » Ryan rayonnait.

« Le juge me dit que vous connaissez le commandant de cette flotte britannique. »

Il lui sembla recevoir un sac de sable sur le crâne. « Oui, monsieur le président. L'amiral White. J'ai chassé avec lui, et nos femmes sont très liées. Ils sont proches de la famille royale.

— Bien. Il faut que quelqu'un aille expliquer la situation au commandant de notre flotte, puis parler aux Anglais si nous obtenons le prêt de leur porte-avions comme je l'espère. Le juge dit que nous devrions laisser l'amiral Davenport y aller avec vous. Vous partirez donc ce soir pour rallier le *Kennedy ;* et ensuite, l'*Invincible.*

— Mais je...

— Allons, monsieur Ryan. » Pelt avait un sourire mince. « Vous avez tous les atouts pour jouer. Vous avez déjà accès au dossier, vous connaissez l'amiral anglais, et vous êtes un spécialiste du renseignement naval. Vous correspondez parfaitement à la tâche. Dites-moi, à votre avis, quel est l'intérêt de la marine pour ce fameux *Octobre rouge ?*

— Très grand, bien sûr. Ils voudraient bien pouvoir y jeter un coup d'œil ; mieux encore, le faire naviguer un peu, le démonter, et si possible le faire naviguer encore un peu. Ce serait le plus grand coup de services secrets de tous les temps.

— Très juste. Mais peut-être s'y intéressent-ils précisément un peu trop.

— Je ne comprends pas ce que vous voulez dire », répondit Ryan, bien qu'il eût parfaitement compris. Pelt était le favori du président. Mais il n'était pas celui du Pentagone.

« Ils pourraient fort bien prendre des risques que nous ne voulons pas leur voir prendre.

— Monsieur Pelt, si vous voulez dire qu'un officier portant l'uniforme pourrait...

— Il ne dit pas cela. Tout au moins, pas exactement. Ce qu'il dit, c'est qu'il pourrait m'être utile d'avoir quelqu'un là-bas, susceptible de me donner un point de vue indépendant, civil.

— Vous ne me connaissez pas, monsieur le président.

— J'ai lu bon nombre de vos rapports. » Le chef de l'exécutif souriait. On disait qu'il pouvait allumer et éteindre ce charme éblouissant comme une simple lampe. Ryan se laissait manipuler, le savait, et ne pouvait rien y faire. « Votre travail me plaît. Vous avez le sens des faits, du concret. Bon jugement. Maintenant, une raison pour laquelle j'occupe la place où je suis, c'est également un bon jugement, et je crois que vous réussirez fort bien la manœuvre que j'ai en tête. La question, c'est voulez-vous le faire, oui ou non ?

— Faire quoi, monsieur le président ?

— Une fois arrivé là-bas, restez tranquille quelques jours, et rendez-moi compte directement. Aucun intermédiaire. Directement à moi. Vous aurez toute l'aide qu'il vous faudra. Je m'en occuperai. »

Ryan ne répondit rien. Il venait de devenir espion, officier de renseignements, par décision présidentielle. Pis encore, il allait espionner son propre camp.

« Vous n'aimez pas l'idée de surveiller vos frères, n'est-ce pas ? Mais ce n'est pas vraiment de cela qu'il s'agit. Comme je vous l'ai dit, je veux une opinion civile, indépendante. Nous aurions préférer envoyer un officier traitant déjà expérimenté, mais nous voulons limiter au strict minimum le nombre de gens impliqués. Envoyer

Ritter ou Greer serait voyant, tandis que vous, par contre, vous êtes relativement...

— Anodin ? suggéra Ryan.

— A leurs yeux, oui, répondit le juge Moore. Les Soviétiques ont un dossier sur vous. J'en ai vu certains éléments. Ils vous considèrent comme un aristocrate fainéant, Jack. »

« Je *suis* un fainéant, se répéta Ryan, imperméable au défi qui lui était ainsi lancé. En cette compagnie, je le ressens fichtrement. »

« Entendu, monsieur le président. Pardonnez-moi d'avoir hésité. Je n'ai jamais été officier de renseignements.

— Je comprends. » Dans la victoire, le président était magnanime. « Une dernière chose. Si je comprends bien comment opèrent les sous-marins, Ramius pourrait fort bien avoir filé sans rien dire. Pourquoi les alerter ? Pourquoi cette lettre ? Comme je le vois, c'est tout à fait contre-productif. »

Ce fut au tour de Ryan de sourire. « Jamais rencontré de sous-marinier, monsieur le président ? Non ? Et un astronaute ?

— Oh si, j'ai rencontré beaucoup de pilotes de navettes.

— Eh bien, ils sont de la même race, monsieur le président. Quant aux raisons de la lettre, cela s'explique en deux volets. D'abord, il est sans doute furieux pour une cause précise, que nous connaîtrons à son arrivée. Deuxièmement, il estime qu'il pourra s'en sortir quels que soient les moyens mis en œuvre pour l'arrêter — et il veut le leur faire bien savoir. Voyez-vous, monsieur le président, les hommes qui ont pour métier de commander des sous-marins sont agressivement sûrs d'eux, et très, très intelligents. Ils n'aiment rien tant que donner aux autres, par exemple aux marins de surface, le rôle de l'imbécile.

— Vous marquez là un nouveau point, Jack. Les astronautes que j'ai rencontrés sont d'une grande humilité dans la plupart des domaines, mais ils se prennent pour des dieux dès qu'il s'agit de voler. Je ne l'oublierai pas. Jeff, retournons travailler. Et vous, Jack, tenez-moi au courant. »

Ryan serra une nouvelle fois la main qu'il lui tendait. Quand le président et son conseiller furent partis, Ryan se tourna vers le juge Moore. « Que diable lui avez-vous donc raconté sur mon compte ?

— Uniquement la vérité, Jack. » En vérité, le juge avait souhaité que l'opération fût menée par l'un des meilleurs officiers traitants de la CIA. Ryan n'entrait nullement dans son projet, mais tout le monde sait que les présidents ont un talent particulier pour bousiller les projets les mieux élaborés. « Cela représente pour vous un grand pas en avant, si vous faites bien votre boulot. Peut-être même que cela vous plaira. »

Ryan était bien sûr du contraire. Et il avait raison.

Quartier général de la CIA

Il ne prononça pas un mot pendant tout le trajet du retour à Langley. La voiture du directeur s'engouffra dans le parking du sous-sol, et ils prirent un ascenseur privé qui les mena directement dans le bureau de Moore. La porte de cet ascenseur était camouflée en lambris mural, ce que Ryan jugea pratique, mais assez mélodramatique. Le directeur décrocha aussitôt un téléphone.

« Bob, j'ai besoin de vous voir immédiatement dans mon bureau. » Il jeta un coup d'œil à Ryan, debout au milieu de la pièce. « Impatient de commencer, Jack ?

— Oui, bien sûr, répondit Ryan sans enthousiasme.

— Je comprends bien ce que vous éprouvez dans cette affaire d'espionnage, mais la situation risque de devenir extrêmement délicate. Vous devriez être sacrément flatté qu'on vous la confie. »

Ryan perçut le message entre les lignes, tandis que Ritter entrait en coup de vent.

« Quoi de neuf, juge ?

— Nous montons une opération. Ryan et Charlie Davenport vont partir informer les chefs de flotte à bord du *Kennedy*, pour cette affaire d'*Octobre*. Le président est d'accord.

— J'imagine. Greer est parti pour l'aéroport au moment où vous arriviez. Alors c'est Ryan qui y va, hein ?

— Oui. Jack, la mission est la suivante : vous pouvez informer le commandant de la flotte et Davenport, un point c'est tout. Même chose pour les Rosbifs : uniquement le patron. Si Bob peut nous confirmer Saule, on pourra élargir les informations, mais uniquement dans les cas indispensables. Vu ?

— Oui, monsieur. J'espère que quelqu'un aura pensé à signaler au président qu'il est difficile de réaliser un objectif quand personne ne sait de quoi il s'agit, et en particulier les gars qui font le boulot.

— Je comprends ce que vous voulez dire, Jack. Il faut que nous fassions changer d'avis le président sur ce point. Nous y parviendrons mais, en attendant, rappelez-vous une chose... c'est lui le patron. Bob, il va falloir lui bricoler quelque chose pour qu'il ait la tête de l'emploi.

— Uniforme d'officier de marine ? Faisons-le capitaine de

frégate, cinq galons, les décorations habituelles. » Ritter toisa Ryan. « Disons un quarante-deux. A mon avis, il sera prêt à livrer d'ici une heure. Cette opération porte un nom ?

— On y arrive. » Moore décrocha une nouvelle fois son téléphone et composa cinq chiffres. « Il me faut deux mots... bien, merci. » Il nota quelques mots. « Bien, messieurs, nous l'appellerons opération Mandoline. Vous, Ryan, vous êtes Mage. Ce devrait être facile à se rappeler, en cette période de l'année. Nous mettrons au point une série de mots codés à partir de ceux-ci, pendant qu'on vous habille. Bob, accompagnez-le vous-même. Je vais appeler Davenport pour qu'il s'occupe du vol. »

Ryan suivit Ritter à l'ascenseur. Tout allait trop vite, tout le monde était trop rusé, se disait-il. Cette opération Mandoline arrivait trop vite, avant qu'ils aient pu savoir ce qu'ils allaient faire, et encore moins comment. Et le choix de son nom de code frappa Ryan par son incongruité. Il n'était l'éminence grise de personne. Il aurait sans doute mieux porté un nom comme « Mardi-Gras. »

LE SEPTIÈME JOUR

Jeudi 9 décembre

L'Atlantique Nord

Quand Samuel Johnson [1] comparait les voyages en bateau à un séjour en prison, « avec en plus le risque d'être noyé », il avait au moins la consolation de voyager jusqu'au navire dans une diligence sûre, se disait Ryan. Il partait en mer et, avant même d'arriver sur son bâtiment, Ryan courait le risque de se faire réduire en bouillie dans un accident d'avion. Il était coincé dans un siège-baquet sur le côté gauche d'un Grumman Greyhound désigné sans affection dans la marine comme un camion de livraison volant. Tournés vers l'arrière, les sièges étaient si rapprochés que Ryan avait le menton posé sur ses genoux. La cabine offrait infiniment plus de confort au fret qu'aux passagers. Trois tonnes de pièces de moteur et d'électronique, rangées dans des caisses, occupaient l'arrière — sans aucun doute pour que l'impact d'un accident sur ces précieuses marchandises puisse être amorti par les quatre corps de la section passagers. La cabine n'était ni chauffée ni pourvue de fenêtres. Une mince tôle séparait Ryan d'un vent de deux cents nœuds qui hurlait à l'unisson des deux turbines de moteurs. Pour corser le tout, ils traversaient une tempête à dix-huit cents mètres d'altitude, et l'appareil chutait dans des trous d'air de trente mètres comme sur des montagnes russes déréglées. Le seul détail réconfortant était l'absence de lumière, songeait Ryan — au moins, personne ne peut voir que je suis vert. Juste derrière son dos, deux pilotes conversaient en hurlant

1. Ecrivain anglais du XVIIIe siècle. (N.d.T.)

pour se faire entendre par-dessus le vacarme des moteurs. Ces salauds se régalaient littéralement !

Le bruit parut s'atténuer un peu, mais c'était difficile à affirmer. On lui avait donné des protections en mousse de caoutchouc pour se couvrir les oreilles, en même temps qu'un gilet gonflable jaune et un bref topo sur ce qu'il convenait de faire en cas d'accident. Ce topo avait été suffisamment sommaire pour lui faire comprendre, sans grand effort cérébral, quelles seraient leurs chances de survie par une nuit pareille.

Ryan détestait l'avion. Il avait naguère été lieutenant dans les marines, et sa carrière active s'était achevée au bout de trois mois, quand l'hélicoptère de son peloton s'était écrasé en Crête lors d'un exercice de l'OTAN. Blessé à la colonne vertébrale, il avait bien failli rester infirme toute sa vie et, depuis ce jour-là, il considérait les voyages en avion comme une folie à éviter coûte que coûte. Il lui parut que l'appareil tressautait plutôt en direction du sol que du ciel. Sans doute approchaient-ils du *Kennedy*. Mieux valait ne pas penser à l'autre hypothèse. Ils n'étaient qu'à quatre-vingt-dix minutes de la base aérienne navale d'Oceana, à Virginia Beach. On aurait dit un mois entier, et Ryan se jura de ne plus jamais avoir peur à bord d'un appareil civil.

L'appareil piqua du nez à près de vingt degrés, et parut se lancer vers quelque chose. Ils appontaient — la partie la plus dangereuse des opérations d'aviation embarquée. Ryan se souvint d'une étude réalisée pendant la guerre du Viêt-nam, pour laquelle on avait équipé des pilotes basés sur un porte-avions de cardiographes portatifs pour enregistrer la tension à laquelle ils étaient soumis, et beaucoup de gens s'étaient étonnés de voir que le moment de plus grande tension, pour ces pilotes, n'était pas celui où on leur tirait dessus — mais celui de l'appontage, surtout de nuit.

« Bon Dieu, tu as vraiment les idées gaies ! » se morigéna-t-il. Il ferma les yeux. D'une manière ou d'une autre, ce serait fini d'ici quelques instants.

Le pont se soulevait et s'affaissait, glissant à cause de la pluie, et noir comme un grand trou entouré de lumières. L'appontage fut un véritable écrasement au sol, contrôlé. Il fallut l'aide massive des freins d'appontage et des amortisseurs pour atténuer l'effroyable violence du choc. L'appareil rebondit en avant, pour être aussitôt stoppé par le filet d'appontage. Ils étaient sur le pont. Sains et saufs. Après un bref moment de pause, l'appareil se mit à rouler et Ryan entendit d'étranges bruits ; il comprit alors que c'étaient les ailes qui se repliaient. Le seul danger qu'il n'eût pas envisagé était celui de voler dans un avion aux ailes amovibles. Et cela valait mieux, décida-t-il. L'appareil finit par s'immobiliser, et le panneau arrière s'ouvrit.

Ryan détacha aussitôt sa ceinture et se leva d'un seul bond, heurtant le plafond bas. Serrant son sac de voyage sur son cœur, il s'élança dehors sans attendre Davenport. Comme il jetait un coup d'œil autour de lui, un homme de pont en chemise jaune lui désigna l'îlot du *Kennedy*. Il pleuvait très dru, et il sentit plus qu'il ne vit que le porte-avions était bel et bien sur une mer démontée. Il courut vers un panneau ouvert et éclairé, à une vingtaine de mètres, puis dut attendre que Davenport le rejoigne. L'amiral ne courait pas. Il marchait au pas réglementaire de soixante-quinze centimètres, aussi digne que pouvait l'être un officier général, et Ryan décida *in petto* qu'il regrettait sûrement que son arrivée semi-serète eût interdit l'habituelle cérémonie des coups de sifflet du gabier et des matelots alignés sur deux rangs. Un marine se tenait à l'intérieur du panneau, un caporal, superbement vêtu d'un pantalon bleu rayé, d'une chemise et d'une cravate kaki, et arborant un ceinturon blanc comme neige, muni d'un pistolet. Il salua pour les accueillir.

« Caporal, je veux voir l'amiral Painter.

— L'amiral est chez lui. Voulez-vous qu'on vous accompagne, amiral ?

— Non, mon garçon. Moi aussi, j'ai commandé ce bâtiment. Venez, Jack. » Ryan se retrouva avec leurs deux sacs sur les bras.

« Seigneur, amiral, vous avez vraiment fait ce métier-là ?

— Appontage de nuit ? Bien sûr, j'en ai bien fait deux cents. Qu'est-ce que cela a d'extraordinaire ? » Davenport semblait surpris de l'effarement de Ryan, mais celui-ci était certain qu'il faisait semblant.

L'intérieur du *Kennedy* ressemblait beaucoup à celui de l'USS *Guam*, le porte-hélicoptères d'assaut sur lequel Ryan avait effectué sa brève carrière militaire. C'était l'habituel dédale de cloisons métalliques et de canalisations, uniformément peint du même gris caverneux. Les tuyauteries s'ornaient de traits de couleurs et de sigles qui signifiaient certainement quelque chose pour les marins. Pour Ryan, il aurait tout aussi bien pu s'agir d'inscriptions néolithiques. Davenport le précéda dans un corridor, bifurqua, descendit une « échelle » d'acier, si raide que Ryan faillit y perdre l'équilibre, s'engagea dans un nouveau couloir et bifurqua encore. Ryan était complètement perdu. Ils arrivèrent à une porte devant laquelle un marine montait la garde. Le sergent salua impeccablement, puis leur ouvrit la porte.

Ryan entra à la suite de Davenport — et demeura stupéfait. A bord du *Kennedy*, le carré de l'amiral semblait transporté en bloc d'une demeure bostonienne. Sur sa droite, une immense peinture murale occupait tout un panneau, tandis qu'une demi-douzaine de toiles, dont l'une représentait le président John Fitzgerald Kennedy, en l'honneur de qui était nommé le vaisseau, ornaient les autres murs, élégamment lambrissés. Une épaisse moquette de laine écarlate recouvrait le sol, et le mobilier, purement civil, provenait de France — chêne et brocarts. On aurait presque pu se croire à terre, s'il n'y avait pas eu au plafond l'habituelle collection de tuyaux peints en gris. Le contraste avec le reste de la pièce était très frappant.

« Salut, Charlie ! » Le contre-amiral Joshua Painter émergea de la pièce voisine en s'essuyant les mains à une serviette. « Comment s'est passé le voyage ?

— Un peu agité, admit Davenport en lui serrant la main. Voici Jack Ryan. »

Ryan n'avait jamais rencontré Painter, mais il le connaissait de réputation. Pilote de Phantoms pendant la guerre du Viêt-nam, il avait écrit un livre sur la conduite des opérations aériennes, *L'Attaque des rizières*. Ce livre lourd de vérités ne lui avait pas valu que des amis. Ce petit bonhomme exubérant, qui ne devait guère peser plus de soixante-cinq kilos, était un tacticien exemplaire, doté d'une intégrité véritablement puritaine.

« L'un de tes gars, Charlie ?

— Non, amiral, je travaille pour James Greer. Je ne suis pas officier de marine, et je vous prie d'accepter mes excuses. Je n'aime pas feindre. Cet uniforme est une idée de la CIA ». Cette déclaration amena une expression renfrognée sur le visage de Painter.

« Ah bon ? Alors vous allez sans doute me raconter ce que fricotent les Russkoffs. Tant mieux, j'espère sacrément que quelqu'un le sait. Première visite en porte-avions ? J'espère que le vol d'arrivée vous a plu ?

— Ce pourrait être une bonne méthode pour interroger les prisonniers », répondit Ryan avec autant de désinvolture qu'il put en trouver. Les deux amiraux rirent de bon cœur à ses dépens, puis Painter commanda qu'on leur apporte à dîner.

Les doubles portes donnant sur le corridor s'ouvrirent quelques minutes plus tard, et deux maîtres d'hôtel — « spécialistes du service au mess » — entrèrent, l'un portant un plateau chargé de nourriture, et l'autre des pots de café. Les trois hommes furent servis dans le style seyant à leur rang. Servie sur des assiettes à filet d'argent, la nourriture était simple et plut à Ryan, qui n'avait rien mangé depuis douze heures. Il se servit une montagne de salade de pommes de terre et de chou cru, et choisit deux sandwiches de corned-beef au pain de seigle.

« Merci, déclara Painter aux deux stewards. Ce sera tout pour le moment. » Ils se mirent au garde-à-vous avant de sortir. « Bien, et maintenant au boulot. »

Ryan engloutit la moitié d'un sandwich. « Amiral, cette information n'est vieille que de vingt heures. » Il tira de son sac deux dossiers, et en tendit un à chaque amiral. Son exposé dura vingt minutes, au cours desquelles il parvint à avaler les deux sandwiches, une bonne part de sa salade de chou, et à renverser du café sur ses notes manuscrites. Les deux officiers constituaient un auditoire idéal, se contentant de lui lancer quelques regards incrédules sans l'interrompre.

« Dieu du ciel ! » s'exclama Painter quand Ryan eut fini, tandis que Davenport, le visage impassible et le regard fixe, rêvait à la possibilité d'examiner un sous-marin soviétique de l'intérieur. Jack sentit qu'il devait être redoutable au poker. Painter poursuivit : « Vous y croyez vraiment ?

— Oui, amiral, j'y crois. » Ryan se versa une nouvelle tasse de café. Il aurait préféré une bière avec ce corned-beef, qui n'était pas mauvais du tout — un bon vrai corned-beef casher, comme on n'en trouvait pas à Londres.

Painter se détendit contre le dossier de son siège, et fixa Davenport. « Charlie, tu devrais dire à Greer d'apprendre deux ou trois trucs à ce garçon — par exemple, qu'un bureaucrate ne devrait pas risquer ainsi sa tête sur le couperet. Est-ce que tu ne trouves pas, toi, que c'est un peu tiré par les cheveux ?

— Ecoute, Josh, c'est ce même Ryan qui avait établi le rapport sur les modèles de patrouille SNLE [1] soviétiques, en juin dernier.

— Ah ? C'était du beau travail. Et qui confirmait ce que je disais depuis deux ou trois ans. » Painter se leva et alla regarder la mer houleuse. « Alors, qu'attend-on de nous ?

— Les détails exacts de l'opération n'ont pas encore été déterminés. Ce que je suppose, c'est que vous serez chargés de repérer *Octobre rouge* et de tenter d'entrer en contact avec son commandant. Ensuite ? Il faudra trouver un moyen de l'emmener en lieu sûr. Voyez-vous, le président ne pense pas que nous puissions le

1. SNLE : sous-marin lance-engins. (N.d.T.)

garder lorsque nous aurons mis la main dessus — si nous y parvenons.

— Quoi ? » Painter fit volte-face et poussa son interjection un dixième de seconde avant Davenport. Ryan leur exposa le problème pendant plusieurs minutes.

« Juste ciel ! Vous me donnez une tâche impossible, et ensuite vous m'annoncez que, si nous réussissons, il faudra leur rendre leur foutu machin !

— Amiral, mon opinion personnelle — le président me l'a demandée — c'est que nous gardions ce sous-marin. Pour ce que vaut leur point de vue, je puis vous dire que les chefs d'état-major sont de votre avis, ainsi que la CIA. Cependant, si l'équipage souhaite regagner ses foyers, il faudra bien les renvoyer chez eux, et les Soviétiques sauront alors avec certitude que nous avons l'engin. D'un point de vue pratique, toutefois, je comprends bien l'autre côté aussi. Ce bâtiment vaut des sommes colossales, et il leur appartient. Et puis, comment cacher un sous-marin de trente mille tonnes ?

— On cache un sous-marin en le coulant, répliqua Painter d'une voix furieuse. Ils sont faits pour cela, figurez-vous. “ Il leur appartient ! ” Comme s'il s'agissait d'un foutu paquebot. Mais c'est un engin conçu pour tuer — pour *nous* tuer !

— Je suis dans le même camp que vous, amiral, répondit calmement Ryan. Vous dites que nous vous confions une tâche impossible — pourquoi ?

— Ecoutez, Ryan, débusquer une grosse bête qui ne veut pas se laisser faire n'est pas ce qu'il y a de plus facile au monde. Nous nous exerçons contre les nôtres, et nous échouons presque à chaque coup. Et maintenant, vous me dites que celle-ci a franchi toutes les lignes SOSUS du nord-est. L'Atlantique est un océan fort vaste, et les empreintes d'un sous-marin nucléaire sont ténues.

— Oui, bien sûr », concéda Ryan en se disant qu'il avait peut-être bien péché par optimisme en évaluant ses chances de réussite.

« Quelle est ta forme en ce moment, Josh ? interrogea Davenport.

— Pas mal du tout. L'exercice Dauphin malin que nous venons d'achever s'est bien déroulé. De notre côté, se corrigea Painter. Le *Dallas* s'en est tiré comme un sabot, dans le camp adverse. Mes équipages font du très bon boulot. Quel type d'aide pouvons-nous espérer ?

— Quand j'ai quitté le Pentagone, le CNO vérifiait la disponibilité des P-3 basés sur la côte pacifique, et je pense que vous allez commencer à en voir beaucoup. Tout ce qui peut marcher prend la mer, mais tu es le seul porte-avions, de sorte que tu auras le commandement tactique de l'opération, d'accord ? Allons, Josh, tu es notre meilleur atout. »

Painter se versa du café. « Bon, nous avons une plate-forme d'envol. L'*America* et le *Nimitz* sont encore à une bonne semaine d'ici. Ryan, vous disiez que vous alliez vous rendre à bord de l'*Invincible*. Nous l'aurons aussi, n'est-ce pas ?

— Le président y travaille. Vous aimeriez l'avoir ?

— Bien sûr. L'amiral White a du flair pour les détections, et ses hommes ont vraiment eu une chance insensée, pendant Dauphin malin. Ils ont descendu deux de nos SM d'attaque, et Vince Gallery s'est vexé. La chance joue beaucoup dans ce petit jeu-là. Cela nous ferait deux plates-formes au lieu d'une. Je me demande si nous ne pourrions pas avoir quelques S-3 supplémentaires ? » Painter voulait parler des Vikings de Lockheed, des appareils de chasse anti-sous-marins.

« Pourquoi ? s'enquit Davenport.

— Je pourrais renvoyer mes F-18 à terre, et cela nous donnerait de la place pour vingt Vikings de plus. Je n'aime pas beaucoup perdre ma force de frappe, mais ce qui va nous être le plus utile, c'est l'équipement de guerre anti-sous-marins. C'est-à-dire des S-3. Vous savez bien que, si vous jouez mal votre coup, cette force de surface russkoff va être joliment encombrante. Vous savez combien de missiles surface-surface ils ont en poche ?

— Non. » Ryan était sûr que c'était beaucoup trop.

« Nous sommes un porte-avions, ce qui fait de nous leur première cible. S'ils commencent à nous tirer dessus, nous n'allons pas tarder à nous sentir diablement seuls — et puis diablement excités. » Le téléphone sonna. « Ici Painter... Oui. Merci. Bon, l'*Invincible* vient de faire demi-tour, tant mieux, ils nous le prêtent avec deux petits bâtiments. Le reste des escorteurs et les trois SM d'attaque poursuivent leur chemin. » Il fronça le sourcil. « Je ne peux pas le leur reprocher. Cela signifie que nous allons devoir leur fournir les escorteurs, mais c'est un bon échange. Je veux cette plate-forme.

— Pouvons-nous leur expédier Jack ? » Ryan se demanda si Davenport savait ce que le président lui avait ordonné de faire. L'amiral semblait s'intéresser à lui faire quitter le bord du *Kennedy*.

Painter secoua la tête. « Trop loin pour l'expédier. Ils pourraient peut-être envoyer un Harrier pour le prendre.

— Le Harrier est un chasseur, amiral, observa Ryan.

— Ils ont une version expérimentale à deux places pour

patrouiller à la recherche des SM. On dit qu'ils fonctionnent très bien en dehors de leur périmètre de base. C'est ainsi qu'ils ont repéré l'un de nos SM d'attaque en sommeil. » Painter termina son café.

« Bien, messieurs, descendons au central anti-sous-marins, et cherchons le moyen de mettre au point ce numéro de cirque. Cinclant va vouloir savoir ce que j'en pense. J'imagine que je ferais mieux de me décider tout seul. Nous appellerons aussi l'*Invincible,* pour qu'ils envoient un coucou vous chercher. »

Ryan suivit les deux amiraux et, pendant deux heures, regarda Painter déplacer des bateaux sur l'océan, tel un champion d'échecs devant son échiquier.

A bord de l'USS Dallas

Bart Mancuso était de quart au central depuis plus de vingt heures. Seules quelques brèves heures de sommeil l'avaient séparé de son quart précédent. Il avait mangé des sandwiches et bu du café, et ses cuisiniers lui avaient fait porter deux tasses de soupe pour varier un peu. Il examinait sans plaisir le contenu de sa dernière ration de potage lyophilisé.

« Commandant ? » Il se retourna. C'était Roger Thompson, son officier sonar.

« Oui, qu'y a-t-il ? » Mancuso s'arracha au modèle tactique qui l'absorbait depuis plusieurs jours. Thompson se tenait à l'arrière du central et, à côté de lui, Jones tenait une tablette ainsi qu'un objet ressemblant à un magnétophone.

« Commandant, Jonesy a quelque chose là, et je crois que vous devriez y jeter un coup d'œil. »

Mancuso ne voulait pas qu'on le dérange — les périodes de quart trop prolongées mettaient toujours sa patience à l'épreuve. Mais Jones paraissait enthousiaste et excité. « D'accord, approchez de la table des cartes. »

La table des cartes du *Dallas* était un nouveau gadget branché sur le BC-10 et projeté sur un écran de type vidéo, de près d'un mètre carré. La projection évoluait à mesure que le bâtiment avançait, ce qui rendait superflues les cartes de papier. On les gardait cependant. Une carte ne tombe pas en panne.

« Merci, commandant, répondit Jones, plus humble que d'habitude. Je sais que vous êtes assez occupé, mais je crois que je tiens quelque chose d'intéressant. Ce contact irrégulier de l'autre jour me turlupinait. J'avais dû le laisser tomber à cause du poste de combat des autres SM russkoffs, mais j'ai pu le reprendre trois fois, pour m'assurer qu'il était toujours là. La quatrième fois, il n'y était plus. Disparu, évanoui. Je voudrais vous montrer ce que j'ai mis au point. Est-ce qu'on peut repasser le parcours de l'autre jour sur l'écran, commandant ? »

La table des cartes était reliée par la BC-10 au système de navigation inertielle (SINS) du bâtiment. Mancuso pressa lui-même la touche. On arrivait au point où l'on ne pouvait plus hocher la tête sans passer par l'ordinateur... Le parcours du *Dallas* apparut, formant une ligne rouge envolutée avec des marques rouges placées par intervalles de dix minutes.

« Formidable ! s'exclama Jones. Je n'avais jamais vu cela. C'est parfait. Bon. » Jones tira une poignée de crayons de sa poche-revolver. « Voyons, j'ai eu le premier contact vers 9 h 15, et le relèvement était deux-six-neuf. » Il posa un crayon, en plaçant la gomme sur la position du *Dallas,* et la pointe dirigée à l'ouest vers l'objectif. « Puis à 9 h 30, le relèvement était deux-six-zéro. A 9 h 48, deux-cinq-zéro. Il y a une erreur là-dedans, commandant. C'était un signal difficile à bloquer, mais les erreurs devraient s'annuler. Vers ce moment-là, nous avons eu toute cette activité qu'il a fallu suivre, mais j'y suis revenu vers 10 heures, et le relèvement était alors deux-quatre-deux. » Jones plaça un second crayon sur la route à l'est qu'avait suivie le *Dallas* en s'éloignant de la côte islandaise. « A 10 h 15, c'était deux-trois-quatre, et à 10 h 30, deux-deux-sept. Ces deux derniers relèvements sont un peu flous, commandant. Le signal était vraiment faible, et je ne le bloquais pas très bien. » Jones releva les yeux. Il semblait anxieux.

« Jusque-là, c'est bon. Détendez-vous, Jonesy. Vous pouvez fumer, si vous voulez.

— Merci, commandant. » Jones extirpa une cigarette de sa poche et l'alluma avec un briquet à gaz. Il n'avait jamais eu ce genre de contact avec le commandant. Il savait que Mancuso était ouvert et décontracté — quand on avait quelque chose à dire. Il n'était pas homme à aimer perdre son temps, et maintenant moins que jamais. « Bien, nous supposions qu'il ne pouvait pas être bien loin, n'est-ce pas ? C'est-à-dire, il devait se trouver entre nous et l'Islande. Disons qu'il était à mi-chemin. Cela nous donne une route comme ceci. » Jones posa encore quelques crayons.

« Attendez, Jonesy. D'où vient ce parcours ?

— Ah, ouais. » Jones ouvrit sa tablette-écritoire. « Hier matin, ou la nuit, je ne sais pas, après mon tour de quart, j'ai recommencé à y réfléchir, et j'ai donc pris notre route de départ comme segment de base, pour lui dessiner une petite piste. Je sais le faire, commandant. J'ai lu le manuel. C'est facile, comme quand on traçait la carte du mouvement des étoiles à Cal Tech. J'avais suivi des cours d'astronomie, en première année. »

Mancuso retint un grognement. C'était bien la première fois qu'il entendait quelqu'un qualifier ces calculs de faciles, mais en regardant les tracés et les diagrammes de Jones, il fallait bien admettre qu'il disait vrai. « Continuez. »

Jones tira de sa poche une calculatrice scientifique Hewlett Packard, ainsi qu'une carte tirée de la revue *National Geographic*, largement couverte de traits de crayons et de griffonnages. « Vous voulez vérifier mes calculs, commandant ?

— Plus tard, mais pour l'instant je vous fais confiance. Qu'est-ce que c'est que cette carte ?

— Commandant, je sais que c'est contraire au règlement, mais je la garde pour enregistrer à titre personnel les routes que suit l'adversaire. Ça ne quitte pas le bord, commandant, je vous le jure. Je suis peut-être légèrement décalé, mais tout cela traduit une route au deux-deux-zéro environ, à une vitesse de dix nœuds. Et cela l'amène tout droit à l'entrée de la Route numéro un. D'accord ?

— Continuez. » Mancuso avait déjà établi cela. Jonesy tenait là quelque chose.

« Bon, alors ensuite, comme je ne pouvais pas dormir, je suis retourné au sonar et j'ai enregistré le contact. J'ai d'abord dû le passer plusieurs fois sur l'ordinateur pour éliminer toute la merde — les bruits de mer, les autres SM, vous savez — et puis je l'ai réenregistré à dix fois la vitesse normale. » Il posa son magnétophone sur la table des cartes. « Ecoutez ça, commandant. »

La cassette grésillait, mais on entendait un *vroum* à intervalles réguliers de quelques secondes. L'enseigne Mannion s'était approché et regardait par-dessus l'épaule de Thompson, en écoutant et hochant la tête d'un air songeur.

« Commandant, ce ne peut être qu'un bruit d'origine artificielle, c'est trop régulier pour être autre chose. A vitesse normale, cela ne ressemblait pas à grand-chose, mais une fois accéléré, je le tenais.

— D'accord, Jonesy. Finissez.

— Commandant, ce que vous venez d'entendre, c'est la signature acoustique d'un sous-marin russe. Il se dirigeait vers la Route numéro un par la voie intérieure, le long de la côte islandaise. Vous pouvez parier votre argent dessus, commandant.

— Roger ?

— Il m'a convaincu, commandant », répondit Thompson.

Mancuso scruta une nouvelle fois le tracé de la route, en s'efforçant de trouver une seconde hypothèse. Il n'en existait pas. « Moi aussi. Parfait. Roger, Jonesy devient opérateur sonar première classe à partir d'aujourd'hui. Je veux voir tout ça sur papier pour le prochain changement de quart, avec une belle lettre de félicitations à ma signature. Ronald », il donna une tape sur l'épaule de l'opérateur sonar, « c'est très bien. Sacrément beau boulot !

— Merci, commandant. » Le sourire de Jones s'étirait d'une oreille jusqu'à l'autre.

« Pat, veuillez appeler le lieutenant de vaisseau Butler. »

Mannion décrocha le téléphone pour appeler l'ingénieur.

« Une idée de ce que c'est, Jonesy ? » demanda Mancuso en se retournant.

L'opérateur sonar secoua la tête. « Ce n'est pas un bruit d'hélice. Je n'ai jamais rien entendu de pareil. » Il rembobina la cassette et la repassa.

Deux minutes plus tard, l'ingénieur Earl Butler arriva. « Vous m'avez appelé, commandant ?

— Ecoutez ceci, Earl. » Mancuso rembobina la bande et la repassa une troisième fois.

Butler était diplômé de l'université du Texas et de toutes les écoles de marine qui concernaient les sous-marins et leur fonctionnement. « Qu'est-ce censé être ?

— Jonesy dit que c'est un sous-marin russe. Je crois qu'il a raison.

— Parlez-moi de la bande, demanda Butler à Jones.

— Elle est enregistrée à dix fois la vitesse normale, et je l'ai passée cinq fois au BC-10 pour la laver. A la vitesse normale, cela ne ressemble pas à grand-chose. » Avec une modestie inaccoutumée, Jones ne précisait pas que, pour lui, cela avait quand même évoqué quelque chose.

« Un genre d'harmonie ? Je veux dire, si c'était une hélice, il faudrait que ce soit à trente mètres d'ici, et nous entendrions une lame à la fois. L'intervalle régulier suggère une sorte d'harmonie. » Le visage de Butler se crispa. « Mais quel genre d'harmonie ?

— Quoi qu'il en soit, il allait dans cette direction-ci. » Mancuso indiqua les Jumeaux de Thor, sur la carte, avec son crayon.

« Cela confirme qu'il est russe, reconnut Butler. Ils utilisent sans doute un truc nouveau. Cette fois encore.

— M. Butler a raison, dit Jones. Cela ressemble à un

grondement harmonique. L'autre truc bizarre, enfin, il y avait ce bruit d'arrière-plan, comme de l'eau dans un tuyau. Je ne sais pas, je ne me suis pas concentré dessus. Je suppose que l'ordinateur a dû le filtrer. C'était vraiment très faible, déjà au début — de toute façon, ce n'est pas de mon ressort.

— C'est très bien, répondit Mancuso. Vous en avez suffisamment fait pour une journée. Comment vous sentez-vous ?

— Un peu fatigué, commandant. Il y a un bon moment que je travaille là-dessus.

— Si nous nous rapprochons à nouveau de cet animal, pensez-vous que vous pourriez le pister ? » Mancuso connaissait la réponse.

« Et comment, commandant ! Maintenant que nous savons ce que nous guettons, je vous parie bien que je coincerai ce saligaud ! »

Mancuso reporta son regard sur la table des cartes. « Bon, s'il se dirigeait vers les Jumeaux et qu'il a pris cette route, disons à vingt-huit ou trente nœuds, et qu'ensuite il a repris son allure de base d'environ dix nœuds... cela l'amène plus ou moins vers ici. Bon bout de chemin. Maintenant, si nous marchons au maximum... en quarante-huit heures nous pouvons arriver là, et nous serons nez à nez avec lui. Pat ?

— Cela me paraît juste, commandant, approuva l'enseigne Mannion. Vous partez de l'hypothèse qu'il a parcouru la Route numéro un à la vitesse maximale, et qu'ensuite il a ralenti — c'est logique. Il n'avait pas besoin d'aller doucement dans ce foutu labyrinthe. Cela lui donne quatre ou cinq cents milles d'autonomie, alors pourquoi ne pas pousser les machines ? C'est ce que je ferais à sa place.

— Alors c'est ce que nous essaierons de faire. Nous allons demander par radio l'autorisation de quitter le péage et de poursuivre ce zigoto. Jonesy, notre route à grande vitesse signifie que vous autres, au sonar, n'aurez rien à faire pendant un moment. Branchez la bande du contact sur le simulateur et assurez-vous que tous les opérateurs connaissent le musique de ce coco, mais allez vous reposer. Tous. Je vous veux à cent pour cent au moment de la réacquisition. Pour le moment, offrez-vous une douche — une douche hollywoodienne, vous l'avez bien méritée — et filez roupiller. La poursuite sera longue et difficile.

— Vous cassez pas la tête, capitaine. On vous l'attrapera. Vous pouvez y compter. Vous voulez garder ma cassette ?

— Ouais. » Mancuso éjecta la bande et releva des yeux surpris. « Vous avez sacrifié un Bach ?

— Pas le meilleur, commandant. J'ai le même morceau par Christopher Hogwood, c'est bien meilleur. »

Mancuso empocha la cassette. « Repos, Jonesy. Beau boulot.

— Pas de quoi, commandant ! » Jones quitta le central d'attaque en comptant le supplément de solde que lui vaudrait sa montée en grade.

« Roger, faites en sorte que vos hommes se reposent bien, pendant les deux jours qui viennent. Quand nous allons nous mettre en chasse, ce sera une vraie vacherie.

— Okay, commandant.

— Pat, remontez-nous à l'immersion périscopique. Nous allons appeler Norfolk immédiatement. Earl, réfléchissez à ce qui peut causer ce bruit.

— Bien, commandant. »

Pendant que Mancuso préparait son message, Mannion fit remonter le *Dallas* à la profondeur de l'antenne du périscope, en manœuvrant la barre de plongée avant. Il ne lui fallut que cinq minutes pour remonter d'une profondeur de cent quatre-vingts mètres jusqu'au ras de la surface houleuse de la mer. Le sous-marin était maintenant soumis au mouvement des vagues et, bien que ce fût très calme d'après les critères des navires de surface, l'équipage remarqua la différence. Mannion sortit le périscope et l'antenne ESM (mesures électroniques) qui servait au récepteur à large bande pour détecter les éventuelles émissions radar. Il n'y avait rien en vue — il pouvait voir à cinq milles à la ronde — et les instruments ESM ne révélaient rien d'autre que des avions, suffisamment éloignés pour ne poser aucun problème. Mannion sortit ensuite deux autres mâts : une antenne UHF réceptrice, et un nouvel émetteur laser. L'ensemble pivota et s'accrocha sur le signal porteur du SSIX Atlantique, le satellite de communications exclusivement réservé aux sous-marins. Grâce au laser, ils pouvaient envoyer des messages concentrés sans révéler la position du SM.

« Paré, commandant, annonça l'opérateur radio.

— Transmettez. »

L'opérateur pressa un bouton. Envoyé en une fraction de seconde, le signal fut reçu par des photopiles, transmis à un émetteur UHF, et réexpédié par antenne parabolique vers l'état-major des communications de la Flotte Atlantique. A Norfolk, un autre opérateur radio nota la réception, et pressa un bouton qui retransmit le même signal au *Dallas*, par l'intermédiaire du satellite également. C'était là un procédé d'identification très simple.

L'opérateur du *Dallas* compara le signal reçu avec celui qu'il venait d'envoyer. « Bonne réception, commandant. »

Mancuso ordonna à Mannion de tout rentrer sauf les antennes ESM et UHF.

Etat-major des communications de la Flotte Atlantique

A Norfolk, la première ligne de la dépêche révélait la page et la ligne de la séquence chiffrée, qui était enregistrée sur bande informatique dans la section de haute sécurité du centre de communications. Un officier entra les chiffres dans son terminal, et un instant plus tard l'ordinateur sortit un texte clair. L'officier vérifia à nouveau, pour éviter tout risque d'erreur. Satisfait de n'en trouver aucune, il porta le feuillet sorti de l'imprimante à l'autre bout du bureau, où un officier-marinier se tenait devant un télex. L'officier lui tendit la dépêche.

L'opérateur entra l'indicatif du destinataire, et transmit le message au central des opérations de Comsublant, à huit cents mètres de là. La ligne de transmission était en fibre optique, contenue dans une canalisation d'acier placée sous le revêtement de la rue. On le vérifiait trois fois par semaine, pour des raisons de sécurité. Même le secret des performances des armes nucléaires n'était pas aussi étroitement gardé que le journal des communications tactiques.

Opérations Comsublant

Une sonnerie retentit dans le central des opérations quand le message arriva sur l'imprimante top-secret. Il portait un préfixe Z, qui indiquait son urgence maximale Flash.

Z090414Z DEC
SECRET DÉFENSE
DE : USS DALLAS
A : COMSUBLANT
POUR INFO : CINCLANTFLT
// NOOOOO //
OBJET OPÉRATIONS SOUS-MARINS SOVIÉTIQUES
1. VOUS SIGNALE AVOIR ENTENDU LE 7 VERS 0900Z FAIBLE BRUITEUR TYPE INCONNU QUI A DISPARU DANS LE BRUIT DE FOND PRODUIT PAR AUGMENTATION ACTIVITÉ DES SOUS-MARINS SOVIÉTIQUES. CE BRUITEUR POURRAIT ÊTRE UN SOUS-MARIN DE LA FLOTTE ROUGE TRANSI-

TANT À DIX NŒUDS DANS LES EAUX CÔTIÈRES ISLANDAISES PAR ROUTE NUMÉRO UN
2. CE BRUITEUR PRÉSENTE CARACTÉRISTIQUES INHABITUELLES — JE RÉPÈTE INHABITUELLES — NE RÉPONDANT À AUCUNE SIGNATURE ACOUSTIQUE SOVIÉTIQUE
3. DEMANDE AUTORISATION QUITTER ZONE DE PATROUILLE PRESCRITE POUR RECHERCHER ET ANALYSER BRUITEUR QUI POURRAIT ÊTRE ÉQUIPÉ NOUVEAU SYSTÈME DE PROPULSION AVEC CARACTÉRISTIQUES ACOUSTIQUES PARTICULIÈRES.
ESTIMONS AVOIR BONNE CHANCE REPÉRAGE ET IDENTIFICATION

Un enseigne de vaisseau porta la dépêche dans le bureau du contre-amiral Vincent Gallery. Comsublant travaillait sans relâche depuis que les sous-marins soviétiques s'étaient mis en mouvement. Il était d'une humeur de chien.

« Urgence Flash en provenance du *Dallas,* amiral.

— Ah ah ! » Gallery prit le feuillet jaune et le lut deux fois. « Qu'est-ce que ça veut dire, à votre avis ?

— Aucune idée, amiral. On dirait qu'il a entendu quelque chose, qu'il a pris le temps d'y réfléchir, et qu'il voudrait bien avoir l'occasion de le retrouver. Il semble croire qu'il a mis le doigt sur quelque chose de singulier.

— Bon, alors qu'est-ce qu'on lui dit ? Allons, lieutenant. Peut-être vous retrouverez-vous amiral aussi, un jour, et obligé de prendre des décisions. » « Hypothèse fort invraisemblable », songeait Gallery à part lui.

« Eh bien, amiral, le *Dallas* occupe une position idéale pour filer leurs forces de surface quand elles arriveront en Islande. Nous avons besoin de lui là où il est maintenant.

— Très bonne réponse scolaire. » Gallery sourit au jeune officier avant de lui lancer un coup bas. « Par ailleurs, le *Dallas* est commandé par un homme très compétent qui ne viendrait pas nous ennuyer s'il ne croyait pas vraiment qu'il tient quelque chose. Il n'entre pas dans les détails, sans doute parce que c'est trop compliqué pour une dépêche tactique Flash, et aussi parce qu'il pense que nous respectons assez son jugement pour le croire sur parole. " Nouveau système de propulsion, caractéristiques sonores inhabituelles. " Peut-être est-ce un vieux clou, mais c'est lui qui est sur place, et il veut une réponse. On va lui dire oui.

— Bien, amiral », répondit l'enseigne en se demandant si ce

vieux salopard de gringalet tirait ses décisions à pile ou face quand il était seul.

A bord du Dallas

Z090434Z
SECRET DÉFENSE
DE : COMSUBLANT
A : USS DALLAS
REF A : USS DALLAS Z090414Z
REF B : INSTRUCTION COMSUBLANT 2000.5
CONCERNANT ZONE PATROUILLE N04220
1. ACCORD À VOTRE PROPOSITION REF A
2. LES ZONES BRAVO ÉCHO ET GOLF DÉFINIES PAR REF B VOUS SONT ATTRIBUÉES POUR OPÉRATIONS LIBRES ENTRE 090500Z ET 140001Z
RENDEZ COMPTE SELON BESOIN
SIGNÉ VICE-AMIRAL GALLERY

« Nom d'un chien ! » s'exclama Mancuso ravi. C'était une qualité qu'il appréciait chez Vincent Gallery. Quand on lui posait une question, bon Dieu, on recevait la réponse, oui ou non, avant d'avoir eu le temps de rentrer l'antenne. Evidemment, songea-t-il, si Jonesy s'était trompé et qu'il s'agissait d'une chasse au snark, il faudrait fournir des explications. Gallery avait fait tomber plus d'une tête de sous-marinier dans le panier de son.

Et c'était ce qui menaçait de lui arriver, Mancuso le savait. Depuis sa première année à Annapolis, il n'avait voulu qu'une seule chose : commander son propre sous-marin d'attaque. Maintenant qu'il l'avait, il savait que sa carrière ne pourrait plus être qu'une pente descendante. Dans le reste de la marine, un premier commandement n'était rien d'autre que cela, un premier commandement. On pouvait gravir les échelons et commander ensuite une flotte, si l'on avait de la chance et suffisamment d'étoffe. Mais pas chez les sous-mariniers. Qu'il s'en tire bien ou mal avec son *Dallas,* il le perdrait quand même trop tôt. C'était sa seule chance. Et ensuite, quoi ? Ce qu'il pouvait espérer de mieux, c'était le commandement d'un lance-missiles. Il avait déjà servi sur ce genre de bâtiments, et il était sûr que ce devait être aussi excitant à commander que regarder de la peinture sécher. Le boulot de la grosse bête consistait à rester cachée. Mancuso voulait être le chasseur, c'était cela, l'aspect passionnant de l'affaire. Et après le commandement d'un lance-missiles ? Il pourrait obtenir un « commandement important en surface », peut-être un beau pétrolier — ce serait comme passer de la gloire des champs de course à la monotonie des pâturages. Ou bien il pourrait avoir un commandement de flotille et trôner sur un ravitailleur, à pousser des papiers dans un bureau. Avec un peu de chance, il irait en mer une fois par mois, et uniquement pour casser les pieds des sous-mariniers qui n'auraient aucune envie de l'avoir à bord. Ou bien encore, il pourrait obtenir un emploi de bureau au Pentagone — quelle joie ! Mancuso comprenait pourquoi les astronautes craquaient, parfois, en redescendant de la Lune. Lui aussi, il avait travaillé des années pour obtenir ce commandement, et d'ici un an il perdrait son bâtiment. Il serait obligé de passer le *Dallas* à quelqu'un d'autre. Mais pour l'instant, il l'avait.

« Pat, rentrons tous les mâts et descendons à quatre cents mètres.

— Oui, commandant. Rentrez les mâts », ordonna Mannion. Un officier-marinier tira les leviers de commande hydraulique.

« Les mâts ESM et UHF sont rentrés, commandant, annonça l'opérateur de quart.

— Très bien. Officier de plongée, quatre cents mètres.

— Quatre cents mètres, bien reçu, répéta l'officier de plongée. Assiette moins quinze.

— Assiette moins quinze, reçu.

— Exécution, Pat.

— Oui, commandant. Machines avant toute.

— Machines avant toute. » L'opérateur leva le bras pour alimenter le micro.

Mancuso regardait ses hommes à l'œuvre. Ils accomplissaient leur tâche avec une précision mécanique. Mais ce n'étaient pas des machines. C'étaient des hommes. Les siens.

Au poste de la machine, à l'arrière, l'ingénieur Butler leur donnait les ordres nécessaires. Les pompes de refroidissement du réacteur se mirent à tourner plus vite. Une plus grande quantité d'eau chaude pressurisée pénétrait dans l'échangeur, où sa chaleur se transformait en vapeur sur la boucle extérieure. Quand le liquide de refroidissement retournait au réacteur, il était plus froid qu'avant et plus dense. Etant plus dense, il bloquait davantage de neutrons dans la pile nucléaire, accroissant ainsi la force de la réaction de fission, et produisant davantage de puissance. Plus loin à l'arrière, la vapeur saturée de « l'extérieur », ou boucle non radioactive, du système d'échange de chaleur émergeait par les grappes de valves de contrôle pour agir sur les pales de la turbine haute pression.

L'énorme hélice de bronze du *Dallas* se mit à tourner plus vite, le faisant avancer en immersion.

Les mécaniciens vaquaient à leurs tâches dans le calme. Le bruit s'amplifia distinctement dans les salles des machines tandis que les systèmes commençaient à fournir davantage d'énergie, et les techniciens effectuaient un contrôle continu en suivant la marche des instruments devant eux. Il s'agissait d'une routine paisible et exacte. Il n'y avait aucune conversation étrangère, aucune distraction. Comparé à la salle des machines d'un sous-marin, un bloc opératoire d'hôpital était un repaire de petits rigolos.

A l'avant, Mannion regardait l'indicateur d'immersion descendre au-dessous de deux cents mètres. L'officier de plongée devait attendre d'arriver à trois cents mètres pour commencer la manœuvre de stabilisation, l'objectif étant de cibler exactement la profondeur requise. Le commandant Mancuso voulait amener le *Dallas* au-dessous de la thermocline, c'est-à-dire la frontière entre les différentes températures. L'eau se répartissait en couches isothermiques de stratification uniforme. La frontière relativement plate où l'eau plus chaude de la surface rencontrait l'eau plus froide des profondeurs constituait une barrière semi-perméable qui tendait à réfléchir les ondes sonores. Et celles qui parvenaient néanmoins à pénétrer la thermocline restaient presque totalement bloquées au-dessous. Ainsi donc, et même s'il avançait à plus de trente nœuds en faisant tout le vacarme possible au-dessous de la thermocline, le *Dallas* serait très difficile à détecter avec des sonars de surface. Il serait également presque aveugle, mais il n'y avait pas grand-chose à heurter, à ce niveau-là.

Mancuso décrocha le micro du système d'alerte générale. « Ici le commandant. Nous venons de commencer une course de vitesse qui va durer quarante-huit heures. Nous nous dirigeons vers un point où nous espérons localiser un sous-marin russe qui nous a dépassés voici deux jours. Ce Russkoff utilise manifestement un nouveau système de propulsion silencieuse que personne n'a jamais encore rencontré. Nous allons tenter de passer devant lui et de le suivre lorsqu'il nous dépassera. Cette fois, nous savons ce que nous cherchons, et nous aurons une bonne vue claire et nette de lui. Bien, je veux donc que tout le monde à bord soit reposé et détendu. Quand nous serons au contact, ce sera une longue chasse difficile. Je veux tout le monde à cent pour cent. Ce sera sûrement très intéressant. » Il coupa le son. « Quel est le film, ce soir ? »

L'officier de plongée regarda l'indicateur de profondeur s'arrêter avant de répondre. En tant que « patron » du bord, il était également le gérant du réseau de télévision par câble du *Dallas,* qui se composait de trois appareils vidéo reliés à des postes de télévision répartis au carré des officiers et diverses autres installations réservées à l'équipage. « Vous avez le choix, commandant. *Le Retour du Jedi,* ou deux matches de football : Oklahoma-Nebraska et Miami-Dallas. Les deux matches ont eu lieu pendant l'exercice, et ce sera comme de les regarder en direct. » Il se mit à rire. « Publicité et tout. Les cuistots préparent déjà le pop-corn.

— Parfait. Je veux tout le monde heureux et détendu. » Pourquoi ne pouvaient-ils jamais avoir les cassettes des matches de foot de la marine, se demanda Mancuso. Evidemment, l'armée de terre les avait écrasés, cette année...

« Bonjour, commandant. » Wally Chambers, le second, pénétra dans le central. « Quoi de neuf?

— Venez donc au carré, Wally. Je voudrais vous faire écouter quelque chose. » Mancuso sortit la cassette de sa poche de chemise et précéda Chambers vers l'arrière.

A bord du V. K. Konovalov

A deux cents milles au nord-est du *Dallas,* dans la mer de Norvège, le *Konovalov* fonçait à quarante et un nœuds vers le sud-ouest. Seul au carré des officiers, le commandant Tupolev relisait la dépêche qu'il avait reçue deux jours plus tôt. Ses sentiments oscillaient entre la peine et la fureur. Le Maître avait fait *cela !* Il en restait effaré.

Mais que pouvait-on faire ? Les ordres de Tupolev étaient clairs et ce, comme le lui avait fait observer son *zampolit,* d'autant plus qu'il avait été l'élève du traître Ramius. Il risquait, lui aussi, de se retrouver en très mauvaise posture. Si le salaud réussissait son coup.

Ainsi donc, Marko avait joué un tour à tout le monde, et pas seulement au *Konovalov.* Pendant que Tupolev tournait en rond dans la mer de Barents comme un imbécile, Marko avait filé dans la direction opposée. En leur riant au nez, à tous. Tupolev en était certain. Quelle perfidie, quelle ignoble menace contre la *Rodina.* C'était inconcevable — et cependant tout à fait logique. Tous les avantages qu'avait Marko. Un appartement de quatre pièces, une *datcha,* une voiture Zhigouli personnelle. Tupolev ne disposait pas encore d'une automobile. Il avait durement gagné son commandement, et voilà qu'il était maintenant menacé par — cela ! Il aurait bien de la chance s'il parvenait à garder ce qu'il avait.

« Je dois tuer mon ami », songea-t-il. Ami ? Oui, reconnaissait-il en lui-même, Marko avait été un vrai ami, et un bon maître. Quand avait-il changé de route ?

Natalia Bogdanova.

Oui, ce devait être cela. Une sale affaire, en vérité. Combien de fois n'avait-il pas dîné chez eux, combien de fois Natalia n'avait-elle pas ri en parlant de ses fils si beaux, si forts ? Il hocha la tête. Une femme merveilleuse, assassinée par un maudit imbécile de chirurgien incompétent. On n'y pouvait rien, il était le fils d'un membre du comité central. C'était honteux que de telles choses puissent encore se produire, après trois générations de construction du socialisme. Mais rien ne pouvait justifier cette folie.

Tupolev se pencha sur la carte qu'il avait rapportée. Il serait à son poste dans cinq jours, et même moins, si les machines tenaient bon, et si Marko n'était pas trop pressé — mais il ne serait pas pressé. Marko était un renard, non un taureau. Les autres Alfa arriveraient là-bas avant lui, Tupolev le savait, mais cela n'avait pas d'importance. Il fallait qu'il le fasse lui-même. Il dépasserait Marko et l'attendrait. Marko essaierait de passer en se faufilant, et Konovalov serait là. *Octobre rouge* allait périr.

L'Atlantique Nord

Le Harrier britannique FRS.4 apparut avec une minute d'avance. Il plana un instant sur le flanc tribord du *Kennedy,* tandis que le pilote jaugeait sa zone d'appontage, le vent et l'état de la mer. Maintenant une allure de trente nœuds pour compenser l'allure du porte-avions, il fit glisser l'appareil sur la droite et apponta en douceur, légèrement à l'avant de l'îlot du *Kennedy,* et au centre exact de la plate-forme. Aussitôt une équipe se précipita vers l'avion, trois hommes portant de lourdes cales métalliques, et un autre, une échelle qu'il dressa contre le cockpit, dont la verrière s'ouvrait déjà. Quatre autres amenèrent un tuyau de ravitaillement en carburant, attentifs à démontrer la vitesse à laquelle la marine américaine assure le service de ses appareils. Le pilote était vêtu d'une combinaison orange et d'un gilet de sauvetage jaune. Il posa son casque sur son siège, et descendit les échelons. Il s'assura d'un regard bref que son chasseur était en bonnes mains avant de s'élancer au pas de course vers l'îlot. Il croisa Ryan au panneau.

« Vous êtes Ryan ? Moi, Tony Parker. Où sont les toilettes ? » Jack le renseigna, et le pilote fila comme l'éclair, laissant Ryan planté là en tenue de vol, son sac à la main, avec l'impression d'avoir l'air idiot. Un casque de vol en plastique blanc pendait à son autre main, tandis qu'il regardait les techniciens ravitailler le Harrier en carburant. Il se demanda s'ils savaient ce qu'ils faisaient.

Parker reparut trois minutes plus tard. « Commandant, déclara-t-il, il y a une chose qu'ils n'ont jamais pensé à mettre sur un chasseur, c'est un goguenot ! Ils vous bourrent de café et de thé, et puis ils vous expédient là-haut, et on ne peut plus aller nulle part.

— Je comprends ce que vous éprouvez. Avez-vous autre chose à faire ?

— Non. Votre amiral m'a fait la conversation par radio pendant que j'arrivais. On dirait que vos gars ont fini de me ravitailler. Voulez-vous partir maintenant ?

— Qu'est-ce que je fais de cela ? » Ryan désigna son sac, s'attendant à devoir le garder sur ses genoux. Ses papiers étaient à l'intérieur de sa combinaison de vol, serrés sur sa poitrine.

« Dans le coffre, bien sûr. Venez. »

Parker se dirigea vers le chasseur d'un pas insouciant. L'aube pointait faiblement. C'était très nuageux à mille ou deux mille pieds. Avec des creux de deux ou trois mètres, la mer présentait une surface grise et ridée, parsemée d'écume. Ryan sentait bouger le *Kennedy* sous ses pieds, surpris qu'une chose aussi énorme pût être ainsi remuée. Quand ils parvinrent au Harrier, Parker prit le sac d'une main et saisit une poignée cachée sous le flanc du chasseur. D'un geste adroit, il révéla un espace de la taille d'un petit réfrigérateur, et bourré de choses. Parker y enfonça le sac, claqua la porte, et s'assura que le loquet était bien refermé à fond. Un homme de pont en chemise jaune échangea quelques phrases avec le pilote. A l'arrière, un hélicoptère faisait tourner ses moteurs, et un chasseur Tomcat roulait vers une catapulte d'envol. En plus de tout cela, il soufflait un vent de trente nœuds. Le porte-avions était un endroit bruyant.

Parker fit signe à Ryan de grimper. Jack, qui aimait autant les échelles que les avions, faillit tomber sur son siège. Il s'agita pour s'asseoir plus confortablement, tandis qu'un homme de pont le sanglait dans le système de sécurité à quatre attaches. L'homme coiffa Ryan du casque, et lui montra la prise de communication. Peut-être les équipages américains connaissaient-ils quelque chose aux Harriers, en fin de compte. A côté de la prise, il y avait un interrupteur. Ryan le pressa.

« Vous m'entendez, Parker ?

— Oui. Vous êtes installé ?

— Je crois, oui.

— Bien. » La tête de Parker pivota pour vérifier les commandes. « Moteur en marche. »

Le toit restait ouvert. Trois hommes d'équipe se tenaient à proximité, avec de gros extincteurs au bioxyde de carbone, sans doute pour le cas où le moteur aurait explosé. Postés près de l'îlot, une douzaine d'autres contemplaient l'étrange appareil, tandis que le moteur Pegasus s'éveillait dans un hurlement. Puis le cockpit se referma.

« Prêt, commandant ?

— Si vous l'êtes. »

Le Harrier n'était pas un gros chasseur, mais c'était sûrement le plus bruyant. Ryan sentait le vacarme du moteur se répandre dans tout son corps, cependant que Parker réglait les manettes des gaz. L'avion vacilla, piqua du nez, puis s'éleva en tremblant dans les airs. Ryan aperçut un homme près de l'îlot qui tendait un bras et gesticulait dans leur direction. Le Harrier se déporta sur la gauche, s'éloignant de l'îlot à mesure qu'il prenait de la hauteur.

« Cela ne s'est pas trop mal passé », observa Parker. Il régla de nouveau les manettes, et le vrai voyage commença. On ne sentait guère l'accélération, mais Ryan s'aperçut que le *Kennedy* s'estompait rapidement derrière eux. Quelques secondes plus tard, ils avaient franchi l'écran d'escorteurs.

« Grimpons au-dessus de cette saloperie », dit Parker. Il manipula les commandes, et ils montèrent aussitôt vers les nuages. En quelques secondes ils y furent engloutis, et le champ de vision de Ryan se trouva instantanément réduit de cinq milles à cinq pieds.

Jack examina l'intérieur du cockpit, qui était rempli de commandes et d'instruments. La vitesse indiquée était de cent cinquante nœuds en montée, et l'altitude de cent trente mètres. Ce Harrier avait manifestement servi d'avion-école, mais le panneau des instruments avait été modifié pour inclure les instruments de contrôle d'une nacelle de détecteur qui pouvait se fixer sous le ventre. Un bricolage assez pathétique mais, d'après ce que disait l'amiral Painter, cela avait apparemment bien fonctionné. Il devina que l'écran de type téléviseur devait être le lecteur du détecteur avant de chaleur à l'infrarouge. L'indicateur de vitesse annonçait maintenant trois cents nœuds, et le variomètre un angle d'attaque de vingt degrés. On avait l'impression que ce devait être bien plus.

« Nous devrions bientôt dépasser tout cela, observa Parker. Voilà ! »

L'altimètre indiquait neuf mille mètres quand le soleil explosa brusquement au visage de Ryan. Une chose à laquelle il ne s'était jamais habitué, en avion, c'était que, quel que fût le temps au sol, on arrivait toujours à trouver le soleil si l'on montait assez haut. La lumière était intense, mais le bleu du ciel était nettement plus profond que celui qu'on voyait d'en bas. Maintenant qu'ils étaient sortis de la turbulence nuageuse, le voyage se poursuivait dans la confortable sérénité d'un vol de compagnie commerciale. Ryan tripota sa visière pour se protéger les yeux.

« Ça va mieux ?

— Très bien, lieutenant. Mieux que je ne m'y attendais.

— Comment cela, commandant ?

— Je crois que c'est plus agréable qu'en vol régulier. D'abord, on voit mieux. Cela aide beaucoup.

— Dommage que nous n'ayons pas de réserve supplémentaire de carburant, je vous aurais fait voir quelques acrobaties. Le Harrier peut faire pratiquement tout ce qu'on veut.

— Ce n'est pas la peine, merci.

— Et votre amiral, reprit Parker sur un ton de conversation mondaine, m'a dit que vous n'aimiez pas trop les voyages en avion. »

Ryan dut s'agripper aux accoudoirs tandis que le Harrier effectuait trois tonneaux complets avant de reprendre brutalement sa trajectoire. Il se surprit lui-même en éclatant de rire. « Ah, le fameux humour britannique !

— Ordres de votre amiral, commandant, répondit Parker, s'excusant à demi. Nous ne voudrions pas que vous preniez le Harrier pour l'un de ces foutus autobus. »

Quel amiral ? s'interrogea Ryan. Painter ou Davenport ? Sans doute les deux. Le dessus des nuages ressemblait à un champ de coton mouvant. Il ne l'avait jamais apprécié comme maintenant, quand il regardait par les petits hublots des avions de ligne. Calé dans ce siège, il lui semblait presque être assis dehors.

« Puis-je vous poser une question, commandant ?

— Bien sûr.

— Quel est ce cirque ?

— Comment cela ?

— Eh bien, commandant, ils ont fait faire demi-tour à mon bateau. Et puis on m'envoie chercher un VIP sur le *Kennedy* pour l'amener à bord de l'*Invincible*.

— Bon, d'accord. Je ne peux rien dire, Parker. Je vais porter des messages à votre patron. C'est moi le facteur », mentit Ryan. Voilà pour tes trois tonneaux, mon vieux !

« Excusez-moi, commandant, mais voyez-vous, ma femme

attend un bébé pour après Noël. Notre premier. J'espère pouvoir y être.

— Où habitez-vous ?

— A Chatham, c'est...

— Je connais. Je vis en Angleterre, en ce moment. Nous habitons à Marlow, en amont de Londres. Mon second enfant a démarré là-bas.

— Il y est né ?

— Non : démarré. Ma femme prétend que c'est dû à ces curieux lits d'hôtel : chaque fois, cela lui fait le même coup ! Si j'étais joueur, Parker, je dirais que vous avez vos chances. Et puis de toute façon, les premiers naissent toujours en retard.

— Vous dites que vous habitez Marlow ?

— Oui. Nous y avons fait construire notre maison au début de l'année.

— Jack Ryan... Vous n'êtes pas John Ryan ? Le type qui...

— Si, en effet. Mais inutile d'en parler, lieutenant.

— Compris. Je ne savais pas que vous étiez officier de marine.

— C'est pour cela qu'il vaut mieux ne le dire à personne.

— D'accord, commandant. Désolé pour le numéro de voltige.

— Aucune importance. Il faut bien que les amiraux s'amusent un peu. J'ai cru comprendre que vous veniez de faire un exercice avec nos gars à nous.

— En effet, commandant. J'ai coulé un de vos sous-marins, le *Tullibee*. Enfin, mon opérateur et moi, plus exactement. Nous l'avons surpris au ras de la surface, de nuit, avec notre détecteur à infrarouge, et nous l'avons criblé de pétards. Nous n'avions parlé à personne de nos nouveaux équipements, voyez-vous. C'est de bonne guerre. J'ai cru comprendre que leur commandant était fou furieux. J'avais espéré le rencontrer à Norfolk, mais il n'est arrivé là-bas qu'après notre départ.

— Vous vous êtes bien amusés, à Norfolk ?

— Oh oui, commandant. Nous avons pu profiter d'une journée de chasse dans la baie de Chesapeake, je crois que vous appelez ça Eastern Shore.

— Ah oui ? c'est là que j'allais chasser, moi aussi. Comment était-ce ?

— Pas mal. J'ai eu mes trois oies en une demi-heure. Tableau limité à trois — c'est idiot.

— Vous êtes arrivé et vous avez descendu trois oies en une demi-heure, si tard dans la saison ?

— Je vous rappelle que le tir constitue mon humble gagne-pain.

— Je suis allé tirer la grouse avec votre amiral, en septembre dernier. Ils m'ont fait prendre un deux coups. Si l'on arrive avec mon genre de fusil — j'emploi un Remington automatique — ils vous regardent comme si vous étiez un terroriste ! Je me suis retrouvé coincé avec deux Purdey mal réglés. J'ai abattu quinze pièces. Mais cela m'a paru terriblement passif, cette façon de chasser avec un type pour recharger, et tout un peloton de rabatteurs. Nous avons pratiquement anéanti la population volatile !

— Nous avons plus de gibier que vous au mètre carré.

— C'est ce que disait l'amiral. A quelle distance est l'*Invincible ?*

— Quarante minutes. »

Ryan jeta un coup d'œil sur l'indicateur de jauge de carburant. C'était déjà à moitié vide. En voiture, il aurait commencé à envisager de faire le plein. Tout ce carburant brûlé en une demi-heure. Bah, Parker ne semblait pas affolé.

L'appontage sur le HMS *Invincible* fut très différent de celui qu'avait expérimenté Ryan sur la plate-forme du *Kennedy*. L'appareil commença à s'agiter quand Parker redescendit dans les nuages, et Ryan s'aperçut qu'ils étaient en bordure frontale de la même tempête que la veille. La pluie ruisselait sur la verrière, et il entendit l'impact de milliers de gouttes sur le châssis — ou bien était-ce de la grêle ? En observant les instruments, il vit que Parker attaquait le palier à trois cents mètres, alors qu'ils étaient encore dans les nuages, puis descendait plus lentement, pour sortir de la soupe à trente mètres. L'*Invincible* ne faisait pas la moitié du *Kennedy*. Ryan le regarda ballotter comme un bouchon sur des creux de plusieurs mètres. Parker utilisa la même technique que la première fois. Il se déporta légèrement sur la gauche du porte-avions, puis glissa vers la droite en faisant chuter l'appareil de six ou sept mètres au-dessus d'un cercle peint. L'appontage fut heurté, mais Ryan l'avait vu venir. La verrière s'ouvrit immédiatement.

« Vous pouvez descendre ici, annonça Parker. Il faut que je roule encore jusqu'à l'ascenseur. »

Une échelle était en place. Il défit sa ceinture de sécurité et sortit. Un homme d'équipage avait déjà pris son sac. Ryan le suivit jusqu'à l'îlot, où un enseigne l'attendait.

« Bienvenue à bord, commandant. » Ce garçon ne pouvait pas avoir plus de vingt ans, songea Ryan. « Permettez que je vous aide à quitter votre tenue de vol. »

L'enseigne attendit que Ryan eût quitté son gilet jaune, son casque et sa combinaison de vol. Il sortit sa casquette de son sac. Ce faisant, il avait titubé plusieurs fois et heurté la cloison. L'*Invincible* donnait l'impression de tire-bouchonner dans une mer de l'arrière. Un vent d'avant et une mer d'arrière ? Dans l'Atlantique Nord en hiver, rien n'était invraisemblable. L'officier portait le sac, tandis que Ryan se cramponnait à son dossier.

« Montrez-moi le chemin, lieutenant », dit Ryan. Le jeune homme gravit au pas de course trois échelles de suite, laissant Ryan haleter en arrière et songer amèrement au jogging qu'il ne pratiquait pas. Le mouvement de la mer, ajouté à un déséquilibre de l'oreille interne dû au voyage en avion, lui donnait un peu le tournis, et il se heurtait partout. Comment faisaient donc les pilotes professionnels ?

« Voici la passerelle de l'amiral, commandant. » L'enseigne lui tenait la porte ouverte.

« Salut, Jack ! » lança la voix puissante du contre-amiral John White, huitième comte de Weston. Quinquagénaire de haute et puissante stature, il avait le teint fleuri, et l'effet en était souligné par un foulard blanc autour de son cou. Jack avait fait sa connaissance au début de l'année et, depuis ce jour, sa femme, Cathy, et la comtesse, Antonia, s'étaient liées d'amitié au sein d'un orchestre amateur. Cathy Ryan jouait du piano classique, et Toni White, séduisante femme de quarante-quatre ans, possédait un violon Guarnieri del Jesù. Quant au mari, sa pairie ne semblait représenter à ses yeux qu'un détail pratique. Sa carrière dans la Royal Navy n'était due qu'à son seul mérite. Jack s'approcha et serra la main qu'il lui tendait.

« Bonjour, amiral.

— Comment s'est passé le vol ?

— Différemment, pour moi. Je n'étais jamais monté en chasseur, et moins encore un chasseur amoureux d'un oiseau-mouche ! » Ryan souriait. Cette passerelle surchauffée était bien agréable.

« Parfait. Venez donc dans ma cabine arrière. » White congédia l'enseigne, qui tendit son sac à Ryan avant de se retirer. L'amiral précéda Ryan dans un bref couloir et entra dans un étroit compartiment.

Le cadre en était d'une étonnante austérité, compte tenu du fait que les Anglais aimaient leurs aises et que White était pair. Il y avait là deux hublots équipés de rideaux, une table de travail et deux sièges. La photographie en couleurs de sa femme constituait l'unique touche personnelle de ce bureau. La cloison de bâbord était entièrement tapissée d'une carte de l'Atlantique Nord.

« Vous semblez fatigué, Jack. » White lui fit signe de s'asseoir dans le fauteuil capitonné.

« Je suis fatigué. Je suis en route depuis... fichtre, hier matin 6 heures. Je ne sais rien des changements horaires, je crois que ma montre est restée à l'heure européenne.

— J'ai un message pour vous. » White tira un papier de sa poche et le lui tendit.

« Greer à Ryan. Saule confirmé, lut Ryan. Basil envoie ses amitiés. Terminé. » Quelqu'un avait confirmé Saule. Qui ? Peut-être Sir Basil. Peut-être Ritter. Ryan n'aurait rien parié là-dessus. Il enfouit le message dans sa poche. « Ce sont de bonnes nouvelles.

— Pourquoi l'uniforme ?

— L'idée n'est pas de moi. Vous savez pour qui je travaille, n'est-ce pas ? Ils se sont dit que je me ferais moins remarquer.

— Au moins, il est bien coupé. » L'amiral décrocha un téléphone et commanda des rafraîchissements. « Comment va la petite famille, Jack ?

— Très bien, merci, amiral. La veille de mon départ, Cathy et Toni jouaient chez Nigel Ford. J'ai manqué le concert. Si elles s'améliorent encore, vous savez, il va falloir enregistrer un disque. Il n'y a pas beaucoup de violonistes meilleurs que votre femme. »

Un steward entra, chargé d'un plateau de sandwiches. Jack n'avait jamais pu comprendre ce goût des Anglais pour le pain au concombre.

« Alors, que se passe-t-il ?

— Amiral, le sens du message que vous venez de me transmettre, c'est que je puis vous en informer, ainsi que trois de vos officiers. Il s'agit d'une affaire brûlante, amiral. Vous en tiendrez certainement compte en faisant votre choix.

— Suffisamment brûlante pour faire faire demi-tour à ma flotte, en effet. » White réfléchit un moment, puis décrocha son téléphone et convoqua trois officiers. Il raccrocha. « Le commandant Carstairs, le commandant Hunter et le commandant Barclay — ce sont respectivement le commandant de l'*Invincible,* mon officier d'opérations, et mon officier de renseignements.

— Pas le chef d'état-major ?

— Il est absent. Décès dans sa famille. Un petit quelque chose, avec votre café ? » White sortit d'un tiroir un flacon qui ressemblait fort à une bouteille de cognac.

« Merci, amiral. » Ce cognac l'emplissait de gratitude, car le café avait bien besoin de ce secours pour passer. Il regarda l'amiral lui en verser une généreuse rasade, peut-être avec l'espoir qu'il s'épancherait plus librement. White était marin depuis bien plus longtemps qu'il n'était l'ami de Ryan.

Les trois officiers arrivèrent ensemble, deux d'entre eux portant des chaises pliantes métalliques.

« Amiral, suggéra Ryan, peut-être pourriez-vous laisser cette bouteille sur la table. Quand vous aurez entendu l'histoire, nous aurons sûrement tous besoin d'un remontant. » Il leur tendit les deux dossiers restants et parla de mémoire, pendant quinze minutes.

« Messieurs, conclut-il, je dois insister sur le caractère strictement confidentiel de cette information. Pour le moment, personne hors de cette pièce ne doit en savoir un seul mot.

— Dommage, observa Carstairs, c'est une sacrément bonne histoire à raconter.

— Et notre mission ? » White tenait les photographies. Il versa une nouvelle rasade à Ryan, jeta un coup d'œil au flacon, et le rangea dans son tiroir.

« Merci, amiral. Pour le moment, notre mission consiste à repérer *Octobre rouge*. Ensuite, nous ne sommes pas encore sûrs. J'imagine que le seul fait de le localiser sera déjà difficile.

— Observation judicieuse, commandant Ryan, commenta Hunter.

— L'aspect positif de la situation, c'est que l'amiral Painter a demandé à Cinclant de vous confier plusieurs bâtiments de la marine américaine, vraisemblablement trois frégates de la classe 1052, et deux Perry FFG 7. Ils ont tous un ou deux hélicos.

— Eh bien, Geoffrey ? interrogea White.

— C'est un début, convint Hunter.

— Ils arriveront dans un jour ou deux. L'amiral Painter m'a chargé de vous exprimer sa confiance dans votre groupe et son personnel.

— Bon Dieu, un sous-marin nucléaire russe tout entier... » marmonna Barclay entre ses dents. Ryan se mit à rire.

« Vous aimez l'idée, commandant ?

— Et si le SM va droit sur la Grande-Bretagne ? s'enquit Barclay d'une voix précise. L'affaire devient une opération britannique ?

— Je suppose que oui mais, comme je vois la carte, si Ramius se dirigeait vers l'Angleterre, il y serait déjà. J'ai vu une copie de la lettre du président au Premier ministre. En contrepartie de votre assistance, la Royal Navy obtient le même accès aux données que nos gars à nous. Nous sommes dans le même camp, messieurs. La seule question, c'est : pouvons-nous le faire ?

— Hunter ? interrogea White.

— Si ces renseignements sont corrects... Je dirais que nous avons une bonne chance, peut-être même à cinquante pour cent. D'un côté, nous avons un sous-marin nucléaire qui s'efforce d'échapper à toute détection et, de l'autre, toute une flotte ASM [1] lancée à sa poursuite. Il va sûrement se diriger vers un endroit discret comme Norfolk, bien sûr, ou Newport, Groton, King's Bay, Port Everglades, ou Charleston. Un port civil comme New York est nettement moins probable, à mon avis. Le problème, avec tous les Alfa d'Ivan le Russkoff volant vers nos côtes, c'est qu'ils vont arriver avant *Octobre*. Peut-être ont-ils en tête un port spécifique. Nous le saurons d'ici vingt-quatre heures. Par conséquent, je disais que nous sommes à chances égales. Ils vont opérer assez loin au large de vos côtes pour que votre gouvernement ne puisse trouver aucune raison légale acceptable de protester. Si quelqu'un a un avantage, je dirais que ce sont les Soviétiques. Ils bénéficient d'une connaissance plus précise des capacités de leur sous-marin, et de l'extrême simplicité de leur mission. Cela compense largement l'infériorité technique de leurs détecteurs.

— Pourquoi Ramius n'approche-t-il pas plus vite ? s'étonna Ryan. C'est la seule chose qui m'échappe vraiment. Une fois qu'il a franchi les lignes des oreilles SOSUS au large de l'Islande, il est tranquille en eaux profondes — alors pourquoi ne pas pousser les machines au maximum et arriver chez nous à fond de train ?

— Au moins deux raisons, répondit Barclay. Quel type de données opérationnelles vous passe entre les mains ?

— Je travaille au coup par coup. Cela signifie que je saute beaucoup d'une chose à une autre. Je connais bien leurs SM balistiques, par exemple, mais nettement moins bien leurs SM d'attaque. » Ryan n'avait pas besoin d'expliquer qu'il appartenait à la CIA.

« Bien, vous savez comme les Soviétiques compartimentent tout. Ramius ne sait sans doute pas où sont leurs SM d'attaque, pas tous. Par conséquent, s'il allait trop vite, il risquerait de tomber sur un Victor isolé et de se faire couler sans même savoir ce qui lui arrive. Deuxièmement, imaginez que les Soviétiques aient fait appel à l'aide américaine, par exemple en disant qu'un sous-marin nucléaire a été kidnappé par un équipage séditieux de tendance

1. ASM : anti-sous-marins. (N.d.T.)

maoïste contre-révolutionnaire, et puis que votre marine détecte un sous-marin nucléaire lancé à grande vitesse dans l'Atlantique Nord en direction des côtes américaines. Que ferait votre président ?

— Ouais, admit Ryan. Nous le ferions sauter comme un bouchon.

— Et voilà. Ramius exerce un métier où il fait bon être prudent, et il va sûrement s'en tenir à ce qu'il sait, conclut Barclay. Heureusement ou malheureusement, c'est un virtuose.

— Dans combien de temps aurons-nous les renseignements concernant ce système de propulsion silencieuse ? voulut savoir Carstairs.

— Dans les deux jours, j'espère.

— Où l'amiral Painter nous veut-il ? demanda White.

— Le plan qu'il a soumis à Norfolk vous place sur le flanc droit. Il veut le *Kennedy* près de la côte pour répondre à la menace de leur flotte de surface, et vos forces plus au large. Voyez-vous, Painter pense que Ramius va sortir de la fosse GIUK [1] directement dans le bassin atlantique, et attendre un peu. Il a des chances de ne pas se faire repérer à cet endroit-là et, si les Soviétiques lancent leur flotte à sa poursuite, il a le temps et les réserves qu'il lui faut pour tenir plus longtemps qu'ils ne peuvent maintenir leur flotte au large de nos côtes — pour des raisons à la fois techniques et politiques. En plus, il veut votre force de frappe à cet endroit-là pour menacer leur flanc. Il faut cependant que ce projet reçoive l'approbation du commandant en chef de la Flotte Atlantique, et il reste beaucoup de détails à mettre au point. Par exemple, Painter a demandé que des Sentry E-3 vous soutiennent ici.

— Un mois au milieu de l'Atlantique Nord, en plein hiver ? » Carstairs grimaça. Il avait servi sur l'*Invincible* comme second, pendant la guerre des Malouines, et il avait passé d'interminables semaines sur l'Atlantique Sud déchaîné.

« Vous pouvez dire merci pour les E-3. » L'amiral sourit. « Hunter, je veux voir un plan d'emploi de tous ces bâtiments que les Yankees nous donnent, et voir comment nous pouvons couvrir le secteur au maximum. Barclay, je veux une estimation de ce que va faire notre ami Ramius. Partez du principe qu'il est toujours l'astucieux saligaud que nous avons appris à connaître et à aimer.

— Oui, amiral. » Barclay se leva, comme les autres.

« Jack, combien de temps restez-vous avec nous ?

— Je l'ignore, amiral. Jusqu'à ce qu'on me rappelle à bord du

1. GIUK : Groenland, Islande, Royaume-Uni. (N.d.T.)

Kennedy, j'imagine. Vue d'ici, cette opération a été lancée trop vite. Personne ne sait vraiment ce qu'il faut faire.

— Eh bien, pourquoi ne pas nous laisser y réfléchir pendant un petit moment ? Vous paraissez épuisé. Allez dormir.

— Très juste, amiral. » Ryan commençait à sentir l'effet du cognac.

« Il y a une couchette dans ce compartiment. Je vais vous la faire préparer, et vous pourrez y dormir pour le moment. S'il arrive du nouveau pour vous, on vous réveillera.

— Je vous remercie beaucoup. » L'amiral White était un type bien, songea Jack, et sa femme quelqu'un d'exceptionnel. Dix minutes plus tard, Ryan dormait dans sa couchette.

Octobre rouge

Tous les deux jours, le *starpom* ramassait les badges de radiation, dans le cadre d'une inspection semi-réglementaire. Après s'être assuré que toutes les chaussures de l'équipage brillaient comme des sous neufs, que toutes les couchettes étaient tirées au carré, et que tous les placards étaient rangés suivant le règlement, le second devait ramasser tous les badges de l'avant-veille et en distribuer de nouveaux aux hommes, généralement agrémentés de quelques conseils abrupts sur le comportement exigé des Nouveaux Hommes soviétiques. Borodine avait fait de cette procédure une véritable science. Comme chaque fois, l'inspection de tous les compartiments lui prit ce jour-là deux heures. Quand il eut terminé, la sacoche qu'il portait sur la hanche gauche était pleine de badges utilisés, tandis que celle du côté droit était entièrement vidée de ses badges neufs. Il porta son chargement à l'infirmerie.

« Camarade Petrov, j'ai un cadeau pour vous. »

Borodine posa la sacoche de cuir sur la table du médecin.

« Bien. » Le médecin adressa un sourire au second. « Avec tous ces jeunes gens en pleine forme, je n'ai pas grand-chose d'autre à faire que lire mes revues professionnelles. »

Borodine laissa Petrov à sa tâche. Le médecin commença par aligner les badges dans l'ordre. Chacun portait un numéro à trois chiffres : le premier pour identifier la série du badge afin, si l'on détectait la moindre radiation, que l'on eût une référence dans le temps. Le second chiffre indiquait le lieu de travail du matelot, et le troisième l'endroit où il dormait. Ce système était d'un emploi plus aisé que l'ancien, qui attribuait à chaque homme un numéro individuel.

Le processus de développement était d'une simplicité véritablement culinaire. Petrov pouvait le faire sans y penser. Il commença par éteindre le plafonnier blanc et en allumer un rouge. Puis il ferma à clé la porte de son bureau. Il décrocha ensuite le châssis de développement suspendu à la cloison, ouvrit les enveloppes de plastique, et transféra les bandes de pellicule sur les pinces à ressort du châssis.

Petrov emporta le châssis dans le laboratoire attenant au bureau, et l'accrocha à la poignée de l'unique classeur. Il remplit ensuite de produits chimiques trois grandes cuves. Bien que médecin diplômé, il avait oublié presque toutes ses notions de chimie non organique et ne se rappelait plus exactement ce qu'étaient ces produits chimiques. Il avait vidé le premier flacon dans la première cuve, le second dans la seconde cuve et, il s'en souvenait, la troisième cuve était remplie d'eau. Petrov n'était pas pressé. Le déjeuner ne serait servi que dans deux heures, et il trouvait ses fonctions vraiment rasantes. Ces deux derniers jours, il avait relu ses textes médicaux sur les maladies tropicales. Il attendait le séjour à Cuba avec autant d'impatience que tout le monde. Avec un peu de chance, un matelot attraperait quelque obscure maladie, et pour une fois il aurait un travail intéressant à faire.

Petrov régla le minuteur sur soixante-quinze secondes et immergea les pellicules dans la première cuve en appuyant sur le bouton de déclenchement. Il garda les yeux fixés sur le minuteur, à la lumière rouge, en se demandant si les Cubains faisaient toujours du rhum. Il y était déjà allé, des années auparavant, et avait apprécié le goût de cette boisson exotique. En bon citoyen soviétique, il adorait sa vodka, mais il lui arrivait de rêver à autre chose.

Les soixante-quinze secondes étant écoulées, il souleva le châssis en l'égouttant soigneusement. Inutile d'éclabousser son uniforme avec ce produit — du nitrate d'argent ? Quelque chose de ce genre. Le châssis s'enfonça dans la seconde cuve, et il régla à nouveau le minuteur. Dommage que ces foutus ordres soient restés si secrets — il aurait pu emporter son uniforme tropical. Il allait transpirer comme un porc, dans la chaleur cubaine. Evidemment, jamais aucun de ces sauvages ne se donnait la peine de se laver ! Peut-être avaient-ils appris quelque chose, au cours de ces quinze ans ? Il allait voir.

Le minuteur sonna, et Petrov releva une seconde fois le châssis et l'égoutta avant de le plonger dans la cuve remplie d'eau. Et voilà une corvée de plus terminée. Pourquoi n'y avait-il jamais de matelot pour tomber d'une échelle et se casser quelque chose ? Il aurait bien voulu employer son appareil à rayons X sur un patient vivant. Marxistes ou non, il se méfiait des Allemands, mais il fallait bien reconnaître qu'ils fabriquaient du bon matériel médical, y compris ses rayons X, son autoclave et la plupart de ses produits pharmaceutiques. L'heure. Petrov souleva le châssis et l'appuya contre l'écran de lecture des rayons X, qu'il brancha.

« *Nichevo !* » souffla Petrov. Le moment était venu de réfléchir. Son badge était voilé. Le numéro était 3-4-8 : troisième série de badges, section cinquante-quatre (infirmerie, galerie arrière), logement des officiers.

Même s'ils ne mesuraient que deux centimètres, ces badges présentaient une sensibilité variable. Dix segments verticaux permettaient de mesurer le degré de radiation. Petrov constata que le sien était voilé jusqu'au segment cinq, et les opérateurs de torpilles, qui passaient tout leur temps à l'avant, ne montraient de contamination qu'au segment un.

« Saloperie. » Il connaissait par cœur les niveaux de sensibilité. Il prit cependant son manuel pour vérifier. Heureusement, les segments étaient logarithmiques. Son irradiation était de douze rads. Quinze à vingt-cinq pour les mécaniciens. Douze à vingt-cinq rads en deux jours, pas assez pour être dangereux. Pas vraiment menaçant pour la vie, mais... Petrov regagna son bureau, en prenant soin de laisser les films dans le labo. Il décrocha le téléphone.

« Commandant Ramius ? Ici, Petrov, Pourriez-vous passer me voir, s'il vous plaît ?

— J'arrive, docteur. »

Ramius prit son temps. Il connaissait l'objet de cet appel. La veille de l'appareillage, pendant que Petrov était descendu à terre pour s'approvisionner en médicaments, Borodine avait contaminé les badges avec l'appareil à rayons X.

« Oui, Petrov ? » Ramius referma la porte derrière lui.

« Commandant, nous avons une fuite radioactive.

— C'est absurde. Nos instruments l'auraient aussitôt détectée. »

Petrov sortit les films du labo et les tendit au commandant. « Regardez. »

Ramius les leva à la lumière, scrutant les bandes de pellicule du haut jusqu'en bas. Il fronça les sourcils. « Qui est au courant ?

— Vous et moi, commandant.

— N'en parlez à personne... personne. » Ramius se tut un moment. « Pensez-vous que ces films aient... qu'ils aient un défaut, ou que vous ayez pu commettre une erreur en les développant ? »

Petrov secoua vigoureusement la tête. « Non, commandant. Seuls le camarade Borodine, vous et moi-même avons accès à ce matériel. Comme vous le savez, j'ai vérifié quelques échantillons au hasard dans chaque série, trois jours avant le départ. » Petrov n'allait pas admettre que, comme tout le monde, il avait pris les échantillons sur le dessus de la boîte, et non pas vraiment au hasard.

« L'irradiation maximale que je vois là est... dix à vingt ? » Ramius atténuait les chiffres. « Qui est-ce ?

— Boulganine et Surzpoï. Les torpilleurs, à l'avant, sont tous au-dessous de trois rads.

— Très bien. Ce que nous avons là, Petrov, c'est la possibilité d'une fuite mineure — mineure, Petrov — dans les compartiments du réacteur. Au pire, une fuite d'un quelconque gaz. Cela s'est déjà produit, et nul n'en est jamais mort. Nous trouverons cette fuite et nous la réparerons. Mais gardons ce petit secret entre nous. Inutile d'affoler les hommes pour rien. »

Petrov acquiesça, tout en sachant que des hommes étaient morts accidentellement, en 1970, à bord du sous-marin *Voroshilov,* et en plus grand-nombre à bord du brise-glace *Lénine.* Mais ces deux accidents remontaient à des temps anciens, et il était sûr que Ramius saurait faire face. Non ?

Au Pentagone

La galerie E était la plus grande des galeries concentriques qui divisaient le Pentagone, et la plus à l'extérieur ; et comme ses fenêtres offraient une vue plus agréable que de simples cours privées de soleil, c'était là que les plus hauts fonctionnaires du ministère de la Défense avaient leurs bureaux, et en particulier le directeur des opérations des chefs d'état-major, le J-3. Il n'était pas là. Il se trouvait dans une salle de sous-sol familièrement surnommée la Citerne, parce que ses parois métalliques étaient constellées de signaux sonores électroniques destinés à brouiller tout autre équipement électronique.

Il s'y trouvait depuis vingt-quatre heures, mais personne n'aurait pu s'en douter, à le voir. Son pantalon vert avait gardé le pli, sa chemise kaki gardait l'empreinte du repassage, son col empesé restait bien raide et sa cravate était maintenue par l'épingle en or du corps des marines. Le général Edwin Harris n'était ni diplomate ni diplômé de l'école des officiers, mais il jouait au médiateur. Curieuse situation pour un marine.

« Enfin, bon Dieu ! » tonna la voix de l'amiral Blackburn,

Cinclant. Son propre officier d'opérations, le contre-amiral Pete Stanford, était également présent. « C'est comme cela qu'on monte une opération ? »

Les chefs d'état-major étaient tous présents, et aucun d'eux ne le pensait non plus.

« Ecoute, Blackie, je t'ai dit d'où viennent les ordres. » Le général Hilton, président des chefs d'état-major, semblait fatigué.

« Je comprends bien, mais il s'agit principalement d'une opération sous-marine, non ? Il me faut Vince Gallery là-dessus, et vous devriez avoir Sam Dodge à l'autre bout. Dan et moi sommes des pilonneurs, Peter est un expert ASM. Il nous faut un sous-marinier là-dedans !

— Messieurs, intervint Harris calmement, pour le moment, le projet que nous devons soumettre au président ne traite que de la menace soviétique. Gardons de côté cette histoire de défection de SM balistique, voulez-vous ?

— Tout à fait d'accord, acquiesça Stanford. Nous avons bien assez de soucis comme cela. »

L'attention des huit officiers généraux se reporta sur la table des cartes. Cinquante-huit sous-marins et vingt-huit navires de surface soviétiques, plus une nuée de pétroliers et de ravitailleurs, se dirigeaient sans aucun doute possible vers la côte américaine. Pour leur faire face, la marine américaine ne disposait que d'un porte-avions. L'*Invincible* ne comptait pas. La menace était considérable. A eux tous, les navires soviétiques transportaient plus de trois cents missiles sol-sol. Bien que conçus essentiellement pour faire la guerre à d'autres navires, le tiers de ces bâtiments que l'on supposait équipés d'ogives nucléaires suffisait à dévaster les villes de la côte Est. D'une position au large du New Jersey, ces missiles pouvaient couvrir toute la région de Norfolk à Boston.

« Josh Painter propose que nous gardions le *Kennedy* à proximité, reprit l'amiral Blackburn. Il veut diriger l'opération ASM de son porte-avions, transférant ses escadrilles d'attaque légère à terre pour les remplacer par des S-3. Il veut l'*Invincible* en renfort sur son flanc extérieur.

— Je n'aime pas cela », déclara le général Harris. Pete Stanford non plus, et ils avaient décidé que le J-3 lancerait un contre-projet. « Messieurs, si nous n'allons avoir qu'une seule plate-forme, il vaudrait sacrément mieux avoir un porte-avion qu'une plate-forme ASM trop grande.

— Nous t'écoutons, Eddie, répondit Hilton.

— Déplaçons le *Kennedy* ici. » Il posa la pièce sur une position à l'ouest des Açores. « Josh garde ses escadrilles d'attaque. Nous postons l'*Invincible* près de la côte pour faire le travail ASM. C'est pour cela que les Anglais l'on conçu, non ? Il paraît qu'ils sont forts dans ce domaine. Le *Kennedy* est une arme offensive, sa mission consiste à les menacer. Bon, si nous nous déployons de cette façon, c'est lui la menace. De là, il peut atteindre leurs forces de surface sans entrer dans le périmètre d'action de leurs missiles sol-sol...

— Encore mieux, interrompit Stanford en désignant quelques bâtiments sur la carte, menaçons leurs forces là. S'ils perdent ces pétroliers, ils ne peuvent plus rentrer chez eux. Pour faire face, ils devront se redéployer. Pour commencer, ils devront écarter le *Kiev* de la côte pour se donner un peu de défense aérienne contre le *Kennedy*. Nous pouvons employer les S-3 récupérés à partir des bases de terre. Ils couvriront le même secteur. » Il traça une ligne à environ cinq cents milles de la côte.

« Mais cela laisse l'*Invincible* un peu nu, observa l'amiral Foster.

— Josh demandait qu'on prévoie des E-3 pour couvrir les Brits. » Blackburn regardait le chef d'état-major des forces aériennes, le général Claire Barnes.

« Vous voulez de l'aide, vous en aurez, répondit Barnes. Nous aurons un Sentry à l'œuvre au-dessus de l'*Invincible* demain à l'aube, et si tu le rapproche de la côte, nous pourrons maintenir la position vingt-quatre heures sur vingt-quatre. Si tu veux, j'ajoute même une volée de F-16 pour faire le bon poids.

— Que veux-tu en échange, Max ? » s'enquit Foster. Personne ne l'appelait Claire.

« Comme je vois les choses, tu as l'escadrille de Saratoga qui se tourne les pouces. Bon, d'ici samedi j'aurai cinq cents chasseurs tactiques déployés de Douvres à Loring. Mes petits gars ne connaissent pas grand-chose aux trucs de bagarre navale. Ils va falloir qu'ils apprennent en vitesse. Je voudrais que tu envoies les tiens avec les miens, et je voudrais aussi tes Tomcats. J'aime bien la combinaison chasseur-missile. Disons, une escadrille à partir de l'Islande, et l'autre en Nouvelle-Angleterre pour chasser les ours que les Russkoffs commencent à nous balancer. Je vais adoucir le coup. Si tu veux, on enverra des pétroliers à Lajes pour aider le *Kennedy* à faire voler ses oiseaux.

— Blackie ? demanda Foster.

— Marché conclu, acquiesça Blackburn. La seule chose qui m'ennuie, c'est que l'*Invincible* n'a pas une capacité ASM tellement grande.

— Alors faisons mieux, suggéra Stanford. Amiral, si nous

sortions le *Tarawa* de Little Creek pour compléter le groupe New Jersey, avec une douzaine d'hélicos ASM et sept ou huit Harriers ?

— Voilà qui me va, déclara aussitôt Harris. Nous voilà avec deux petits porte-avions complétés d'une solide force de frappe sur le devant, le *Kennedy* jouant le tigre menaçant vers l'est, et quelques centaines de chasseurs tactiques à l'ouest. Cela les oblige à venir de trois directions, et nous donne plus de capacité de surveillance ASM que nous n'en aurions autrement.

— Est-ce que le *Kennedy* peut effectuer sa mission tout seul là-bas ? s'enquit Hilton.

— On peut y compter, répondit Blackburn. Nous pouvons tuer n'importe qui, peut-être deux de ces quatre groupes, en une heure. Les plus proches de la côte seront ton affaire, Max.

— Dites-moi, vous deux, combien de temps avez-vous répété ce numéro ? » demanda le général Maxwell, commandant du corps des marines, aux officiers d'opérations. Tout le monde rit.

Octobre rouge

Le chef mécanicien Melekhine dégagea le compartiment du réacteur avant de commencer à rechercher la fuite. Ramius et Petrov étaient également là, ainsi que les officiers mécaniciens de quart et l'un des jeunes enseignes, Svyadov. Trois des officiers portaient des compteurs Geiger.

La salle du réacteur était très vaste. Il le fallait, pour contenir l'énorme récipient en forme de tonneau. L'objet en question était chaud au toucher, bien qu'inactif. Des détecteurs automatiques de radiation occupaient chacun des angles, entourés de cercles rouges. D'autres étaient suspendus aux cloisons avant et arrière. De tout les compartiments du sous-marin, c'était le plus propre. Le sol et les parois d'acier étaient peints en blanc immaculé. Cela s'expliquait fort bien : la moindre fuite de liquide de refroidissement du réacteur devait apparaître instantanément, même si tous les détecteurs échouaient.

Svyadov escalada une échelle en aluminium fixée sur le côté du compartiment du réacteur, pour passer la sonde détachable de son compteur sur tous les joints soudés de la tuyauterie. Le son de l'émetteur de signal du compteur était poussé au maximum pour que toutes les personnes présentes dans le compartiment puissent l'entendre, et Svyadov portait un écouteur dans l'oreille, pour avoir une perception encore plus fine. Agé d'à peine vingt et un ans, il éprouvait une vive nervosité. Seul un imbécile se serait senti en sécurité en cherchant une fuite radioactive. On raconte volontiers la plaisanterie suivante dans la marine soviétique : A quoi reconnaît-on un marin de la Flotte du nord ? Il brille dans le noir. Il y avait bien de quoi rire à terre, mais pas maintenant. Il savait qu'il effectuait cette recherche parce qu'il était le plus jeune, le moins expérimenté, le plus facile à sacrifier. Il faisait un effort pour empêcher ses genoux de trembler, tout en peinant pour atteindre tous les éléments de tuyauterie du réacteur.

Le compteur n'était pas totalement muet, et l'estomac de Svyadov se contractait au moindre cliquetis causé par le passage d'une particule dans le tube de gaz ionisé. A chaque instant ses yeux se reportaient sur le cadran qui mesurait l'intensité. L'indicateur restait en position de parfaite sécurité, n'enregistrant à peu près rien. Le compartiment du réacteur se composait de quatre enveloppes en acier inoxydable, chacune épaisse de plusieurs centimètres. Les trois espaces intercalaires étaient remplis d'un liquide à base d'eau et de barium, puis fermés par une couche de plomb et du polyéthylène, tout cela destiné à empêcher l'évasion de neutrons et de particules gamma. La combinaison d'acier, de barium, de plomb et de plastique parvenait à contenir les éléments dangereux de la réaction, ne laissant échapper que quelques degrés de chaleur et, au grand soulagement de Svyadov, le cadran indiquait un taux de radiation inférieur à celui de la plage de Sotchi. Le degré le plus élevé fut atteint près d'une ampoule électrique, ce qui fit sourire le jeune officier.

« Tous les relevés sont normaux, camarades, annonça Svyadov.

— Recommencez, ordonna Melekhine. Depuis le début. »

Vingt minutes plus tard, en sueur à cause de l'air chaud accumulé au niveau du plafond, Svyadov énonça la même conclusion. Il redescendit lourdement, les membres las.

« Prenez une cigarette, offrit Ramius. Vous avez bien travaillé, Svyadov.

— Merci, commandant. Il fait chaud, là-haut, avec toutes ces lampes et ces tuyaux de refroidissement. » L'enseigne tendit le compteur à Melekhine. Le cadran inférieur indiquait le degré cumulatif, qui était très largement au-dessous de la limite de sécurité.

« Sans doute des badges contaminés, commenta aigrement le chef technicien. Ce ne serait pas la première fois. Un plaisantin à l'usine ou au service des fournitures du chantier — beau sujet d'enquête pour nos amis du GRU. “ Saboteurs ! ” Une blague de ce genre devrait se payer d'une balle dans la peau.

— Peut-être, admit Ramius en riant. Vous vous rappelez l'affaire du *Lénine* ? » Il faisait allusion à un brise-glace nucléaire qui avait passé deux ans à quai, inutilisable à cause d'un incident de réacteur. « L'un des cuistots du bord avait des casseroles terriblement encrassées, et un technicien complètement cinglé lui avait suggéré de les nettoyer à la vapeur vive. Et voilà l'imbécile qui va ouvrir une valve de contrôle du générateur de vapeur, en mettant ses casseroles dessous ! »

Melekhine roula des yeux énormes. « Je m'en souviens ! J'étais simple officier technicien, à l'époque ! Le capitaine avait réclamé un cuisinier kazakh...

— Il adorait la viande de cheval avec son kasha, glissa Ramius.

— ... et l'idiot ne connaissait rien aux navires. Il a causé sa propre mort et celle de trois autres, et contaminé tout le foutu compartiment pendant vingt mois ! Le capitaine n'est sorti du goulag que l'an dernier.

— Mais je parie que le cuistot a eu des casseroles impeccables, ajouta Ramius.

— En effet, Marko Aleksandrovitch, s'exclama Melekhine avec un rire rauque. Et d'ici cinquante ans, elles pourront peut-être resservir sans danger ! »

Petrov trouvait effroyable de raconter des choses pareilles devant un jeune officier. Il n'y avait rien de drôle, mais vraiment rien du tout, dans une affaire de fuite de réacteur. Mais Melekhine était connu pour la lourdeur de son humour, et le médecin supposait que vingt ans de travail à proximité des réacteurs permettaient au commandant et à Melekhine de rester flegmatiques face à l'éventualité du danger. Et puis il y avait dans cette histoire une leçon implicite : ne jamais laisser quelqu'un d'extérieur s'immiscer dans la section du réacteur.

« Parfait, reprit Melekhine, et maintenant, nous allons vérifier les collecteurs de la salle du générateur. Venez, Svyadov, nous allons encore avoir besoin de la jeunesse de vos jambes. »

Le compartiment suivant vers l'arrière contenait l'échangeur de chaleur générateur de vapeur, les turboalternateurs et l'équipement auxiliaire. Les turbines principales se trouvaient dans le compartiment attenant, provisoirement inactives pendant que la chenille électrique fonctionnait. De toute façon, la vapeur qui les faisait tourner était censée être propre. La seule radioactivité se trouvait dans la boucle intérieure. Le liquide de refroidissement du réacteur, chargé de radioactivité éphémère mais dangereuse, ne se transformait jamais en vapeur. Il circulait dans la boucle extérieure et bouillait à partir d'eau non contaminée. Les deux sources d'eau se rencontraient mais ne se mélangeaient jamais à l'intérieur de l'échangeur de chaleur, où la fuite était le plus vraisemblable, à cause des nombreux joints et valves.

L'inspection de ces collecteurs plus complexes prit cinquante minutes entières. Ils n'étaient pas aussi bien isolés que ceux de l'avant. Svyadov faillit se brûler à deux reprises, et il avait le visage baigné de sueur lorsqu'il termina sa première vérification.

« Tous les relevés sont bons, camarades. Ici aussi.

— Bien, dit Melekhine. Descendez vous reposer un peu avant de revérifier. »

Svyadov se retint de remercier son chef pour cette pensée, car cela n'aurait pas du tout fait bon effet. Pour un jeune officier patriote et membre du Komsomol, aucun effort n'était trop grand. Il descendit avec circonspection, et Melekhine lui tendit une nouvelle cigarette. Le chef technicien était un perfectionniste grisonnant, qui se préoccupait du sort de ses hommes.

« Eh bien, merci, camarade », déclara Svyadov.

Petrov trouva un siège pliant. « Asseyez-vous, lieutenant, reposez vos jambes. »

L'enseigne s'assit aussitôt, et allongea les jambes pour calmer ses crampes. Les officiers de l'école navale lui avaient dit qu'il avait de la chance de tirer cette affectation. Ramius et Melekhine étaient les deux meilleurs maîtres de toute la flotte, des hommes dont les équipages appréciaient la bonté et la compétence.

« Ils devraient bien isoler ces conduits », dit Ramius. Melekhine hocha la tête.

« Ce serait impossible à inspecter. » Il tendit le compteur à son commandant.

« Parfaite sécurité, observa le commandant après avoir scruté le cadran. On reçoit davantage de radiations en jardinant.

— C'est sûr, s'exclama Melekhine. Les mineurs de fond sont bien plus irradiés que nous, à cause des émanations de radium. Ce sont des badges défectueux, voilà tout. Si nous en sortions toute une série pour les contrôler ?

— Je pourrais le faire, camarade, répondit Petrov. Mais dans ce cas, étant donné la durée particulière de cette mission, nous serions obligés de nous en passer pendant plusieurs jours. Et c'est contraire aux règlements, je le crains.

— Vous avez raison. De toute façon, les badges ne sont qu'un complément de nos instruments. » Ramius désigna les détecteurs cerclés de rouge, tout autour de la pièce.

« Tenez-vous vraiment à refaire toute l'inspection des conduits ? s'enquit Melekhine.

— Je pense que ce serait préférable », dit Ramius.

Les yeux rivés au sol, Svyadov jura *in petto.*

« Il n'y a rien d'extravagant à rechercher la sécurité, récita Petrov. Désolé, lieutenant. » Le médecin n'était pas le moins du monde désolé. Il s'était réellement inquiété, et se sentait désormais beaucoup mieux.

Une heure plus tard, la seconde inspection étant terminée, Petrov emmena Svyadov à l'infirmerie et lui fit absorber des tablettes de sel et du thé pour le réhydrater. Les officiers supérieurs les quittèrent, et Melekhine ordonna de remettre le réacteur en route.

Les hommes d'équipage regagnèrent leurs postes de travail en échangeant des regards. Leurs officiers venaient d'inspecter les compartiments « chauds » avec des instruments de contrôle des radiations. Le médecin de bord avait paru très pâle, un moment plus tôt, et refusé de rien dire. Plus d'un technicien tripotait nerveusement son badge de radiation en surveillant sa montre pour voir dans combien de temps il serait enfin relevé.

LE HUITIÈME JOUR

Vendredi 10 décembre

HMS Invincible

Ryan s'éveilla dans l'obscurité. Les rideaux étaient tirés devant les deux petits hublots de sa chambre. Il secoua plusieurs fois la tête pour s'éclaircir les idées, et commença à prendre conscience de ce qui se passait autour de lui. L'*Invincible* remuait, mais moins qu'auparavant. Il se leva pour regarder par un hublot, et vit la dernière lueur rouge du soleil couchant, vers l'arrière, sous des nuages effrénés. Consultant sa montre, il se livra à quelques exercices maladroits de calcul mental et conclut qu'il devait être 18 heures, heure locale. Cela signifiait qu'il avait dû dormir environ six heures. Un léger mal de tête à cause du cognac — voilà qui réglait le sort de cette théorie selon laquelle un bon alcool ne laisse aucune trace — et un peu d'ankylose. Il fit quelques mouvements de gymnastique abdominale pour se remettre en forme.

Il y avait un petit cabinet de toilette attenant à la chambre. Ryan s'aspergea le visage et se rinça la bouche, en évitant de se regarder dans le miroir. Puis il décida qu'il y était obligé. Camouflage ou non, il arborait l'uniforme et se devait de paraître présentable. En une minute il était coiffé et avait rectifié sa tenue. La CIA s'était surpassée pour la coupe, même en l'absence de tout délai. Une fois prêt, il se dirigea vers la passerelle.

« Ça va mieux, Jack ? » L'amiral White lui désigna un plateau chargé de tasses. Ce n'était que du thé, mais c'était un début.

« Merci, amiral. Ces quelques heures m'ont fait le plus grand bien. J'ai l'impression que j'arrive juste à temps pour le dîner.

— Petit déjeuner, corrigea White en riant.

— Quoi... euh, pardon, amiral? » Ryan secoua une nouvelle fois la tête. Il était encore un peu groggy.

« Le soleil se *lève,* commandant. Changement dans les ordres, nous avons remis cap à l'ouest. Le *Kennedy* fonce vers l'est, et nous devons patrouiller à proximité de la côte.

— D'où vient l'ordre, amiral?

— Cinclant. J'ai cru comprendre que Joshua n'était pas trop content. Vous devez rester avec nous pour le moment et, étant donné les circonstances, il nous a paru raisonnable de vous laisser dormir. Vous sembliez en avoir grand besoin. »

Il avait donc dû dormir dix-huit heures. Rien d'étonnant à ce qu'il se sente ankylosé.

« Vous avez infiniment meilleure mine », observa l'amiral de son fauteuil de cuir pivotant. Il se leva, prit Ryan par le bras, et l'entraîna vers l'arrière. « Et maintenant, déjeunons. Je vous attendais. Le commandant Hunter vous expliquera les nouveaux ordres. Le temps s'améliore pour les jours à venir, me dit-on. Les affectations d'escorte sont redisposées. Nous allons opérer en liaison avec votre groupe New Jersey. Nos opérations ASM commencent pour de bon dans douze heures. C'est une bonne chose que vous ayez pris tout ce temps de sommeil, mon garçon. Vous allez en avoir sacrément besoin. »

Ryan se passa la main sur le visage. « Puis-je me raser, amiral?

— La Royal Navy autorise encore les barbes. Faites patienter la vôtre jusqu'à la fin du petit déjeuner. »

Les appartements de l'amiral, à bord de l'*Invincible,* n'étaient pas tout à fait aussi luxueux que ceux du *Kennedy,* mais presque. White disposait d'une salle à manger privée. Un steward en livrée blanche les servit d'une main experte, en préparant une troisième place pour Hunter, qui apparut quelques minutes plus tard. Lorsqu'ils commencèrent à parler, le steward sortit.

« Nous avons rendez-vous avec deux de vos frégates Knox d'ici deux heures. Nous les avons déjà au radar. Deux 1052 de plus, un pétrolier et deux Perry nous rejoindront dans trente-six heures. Ils revenaient de Méditerranée. Avec nos escorteurs, un total de neuf bâtiments de combat. Un ensemble non négligeable, à mon avis. Nous opérerons à cinq cents milles au large, avec la force New Jersey-Tarawa à deux cents milles à l'ouest.

— Tarawa? En quoi avons-nous besoin d'un régiment de marines? » s'étonna Ryan.

Hunter expliqua brièvement. « Ce n'est pas une mauvaise idée.

Le plus drôle, avec le *Kennedy* en route vers les Açores, c'est que nous nous retrouvons à veiller au large de la côte américaine. » Hunter eut un large sourire. « C'est sans doute la première fois que la Royal Navy fait une chose pareille... en tout cas, depuis l'époque où cette côte nous appartenait.

— Qu'avons-nous en face ?

— Les premiers Alfas atteindront votre côte la nuit prochaine, quatre d'entre eux en avant des autres. La force de surface soviétique a passé l'Islande cette nuit. Elle se compose de trois groupes : l'un autour du porte-avions *Kiev,* deux croiseurs et quatre escorteurs. Le second, sans doute l'amiral, autour du *Kirov,* avec trois croiseurs et six escorteurs ; le troisième avec le *Moskva* et encore trois croiseurs et sept escorteurs. Je suppose que les Soviétiques voudront employer les groupes *Kiev* et *Moskva* près de la côte, avec le *Kirov* en garde au large — mais le changement de programme du *Kennedy* va les faire réfléchir. Néanmoins, leur force peut lancer un nombre considérable d'engins mer-mer. Voilà, pour nous, une menace potentielle. Pour y faire face, votre armée de l'air a envoyé un Sentry E-3 qui doit arriver ici dans une heure pour renforcer nos Harrier et, quand nous serons plus à l'ouest, nous aurons un appui aérien supplémentaire, venant de terre. Dans l'ensemble, notre situation n'a rien d'enviable, mais celle des Russkoffs, encore moins ! En ce qui concerne le problème de trouver *Octobre rouge ?* » Hunter haussa les épaules. « La conduite de nos recherches dépendra du déploiement d'Ivanoff. Pour le moment, nous maintenons les tenues de contact. L'Alfa de tête est à quatre-vingt-dix milles à l'ouest de nous, il fonce à plus de quarante nœuds ; nous avons un hélicoptère qui le suit — voilà en gros où nous en sommes, conclut le chef des opérations. Voulez-vous descendre avec nous ?

— Amiral ? » Ryan avait grande envie de voir le central information de l'*Invincible.*

« Bien sûr. »

Trente minutes plus tard, Ryan se trouvait dans une pièce silencieuse et plongée dans l'obscurité, dont les murs n'étaient que des panneaux d'instruments électroniques et des tableaux de synthèse. L'océan Atlantique était plein de sous-marins soviétiques.

La Maison-Blanche

L'ambassadeur soviétique pénétra dans le bureau ovale avec une minute d'avance, à 10 h 59. C'était un petit homme obèse au large visage slave, et dont les yeux auraient empli de fierté un joueur professionnel. Ils ne révélaient rien. Diplomate de carrière, il avait occupé un certain nombre de postes dans le monde occidental, et appartenait depuis trente ans au service étranger du parti communiste.

« Bonjour, monsieur le président, monsieur Pelt. » Alexei Arbatov salua poliment de la tête les deux hommes. Le président, observa-t-il aussitôt, était assis à son bureau. A chacune de ses visites, jusqu'alors, le président avait contourné le bureau pour venir lui serrer la main puis s'asseoir à côté de lui.

« Servez-vous du café, monsieur Arbatov », proposa Pelt. Le conseiller spécial du président pour les questions de sécurité nationale était bien connu d'Arbatov. Jeffrey Pelt enseignait au Centre d'études internationales et stratégiques de l'université de Georgetown — un ennemi, mais un ennemi bien élevé, *kulturny*. Arbatov avait un faible pour la courtoisie dans les relations formelles. Aujourd'hui, Pelt se tenait à côté de son patron, refusant d'approcher l'ours soviétique. Arbatov ne se servit pas de café.

« Monsieur l'ambassadeur, commença Pelt, nous avons observé un développement troublant de l'activité navale soviétique dans l'Atlantique Nord.

— Ah ? » Arbatov haussa les sourcils dans une intention de surprise qui ne trompa personne, et il le savait. « Je n'ai pas connaissance de cela. Comme vous le savez, je n'ai jamais été marin.

— Pourrions-nous en finir avec les conneries, monsieur l'ambassadeur ? » répliqua le président. Arbatov ne se permit aucune surprise devant cette vulgarité. Cela donnait au président américain un air très russe et, de même que les dirigeants soviétiques, il semblait avoir besoin d'un professionnel comme Pelt pour arrondir les angles. « Vous avez actuellement près d'une centaine de navires de guerre en Atlantique Nord ou en route pour s'y rendre. Le président Narmonov et mon prédécesseur étaient convenus, voici des années, qu'aucune opération de ce type n'aurait lieu sans notification préalable. Le but de cet accord, comme vous le savez, était d'éviter tout acte pouvant paraître trop provocateur à un côté ou l'autre. Cet accord a été respecté — jusqu'à maintenant.

« A présent, mes conseillers militaires me signalent que ces développements ressemblent beaucoup à un exercice de guerre, et pourraient même fort bien être précurseurs d'une guerre. Comment pouvons-nous faire la différence ? Vos navires passent actuellement à l'est de l'Islande, et seront bientôt en position de pouvoir menacer nos communications commerciales avec l'Europe. Cette situation est pour le moins préoccupante, et constitue une grave provocation, totalement injustifiée. L'étendue de cette action n'a pas encore été rendue publique. Mais cela viendra, et à ce moment-là, Alex, le peuple américain exigera de ma part une décision. »

Le président se tut, espérant une réponse ; mais il n'obtint qu'un bref signe de tête.

Pelt poursuivit à sa place :

« Monsieur l'ambassadeur, votre gouvernement a jugé bon de violer un accord qui, depuis des années, était un modèle de coopération Est-Ouest. Comment pouvez-vous espérer que nous n'y verrons pas une provocation ?

— Monsieur le président, monsieur Pelt, je n'ai vraiment aucune connaissance de cette affaire, mentit Arbatov avec la plus parfaite sincérité. Je vais immédiatement contacter Moscou pour vérifier les faits. Y a-t-il un message que je puisse transmettre ?

— Oui. Comme vous et vos supérieurs à Moscou le comprendrez, répliqua le président, nous allons déployer nos navires et notre aviation pour surveiller les vôtres. La prudence l'exige. Nous n'avons nullement l'intention de nous immiscer dans les opérations légitimes que vos forces peuvent avoir entreprises. Nous ne souhaitons pour notre part procéder à aucune provocation mais, aux termes de notre accord, nous avons le droit de savoir ce qui se passe, monsieur l'ambassadeur. En attendant, nous ne pouvons pas donner d'ordres adéquats à nos forces. Il serait souhaitable que votre gouvernement réfléchisse au danger de cette situation, quand un tel nombre de vos navires et des nôtres, de vos avions et des nôtres, se trouvent à une telle proximité les uns des autres. Des accidents pourraient survenir. Une action commise dans un camp ou dans l'autre et qui, en d'autres moments, eût paru inoffensive, pourrait sembler tout autre. Des guerres ont commencé ainsi, monsieur l'ambassadeur. » Le président se carra dans son fauteuil sans mot dire pour laisser cette idée flotter un moment dans l'air. Puis il reprit, plus doucement : « Bien entendu, je considère cette éventualité comme hautement improbable, mais n'est-il pas irresponsable de courir de tels risques ?

— Monsieur le président, vous exprimez clairement votre point de vue, comme toujours mais, comme vous le savez, la circulation en mer est libre pour tous, et...

— Monsieur l'ambassadeur, interrompit Pelt, considérez une simple analogie. Votre voisin commence à circuler dans son jardin avec un fusil chargé, pendant que vos enfants jouent dans le vôtre. Dans notre pays, une telle action serait techniquement légale. Néanmoins, ne serait-ce pas là une cause d'inquiétude ?

— Bien entendu, monsieur Pelt, mais la situation que vous décrivez est très différente... »

Cette fois, ce fut le président qui intervint. « Bien sûr. La situation présente est beaucoup plus dangereuse. Il s'agit de la rupture d'un accord, et je trouve cela particulièrement préoccupant. J'avais espéré que nous entrions dans une nouvelle ère des relations américano-soviétiques. Nous avons réglé nos différends commerciaux. Nous venons de conclure un nouvel accord sur le blé. Vous avez joué un rôle déterminant dans tout cela. Nous avons avancé, monsieur l'ambassadeur... est-ce la fin ? » Le président hocha théâtralement la tête. « J'espère que non, mais le choix vous en revient. La relation entre nos deux pays ne peut se fonder que sur la confiance.

« Monsieur l'ambassadeur, j'espère ne pas vous avoir alarmé. Comme vous le savez, j'ai pour habitude de parler franchement. Personnellement, je déteste les dissimulations chafouines de la diplomatie. En des moments comme celui-ci, nous devons communiquer vite et clairement. Nous nous trouvons devant une situation dangereuse, et nous devons rapidement travailler ensemble à la résoudre. Mes commandants militaires sont extrêmement préoccupés, et il me faut savoir dès aujourd'hui ce que préparent vos forces navales. J'attends une réponse d'ici ce soir 19 heures. Sinon, je m'adresserai par ligne directe à Moscou pour exiger des explications. »

Arbatov se leva. « Monsieur le président, je transmettrai votre message dans l'heure qui vient. Veuillez cependant garder à l'esprit la différence d'heure entre Washington et Moscou...

— Je sais que le week-end vient de commencer et que l'Union soviétique est le paradis des travailleurs, mais j'imagine qu'il doit rester quelques dirigeants à pied d'œuvre chez vous. Quoi qu'il en soit, je ne vous retiens pas davantage. Bonne journée. »

Pelt reconduisit Arbatov, et revint s'asseoir.

« J'ai peut-être été un peu dur avec lui, suggéra le président.

— Oui, monsieur le président. » Pelt estimait qu'il avait été sacrément trop dur. Il n'avait guère d'affection pour les Russes, mais lui aussi appréciait l'affabilité dans les échanges diplomatiques. « Nous pouvons affirmer que vous avez réussi à faire passer votre message, me semble-t-il.

— Il sait.

— Il sait. Mais il ne sait pas que *nous* savons.

— C'est ce que nous croyons, grimaça le président. Quel foutu jeu de cinglés ! Et dire que j'avais une belle carrière sans problèmes, à flanquer des *mafiosi* en prison... Pensez-vous qu'il morde à l'hameçon que je lui ai tendu ?

— Opérations légitimes ? Avez-vous vu ses mains frémir, à ces mots ? Il va se jeter dessus comme un brochet sur un goujon. » Pelt alla se servir une demi-tasse de café. Il ne lui déplaisait pas que le service en porcelaine fût agrémenté d'un filet d'or. « Je me demande comment ils vont l'appeler ? Opérations légitimes... sans doute une mission de sauvetage. S'ils parlent d'exercice naval, ils reconnaissent la violation du protocole de notification. Une opération de sauvetage justifie le degré d'activité, la rapidité de la mise en œuvre et l'absence de publicité. Leur presse n'annonce jamais ce genre de choses. Une supposition : je dirais qu'ils parleront de sauvetage, en disant qu'un sous-marin a disparu, peut-être même iront-ils jusqu'à le définir comme un sous-marin nucléaire.

— Non, ils n'iront pas jusque-là. Nous avons aussi cet accord engageant les deux parties à garder les sous-marins nucléaires à cinq cents milles des côtes. Arbatov a sans doute déjà reçu des instructions sur ce qu'il doit nous dire, mais il va chercher à gagner le plus de temps possible. Il n'est pas totalement impossible non plus qu'on le laisser nager dans l'obscurité. Nous savons comme ils compartimentent l'information. Pensez-vous que nous lui prêtions plus de talent qu'il n'en a pour la dissimulation ?

— Je ne le pense pas, monsieur le président. C'est un principe de la diplomatie, reprit Pelt, que l'on doit savoir un peu de la vérité pour mentir de manière convaincante. »

Le président sourit. « Eh bien, ils ont eu tout le temps de jouer à ce petit jeu. J'espère que ma réaction à retardement ne les décevra pas.

— Non, monsieur le président. Alex devait plus ou moins s'attendre à se voir flanquer dehors.

— L'idée m'en est venue plus d'une fois. Je n'ai jamais été sensible à son charme diplomatique. Le problème, avec les Russes, c'est qu'ils me rappellent tellement les chefs de la Mafia que je poursuivais. Le même vernis de culture et de bonnes manières, et la même absence de morale. » Le président hocha la tête. Il ressemblait de nouveau à un faucon. « Restez à proximité, Jeff. J'attends George Farmer d'une minute à l'autre, mais je vous veux à mes côtés quand notre ami reviendra. »

Pelt regagna son bureau en méditant l'observation du président. Terriblement juste, devait-il admettre. *Nekulturny* était bien l'insulte la plus blessante qu'on pût lancer à un Russe cultivé et pourtant, ces mêmes hommes qu'on voyait pleurer dans les loges dorées de l'Opéra de Moscou à la fin de *Boris Goudounov* pouvaient aussitôt se retourner et ordonner l'exécution de cent hommes sans ciller. Un peuple étrange, et rendu plus étrange encore par leur philosophie politique. Mais le président avait trop d'angles tranchants, et Pelt regrettait qu'il n'eût pas appris à les atténuer. Une allocution devant l'American Legion était une chose, et une discussion avec l'ambassadeur d'une puissance étrangère en était une autre.

Quartier général de la CIA

« Cardinal a des ennuis, juge, annonça Ritter en s'asseyant.

— Rien de surprenant. » Moore ôta ses lunettes et se frotta les yeux. Ce que Ryan n'avait pas vu, c'était la note du résident à Moscou, expliquant que, pour sortir son dernier message, Cardinal avait sauté la moitié de la chaîne de transmission qui allait du Kremlin jusqu'à l'ambassade américaine. L'agent prenait de l'audace avec l'âge. « Que dit le chef de station exactement ?

— Cardinal est censé se trouver à l'hôpital, avec une pneumonie. C'est peut-être vrai, mais...

— Il vieillit, et c'est l'hiver là-bas, mais qui peut croire aux coïncidences ? » Moore baissa les yeux sur sa table. « Que croyez-vous qu'ils feraient, s'ils le démasquaient ?

— Il mourrait discrètement. Cela dépend de qui le démasquerait. Si c'est le KGB, ils pourraient vouloir en profiter, surtout depuis que notre ami Andropov a entraîné une bonne partie de leur prestige dans sa disparition. Mais je ne le pense pas. Etant donné le parrainage dont il bénéficie, cela provoquerait trop de tapage. Même chose si c'est le GRU. Non, ils le cuisineraient pendant quelques semaines, et puis le feraient disparaître discrètement. Un procès public serait trop contre-productif. »

Le juge Moore fronça les sourcils. On aurait dit deux médecins discutant d'un patient condamné. Il ne savait même pas à quoi ressemblait Cardinal. Il y avait bien une photo quelque part dans le dossier, mais il ne l'avait jamais vue. C'était plus facile ainsi. En tant que juge de cour d'appel, il n'avait jamais eu à regarder un accusé dans les yeux ; il n'avait eu qu'à appliquer la loi de manière détachée. Il s'efforçait de diriger la CIA de la même façon. Moore savait que cela pouvait paraître lâche, et très différent de ce qu'on attendait d'un directeur de services secrets, mais les espions vieillissaient aussi, et les gens âgés acquéraient des consciences et des doutes qui troublaient rarement les jeunes. Il était temps de quitter la « Compagnie ». Près de trois ans, cela suffisait. Il avait accompli ce qu'on lui demandait.

« Dites au résident de laisser tomber. Aucune enquête d'aucune sorte concernant Cardinal. S'il est vraiment malade, nous finirons par avoir de ses nouvelles. Et sinon, nous le saurons bien assez tôt aussi.

— D'accord. »

Ritter était parvenu à confirmer le rapport de Cardinal. Un agent avait signalé que la flotte appareillait avec des officiers politiques supplémentaires, et un autre que la force de surface était commandée par un marin traditionnel, vieux copain de Gorchkov, qui avait pris l'avion pour Severomorsk et avait embarqué à bord du *Kirov* quelques minutes avant l'appareillage. L'ingénieur qui avait conçu *Octobre rouge* l'accompagnait vraisemblablement. Un agent britannique avait indiqué que l'on avait embarqué des mises de feu pour les diverses armes des navires de surface, après les avoir en toute hâte sorties des pyrotechnies où elles étaient stockées. Enfin, un rapport non confirmé signalait que l'amiral Korov, commandant la Flotte du nord, n'était pas à son poste ; on ignorait où il se trouvait. Tous ces renseignements suffisaient à confirmer le rapport Saule, et il continuait d'en arriver.

Ecole navale des Etats-Unis

« Skip ?

— Oh, salut, amiral. Voulez-vous vous asseoir ? » Tyler désigna une chaise libre en face de lui.

« J'ai un message du Pentagone pour vous. » Le commandant de l'Ecole navale, ancien sous-marinier, s'assit. « Vous avez rendez-vous ce soir à 19 h 30. C'est tout ce qu'ils ont dit.

— Parfait ! » Tyler terminait son déjeuner. Il avait travaillé sur le programme de simulation pratiquement sans relâche depuis lundi. Le rendez-vous signifiait qu'il aurait accès à l'ordinateur Cray-2 de l'Air Force ce soir. Son programme était pratiquement prêt.

« De quoi s'agit-il donc ?

— Désolé, amiral, je ne peux rien dire. Vous savez comment c'est. »

L'ambassadeur soviétique revint à 16 heures. Pour ne pas éveiller l'attention des journalistes, on l'avait fait entrer par le bâtiment du Trésor, en face de la Maison-Blanche, et passer par un tunnel dont fort peu de gens connaissaient l'existence. Le président espérait qu'Arbatov trouverait cela inquiétant et Pelt se hâta pour être présent à l'arrivée du visiteur.

« Monsieur le président », commença Arbatov, au garde-à-vous. Le président ignorait qu'il eût eu une expérience militaire. « Je suis chargé de vous transmettre les regrets de mon gouvernement, qui n'a pas eu le temps de vous informer. L'un de nos sous-marins nucléaires est porté disparu, et présumé perdu. Nous faisons une opération de sauvetage d'urgence. »

Le président hocha sobrement la tête et fit signe à l'ambassadeur de s'asseoir. Pelt prit place à côté de lui.

« Il s'agit là d'une affaire quelque peu embarrassante, monsieur le président. Voyez-vous, dans notre marine comme dans la vôtre, l'embarquement à bord d'un sous-marin nucléaire est un poste de la plus haute importance, et les hommes sélectionnés pour cela appartiennent par conséquent à l'élite, tant par leur niveau de formation que par la confiance qu'ils méritent. Dans le cas particulier qui nous occupe, plusieurs membres du personnel — c'est-à-dire, bien sûr, des officiers — sont les fils de dirigeants du Parti. L'un d'eux est même le fils d'un membre du comité central — je ne puis vous dire lequel, naturellement. L'énorme effort que déploie l'Union soviétique pour retrouver ses fils se comprend donc, même si, je l'avoue, cela semble un peu désordonné. » Arbatov feignait superbement l'embarras, avec l'air de révéler un important secret de famille. « Et par conséquent, cela a pris la tournure de ce qu'on appelle chez vous une opération d'alerte générale. Comme vous devez le savoir, tout s'est déclenché pratiquement d'un jour à l'autre.

— Je comprends, acquiesça le président, avec compassion. Cela me rassure un peu, Alex. Jeff, je crois que la journée est suffisamment avancée, si vous nous donniez quelque chose à boire ? Un bourbon, Alex ?

— Oui, monsieur le président. Merci. »

Pelt se dirigea vers un joli meuble ancien en bois de rose, qui renfermait un petit bar dans lequel était déposé, chaque après-midi, un seau à glace. Le président buvait volontiers un verre ou deux avant le dîner, autre détail qui rappelait à Arbatov ses compatriotes.

Pelt avait l'habitude de servir de barman présidentiel. En quelques instants il était de retour, trois verres à la main.

« Pour tout vous dire, annonça Pelt, nous envisagions la possibilité d'une opération de sauvetage.

— Je me demande comment nous pouvons imposer de tels risques à nos jeunes hommes. » Le président prit une petite gorgée. Arbatov buvait avidement. Il avait souvent dit, dans les réceptions, qu'il préférait le bourbon à sa vodka natale. Peut-être était-ce vrai. « Nous-mêmes avons perdu une ou deux unités nucléaires, je crois. Combien cela vous en fait-il ? Trois ? Quatre ?

— Je ne sais pas, monsieur le président. Votre information sur ce point est sans doute meilleure que la mienne. » Le président remarqua qu'il venait de dire la vérité, pour la première fois de la journée. « Mais je suis d'accord avec vous, ce sont là des postes dangereux et exigeants.

— Combien d'hommes à bord, Alex ? s'enquit le président.

— Aucune idée. Sans doute une centaine. Je n'ai jamais embarqué sur un navire de guerre.

— Surtout des gamins, j'imagine, comme chez nous. Il est bien accablant pour nos deux pays que nos méfiances mutuelles doivent condamner tant de notre belle jeunesse à ces hasards, quand nous savons que certains n'en reviendront pas. Mais... comment faire autrement ? » Le président se tut, et regarda un moment par les fenêtres. La neige fondait sur la pelouse sud. Le moment de la réplique suivante était venu.

« Peut-être pourrions-nous vous aider, suggéra-t-il songeusement. Oui, peut-être pourrions-nous faire de cette tragédie une occasion de réduire un peu ces méfiances. Peut-être pourrions-nous tirer de cette triste affaire quelque chose de positif, pour prouver que nos relations se sont réellement améliorées. »

Pelt se détourna en fouillant ses poches, à la recherche de sa pipe. Pendant toutes leurs années d'amitié, il n'avait jamais pu comprendre comment le président se tirait de situations aussi énormes. Pelt l'avait connu à l'université de Washington, lorsqu'il étudiait les sciences politiques et que le président commençait le droit. A l'époque, le futur président avait dirigé le groupe de théâtre. Et il ne faisait aucun doute que le théâtre amateur avait aidé sa carrière juridique. On disait qu'au moins un patron de la Mafia s'était laissé envoyer à Sing-Sing par la seule force de la rhétorique. Le président évoquait cette affaire comme étant son numéro de sincérité.

« Monsieur l'ambassadeur, je vous offre l'assistance et les

ressources des Etats-Unis pour rechercher vos compatriotes disparus.

— C'est extrêmement généreux de votre part, monsieur le président, mais... »

Le président leva la main. « Pas de mais, Alex. Si nous ne pouvons pas coopérer dans une telle circonstance, comment pouvons-nous espérer le faire dans des affaires plus graves ? Si la mémoire peut servir, souvenez-vous que l'an dernier, quand l'un de nos avions de patrouille maritime s'est écrasé au large des Aléoutiennes, c'est un de vos navires de pêche — il s'agissait en fait d'un chalutier des services de renseignements — qui a repêché l'équipage et lui a sauvé la vie. Alex, nous avons pour cela une dette envers vous, une dette d'honneur, et il ne sera pas dit que les Etats-Unis se comportent en ingrats. » Il marqua une pause pour renforcer l'effet. « Ils sont sans doute tous morts, vous savez. Je ne pense qu'on ait plus de chance de survivre à un accident de sous-marin qu'à un accident d'avion. Mais au moins, les familles de l'équipage sauront ce qui a été tenté. Jeff, n'avons-nous pas du matériel spécialisé pour le sauvetage des sous-marins ?

— Avec tout l'argent que nous donnons à la marine ? J'espère bien que si, morbleu ! Je vais appeler Foster pour le savoir.

— Bien. Alex, il serait déraisonnable d'espérer qu'un geste aussi ténu puisse alléger nos suspicions mutuelles. Votre histoire et la nôtre conspirent contre nous. Mais que ce soit un modeste début. Si nous pouvons nous serrer la main dans l'espace ou autour d'une table de conférence à Vienne, peut-être pouvons-nous le faire ici aussi. Je donnerai toutes les instructions nécessaires à mes chefs d'état-major dès la fin de cet entretien.

— Merci, monsieur le président. » Arbatov dissimulait tant bien que mal son embarras.

« Et veuillez transmettre mes respects au président Narmonov, ainsi que ma sympathie pour les familles de vos hommes disparus. J'apprécie ses efforts et les vôtres pour nous communiquer cette information.

— Oui, monsieur le président. » Arbatov se leva et s'en alla après les poignées de main. Que manigançaient donc les Américains ? Il avait pourtant averti Moscou : parlez-leur de mission de sauvetage, et ils imposeront leur aide. C'était leur stupide saison de Noël, et par-dessus le marché, les Américains raffolaient des histoires qui finissent bien. Il était insensé de ne pas décrire autrement l'opération — et au diable le protocole.

En même temps, il était bien forcé d'admirer le président

américain. Un homme étrange, très ouvert, et cependant rusé. Un type cordial, la plupart du temps, mais toujours prêt à saisir l'avantage. Arbatov se souvenait d'histoires que lui racontait autrefois sa grand-mère, au sujet de gitanes qui échangeaient des bébés. Le président américain était très russe.

« Bien, commença le président dès que les portes furent refermées, maintenant nous pouvons les garder à l'œil sans qu'ils puissent s'en plaindre. Ils mentent et nous le savons — mais ils ne savent pas que nous le savons. Et nous mentons aussi — ils s'en doutent sûrement, mais sans savoir pourquoi nous mentons. Dieu du ciel ! Et je lui ai dit ce matin qu'il était dangereux de ne pas savoir ! Jeff, j'ai réfléchi à toute cette affaire. Je n'aime pas l'idée qu'une partie aussi importante de leur flotte opère au ras de nos côtes. Ryan avait raison, l'Atlantique nous appartient. Je veux que l'aviation et la marine les recouvrent comme un véritable édredon ! C'est *notre* océan, et je veux qu'ils le sachent, bon Dieu !

— Mais la marine voudra quand même le garder.

— Je ne vois vraiment pas comment nous pourrions le garder sans éliminer l'équipage, et nous ne pouvons pas faire cela.

— Très juste. » Le président appela sa secrétaire. « Passez-moi le général Hilton. »

Le Pentagone

Le centre informatique de l'armée de l'air se trouvait dans un sous-sol du Pentagone. La température de la salle était maintenue au-dessous de vingt degrés, et cela suffisait à endolorir la jambe de Tyler, au contact de sa prothèse en métal et plastique. Il avait l'habitude.

Tyler était installé devant une console de contrôle. Il venait de finir un essai de son programme, intitulé Murène en hommage ironique à cette bête vicieuse qui peuple les récifs océaniques. Skip Tyler était fier de ses compétences en matière de programmation. Il avait sorti le vieux programme dinosaure des dossiers du labo Taylor, l'avait adapté au langage informatique du département de la Défense, Ada — en souvenir de Lady Ada Lovelace, fille de Lord Byron — puis l'avait resserré. Pour la plupart des gens, cela aurait représenté un mois de travail. Il l'avait accompli en quatre jours, non seulement parce que la somme promise constituait une solide stimulation, mais aussi parce qu'il s'agissait d'un véritable défi professionnel. Il terminait le travail avec la paisible satisfaction d'avoir encore un peu de temps devant lui avant la fin du délai imparti. Il était 8 heures du soir. Murène venait de passer un test de valeur à une variable sans s'effondrer. Il était prêt.

Il n'avait encore jamais vu le Cray-2, sauf en photographie, et appréciait vivement l'occasion de pouvoir s'en servir. Cet ordinateur se composait de cinq unités, chacune de forme à peu près pentagonale et d'environ trois mètres de haut sur deux de large. L'unité la plus importante était la mémoire centrale; les quatre autres étaient des banques de données, réparties en carré autour de la première. Tyler entra l'instruction de chargement des séries de variables. Pour chacune des dimensions principales d'*Octobre rouge* — longueur, largeur, hauteur — il entra dix valeurs numériques. Suivaient six valeurs légèrement différentes pour les coefficients de la conformation de la coque et de son architecture. Il y avait cinq séries de valeurs pour le tunnel de circulation d'eau de mer de propulsion. Tout cela s'additionnait pour fournir plus de trente mille permutations possibles. Il entra ensuite dix-huit variables de puissance pour couvrir toutes les possibilités du système de propulsion. Le Cray-2 absorba l'information et plaça chaque donnée dans sa case. Il était prêt à calculer.

« Okay, annonça-t-il à l'opérateur, un sergent-chef de l'armée de l'air.

— Bien reçu. » Le sergent tapa XQT sur son terminal. Le Cray-2 se mit au travail.

Tyler s'approcha de la console du sergent.

« C'est un programme sacrément long que vous entrez là. » Le sergent posa un billet de dix dollars sur la console. « Je vous parie que mon bijou vous le fait en dix minutes.

— Pas une chance. » Tyler posa un billet à côté de celui du sergent. « Quinze minutes au moins.

— On partage la différence ?

— Okay. Où sont les gogues, dans le secteur ?

— A droite après la porte, et à gauche au bout du couloir. »

Tyler se dirigea vers la porte. Il souffrait de marcher de manière aussi disgracieuse mais, au bout de quatre ans, cet inconvénient avait perdu de son acuité. Il vivait — et c'était ce qui comptait. L'accident s'était produit à Groton, dans le Connecticut, par une nuit froide et claire, à quelques centaines de mètres de l'entrée principale de l'arsenal. A 3 heures du matin, un vendredi, il rentrait chez lui après une journée de vingt-quatre heures passée à préparer son nouveau bâtiment pour l'appareillage. L'ouvrier civil du chantier avait également eu une longue journée et s'était arrêté pour boire quelques verres de trop à son bistrot favori, comme l'avait établi la police par la suite, avant de monter en voiture, de démarrer et de brûler un feu rouge, enfonçant le flanc de la Pontiac de Tyler à quatre-vingts à l'heure. Pour lui, l'accident avait été fatal ; Skip avait eu plus de chance. Au carrefour, il avait le feu vert et, quand il avait vu le capot de la Ford à moins d'un mètre de sa portière, il était trop tard. Il ne se souvenait pas d'avoir traversé la vitrine d'un prêteur sur gages, et la semaine suivante, pendant laquelle il oscilla entre la vie et la mort à l'hôpital de Yale-New Haven, n'avait laissé qu'un vide dans sa mémoire. Mais il se souvenait très précisément d'avoir vu sa femme, Jane, qui lui tenait la main à son réveil ; huit jours plus tard, avait-il appris par la suite. Leur vie conjugale avait jusqu'alors été agitée, problème assez répandu chez les officiers de sous-marins nucléaires. La première vision qu'il avait eue d'elle n'était guère flatteuse — elle avait les yeux injectés de sang et les cheveux en bataille — mais il ne l'avait jamais trouvée si belle. Jamais il n'avait apprécié l'importance de Jane dans sa vie. Infiniment plus précieuse qu'une malheureuse demi-jambe.

« Skip ? Skip Tyler ! »

L'ancien sous-marinier se retourna gauchement, pour voir un officier de marine courir vers lui.

« Johnny Coleman ! Comment vas-tu, mon vieux ! »

Tyler remarqua qu'il avait été promu capitaine de vaisseau. Ils avaient servi deux fois ensemble, un an à bord du *Tecumseh,* et un an sur le *Shark.* Expert en armements, Coleman avait commandé un ou deux sous-marins nucléaires.

« Comment va la famille, Skip ?

— Jane va très bien. Nous avons cinq enfants, maintenant, et un petit sixième en route.

— Sacré Skip ! » Ils se serrèrent la main avec enthousiasme. « Tu as toujours été un chaud lapin. Il paraît que tu es prof à Annapolis ?

— Oui, et je fais un peu de consultance en plus.

— Qu'est-ce que tu fabriques ici ?

— Je passe un programme sur l'ordinateur de l'aviation. Pour vérifier la configuration d'un nouveau bâtiment pour le Commandement des systèmes maritimes. » Cela constituait une couverture assez plausible. « Et toi, que fais-tu ?

— Bureau d'OP-02. Je suis le chef d'état-major de l'amiral Dodge.

— Pas possible ? » Tyler était impressionné. Le contre-amiral Sam Dodge était l'OP-02. Le sous-chef d'état-major des opérations de guerre sous-marine exerçait son autorité sur toutes les opérations des sous-marins. « Cela t'occupe beaucoup ?

— Tu peux le deviner, non ! La merde a touché le ventilo !

— Comment cela ? » Tyler n'avait pas lu un journal ni regardé les informations depuis lundi.

« Tu plaisantes ?

— J'ai travaillé vingt heures par jour sur ce programme depuis lundi, et je ne lis plus les messages. » Tyler fronça les sourcils. Il avait entendu quelque chose à l'école navale, l'autre jour, mais sans y prêter attention. Il était du genre qui pouvait concentrer toute son attention sur un seul problème.

Coleman parcourut le couloir du regard. Il était tard ce vendredi soir, et ils étaient seuls. « Je peux sans doute te le dire. Nos amis russes effectuent une sorte d'exercice de grande ampleur. Leur Flotte du nord tout entière est en mer, ou presque. Ils ont des sous-marins partout.

— Pour quoi faire ?

— Nous ne sommes pas sûrs. On dirait qu'ils font une grande opération de recherche et de sauvetage. La question est : rechercher *qui ?* Ils ont quatre Alfas lancés à toute vitesse vers nos côtes en ce moment même, avec une quantité de Victors et de Charles qui suivent au pas de charge. Nous avons d'abord craint qu'ils veuillent bloquer nos routes commerciales, mais non, ils ont franchi le rail. Ils se dirigent sans ancun doute vers nos côtes et, quel que soit l'objet de leur mission, nous amassons des tonnes de renseignements.

— Qu'est-ce qu'ils ont mis en branle ?

— Cinquante-huit sous-marins nucléaires et une trentaine de navires de surface.

— Bon Dieu ! Cinclant doit être hors de lui !

— Tu imagines, Skip. La flotte est en mer, au complet. Tous nos sous-marins nucléaires sont en cours de redéploiement. Tous les Lockheed P-3 existants volent au-dessus de l'Atlantique ou sont en route. » Coleman s'interrompit un instant. « Tu es toujours habilité, non ?

— Bien sûr, pour le travail que je fais pour la bande de Crystal City. J'ai eu un bout de l'évaluation du nouveau *Kirov*.

— Je me disais bien que ça ressemblait à du boulot Tyler. Tu as toujours été très fort. Tu sais, le patron parle toujours du travail que tu avais fait pour lui sur le vieux *Tecumseh*. Je pourrais peut-être t'emmener voir ce qui se passe. Ouais, je vais lui demander. »

La première affectation de Tyler, après l'école de sous-marins nucléaires dans l'Idaho, avait été avec Dodge. Il avait effectué un délicat travail de réparation sur un réacteur d'appoint en deux semaines de moins que prévu, grâce à un peu d'effort créatif et à sa débrouillardise pour se procurer les pièces manquantes. Cela lui avait valu, ainsi qu'à Dodge, une belle lettre de félicitations officielles.

« Je parie que le vieux serait ravi de te voir. Quand auras-tu terminé, ici ?

— Peut-être une demi-heure.

— Tu sais où nous trouver ?

— On n'a pas déménagé OP-02 ?

— Même endroit. Appelle-moi quand tu auras fini. Poste 78730. D'accord ? Il faut que j'y retourne.

— Bon. » Tyler regarda son vieil ami disparaître au bout du couloir, puis reprit son chemin vers les toilettes en se demandant ce que mijotaient les Russes. En tout cas, c'était quelque chose qui faisait travailler tard le soir, un vendredi juste avant Noël, un amiral et un capitaine de vaisseau.

« Onze minutes, cinquante-trois secondes et dix-huit dixièmes », annonça le sergent en empochant les deux billets verts.

L'imprimante avait sorti plus de deux cents pages de données. La page de couverture présentait une courbe en cloche assez irrégulière pour les possibilités d'allure, et au-dessous apparaissait la courbe prévisionnelle du bruit. Les solutions étaient imprimées cas par cas sur les autres feuilles. Comme prévu, les courbes étaient assez embrouillées. La courbe de vitesse montrait la majorité des solutions entre dix et douze nœuds, l'éventail total allant de sept à dix-huit. Quant à la courbe du bruit, elle était étrangement basse.

« C'est une sacrée machine que vous avez là, sergent.

— Vous pouvez avoir confiance, croyez-moi. Pas une seule faute électronique de tout le mois.

— Je peux téléphoner ?

— Bien sûr, allez-y.

— Merci, sergent. » Tyler décrocha le téléphone le plus proche. « Ah, détruisez le programme.

— Okay. » Il entra des instructions. « Murène est... effacé. J'espère que vous avez gardé un exemplaire ? »

Tyler acquiesça et composa un numéro.

« Ici OP-02A, commandant Coleman.

— Johnny, c'est Skip.

— Ah, formidable ! Le patron veut te voir. Monte vite. »

Tyler rangea dans sa serviette les feuillets sortis de l'imprimante et la ferma à clé. Il remercia une nouvelle fois le sergent avant de sortir en boitant, avec un dernier regard pour le Cray-2. Il faudrait absolument qu'il revienne ici.

Ne trouvant aucun ascenseur en état de marche, il dut affronter la pente douce d'une rampe de montée. Cinq minutes plus tard, il se retrouva devant un marine qui montait la garde dans le couloir.

« Vous êtes le commandant Tyler? Puis-je voir votre carte d'identification, s'il vous plaît ? »

Tyler montra au caporal son passe du Pentagone, en se demandant combien il pouvait exister d'anciens sous-mariniers unijambistes.

« Merci, commandant. Vous pouvez avancer dans le couloir. Vous connaissez la salle?

— Bien sûr. Merci, caporal. »

L'amiral Dodge était assis sur le coin d'une table et lisait des messages sur papier pelure. Dodge était un petit homme combatif qui s'était distingué au commandement de trois bâtiments, puis en poussant les SM d'attaque Los Angeles dans le long développement de leur carrière. Il était à présent le « Grand Dauphin », l'amiral qui menait toutes les batailles au Congrès.

« Skip Tyler! Vous avez l'air en pleine forme, mon gars! » Dodge ne put retenir un coup d'œil furtif à la jambe de Tyler en s'avançant pour lui serrer la main. « On me dit que vous faites un boulot superbe à l'Académie.

— Ça marche assez bien, amiral. Ils me laissent même recruter les joueurs, quand il y a un match de base-ball.

— Hum, dommage qu'ils ne vous aient pas laissé recruter dans l'armée. »

Tyler baissa théâtralement la tête. « *J'ai* recruté dans l'armée, amiral. Mais cette année ils étaient trop durs. Vous avez entendu ce qui est arrivé à leur avant-centre, non?

— Non, quoi donc?

— Il a choisi les blindés comme affectation, et ils l'ont expédié aussitôt à Fort Knox — pas pour étudier les tanks. Pour *être* un tank.

— Ha ha! s'exclama Dodge en riant. Johnnie me dit que vous avez une flopée de gosses?

— Le numéro six est programmé pour fin février, annonça fièrement Tyler.

— Six? Mais vous n'êtes pas catholique ou mormon? C'est de l'élevage en batterie, dites-moi! »

Tyler lança à son ancien patron un regard tordu. Il n'avait jamais compris ce préjugé de la marine nucléaire. Cela venait de Rickover, qui avait inventé l'expression désobligeante d'élevage en batterie pour les familles dépassant un enfant. Qu'y avait-il de mal à faire des gosses ?

« Depuis que je ne suis plus *nuc*, amiral, il faut bien que je fasse *quelque chose* de mes nuits et de mes week-ends ! » Tyler roula des yeux lubriques. Puis : « Il paraît que les Russkoffs s'amusent à des petits jeux. »

Dodge reprit instantanément son sérieux. « Et comment ! Cinquante-huit bâtiments d'attaque — tous les SM nucléaires de la Flotte du nord — en route vers chez nous, avec un groupe de surface considérable, et l'essentiel de leurs forces de ravitaillement qui suit.

— Que font-ils ?

— Vous pourrez peut-être me le dire. Venez dans mon sanctuaire. » Dodge le précéda dans une pièce où il vit un nouveau gadget, un écran de projection montrant l'Atlantique depuis le tropique du Cancer jusqu'aux glaces du pôle. Des centaines de navires étaient représentés. Les navires de commerce étaient blancs, avec des drapeaux indiquant leur nationalité ; les bâtiments soviétiques étaient rouges, et de forme différente selon leur type ; enfin, les Américains et alliés étaient en bleu. L'Océan commençait à être bien encombré.

« Bon Dieu !

— C'est le mot juste, mon gars. » Dodge hocha sombrement la tête. « Quelle est votre habilitation ?

— Top secret et quelques projets spéciaux, amiral. Je vois tout ce que nous avons sur leur matériel lourd, et je travaille beaucoup avec les systèmes maritimes en plus.

— Johnnie me disait que c'était vous qui aviez fait l'évaluation du nouveau *Kirov* qu'ils viennent d'envoyer dans le Pacifique — pas mal du tout, à propos.

— Ces deux Alfas se dirigent sur Norfolk ?

— On dirait. Et ils brûlent du neutron pour y arriver, précisa Dodge. Celui-ci court vers Long Island Sound comme pour bloquer l'entrée de New London, et celui-là vise Boston, à mon avis. Ces Victors ne sont pas loin derrière. Ils ont déjà jalonné la plupart des ports britanniques. D'ici lundi, ils auront deux SM ou davantage devant chacun de nos grands ports.

— Je n'aime pas beaucoup la tournure que cela prend, amiral.

— Moi non plus. Comme vous le voyez, nous-mêmes sommes en mer à près de cent pour cent. Ce qui est intéressant, toutefois... ce qu'ils font n'a aucun sens. Je... » Le commandant Coleman entra.

« Je vois que vous laissez entrer le fils prodigue, lança Coleman.

— Soyez gentil avec lui, Johnnie. Je crois me rappeler qu'il était un vaillant sous-marinier. Bon, d'abord on aurait dit qu'ils allaient bloquer les communications maritimes, mais ils ont continué. Avec ces Alfas, après tout, ils pourraient vouloir faire le blocus de nos côtes.

— Et à l'ouest ?

— Rien. Rien du tout. Que leur activité de routine.

— C'est absurde, objecta Tyler. On n'occulte pas la moitié de la flotte. Evidemment, si on part en guerre, on ne l'annonce pas en poussant toutes les machines à fond.

— Les Russes sont de drôles de gens, Skip, fit observer Coleman.

— Si nous commençions à leur tirer dessus, amiral...

— Nous leur ferions du mal, répondit Dodge. Avec tout le bruit qu'ils font, ils sont presque tous dans le collimateur. Ils doivent bien le savoir, aussi. C'est le seul élément qui me donne à penser qu'ils ne manigancent rien de vraiment méchant. Ils sont tout de même suffisamment astucieux pour ne pas se montrer aussi ouvertement... à moins qu'ils ne veuillent nous donner à penser.

— Ont-ils dit quelque chose ?

— Leur ambassadeur prétend qu'ils ont perdu un bâtiment et que, comme il était rempli de gosses de gros bonnets, ils ont lancé une opération de sauvetage d'urgence. Pour ce que ça vaut. »

Tyler posa sa serviette et se rapprocha de l'écran. « Je vois bien un déploiement de recherche et de sauvetage, mais pourquoi bloquer nos ports ? » Il se tut un moment, pour réfléchir, tout en étudiant la carte. « Je ne vois pas de SM lance-engins, amiral.

— Ils sont tous rentrés à leur base — oui, tous, ceux des deux océans. Le dernier Delta vient de s'amarrer. C'est drôle, tout de même, conclut Dodge en scrutant de nouveau l'écran.

— Tous, amiral ? » s'enquit Tyler de l'air le plus désinvolte possible. Une idée venait de lui effleurer l'esprit. Il voyait sur l'écran le sous-marin *Bremerton* dans la mer de Barents, mais pas le sous-marin soviétique qu'il avait mission de pister. Il attendit la réponse quelques secondes et, comme il n'en recevait pas, se retourna, pour voir les deux officiers l'observer attentivement.

« Pourquoi posez-vous cette question, fiston ? » demanda très doucement Dodge. Chez lui, l'amabilité pouvait être un signal de mise en garde.

Tyler réfléchit quelques instants. Il avait donné sa parole à Ryan. Pouvait-il tourner une réponse non compromettante et néanmoins découvrir ce qu'il cherchait ? Oui, décida-t-il. Il y avait en lui un penchant à l'investigation et, une fois lancé sur quelque chose, il continuait jusqu'au bout.

« Ont-ils un sous-marin nucléaire en mer, amiral, un modèle tout neuf? »

Dodge se raidit. Il devait encore lever les yeux, cependant, pour dévisager Tyler. Lorsqu'il répondit, ce fut d'une voix glaciale : « Où exactement avez-vous trouvé cette information, commandant? »

Tyler secoua la tête. « Je suis désolé, amiral, mais je ne peux rien dire. C'est protégé. Je pense que vous devriez le savoir aussi, et je vais m'efforcer de vous le faire savoir. »

Dodge fit marche arrière pour tenter une approche différente. « Vous travailliez pour moi, Skip, naguère. » L'amiral était malheureux. Il avait fait une entorse au règlement pour montrer quelque chose à son ancien subordonné, parce qu'il le connaissait bien et regrettait qu'il n'eût pas reçu le commandement pour lequel il avait tant travaillé. Techniquement, Tyler était un civil, même s'il continuait à porter la tenue bleu marine. Le pire, c'était que Tyler lui-même savait quelque chose. Dodge lui avait fourni une information, et Tyler ne lui donnait rien en retour.

« Amiral, j'ai donné ma parole, s'excusa Skip. Je vais essayer de vous faire parvenir cette information. C'est une promesse, amiral. Puis-je téléphoner?

— Du bureau, dehors », répondit Dodge d'une voix terne. Il y avait quatre appareils en vue.

Tyler sortit et s'assit à un bureau de secrétaire. Il tira son carnet d'une poche intérieure et composa le numéro que Ryan lui avait donné.

« Acres, répondit une voix de femme.

— Pourrais-je parler à M. Ryan, s'il vous plaît?

— M. Ryan est absent pour le moment.

— Alors... passez-moi l'amiral Greer, je vous prie.

— Un moment, voulez-vous. »

« James Greer? » Dodge était derrière lui. « Est-ce pour lui que vous travaillez? »

« Greer à l'appareil. Vous êtes Skip Tyler?

— Oui, amiral.

— Vous avez ces renseignements pour moi?

— Oui, amiral, je les ai.

— Où êtes-vous?

— Au Pentagone.

— Bien, venez directement ici. Vous saurez comment arriver?

Les gardes de l'entrée principale vous attendront. Dépêchez-vous, mon vieux. » Greer raccrocha.

« Vous travaillez pour la CIA ? interrogea Dodge.

— Amiral... je ne peux rien dire. Si vous voulez bien m'excuser, amiral, j'ai des renseignements à livrer.

— *Les miens* ? voulut savoir Dodge.

— Non, amiral. Je les avais déjà en entrant ici. C'est la vérité, amiral. Et je vais tâcher de vous les communiquer.

— Appelez-moi, ordonna Dodge. Nous serons ici toute la nuit. »

Quartier général de la CIA

Le parcours de l'autoroute George Washington fut plus facile que Tyler ne l'aurait pensé. La vieille route décrépite était encombrée de gens qui revenaient des magasins, mais la circulation restait fluide. Tyler prit la bonne sortie et se retrouva au poste de garde de l'entrée routière principale de la CIA. La barrière était abaissée.

« Vous vous appelez Tyler, Oliver W. ? interrogea le garde. Carte d'identification, s'il vous plaît. »

Tyler lui tendit son passe du Pentagone.

« Parfait, commandant. Roulez jusqu'à l'entrée principale, quelqu'un vous y attendra. »

Il roula encore deux minutes jusqu'à l'entrée principale du bâtiment, à travers des parkings vides où la neige fondue avait glacé. Le garde armé qui l'attendait à la porte voulut l'aider à sortir de voiture. Tyler n'aimait pas être aidé. Il le repoussa d'un mouvement d'épaule. Un autre homme l'attendait sous la marquise d'entrée. On leur fit signe d'avancer jusqu'à l'ascenseur.

Il trouva l'amiral Greer assis devant la cheminée de son bureau, et apparemment en état de somnolence. Skip ignorait que le directeur de la CIA fût rentré d'Angleterre depuis quelques heures à peine. L'amiral se ressaisit et ordonna à son garde du corps de se retirer. « Vous devez être Skip Tyler. Venez vous asseoir.

— Vous avez là un beau feu, amiral.

— Je ne devrais pas : je m'endors toujours quand je regarde le feu. Evidemment, dormir un peu ne me ferait pas de mal, en ce moment. Alors, que m'apportez-vous ?

— Puis-je vous demander où est Jack ?

— Vous pouvez. Il est absent.

— Ah ! » Tyler ouvrit sa serviette et en sortit la liasse

imprimée. « J'ai programmé le modèle de ce SM russe. Puis-je vous demander son nom, amiral ? »

Greer eut un petit rire. « D'accord, vous l'avez bien gagné. Il s'appelle *Octobre rouge*. Il faut m'excuser, mon garçon. Je viens de passer deux jours assez animés, et la fatigue me fait oublier mes bonnes manières. Jack vous juge très intelligent. Votre dossier personnel dit la même chose. Et maintenant, dites-moi. Que va-t-il faire ?

— Eh bien, amiral, nous avons ici un vaste éventail de données, et...

— La synthèse, je vous prie, commandant. Je ne joue pas aux ordinateurs. J'ai des gens qui le font pour moi.

— Dans la plage sept à dix-huit nœuds, sa meilleure allure est entre dix et douze. A cette vitesse, on peut supposer un niveau de bruit comparable à celui d'un Yankee à six nœuds, mais il faut y ajouter celui du réacteur. De plus, le type de bruit est différent de celui dont nous avons l'habitude. Ces modèles de turbines multiples ne produisent pas des bruits de propulsion normale. Ils semblent provoquer une sorte de grondement harmonique irrégulier. Jack vous en a-t-il parlé ? Cela résulte d'une vague de pression en retour dans les collecteurs, qui va contre la circulation d'eau, produisant ce grondement. Il n'existe manifestement pas d'autre circuit. Ces gens ont passé deux ans à essayer d'en trouver un. Ce qu'ils ont découvert, c'est un nouveau principe hydrodynamique. L'eau agit presque comme l'air dans un moteur d'avion à réaction, à vitesse moyenne ou lente, sauf que l'eau ne se comprime pas comme l'air. Nos gars pourront donc détecter quelque chose, mais ce sera différent. Ils vont devoir s'accoutumer à une signature acoustique fondamentalement différente. Ajoutez à cela l'intensité de signal plus faible, et vous avez un bateau qui sera plus difficile à détecter que tout ce qu'ils peuvent connaître à l'heure actuelle.

— Voilà donc ce que tout cela raconte. » Greer tourna négligemment les pages.

« Oui, amiral. Vous voudrez sans doute que vos collaborateurs le regardent. Le modèle — c'est-à-dire, le programme — pourrait être un peu amélioré. Je n'ai pas eu beaucoup de temps. Jack m'a dit que vous étiez pressé. Puis-je vous poser une question, amiral ?

— Vous pouvez essayer. » Greer s'adossa à son siège en se frottant les yeux.

« Est-ce que, euh, *Octobre rouge* est en mer ? C'est cela, n'est-ce pas ? Ils essaient de le repérer en ce moment ? demanda Tyler d'un air innocent.

— Ouais, quelque chose de ce genre-là. Nous ne comprenions pas à quoi servaient ces portes. Ryan disait que vous y arriveriez, et il avait sans doute raison. Vous avez bien gagné votre solde, commandant. Ces renseignements vont peut-être nous permettre de le retrouver.

— Amiral, je pense qu'*Octobre rouge* prépare quelque chose, peut-être même qu'il essaie de passer à l'Ouest, en Amérique. »

La tête de Greer pivota. « Qu'est-ce qui vous le fait penser ?

— Les Russkoffs ont une opération navale considérable en cours. Ils ont truffé l'Atlantique de SM, et on dirait qu'ils veulent bloquer notre côte. Selon eux, ils essaient de sauver un bateau disparu. D'accord, mais Jack arrive lundi avec des photos d'un nouveau SM *nuc* — et j'entends dire aujourd'hui qu'ils ont rappelé tous leurs autres lance-engins. » Tyler sourit. « Cela forme un curieux ensemble de coïncidences, amiral. »

Greer se replongea dans la contemplation du feu. Il venait d'entrer à la DIA [1] quand l'armée et l'aviation avaient monté un raid audacieux contre le camp de prisonniers de Son Tay, à trente kilomètres à l'ouest de Hanoi. Le raid avait échoué parce que les Nord-Vietnamiens avaient déplacé quelques semaines auparavant tous les pilotes capturés et que cela ne pouvait pas se voir sur des photographies aériennes. Mais tout le reste s'était déroulé parfaitement. Après avoir pénétré en territoire ennemi sur quelques centaines de kilomètres, le commando avait provoqué une surprise totale et pris les gardes du camp littéralement déculottés. Les Bérets verts avaient fait un boulot idéal pour le retour aussi bien que l'arrivée. Ce faisant, ils avaient tué plusieurs centaines de soldats ennemis sans autres dommages qu'un blessé dans leurs rangs, une cheville brisée. La partie la plus impressionnante de l'entreprise avait toutefois été son secret. L'opération Kingpin avait fait l'objet de plusieurs mois d'entraînement, et malgré cela nul n'en avait deviné la nature ni l'objectif, ni ami ni ennemi — jusqu'au jour du raid. Ce jour-là, un jeune capitaine des services secrets de l'aviation était entré dans le bureau de son général pour lui demander si l'on n'avait pas prévu un raid de pénétration au Nord-Viêt-nam pour attaquer le camp de prisonniers de Son Tay. Le général effaré avait entrepris de questionner le jeune officier, pour découvrir peu à peu que ce brillant garçon avait vu assez de bouts et de morceaux pour se faire une idée très précise de ce qui allait se passer. Des incidents de ce genre suffisaient à donner des ulcères aux officiers de sécurité.

1. DIA : Defense Intelligence Agency, services secrets de la Défense.

« *Octobre rouge* va passer à l'Ouest, n'est-ce pas ? » insista Tyler.

Si l'amiral avait eu plus de sommeil, peut-être aurait-il pu s'en tirer mieux. Mais en l'occurrence, sa réaction fut une erreur. « C'est Ryan qui vous a dit cela ?

— Amiral, je n'ai pas reparlé avec Jack depuis lundi. C'est la stricte vérité.

— Alors d'où tenez-vous cette information ? répliqua Greer d'un ton cinglant.

— Amiral, j'ai porté l'uniforme de la marine, et la plupart de mes amis le portent encore. J'entends des choses, ajouta-t-il d'un air évasif. J'ai compris la situation il y a environ une heure. Les Russes n'ont jamais rappelé tous leurs lance-engins à la fois. Je le sais, je les poursuivais. »

Greer soupira. « Jack pense la même chose que vous. Il est en mer avec la flotte, en ce moment. Si vous parlez de cela à qui que ce soit, je me ferai monter votre deuxième jambe en dessus de cheminée, c'est bien compris ?

— Oui, oui, amiral. Qu'allons-nous en faire ? » Tyler souriait aux anges, certain que, en sa qualité de consultant supérieur du Commandement des systèmes maritimes, il aurait sa chance de tripoter un vrai sous-marin soviétique.

« Le rendre. Après avoir fait une petite inspection, bien sûr. Mais il peut arriver bien des choses qui nous empêcheraient même de l'entrevoir. »

Il fallut un moment à Skip pour comprendre ce qu'il venait de s'entendre dire. « Le rendre ! Mais pourquoi ?

— Franchement, commandant, quelle est la vraisemblance du scénario ? Croyez-vous que l'équipage entier ait décidé de débarquer chez nous en chœur ? » Greer secoua la tête. « Il y a fort à parier que ce sont uniquement les officiers, sans doute même pas tous, et qu'ils essaient d'arriver jusqu'ici sans que l'équipage s'en doute.

— Ah ! » Tyler réfléchit. « Je suppose que c'est logique — mais pourquoi le rendre ? Nous ne sommes pas au Japon. Si quelqu'un capturait un MIG-25 ici, nous ne le rendrions pas.

— Ce n'est pas la même chose qu'un avion égaré. Il s'agit d'un bateau qui vaut au bas mot un milliard de dollars, et bien plus si vous ajoutez les missiles et les ogives. Et d'après le président, il leur appartient légalement. Alors s'ils s'aperçoivent que nous l'avons, ils le réclameront. Bon, d'accord, comment sauront-ils que nous le tenons ? Les hommes d'équipage qui ne veulent pas passer à l'Ouest exigeront de rentrer chez eux. Et tous ceux qui le demanderont, nous les renverrons.

— Vous savez bien, amiral, que les partisans du retour se retrouveront là-bas dans un joli merdier — passez-moi l'expression.

— Un merdier colossal, vous voulez dire. » Tyler ignorait que Greer était sorti du rang, et qu'il parlait le langage des mariniers. « Certains voudront rester, mais la plupart préféreront rentrer. Ils ont des familles. Je vous vois venir, vous allez me demander si nous ne pourrions pas faire disparaître l'équipage.

— L'idée m'en est venue, admit Tyler.

— A nous aussi. Mais nous ne le ferons pas. Assassiner une centaine d'hommes? Même si nous le voulions, il nous serait impossible de nous en cacher, à l'époque où nous vivons. Enfin, bon Dieu, je crois que même les Russes n'y arriveraient pas. Et d'ailleurs, c'est un genre de choses qu'on ne peut pas faire en temps de paix. C'est l'une des différences qui existent entre eux et nous. Et vous pouvez aligner ces raisons dans l'ordre que vous voudrez.

— Ainsi donc, s'il n'y avait pas le problème de l'équipage, nous pourrions le garder...

— Oui, si nous pouvions le cacher. Et si les cochons avaient des ailes, ils pourraient voler.

— Plein d'endroits où on pourrait le cacher, amiral. J'en vois déjà plusieurs ici sur le Chesapeake et, si nous pouvions lui faire passer le cap Horn, il y a un million de petits atolls qui pourraient nous servir, et qui sont tous à nous.

— Mais l'équipage le saura et, quand nous les renverrons chez eux, ils le diront à leurs chefs, expliqua Greer patiemment. Et Moscou réclamera qu'on le lui rende. Oh, bien sûr, nous disposerons d'une semaine ou deux pour effectuer, euh, des inspections de sécurité et de quarantaine, pour nous assurer qu'ils n'essaient pas d'infiltrer de la cocaïne chez nous. » L'amiral se mit à rire. « Un amiral britannique nous a même suggéré d'invoquer le vieux traité sur le trafic des esclaves. Quelqu'un l'avait fait déjà, pendant la Seconde Guerre mondiale, pour mettre le grappin sur un forceur de blocus allemand juste avant que nous ne lui rentrions dedans. Nous obtiendrons par conséquent des tonnes d'informations.

— Ce serait encore mieux de le garder, de le faire marcher, de le démonter... » répondit calmement Tyler, les yeux rivés sur les flammes orange et blanches qui dansaient sur les bûches de chêne. Comment faire pour le garder? se demandait-il. Une idée commençait à prendre forme dans sa tête. « Dites-moi, amiral, et si nous pouvions évacuer l'équipage sans lui laisser comprendre que nous tenons le sous-marin?

— Vous vous appelez bien Oliver Wendell Tyler? Eh bien,-

mon garçon, si vous portiez le nom de Harry Houdini au lieu de celui d'un juge de la Cour suprême, je... » Greer scruta le visage de l'ingénieur. « A quoi songez-vous exactement ? »

Tandis que Tyler le lui expliquait, Greer écoutait intensément.

« Pour cela, amiral, il faut de toute urgence mettre la marine dans le coup. Nous aurons besoin en particulier de la collaboration de l'amiral Dodge et, si mes estimations de vitesse sont exactes, il va falloir agir sans délai. »

Greer se leva et fit plusieurs fois le tour du canapé pour se dégourdir les jambes. « Intéressant. Mais la maîtrise de la chronologie risquerait de nous échapper.

— Je n'ai pas dit que ce serait facile, amiral : seulement que nous *pourrions* le faire.

— Téléphonez chez vous, Tyler. Dites à votre femme que vous ne rentrerez pas. Si je dois me passer de sommeil cette nuit, vous aussi. Vous trouverez du café derrière mon bureau. D'abord il faut que j'appelle le juge, et ensuite nous pourrons parler à Sam Dodge. »

L'USS Pogy

« *Pogy,* ici *Goéland noir* 4. Le niveau de carburant commence à baisser. Devons rentrer à la base », transmit le coordinateur tactique de l'Orion, en s'étirant après dix heures de quart à la console de veille. « Voulez-vous qu'on vous rapporte quelque chose ? Terminé.

— Ouais, faites-nous livrer deux caisses de bière », répondit le commandant Wood. C'était la blague traditionnelle entre P-3C et sous-mariniers. « Merci pour la situation. Nous continuerons à partir de là. Terminé. »

Au-dessus du *Pogy,* l'Orion Lockheed *Goéland noir* prit de la vitesse et vira au sud-ouest. Au dîner, à terre, chacun des membres de l'équipage faucherait une ou deux canettes de bière en plus, en disant que c'était pour leurs amis du sous-marin.

« Dyson, venez à soixante-dix mètres. Moteurs avant à un tiers. »

L'officier de quart donna les ordres correspondants, tandis que le commandant Wood se dirigeait vers la table traçante.

A trois cents milles au nord-est de Norfolk, l'USS *Pogy* attendait deux sous-marins soviétiques de la classe Alfa que plusieurs avions de surveillance ASM avaient suivi depuis l'Islande en se relayant. Le *Pogy* portait le nom d'un mémorable sous-marin de la flotte de la

Seconde Guerre mondiale, qui n'avait lui-même été nommé ainsi qu'en référence à un vulgaire poisson. Le *Pogy* était en mer depuis dix-huit heures, après une longue période de remise à neuf au chantier de Newport News. Presque tout à bord sortait directement des caisses du fabricant, ou bien avait été entièrement refait par les excellents techniciens de James River. Cela ne signifiait pas que tout marchait parfaitement, et de nombreux appareils s'étaient révélés défectueux la semaine précédente, lors de l'essai de la sortie de chantier, ce qui était hélas plus navrant que surprenant, songeait le commandant Wood. L'équipage du *Pogy* était également nouveau. Wood exerçait là son premier commandement, après une année de travail administratif à Washington, et un trop grand nombre de ses hommes étaient novices, juste au sortir de l'école de sous-marins de New London, et devaient encore s'adapter à leur nouvelle vie. Des hommes habitués au ciel bleu et à l'air frais mettent toujours un certain temps à assimiler leur nouveau régime, à l'intérieur d'un tuyau de dix mètres de diamètre. Les hommes de métier eux-mêmes devaient s'adapter à leur nouveau bâtiment et à leurs officiers.

Le *Pogy* avait atteint la vitesse maximale de trente-trois nœuds, lors des essais. C'était rapide pour un sous-marin, mais moins que les Alfas qu'il guettait. De même que tous les autres sous-marins américains, son point fort résidait dans sa discrétion. Les Alfas ne disposaient d'aucun moyen de repérer sa présence, ni de savoir qu'ils constitueraient une cible facile pour lui, et ce d'autant plus que l'Orion patrouilleur avait fourni au *Pogy* des informations précises de portée, ce qu'un graphe établi au sonar passif met habituellement un certain temps à déterminer.

Le commandant en second Tom Reynolds, coordinateur des armes, se tenait penché au-dessus de la table tactique. « Trente-six milles jusqu'au plus proche, et quarante pour l'autre. » Sur la table ces objectifs étaient baptisés Appât-Pogy 1 et 2. Tout le monde se régalait de ces épithètes de travail.

« Vitesse quarante-deux ? interrogea Wood.

— Oui, commandant. » Reynolds s'était chargé des transmissions radio jusqu'au moment où *Goéland noir* 4 avait annoncé son intention de regagner la base. « Ils mènent ces bâtiments à fond de train. Tant mieux pour nous. Nous avons des solutions dures pour les deux... vlan ! Que croyez-vous qu'ils mijotent ?

— D'après Cinclant, leur ambassadeur parle d'une mission de recherche et de sauvetage d'un SM disparu.

— Recherche et sauvetage, hein ? » Reynolds haussa les épaules. « Bah, ils croient peut-être qu'ils ont perdu un bâtiment au large de Point Comfort, parce que s'ils ne se dépêchent pas de ralentir, c'est là qu'ils vont finir. Je n'ai jamais entendu parler d'Alfas opérant si près de nos côtes. Et vous, commandant?

— Non. » Wood fronça le sourcil. La particularité des Alfas, c'était leur vitesse et le bruit qu'ils faisaient. La doctrine tactique soviétique ne semblait faire appel à eux que pour des rôles défensifs : comme « sous-marins d'interception », ils pouvaient protéger leurs propres SNLE et, grâce à leur rapidité, ils pouvaient défier les sous-marins d'attaque américains, puis esquiver la contre-attaque. Wood ne trouvait pas cette doctrine très efficace, mais elle ne le dérangeait pas.

« Ils veulent peut-être bloquer Norfolk, suggéra Reynolds.

— Peut-être avez-vous raison, dit Wood. De toute façon, nous allons rester à l'affût ici et les laisser passer comme des météores. Ils seront bien obligés de ralentir pour aborder la plate-forme continentale, et alors nous les suivrons tranquillement, sans bruit.

— Bien », répondit Reynolds.

S'ils devaient lancer leurs torpilles, songeaient les deux hommes, ils découvriraient enfin quelle était la robustesse de ces fameux Alfas. On avait beaucoup parlé de la solidité du titane employé pour construire la coque, en se demandant si elle résisterait à l'impact de plusieurs centaines de kilos d'explosifs très brisants. Une nouvelle ogive avait été conçue pour la torpille Mark 48, avec une charge de forme spéciale, précisément dans ce but, ainsi que pour perforer la coque très résistante des Typhons. Les deux officiers chassèrent cette pensée. Leur mission consistait à repérer et suivre.

E. S. Politovsky

Appât-Pogy 2 était connu dans la marine soviétique sous le nom d' *E. S. Politovsky*. Ce sous-marin d'attaque de classe Alfa portait le nom de l'ingénieur en chef du génie naval russe qui avait parcouru le tour du monde avant de se trouver au rendez-vous de son destin dans le détroit de Tsushima en 1905. Evgeni Sigismondavitch Politovsky avait servi la marine du tsar avec une compétence et un dévouement égaux à ceux de n'importe quel autre officier de l'histoire, mais dans son journal, découvert des années plus tard à Leningrad, ce brillant officier avait critiqué dans les termes les plus violents la corruption et les excès du régime tsariste, traçant un sombre contrepoint au patriotisme désintéressé qu'il avait manifesté en voguant consciemment vers son trépas. Cela faisait de lui un authentique héros, à donner en exemple aux marins soviétiques, et l'Etat avait consacré à sa mémoire la plus grande réussite technologique. Malheureusement, le *Politovsky* n'avait guère eu plus de chance que son parrain face aux canons du Togo.

La signature acoustique du *Politovsky* était baptisée Alfa 3 par les Américains, ce qui était faux : il avait été le premier des Alfas. Ce petit SM d'attaque bien profilé avait atteint quarante-trois nœuds dans les trois premières heures d'essai initial. Et l'essai avait été interrompu une minute plus tard par un incident incroyable : une baleine de cinquante tonnes avait traversé sa route, et le *Politovsky* avait enfoncé le flanc de la malheureuse créature. L'impact avait écrasé dix mètres carrés de surface de l'étrave, anéanti le dôme sonar, faussé un tube de torpille, et presque noyé le compartiment des torpilles, sans parler des dommages subis par la quasi-totalité des systèmes internes, depuis l'équipement électronique jusqu'au matériel de cuisine, et l'on disait que s'il n'y avait pas justement eu le fameux maître de Vilnius comme commandant, le bâtiment aurait été perdu corps et biens. Un segment de deux mètres d'une côte du cétacé ornait désormais le club des officiers de Severomorsk, spectaculaire hommage à la solidité des sous-marins soviétiques : en fait, les réparations avaient duré plus d'un an et, lorsque le *Politovsky* avait finalement pu reprendre la mer, il y avait déjà deux autres Alfas en service. Deux jours après l'appareillage, lors du carénage suivant, il avait subi de nouveaux dégâts : la mise hors service de sa turbine à haute pression, dont le remplacement prit à nouveau six mois. Trois incidents de moindre importance étaient intervenus depuis, et le sous-marin s'était acquis une indélébile réputation de malchance.

Le chef du service machines, Vladimir Petchukocov, était un loyal membre du Parti et ardemment athée, mais il était également marin et, en tant que tel, profondément superstitieux. Au bon vieux temps, son navire aurait reçu le baptême et, à chaque appareillage, une bénédiction solennelle donnée par un prêtre barbu, dans des nuages d'encens et d'hymnes évocateurs. Il avait dû appareiller sans rien de tout cela, et se surprenait à le regretter. Il avait bien besoin de chance. Petchukocov avait des problèmes de réacteur.

Le réacteur de l'Alfa était de faible volume et logé dans une coque relativement petite. Il était puissant pour sa taille, et celui-ci venait de marcher à cent pour cent de sa puissance pendant un peu plus de quatre jours. Le sous-marin filait vers la côte américaine à 42,3 nœuds, aussi vite que le permettait un réacteur vieux de huit ans. Le *Politovsky* devait subir une refonte : un nouveau sonar, de nouveaux ordinateurs et un système de commande du réacteur d'une conception nouvelle étaient prévus pour les prochains mois. Petchukocov jugeait irresponsable — dangereux — de pousser ainsi son bâtiment, même si tout avait marché normalement. Jamais les machines d'un Alfa n'avaient été poussées à ce point, pas même quand il était neuf. Et sur celui-ci, tout laissait prévoir des avaries.

La pompe de refroidissement du circuit primaire à haute pression du réacteur commençait à vibrer de manière menaçante, ce qui inquiétait tout particulièrement l'ingénieur. Il y avait une pompe auxiliaire, mais d'une puissance nettement inférieure et, si l'on s'en servait, il faudrait réduire l'allure de huit nœuds. Les machines de l'Alfa fonctionnaient à pleine puissance non pas grâce à un système de refroidissement au sodium — comme le croyaient les Américains — mais grâce à une pression très supérieure à celle d'aucun autre réacteur existant, et en utilisant un échangeur de chaleur révolutionnaire, qui poussait l'efficacité thermodynamique globale des machines à quarante et un pour cent, très au-delà de celle des autres sous-marins. Mais la contrepartie était un réacteur qui, à pleine puissance, déclenchait le rouge sur toutes les jauges de contrôle — et dans ce cas, le rouge n'était pas qu'un symbole. Il signifiait un danger réel.

Ce fait, ajouté aux vibrations de la pompe, préoccupait sérieusement Petchukocov ; une heure avant, il avait suggéré au commandant une réduction de puissance de quelques heures, afin que son équipe de techniciens, très compétente, pût procéder aux réparations. Il s'agissait sans doute simplement d'un palier défectueux, et ils en avaient plusieurs de rechange. La pompe était conçue de manière à pouvoir se réparer aisément. Le commandant avait acquiescé, prêt à suivre la suggestion, mais l'officier politique était intervenu, signalant que les ordres étaient à la fois impérieux et explicites : ils devaient parvenir à leur zone de patrouille le plus vite possible, et tout autre comportement serait « politiquement déraisonnable ». Voilà tout.

Petchukocov se rappelait amèrement l'expression du regard de son commandant. Quel était l'intérêt d'avoir un commandant, si chacun de ses ordres devait recevoir l'approbation d'un larbin politique ? Petchukocov était un loyal communiste depuis son adhésion aux octobristes, dans sa jeunesse — mais merde ! à quoi bon avoir des experts et des ingénieurs ? Le Parti croyait-il vraiment que les lois de la physique accepteraient les caprices d'un *apparatchik* pourvu d'un gros bureau et d'une *datcha* dans les environs de Moscou ? L'ingénieur jura entre ses dents.

Il était seul devant le tableau de manœuvre situé au central, à l'arrière du compartiment du réacteur et du générateur de vapeur-échangeur de chaleur, ce dernier placé précisément au centre de gravité du bâtiment. Le réacteur était pressurisé à deux mille huit cents livres par pouce carré. Seule une fraction de cette pression provenait de la pompe. La pression plus élevée entraînait un point d'ébullition plus élevé pour le liquide de refroidissement. L'eau chauffait à plus de neuf cents degrés Celsius, une température suffisante pour produire de la vapeur, qui se concentrait en tête du réacteur ; le bouillonnement de la vapeur exerçait une pression sur l'eau située au-dessous, empêchant la formation de vapeur supplémentaire. La vapeur et l'eau s'équilibraient très précisément. En conséquence de la réaction de fission qui se produisait à l'intérieur des barreaux de combustible d'uranium, l'eau présentait une radioactivité dangereuse. La fonction des barreaux consistait à régulariser la réaction. Là encore, le contrôle était délicat. Au maximum, les barreaux pouvaient absorber un peu moins d'un pour cent du flux des neutrons, mais cela suffisait à permettre la réaction ou l'empêcher.

Petchukocov aurait pu réciter toutes ces données dans son sommeil. De mémoire, il aurait pu tracer un diagramme très précis de tout l'ensemble moteur, et il pouvait instantanément comprendre la signification du moindre changement des relevés de ses instruments. Il se tenait très droit au-dessus du tableau de contrôle, suivant des yeux la foule de cadrans et d'indicateurs, une main à portée de la manette d'arrêt, et l'autre près des vannes de refroidissement d'urgence.

Il entendait distinctement la vibration. Ce devait être un palier voilé, car cela empirait peu à peu. Si les vilebrequins se faussaient aussi, la pompe se gripperait, et ils seraient obligés de s'arrêter. Ce serait une situation d'urgence, même si ce n'était pas vraiment dangereux. Cela entraînerait la nécessité d'une réparation de plusieurs jours — si même ils pouvaient réparer — au lieu de quelques heures, gaspillant de précieuses heures et des pièces de rechange. C'était ennuyeux. Mais le pire, et Petchukocov l'ignorait, c'était que la vibration créait des ondes de pression dans le liquide de refroidissement.

Dans le nouvel échangeur de chaleur de l'Alfa, l'eau devait circuler très rapidement dans les nombreuses boucles et déflecteurs. Cela nécessitait l'usage d'une pompe à haute pression qui représentait cent cinquante livres de la pression totale du système — près de dix fois ce qu'on estimait sage dans les réacteurs occidentaux. Avec une pompe aussi puissante, l'ensemble des machines, normalement très bruyantes à grande vitesse, ressemblait à une gigantesque chaudière, et la vibration de la pompe perturbait le fonctionnement des instruments de contrôle. Elle faisait trembler les aiguilles des cadrans, observa Petchukocov. Il avait raison et tort tout en même temps. En réalité, les aiguilles oscillaient à cause des ondes de trente livres de surpression qui circulaient dans le système. Le chef ingénieur n'analysait pas bien les symptômes. Il était de quart depuis trop longtemps.

A l'intérieur du réacteur, ces ondes de pression approchaient de la fréquence à laquelle une pièce de l'équipement entrait en résonance. Vers le milieu de la surface interne se trouvait une pièce en titane du système de refroidissement de secours. Dans le cas d'une perte de liquide de refroidissement, et *après* un arrêt réussi, les vannes intérieures et extérieures du circuit devaient s'ouvrir, refroidissant le réacteur soit avec un mélange d'eau et de barium, soit, en dernier recours, avec de l'eau de mer que l'on pompait — noyant le réacteur. Cela s'était fait une fois et, malgré les conséquences coûteuses de l'opération, l'initiative d'un jeune ingénieur avait évité la perte d'un sous-marin d'attaque Victor par suite d'une fusion catastrophique.

Aujourd'hui, la vanne interne était fermée, ainsi que le passage de coque correspondant. Les vannes étaient en titane parce qu'elles devaient pouvoir fonctionner après une exposition prolongée à des températures élevées, et aussi parce que le titane résistait à la corrosion — l'eau à température élevée se révélait un corrosif dangereux. Ce qui n'avait pas fait l'objet d'une étude suffisante, c'était que le métal se trouvait également soumis à une radiation nucléaire intense, et que cet alliage de titane manquait de stabilité sous un bombardement soutenu de neutrons. Au fil des ans, le métal était devenu cassant. Les ondes de pression hydraulique répétées battaient contre le clapet de la vanne. A mesure que changeait la fréquence de vibration, le clapet se mit à résonner, heurtant de plus en plus fort son siège dont les bords métalliques commencèrent à se briser.

Le premier, un *michman* de quart à l'avant du compartiment entendit le grondement sourd à travers la cloison. Croyant d'abord qu'il s'agissait du bruit en retour du haut-parleur de communication générale, il attendit trop longtemps pour vérifier. Le clapet se brisa et sortit de son logement. Ce n'était rien de bien gros, à peine dix centimètres de diamètre et cinq millimètres d'épaisseur. Cette pièce s'appelle une vanne papillon, et son clapet ressemblait tout à fait à un papillon, voletant et tourbillonnant dans le flot. S'il avait été en acier, son poids l'aurait entraîné au fond du récipient. Mais il était en titane, matière à la fois plus solide et plus légère que l'acier. Le liquide de refroidissement l'emporta vers le collecteur d'échappement.

Le flot charria le clapet dans le collecteur, qui avait un diamètre intérieur de quinze centimètres. Ce collecteur était en acier inoxydable, constitué d'éléments de deux mètres soudés de manière à être aisément remplacés dans les locaux encombrés. Le clapet fut rapidement entraîné vers l'échangeur de chaleur. Là, le tuyau formait un coude de quarante-cinq degrés vers le bas, et le clapet s'y trouva momentanément coincé, bloquant la moitié du tuyau et, avant que la pression pût déloger le clapet, trop d'événements se produisirent. Le mouvement de l'eau atteignit son point culminant et, se trouvant bloqué, créa une onde de retour à l'intérieur du tuyau. La pression totale grimpa brusquement à trois mille quatre cents livres, ce qui tordit le tuyau de plusieurs millimètres. L'accroissement de pression, le déplacement latéral d'un joint soudé et l'effet cumulé de plusieurs années d'érosion due à une température très élevée endommagèrent le joint : un trou de la taille d'une pointe de crayon s'y ouvrit. L'eau s'échappa aussitôt en un jet de vapeur, déclenchant des sonneries d'alarme dans le compartiment du réacteur et les compartiments voisins. Le reste du joint fut rapidement rongé, jusqu'au moment où le liquide de refroidissement du réacteur devint une véritable fontaine horizontale de vapeur, dont un jet détruisit les circuits électriques de contrôle du réacteur.

C'était le début d'un terrible accident de perte de liquide de refroidissement.

Le réacteur se trouva totalement dépressurisé en trois secondes. Les dizaines de litres de liquide explosèrent en vapeur, s'échappant dans le compartiment. Une douzaine d'alarmes retentirent aussitôt au panneau de contrôle et, en l'espace d'un clin d'œil, Vladimir Petchukocov affronta son dernier cauchemar. Sa réaction professionnelle automatique fut d'écraser la manette d'arrêt, mais la vapeur avait détruit le système de contrôle des barreaux, et Petchukocov n'avait plus le temps de résoudre le problème. En un instant, il comprit que son bâtiment était condamné. Il ouvrit les contrôles d'urgence de refroidissement, faisant entrer à flots l'eau de mer dans le récipient du réacteur. Aussitôt l'alarme retentit dans tout le sous-marin.

Au central, le commandant comprit immédiatement la nature du drame. Le *Politovsky* se trouvait à cent cinquante mètres d'immersion. Il fallait remonter de toute urgence, et il hurla l'ordre de chasser aux ballasts, et de remonter avec les barres orientées à plus toute.

Le réacteur obéissait aux lois de la physique. Privée de système de refroidissement pour absorber la chaleur des barreaux d'uranium, la réaction nucléaire s'arrêta complètement — il n'y avait plus d'eau pour retenir le flux des neutrons. Ce n'était cependant pas une solution, car la chaleur résiduelle suffisait à tout détruire dans le compartiment. L'eau froide introduite dans le récipient diminua la chaleur, mais elle freinait également trop de neutrons, les maintenant à l'intérieur du réacteur. Cela provoqua une réaction de fuite qui produisit davantage encore de chaleur, plus qu'aucune quantité de liquide de refroidissement n'aurait pu contrôler. Ce qui avait commencé comme un accident de fuite de liquide de refroidissement devint quelque chose de bien pire : un accident d'eau froide. En quelques minutes le réacteur entier allait fondre, et le *Politovsky* avait besoin de tout ce temps pour faire surface.

Petchukocov demeura à son poste, à faire tout ce qu'il pouvait. Sa propre vie, il le savait, était presque sûrement condamnée. Il devait donner à son commandant le temps d'amener le bâtiment à la surface. Il existait une manœuvre pour ce genre d'urgence, et il aboya les ordres pour l'effectuer. Cela ne fit qu'aggraver les choses.

L'électricien de quart s'affairait pour brancher le système de secours, puisque l'énergie résiduelle de la vapeur dans les turbo-alternateurs allait s'éteindre dans quelques secondes. En un instant, la puissance du sous-marin ne dépendit plus que des batteries de secours.

Au central, aucune énergie n'alimentait plus les compensateurs des bords de fuite de la barre avant, qui se remirent automatiquement sur contrôle hydroélectrique, ce qui eut pour effet de redresser non seulement les compensateurs, mais le gouvernail aussi. Les assemblages de contrôle formèrent aussitôt un angle de quinze degrés en remontée — et le sous-marin filait toujours à trente-neuf nœuds. Maintenant qu'on avait fermé les purges et rentré les barres, le sous-marin était très léger, et il se mit à monter comme un avion. En quelques secondes, l'équipage stupéfait du central sentit le bâtiment grimper à un angle de quarante-cinq degrés, puis plus encore. Ils étaient trop occupés à tenter de garder leur équilibre pour pouvoir dominer la situation. L'Alfa montait à présent presque à la verticale, à près de cinquante kilomètres à l'heure. Tous les hommes et les objets non amarrés basculèrent.

Dans la salle des machines, à l'arrière, un matelot tomba sur le panneau électrique principal, provoquant un court-circuit, et coupant tout le courant à bord. Un cuisinier qui faisait l'inventaire du matériel de survie dans la chambre des torpilles cherchait à s'introduire dans la jupe de la sortie de secours tout en s'efforçant de revêtir une combinaison insubmersible. Même avec une seule année d'expérience, il avait vite compris le sens des klaxons et des mouvements incroyables du sous-marin. Il déverrouilla le panneau de secours comme on le lui avait appris à l'école de navigation sous-marine.

Le *Politovsky* jaillit hors de l'eau comme une baleine en furie, émergeant aux trois quarts avant de sombrer en arrière.

L'USS Pogy

« Ici sonar.

— Commandant, j'écoute.

— Vous feriez bien d'écouter cela, commandant. Quelque chose vient d'arriver à bord d'Appât 2 », signala le chef opérateur du *Pogy*. Wood accourut au sonar, coiffa des écouteurs branchés sur un magnétophone décalé de deux minutes. Le commandant Wood entendit un bruit de mouvement d'eau. Les bruits de moteur s'arrêtèrent. Quelques secondes plus tard, il y eut une explosion d'air comprimé et une succession de bruits de craquements de coque, comme quand un sous-marin change rapidement de profondeur.

« Que se passe-t-il ? » demanda Wood.

*L'*E. S. Politovsky

Dans le réacteur du *Politovsky,* le dérèglement de la réaction de fission avait littéralement volatilisé l'eau de mer qui entrait, et les barres d'uranium, dont les débris se posèrent sur la paroi arrière du récipient du réacteur. En une minute, il y eut une mare de scories radioactives d'un mètre de large, suffisante pour former sa propre masse menaçante. La réaction déchaînée se poursuivait, attaquant désormais directement l'acier inoxydable de la chaudière. Aucun produit fabriqué ne pouvait soutenir bien longtemps la pleine force d'une chaleur de cinq mille degrés. En dix secondes, la paroi céda. La masse d'uranium s'échappa librement contre la cloison arrière.

Petchukocov sut qu'il mourait. Il vit la peinture de la cloison avant noircir, et sa dernière impression fut une masse sombre auréolée d'une lueur bleue. Le corps de l'ingénieur fut pulvérisé un instant plus tard, et la masse des scories alla heurter la cloison arrière.

A l'avant, l'angle presque vertical du sous-marin dans l'eau s'atténua. L'air sous pression des ballasts s'échappa par les remplissages et l'eau s'y engouffra, faisant retomber l'angle du bâtiment et le submergeant. A l'avant du sous-marin, des hommes hurlaient. Le commandant s'efforça de se relever sans s'occuper de sa jambe cassée, pour reprendre son quart, pour organiser ses hommes et leur faire quitter le sous-marin avant qu'il soit trop tard, mais la malchance d'Evgeni Sigismondavitch Politovsky allait agir une dernière fois sur le sous-marin qui portait son nom. Un seul homme put s'échapper : le cuisinier ouvrit le panneau de secours et sortit. Suivant ce qu'il avait appris à l'entraînement, il entreprit de fixer le panneau pour que d'autres puissent y passer à sa suite, mais une lame l'arracha à la coque tandis que le sous-marin sombrait par l'arrière.

Dans la salle des machines, le changement d'assiette fit retomber la masse en fusion sur le sol. La chaleur attaqua d'abord le revêtement d'acier, puis la coque en titane. Cinq secondes plus tard, la salle des machines prenait l'eau. La plus grande section du *Politovsky* fut rapidement noyée, et le peu de réserve de flottabilité qu'avait le bâtiment se trouva ainsi détruit ; l'angle de chute s'accentua. L'Alfa commença sa dernière plongée.

L'arrière s'affaissa au moment où le commandant commençait à reprendre son autorité sur l'équipage au central. Sa tête heurta une console de commande. Les faibles espoirs de ses hommes moururent avec lui. Le *Politovsky* tombait en arrière, et l'hélice tournoyait à l'envers pendant la descente vers le fond.

Le Pogy

« Commandant, je servais sur le *Chopper,* en 69. » L'opérateur sonar évoquait un terrible accident survenu à bord d'un sous-marin diesel.

« C'est exactement ce qu'on entend là », acquiesça le commandant. Il écoutait directement au récepteur sonar, à présent. Impossible de s'y tromper. Le sous-marin coulait. Ils avaient entendu l'eau s'engouffrer dans les ballasts ; cela ne pouvait signifier qu'une seule chose : que les compartiments intérieurs se remplissaient d'eau. S'ils avaient été plus près, ils auraient sans doute entendu les hurlements des hommes dans la coque condamnée, Wood était bien content de ne pas les entendre. Ce bouillonnement d'eau était bien assez atroce.

Des hommes mouraient. Des Russes, des ennemis, mais des hommes guère différents de lui, et l'on ne pouvait rien faire pour les sauver.

Quant à Appât 1, observa Wood, il continuait sans se préoccuper de ce qui était arrivé à son jumeau resté en arrière.

*L'*E. S. Politovsky

En neuf minutes, le *Politovsky* toucha le fond, à sept cents mètres. Il heurta violemment le sable dur du bord du plateau continental. Preuve de la qualité de sa construction, les cloisons intérieures tinrent bon. Tous les compartiments de l'arrière, à partir de la salle du réacteur, étaient inondés, et la moitié de l'équipage y avait péri ; mais les compartiments avant étaient restés secs, ce qui constituait un malheur plutôt qu'une bénédiction. Comme les réserves d'air de l'arrière étaient inutilisables et qu'il ne restait plus que la batterie de secours pour faire marcher les systèmes complexes d'habitabilité, les quarante hommes ne disposaient que d'une quantité d'air limitée. Ils n'échappaient à une mort rapide par noyade dans l'océan Atlantique que pour en affronter une plus lente par asphyxie.

LE NEUVIÈME JOUR

Samedi 11 décembre

Au Pentagone

Une femme quartier-maître de première classe tint la porte ouverte pour Tyler. Il entra et trouva le général Harris seul devant la grande table des cartes, où il étudiait la disposition de minuscules maquettes de navires.

« Vous devez être Skip Tyler, dit Harris en levant les yeux.

— Oui, mon général. » Tyler se tenait aussi rigoureusement au garde-à-vous que le lui permettait sa jambe artificielle. Harris vint lui serrer la main.

« Greer m'a dit que vous aviez joué au base-ball.

— Oui, mon général, j'étais ailier droit à Annapolis. C'était le bon temps. » Tyler sourit et remua les doigts. Harris avait l'air de la parfaite brute.

« Bon, si vous avez joué au base-ball, appelez-moi Ed. » Harris lui donna une bourrade dans l'estomac. « Vous portiez le dossard soixante-dix-huit, et vous avez été All American, pas vrai ?

— Seconde équipe, mon général. Content de savoir que quelqu'un s'en souvient.

— J'ai été en service temporaire à l'Académie navale pendant quelques mois, à cette époque-là, et j'ai pu voir deux ou trois matches. Je n'oublie jamais un bon ailier qui sait foncer. J'étais à la ligue All American, à Montana... il y a longtemps. Qu'est-ce qui est arrivé à votre jambe ?

— Taillée par un chauffard. C'est moi qui ai eu de la veine. L'ivrogne y est resté.

— Bien fait pour le con. »

Tyler acquiesça, mais se souvint que l'ouvrier ivre laissait une femme et des enfants, d'après ce qu'avait dit la police. « Où sont les autres ?

— Les chefs sont à leur réunion d'information habituelle — enfin, habituelle en semaine. Ils devraient descendre d'ici quelques minutes. Alors vous enseignez la mécanique à Annapolis ?

— Oui, mon général. J'ai eu un doctorat quelque part en chemin.

— M'appelle Ed, Skip. Et ce matin, vous allez nous expliquer comment faire pour garder ce foutu SM russe ?

— Oui, mon général... Ed.

— Racontez-moi ça, mais prenons d'abord du café. » Les deux hommes s'approchèrent d'une table d'angle, sur laquelle étaient servis du café et des viennoiseries. Harris écouta Tyler pendant cinq minutes en buvant son café et en dévorant deux donuts à la confiture. Il lui fallait des quantités de nourriture, pour entretenir cette carcasse.

« Nom d'un chien », s'exclama le J-3 lorsque Tyler eut terminé. Il s'approcha de la carte. « C'est intéressant. Votre idée dépend beaucoup de l'habileté de l'escamotage. Il va falloir les tenir à distance pendant notre numéro. Par ici, dites-vous ? » Il tapota un emplacement sur la carte.

« Oui, mon général. Le fait est que, vu la manière dont ils semblent opérer, nous pourrions faire cela vers le large, par rapport à eux...

— Et faire une double entourloupette. J'aime ça. Ouais, j'aime beaucoup ça, mais Dan Foster ne va pas tellement apprécier de perdre l'un de nos bâtiments.

— Je dirais que cela vaut le coup.

— Moi aussi, approuva Harris. Mais ce ne sont pas mes bateaux. Et après, où le cachons-nous... si nous mettons la main dessus ?

— Mon général, il y a d'excellents emplacements tout près d'ici, dans la baie de Chesapeake. Par exemple sur l'York River, voici un endroit profond, et un autre sur la Patuxent. Les deux appartiennent à la marine, et portent l'indication *Accès interdit* sur la carte. Ce qu'il y a de bien avec les SM, c'est qu'ils sont faits pour disparaître. Suffit de trouver un trou assez profond et de sortir les barres. C'est temporaire, bien sûr. Pour une solution plus permanente, peut-être Truk ou Kwajalein, dans le Pacifique. Idéal, loin de tout.

— Et les Soviétiques ne remarqueraient pas la présence soudaine d'un ravitailleur de SM et de trois cents techniciens SM là-bas ? D'ailleurs, ces îles ne nous appartiennent plus vraiment, rappelez-vous ? »

Tyler ne s'était pas attendu à trouver cet homme niais. « Et alors, s'ils s'en aperçoivent dans plusieurs mois ? Que feront-ils ? L'annoncer à la terre entière ? Je ne le pense pas. D'ici là, nous aurons rassemblé toute l'information possible, et nous pourrons toujours présenter les officiers déserteurs à l'occasion d'une belle conférence de presse. Comment le prendraient-ils ? De toute façon, il est vraisemblable qu'après l'avoir un peu tripoté, nous le démonterons. Le réacteur partira dans l'Idaho pour des essais. Les missiles et les ogives iront ailleurs. Le matériel électronique sera expédié en Californie pour être examiné, et quant au matériel cryptographique, la CIA, la NSA et la marine se battront au couteau pour mettre la main dessus. La carcasse désossée ira disparaître dans un trou bien profond. Pas de preuves. Nous n'aurons pas besoin de garder le secret éternellement, juste quelques mois. »

Harris posa sa tasse. « Pardonnez-moi de jouer l'avocat du diable, je vois que vous avez tout prévu. Très bien, je pense que cela vaut la peine de bien y réfléchir. Cela implique de coordonner beaucoup de matériel lourd, mais sans s'interposer avec ce que nous faisons déjà. D'accord, vous pouvez compter sur mon vote. »

Les chefs d'état-major arrivèrent trois minutes plus tard. Tyler n'avait jamais vu tant d'étoiles dans une seule pièce.

« Vous vouliez nous voir tous, Eddie ? demanda Hilton.

— Oui, mon général. Je vous présente Skip Tyler. »

L'amiral Foster s'avança le premier pour lui serrer la main. « C'est vous qui nous avez préparé ce dossier sur *Octobre rouge,* qui vient de nous être communiqué. Beau travail, commandant.

— M. Tyler pense que nous devrions le garder, annonça Harris de but en blanc. Et il croit tenir le moyen d'y arriver.

— Nous avons déjà envisagé de tuer l'équipage, grommela Maxwell. Mais le président ne veut pas.

— Et si je vous disais qu'il existait un moyen de renvoyer l'équipage à ses foyers, sans leur faire voir que nous tenons le bâtiment ? C'est bien le fond du problème, n'est-ce pas ? Il faut renvoyer l'équipage dans sa Mère Patrie. Je dis, messieurs, qu'il existe un moyen de le faire, et la seule vraie question demeure : où le cacher ensuite ?

— Nous vous écoutons, déclara Hilton, méfiant.

— Eh bien, mon général, il va falloir agir vite pour tout mettre en place. Nous aurons besoin de l'*Avalon,* qui est sur la côte Ouest. Le *Mystic* est déjà à bord du *Pigeon,* à Charleston. Il nous faut les deux, ainsi qu'un vieux SM lance-engins à nous, dont nous puissions disposer pour le détruire. Voilà pour le gros matériel. Mais le vrai problème, c'est la chronologie — et puis il faut trouver *Octobre rouge.* Ce sera peut-être le plus difficile.

— Peut-être pas, répondit Foster. L'amiral Gallery a signalé ce matin que le *Dallas* l'avait sans doute repéré. Son rapport correspond bien à votre modèle informatique. Nous en saurons plus d'ici quelques jours. Poursuivez. »

Tyler expliqua. Cela lui prit dix minutes, car il dut répondre aux questions et employer la carte pour définir les contraintes de temps et d'espace. Quand il eut terminé, le général Barnes alla téléphoner au Commandement des transports aériens militaires. Foster quitta la salle pour appeler Norfolk, et Hilton partit pour la Maison-Blanche.

Octobre rouge

A l'exception de ceux qui avaient pris le quart, tous les officiers se trouvaient au carré. Plusieurs pots de thé se trouvaient sur la table, intacts, et cette fois encore la porte était fermée à clé.

« Camarades, déclara Petrov, la seconde série de badges est également contaminée, plus que la première. »

Ramius observa que Petrov était bouleversé. Ce n'était pas la première série de badges, ni la seconde, mais la troisième ou la quatrième depuis l'appareillage. Il avait bien choisi son médecin de bord.

« Ils sont défectueux, grommela Melekhine. Un salopard ou un plaisantin à Severomorsk... ou peut-être un espion impérialiste qui nous aura joué un tour. Quand on prendra ce saligaud, je le fusillerai moi-même — quel qu'il soit ! C'est un acte de trahison !

— Le règlement exige que je fasse un rapport, rappela Petrov. Même si les instruments indiquent un taux de radiation sans danger.

— Votre respect du règlement est noté, camarade docteur. Vous avez agi correctement, dit Ramius. Et maintenant, le règlement prévoit que nous procédions à un nouveau contrôle. Melekhine, faites-le personnellement avec Borodine. Vérifiez d'abord les instruments de radiation eux-mêmes. S'ils fonctionnent normalement, nous saurons avec certitude que les badges sont défectueux — ou qu'ils ont été manipulés. Dans ce cas, mon rapport sur l'incident réclamera des têtes. » On connaissait des cas d'ouvriers ivres qui avaient été envoyés au goulag. « A mon avis, camarades, il n'y a pas lieu de nous inquiéter. S'il y avait une fuite, le camarade Melekhine l'aurait découverte depuis déjà plusieurs jours. Voilà. Nous avons tous du travail. »

Une demi-heure plus tard, ils étaient tous à nouveau réunis dans le carré. Des hommes d'équipage s'en rendirent compte au passage, et les murmures commencèrent.

« Camarades, annonça Melekhine, nous avons un problème sérieux. »

Les officiers, et surtout les plus jeunes, pâlirent légèrement. Sur la table se trouvait un compteur Geiger en pièces détachées, ainsi qu'un détecteur de radiations décroché de la cloison de la chambre du réacteur, et dépouillé de son enveloppe d'inspection.

« Sabotage », siffla Melekhine. Le mot était assez effrayant pour faire frémir n'importe quel citoyen soviétique. La pièce entière s'immobilisa dans un silence de mort, et Ramius observa que Svyadov faisait un terrible effort pour se dominer.

« Camarades, d'un point de vue mécanique, ces instruments sont fort simples. Comme vous le savez, ce compteur a dix positions. Nous pouvons choisir entre dix niveaux de sensibilité, et employer le même instrument pour détecter une petite fuite ou en mesurer une importante. Il suffit de manœuvrer ce sélecteur, pour alimenter l'une des dix résistances de valeur croissante. Un enfant pourrait le concevoir, l'entretenir, ou le réparer. »

L'ingénieur tapota le dessus du cadran du sélecteur.

« Dans le cas qui nous occupe, les résistances ont été sectionnées, et remplacées par d'autres. Les positions de un à huit ont la même valeur d'impédance. Tous nos compteurs ont été inspectés par le même technicien de chantier, trois jours avant l'appareillage. Voici sa fiche d'inspection. »

Melekhine la jeta sur la table avec mépris.

« Lui-même ou un autre espion a saboté tous les compteurs que j'ai examinés. Un homme expérimenté n'aura pas eu besoin de plus d'une heure. Dans le cas de cet instrument », l'ingénieur retourna le détecteur trafiqué, « vous pouvez voir que les pièces électriques ont été débranchées, à l'exception du circuit d'essai qui a été remonté. Borodine et moi l'avons ôté de la cloison avant. C'est un travail habile, qui n'est pas l'œuvre d'un amateur. Je suis convaincu qu'un agent impérialiste a saboté notre bâtiment. Il a commencé par mettre hors d'état nos instruments de contrôle de radiations, puis il a dû produire une faible fuite dans nos canalisations chaudes. Il semblerait donc, camarades, que le camarade Petrov ait eu raison. Mes excuses, docteur. »

Petrov hocha nerveusement la tête. Il se serait volontiers passé de ce genre de compliments.

« Irradiation totale, camarade Petrov ? demanda Ramius.

— La plus importante concerne les mécaniciens, bien sûr. Le maximum est de cinquante rads pour les camarades Melekhine et Svyadov. Les autres mécaniciens subissent de vingt à quarante-cinq rads, et l'irradiation cumulative décroît rapidement à mesure qu'on va vers l'avant. Les torpilleurs ne sont soumis qu'à cinq rads, ou moins. Quant aux officiers, à l'exclusion des ingénieurs, ils reçoivent dix à vingt-cinq rads. » Petrov marqua une pause, et décida de se montrer plus positif. « Camarades, ce ne sont pas des doses mortelles. En vérité, on peut supporter jusqu'à cent rads sans aucun effet physiologique à court terme, et l'on peut survivre à plusieurs centaines. Nous nous trouvons assurément confrontés à un problème grave, mais il ne s'agit nullement d'une menace urgente.

— Melekhine ? interrogea le commandant.

— C'est ma salle des machines, et ma responsabilité. Nous ne *savons* pas encore si nous avons une fuite. Les badges pourraient encore fort bien être défectueux, ou avoir été sabotés. Ce pourrait fort bien être un sale tour psychologique de nos ennemis pour nous saper le moral. Borodine m'aidera. Nous allons personnellement réparer ces instruments et procéder à une inspection complète de tous les systèmes de réacteurs. Je suis trop vieux pour avoir des enfants. Pour le moment, je suggère que nous arrêtions le réacteur et que nous marchions sur la batterie de secours. L'inspection nous prendra quatre heures au plus. D'accord, commandant ?

— Certainement, camarade. Je sais qu'il n'y a rien que vous ne sachiez réparer.

— Excusez-moi, commandant, intervint Ivanov. Faut-il rendre compte à l'état-major ?

— Nous avons ordre de ne pas rompre le silence radio.

— Si les impérialistes ont pu saboter nos instruments... Et s'ils ont eu connaissance de nos ordres à l'avance, et qu'ils essaient de nous faire employer la radio pour pouvoir nous repérer ? demanda Borodine.

— C'est une possibilité, admit Ramius. Nous allons commencer par déterminer si nous avons un problème, et puis en mesurer la gravité. Camarades, nous avons un bon équipage et les meilleurs officiers de la flotte. Nous réglerons nos problèmes nous-mêmes, et poursuivrons notre mission. Nous avons tous rendez-vous à Cuba, et je compte m'y tenir... Au diable les complots impérialistes !

— Bien dit, approuva Melekhine.

— Camarades, cela doit rester secret. Je ne vois aucune raison d'éveiller l'inquiétude parmi l'équipage, quand il n'y a peut-être rien du tout, et qu'en tout cas nous pouvons régler l'affaire nous-mêmes. »

Ramius déclara la séance levée.

Petrov était moins sûr, et Svyadov se donnait beaucoup de mal pour ne pas trembler. Il avait une petite amie à terre, et espérait bien avoir des enfants un jour. Le jeune lieutenant avait suivi une formation contraignante pour comprendre tout ce qui se passait dans les systèmes de réacteurs et savoir que faire si les choses allaient de travers. Et c'était une consolation de savoir que la plupart des solutions aux problèmes de réacteurs qu'on pouvait lire dans les livres avaient été écrites par certains hommes présents dans cette pièce. Mais même ainsi, quelque chose d'invisible et imperceptible envahissait son corps, et aucun être rationnel ne pouvait s'en réjouir.

La réunion était terminée. Melekhine et Borodine se rendirent à l'arrière, dans la réserve de matériel. Un *michman* électricien les accompagna pour prendre les pièces détachées nécessaires. Il les vit lire le manuel de fonctionnement d'un détecteur de radiations. Quand il termina son quart, une heure plus tard, tout l'équipage savait que le réacteur était une nouvelle fois arrêté. L'électricien s'entretint avec son voisin de couchette, technicien d'entretien des missiles. Ils discutèrent ensemble les raisons pour lesquelles on pouvait travailler sur une demi-douzaine de compteurs Geiger et divers autres instruments, et la conclusion s'imposa.

Le bosco les entendit discuter et parvint à la même conclusion. Il avait passé dix ans sur des sous-marins. Malgré cela, il n'avait guère d'instruction et considérait toute activité dans les espaces réservés au réacteur comme pure sorcellerie. Ça faisait marcher le bateau, comment, il n'en savait rien, mais il était sûr d'une chose : il y avait là quelque chose de maudit. Il commença maintenant à se demander si les démons qu'il ne voyait jamais, à l'intérieur de ce tambour d'acier, ne se déchaînaient pas ? En deux heures, l'équipage entier savait qu'il y avait un problème et que leurs officiers n'avaient pas encore trouvé le moyen d'y remédier.

On pouvait voir les cuisiniers qui apportaient les repas de la cuisine aux quartiers d'équipage, à l'avant, s'y attarder le plus possible. Les hommes de quart au central s'agitaient davantage qu'à l'accoutumée, observa Ramius, et ils se hâtaient de regagner l'avant dès la relève.

L'USS New Jersey

Il fallait du temps pour s'habituer, réfléchit le contre-amiral Zachary Eaton. A l'époque de la construction de son navire, il faisait voguer des petits bateaux dans sa baignoire. A l'époque, les Russes étaient des alliés, mais des alliés de circonstance, qui partageaient un ennemi commun au lieu d'un but. Exactement comme les Chinois d'aujourd'hui, songea-t-il. L'ennemi d'alors, c'étaient les Allemands et les Japonais. Au cours de ses vingt-six ans de carrière, il était souvent allé dans ces deux pays, et pour son premier commandement, sur un destroyer, il avait été basé à Yokosuka. C'était un drôle de monde.

Il y avait plusieurs bons côtés à ce navire amiral. Gros comme il était, il remuait juste assez sur l'eau pour qu'on eût le sentiment d'être en mer, et non dans un bureau. La visibilité s'étendait à dix milles et, quelque part là-bas, à environ huit cents milles, il y avait la flotte russe. Son navire allait les affronter comme dans le bon vieux temps, comme si le porte-avions n'avait jamais existé. Les escorteurs *Caron* et *Stump* étaient en vue, à cinq milles devant. Plus avant, les croiseurs *Biddle* et *Wainwright* étaient de piquet radar. Le groupe d'action de surface battait la mesure au lieu d'avancer, comme il aurait préféré. Au large du *New Jersey,* le porte-hélicoptères d'assaut *Tarawa* et deux frégates approchaient à vive allure, portant dix chasseurs Harrier AV-8B et quatorze hélicoptères ASM pour compléter sa force aérienne. C'était utile mais Eaton ne s'en préoccupait pas particulièrement. L'escadrille aérienne du *Saratoga* opérait à partir du Maine, ainsi qu'une jolie collection d'oiseaux qui se donnaient du mal pour apprendre le boulot de la force maritime. Le HMS *Invincible* se trouvait à deux cents milles à l'est, et faisait de la surveillance ASM agressive ; huits cents milles plus à l'est, le *Kennedy* jouait les navires météo sous les Açores. Le contre-amiral s'irritait un peu de voir les Rosbifs prêter main-forte. Depuis quand la marine américaine avait-elle besoin d'aide pour protéger ses côtes ? Cela dit, ils nous devaient bien une faveur.

Les Russes s'étaient divisés en trois groupes, avec le porte-avions *Kiev* à l'est, face au groupe *Kennedy*. La responsabilité d'Eaton couvrait le groupe *Moskva,* tandis que l'*Invincible* s'occupait du *Kirov*. Des informations sur les trois groupes affluaient continuellement, et son état-major opérationnel les assimilait au fur et à mesure dans la salle du conseil. Que manigançaient donc les Soviétiques? se demandait-il.

Il connaissait l'histoire selon laquelle ils recherchaient un sous-marin égaré, mais il y croyait autant que s'ils avaient prétendu vouloir vendre une plate-forme. Sans doute voulaient-ils prouver qu'ils pouvaient traîner leurs vestes jusque sur les côtes américaines quand ils le voulaient, pour montrer qu'ils avaient une flotte bien assise, et pour établir un précédent.

Eaton n'aimait pas cela du tout.

Il ne s'intéressait pas beaucoup non plus à la mission qu'on lui avait assignée. Il avait deux tâches assez peu compatibles. Garder un œil sur les activités sous-marines allait déjà être assez difficile. Les Vikings du *Saratoga* ne couvraient pas son secteur, malgré sa requête, et la plupart des Orions travaillaient plus au large, plus près de *l'Invincible*. Son propre équipement ASM suffisait à peine à la défense locale, et beaucoup moins encore à la chasse active des sous-marins. Le *Tarawa* changerait cela, mais changerait aussi son écran. Son autre mission consistait à tenir le contact du groupe *Moskva*, et rendre compte immédiatement de toute activité inhabituelle à Cinclantflt, le commandant en chef de la flotte de l'Atlantique. C'était assez logique, dans le fond. Si leurs navires de surface faisaient quoi que ce soit de malencontreux, Eaton avait les moyens de les contrer. On décidait précisément en ce moment à quelle distance il devrait les surveiller.

Le problème était de savoir s'il devrait se tenir près ou loin. Près, cela signifiait trente-trois kilomètres — à portée de tir. *Moskva* avait dix escorteurs, sans doute capables de survivre à plus de deux projectiles de quatre cents millimètres. A trente-trois kilomètres il pouvait choisir d'utiliser des cartouches pleines ou sous-calibrées, ces dernières étant guidées jusqu'à leurs cibles par un laser placé au sommet de la tourelle principale. Les essais de l'année précédente avaient déterminé qu'il pouvait maintenir un rythme de tir d'un coup toutes les vingt secondes, avec le laser qui irait d'une cible à l'autre jusqu'à ce qu'il n'en reste plus. Mais cela exposerait le *New Jersey* et ses escorteurs au tir de torpilles et de missiles des navires soviétiques.

En s'éloignant davantage, il pouvait encore tirer des salves de projectiles surcalibrés à quatre-vingt-deux kilomètres, et la visée serait faite au laser à partir de l'hélicoptère. Mais cela exposerait l'hélico au tir de missiles sol-air, et des hélicoptères soviétiques que l'on soupçonnait de porter des missiles air-air. Pour donner un coup de main, le *Tarawa* amenait deux hélicos d'attaque Apache, qui portaient des lasers, des missiles air-air et leurs propres missiles air-sol; c'étaient des armes antitank dont on espérait une grande efficacité contre les petits navires de guerre.

Sa flotte serait exposée au tir des missiles, mais il ne craignait rien pour son navire. A moins que les Russes ne disposent d'ogives nucléaires, leurs missiles navals ne pourraient guère causer de dommages graves à son bâtiment — le *New Jersey* avait un blindage de classe B, de plus de trente centimètres d'épaisseur. Cependant, ils saccageraient son radar et son matériel de communication et, pis encore, ils seraient mortels pour ses escorteurs à coque plus mince. Ses navires portaient leurs propres missiles, Harpoons et Tomahawks, mais pas dans les quantités qu'il aurait souhaitées.

Et si un sous-marin russe leur donnait la chasse ? Eaton n'avait entendu parler de rien de tel, mais on ne savait jamais où il pouvait s'en cacher un. Bah... il ne pouvait pas s'inquiéter pour tout. Un sous-marin pouvait couler le *New Jersey*, mais il devrait se donner sacrément de mal pour y arriver. Si les Russes manigançaient vraiment du vilain, ils tireraient les premiers, mais Eaton aurait tout de même le temps de lancer ses propres missiles et de tirer quelques rafales, en réclamant le soutien de l'aviation — mais rien de tout cela n'arriverait, il en était sûr.

Il décida que les Russes menaient un genre d'expédition de pêche, et que son boulot consistait à leur montrer que les poissons du secteur étaient dangereux.

A la base d'aéronautique navale de North Island, en Californie

L'énorme semi-remorque avançait à trois à l'heure dans la cale du Galaxy C-5A de fret, sous le regard attentif du responsable de chargement de l'appareil, de deux officiers d'aviation et de six officiers de marine. Curieusement, seuls ces derniers, dont aucun n'arborait les insignes de l'aviation, connaissaient parfaitement la manœuvre. Le centre de gravité du véhicule était marqué avec précision, et ils regardaient la marque approcher d'un certain chiffre gravé dans le sol de la cale. Il fallait effectuer la manœuvre très exactement. La moindre erreur pouvait déséquilibrer l'avion et mettre en danger les vies de l'équipage et des passagers.

« Okay, stoppez là », cria l'officier supérieur. Le conducteur était trop heureux de s'arrêter. Il laissa les clés sur le tableau de bord, serra tous les freins, et engagea la première vitesse avant de sortir. Quelqu'un d'autre sortirait le camion de l'appareil, sur la côte Est. Le responsable du chargement et six techniciens se mirent aussitôt au travail, pour arrimer le camion et sa remorque avec des filins d'acier. Les avions survivaient rarement à des mouvements de fret, et le C-5A n'avait pas de sièges éjectables.

Le responsable du chargement s'assura que ses hommes faisaient bien leur travail avant de se diriger vers le pilote. C'était un sergent de vingt-cinq ans qui adorait les C-5 en dépit de leur histoire mouvementée.

« Capitaine, qu'est-ce que c'est que ce truc ?

— Cela s'appelle un véhicule de sauvetage en immersion profonde, sergent.

— Il y a écrit *Avalon* à l'arrière, observa le sergent.

— Ouais, il a un nom. C'est un genre de chaloupe pour sous-marin. Il descend chercher l'équipage si quelque chose tourne mal.

— Ah ! » Le sergent réfléchit un moment. Il avait transporté par air des tanks, des hélicoptères, du fret de toutes sortes, et même, un jour, tout un bataillon, dans son Galaxy — car il éprouvait des sentiments de propriétaire. Mais c'était bien la première fois qu'il transportait un bateau. Si cela portait un nom, raisonna-t-il, alors c'était un bateau. Bon Dieu, le Galaxy pouvait tout faire ! « Où l'emmène-t-on, capitaine ?

— A la base d'aéronautique navale de Norfolk, et je n'y suis jamais allé non plus. » Le pilote suivait attentivement le travail des techniciens. Une douzaine de câbles étaient déjà fixés. Quand une douzaine d'autres seraient en place, ils tendraient les filins au maximum pour éviter le moindre déplacement. « Nous prévoyons un vol de cinq heures et quarante minutes, carburant intérieur uniquement. Nous avons le vent avec nous. Il paraît que le temps va rester favorable jusqu'à l'arrivée sur la côte. Nous restons une journée là-bas, retour lundi matin.

— Vos gars travaillent rudement vite, apprécia le lieutenant de vaisseau Ames en s'approchant.

— Oui, capitaine, encore vingt minutes. » Le pilote consulta sa montre. « Nous devons partir à l'heure juste.

— Ne vous bousculez pas, capitaine. Si ce truc bouge en vol, je suppose que notre journée entière serait fichue. Où dois-je envoyer mes hommes ?

— Là-haut, à l'avant. Il y a de la place pour une quinzaine de passagers, juste derrière le poste de pilotage. » Ames le savait, mais n'en dit rien. Il avait traversé plusieurs fois l'Atlantique et une fois le Pacifique, avec son « canot de sauvetage », et chaque fois sur un C-5 différent.

« Puis-je vous demander de quelle aventure il s'agit ? s'enquit le pilote.

— Je ne sais pas, répondit Ames. Ils me veulent à Norfolk avec mon bébé.

— Vous emmenez vraiment ce petit bidule sous l'eau ? demanda le responsable du chargement.

— Je suis payé pour ça. Je l'ai déjà descendu à dix-sept cents mètres. Plus d'un kilomètre et demi. » Ames contemplait son véhicule sous-marin avec affection.

« Un kilomètre et demi sous l'eau, lieutenant ? Bon Dieu... euh, excusez-moi, lieutenant, mais, n'est-ce pas un peu impressionnant... je veux dire, la pression de l'eau ?

— Pas vraiment, non. Je suis descendu jusqu'à sept mille mètres, à bord du *Trieste*. C'est très intéressant, vous savez, tout en bas. On voit toutes sortes de poissons bizarres. » Bien que sous-marinier de grande compétence, Ames aimait avant tout la recherche. Il avait un doctorat en océanographie, et avait commandé ou servi sur tous les véhicules de grande profondeur, à l'exception du NR-1 nucléaire. « Evidemment, la pression de l'eau serait terrible en cas de pépin, mais tout se passerait si vite que vous n'auriez pas le temps de vous en apercevoir. Si vous avez envie d'embarquer pour faire un petit tour, je pourrais sûrement vous arranger cela. C'est un autre monde, en bas.

— Bon, bon, d'accord, capitaine. » Le sergent retourna hurler des jurons à ses hommes.

« Vous ne parliez pas sérieusement, suggéra le pilote.

— Pourquoi donc ? Cela n'a rien d'extraordinaire. Nous emmenons constamment des civils avec nous, et croyez-moi, c'est nettement moins impressionnant que votre foutue baleine blanche quand on la ravitaille en vol !

— Ah ? » Le pilote n'était pas convaincu. Il avait ravitaillé en vol des centaines de fois, c'était une opération de routine, et il s'étonnait qu'on puisse trouver cela dangereux. Il fallait faire attention, bien sûr, mais, merde, il fallait faire attention aussi chaque matin, quand on prenait sa voiture. Il était sûr qu'en cas d'accident dans ce sous-marin de poche, il ne resterait de l'équipage pas de quoi nourrir une crevette. Tous les goûts étaient dans la nature, décida-t-il. « Vous n'appareillez pas tout seul, là-dedans, non ?

— Non, nous opérons d'habitude à partir d'un vaisseau de sauvetage de sous-marins, le *Pigeon* ou l'*Ortolan*. Nous pouvons également opérer directement à partir d'un sous-marin. Ce gadget que vous voyez là, sur la remorque, c'est notre collier d'accouplement. Nous nous posons sur le dos du sous-marin, à l'arrière, juste à l'aplomb du sas de sauvetage, et il nous emmène là où nous devons aller.

— Votre mission est-elle liée à l'affaire de la côte Est ?

— Il y a sans doute fort à parier, mais personne ne nous a rien dit d'officiel. Les journaux disent que les Russes ont perdu un SM. Dans ce cas, nous allons peut-être descendre jeter un coup d'œil dessus, et peut-être même sauver des survivants. Nous pouvons prendre vingt à vingt-cinq hommes d'un coup, et notre collier d'accouplement est conçu pour s'adapter aussi bien aux SM soviétiques.

— Même taille ?

— A peu près. » Ames haussa un sourcil. « Nous avons prévu toutes sortes de solutions.

— Intéressant. »

Dans l'Atlantique Nord

Le Forger YAK-36 avait quitté le *Kiev* depuis une demi-heure, en navigation au compas d'abord, puis avec les éléments de la nacelle ESM fixée sur son empennage massif. La mission du lieutenant Viktor Shavrov n'était pas facile. Il devait approcher l'un des Sentry E-3A américains qui, en mission de surveillance radar, suivait sa flotte depuis trois jours. Les appareils AWACS [1] avaient pris garde de rester hors de portée des missiles SAM, mais en se maintenant assez près pour assurer une couverture constante de la flotte soviétique et rendre compte à leur base de toutes les manœuvres et transmissions radio. C'était comme voir un voleur aux aguets devant chez soi, et ne rien pouvoir y faire.

La mission de Shavrov consistait précisément à faire quelque chose. Il ne pouvait pas tirer, bien sûr. Les ordres de l'amiral Stralbo, à bord du *Kirov,* avaient été clairs sur ce point. Mais il transportait deux missiles Atoll à déclenchement thermique, qu'il allait bien faire voir aux impérialistes. Son amiral et lui-même comptaient bien que cela leur donnerait une leçon : la marine soviétique n'aimait pas être gênée par les intrus, et un accident pouvait toujours arriver. C'était une mission gratifiante.

Mais elle supposait cependant un travail considérable. Pour

AWACS : Airborne Warning and Control System, avions de guet équipés de radar. (N.d.T.)

éviter toute détection par les radars aériens, Shavrov devait voler aussi bas et aussi lentement que son appareil le lui permettait, à vingt mètres seulement au-dessus de la surface mouvementée de l'Atlantique ; de cette manière, il disparaîtrait dans le retour de mer. Vitesse, deux cents nœuds, ce qui économisait beaucoup de carburant, mais sa mission l'entraînait néanmoins à l'extrême limite de ses réserves. Quant aux conditions de vol, elles étaient très dures, car le chasseur dansait dans les trous d'air au-dessus des vagues. Une brume au ras de l'eau limitait la visibilité à quelques kilomètres. Tant mieux, se disait-il. La nature même de la mission l'avait fait choisir, plutôt que le contraire : il était l'un des rares pilotes soviétiques experts du vol à basse altitude. Shavrov n'était pas devenu pilote naval tout seul. Il avait commencé par voler sur les hélicoptères d'attaque en Afghanistan, puis était passé à des appareils à ailes fixes après un an de rude apprentissage. Shavrov était devenu maître dans l'art de voler près du sol, pour avoir été contraint de le faire en pourchassant les bandits et contre-révolutionnaires qui se cachaient dans les murailles rocheuses comme des rats fuyant l'eau. Ce talent l'avait rendu précieux aux yeux du commandement, qui l'avait transféré dans la marine sans qu'il eût son mot à dire sur la question. Au bout de quelques mois, il n'avait pas à se plaindre, car les primes et avantages divers valaient nettement mieux que son affectation à la frontière chinoise. Comme il faisait partie des deux ou trois cents pilotes soviétiques ayant l'expérience des appontages, il se consolait un peu d'avoir manqué l'occasion de piloter le nouveau Mig-27 en se disant que, avec un peu de chance, et si la construction du nouveau transporteur s'achevait un jour, il aurait le plaisir de manier la version navale de ce magnifique oiseau. Shavrov savait être patient et, après quelques missions réussies dans le genre de celle-ci, il finirait bien par obtenir un commandement d'escadrille.

Il interrompit sa rêverie — la mission était trop exigeante pour qu'il pût se laisser aller ainsi. Là, il volait pour de bon. Il n'avait jamais eu l'occasion de voler contre les Américains, seulement contre l'armement qu'ils fournissaient aux bandits afghans. Cet armement lui avait coûté des amis, dont certains n'avaient survécu à l'écrasement au sol que pour être massacrés par les sauvages afghans, d'une manière à faire vomir même un Allemand. Il allait se régaler en flanquant personnellement une bonne leçon aux impérialistes.

Le signal radar s'amplifiait. Sous son siège éjectable, un magnétophone enregistrait en continu les caractéristiques signalétiques de l'avion américain, afin que les scientifiques puissent mettre au point un système de brouillage et de dépistage du fameux œil volant américain. Il s'agissait tout simplement d'un 707 bricolé, d'un avion de transport à passagers amélioré, indigne d'affronter un super-pilote de chasse ! Shavrov vérifia sa position. Il allait bientôt devoir le découvrir. Il vérifia ensuite le carburant. Il venait de lâcher son dernier réservoir extérieur quelques minutes plus tôt, et il ne lui restait plus que le réservoir intérieur. Le turboréacteur lampait littéralement le carburant, et il fallait garder l'œil dessus. Il prévoyait de n'avoir plus que cinq ou dix minutes de jus quand il regagnerait son porte-avions. Cela ne le troublait guère. Il avait déjà fait plus de cent appontages.

Là ! Ses yeux de lynx aperçurent un reflet de soleil sur du métal, à une heure au-dessus de lui. Shavrov relâcha un peu le manche à balai en accélérant doucement, ce qui fit grimper son Forger. Une minute plus tard, il était à sept cents mètres. Il voyait le Sentry, maintenant, dont la peinture bleue se fondait parfaitement dans le ciel assombri. Il arrivait par-derrière et, avec un peu de chance, l'empennage ferait écran entre lui et l'antenne rotative du radar. Parfait ! Il allait lui passer deux ou trois fois sous le nez, pour bien montrer ses Atolls, et...

Il fallut un moment à Shavrov pour se rendre compte qu'il avait de la compagnie sur le côté.

Sur les deux bords.

A cinquante mètres de part et d'autre, deux chasseurs américains, des Eagle F-15, étaient là. Le visage casqué de l'un des pilotes était tourné vers lui.

« YAK-106, YAK-106, veuillez répondre. » Sur sa radio, la voix s'exprimait parfaitement en russe. Shavrov ne répondit pas. Ils avaient lu son numéro sur le capot du moteur avant même qu'il ait repéré leur présence.

« 106, 106, ici le Sentry que vous approchez. Veuillez vous identifier, ainsi que vos intentions. Nous sommes toujours un peu nerveux, quand un chasseur isolé s'approche, et nous vous faisons suivre par trois appareils depuis cent kilomètres. »

Trois ? Shavrov tourna la tête. Un troisième Eagle armé de quatre missiles Sparrow le suivait, à cinquante mètres sous sa queue.

« Nos hommes vous félicitent pour ce vol lent à basse altitude, 106. »

Le lieutenant Shavrov frémissait de rage, en s'éloignant à quatre mille mètres, puis à huit mille mètres de l'AWACS américain. Il avait pourtant vérifié ses arrières toutes les trente secondes, en approchant. Les Américains avaient dû le suivre en se cachant dans la brume, et garder le contact, aidés par les instructions du Sentry. Il garda le cap en jurant à mi-voix. Il allait donner une leçon à cet AWACS !

« Dégagez, 106. » C'était une voix neutre et dépourvue d'émotions, à l'exception d'une pointe d'ironie. « 106, si vous ne dégagez pas, nous présumerons que vous êtes en mission hostile. Réfléchissez-y, 106. Vous êtes sorti de la zone radar de votre flotte, mais vous n'êtes pas encore à portée de missile. »

Shavrov regarda à droite. L'Eagle s'écartait — de même que celui de gauche. S'agissait-il d'un geste pour le laisser souffler un peu, dans l'espoir qu'il leur ferait une politesse en retour ? Ou bien laissaient-ils le champ libre au troisième — toujours derrière lui, il vérifia — pour qu'il tire ? Impossible de prévoir ce qu'allaient faire ces criminels impérialistes ; il était à une minute de leur distance maximale de tir. Shavrov était tout sauf un lâche. Mais il n'était pas non plus un imbécile. Il manœuvra pour virer de quelques degrés sur la droite.

« Merci, 106, déclara la voix. Voyez-vous, nous avons quelques élèves-pilotes à bord, et en particulier deux femmes. Nous ne voudrions pas les secouer trop, pour une première sortie. » Soudain, c'en fut trop. Shavrov brancha son micro. « Tu veux que je te dise ce que tu peux en faire, Yankee, de tes bonnes femmes ?

— Vous n'êtes qu'un *nekulturny,* 106, répondit sereinement la voix. Ce long voyage au-dessus de l'eau a dû vous énerver. Et puis vous devez être à la limite de la réserve intérieure de carburant. Sale journée pour voler, surtout avec ces vents qui changent tout le temps. Voulez-vous que je vous donne votre position exacte ? Terminé.

— Négatif, Yankee !

— Retour au *Kiev,* un-huit-cinq, affirmatif. Attention avec le compas magnétique, vous savez. Distance au *Kiev,* 318,6 kilomètres. Attention au front froid de sud-ouest qui approche rapidement. Dans quelques heures, les conditions de vol seront dures. Vous faut-il une escorte pour regagner le *Kiev ?*

— Salaud ! » jura Shavrov entre ses dents. Il coupa la radio en se maudissant pour ce manque de discipline. Il avait laissé les Américains blesser son orgueil — qui était très grand, comme chez la plupart des pilotes de chasse.

« 106, nous n'avons pas enregistré votre dernière communication. Deux de mes Eagles approchent, ils vont vous escorter pour s'assurer que vous regagnez votre base sans encombre. Bonne journée, camarade. Ici Sentry-November, terminé. »

Le lieutenant américain se tourna vers son colonel. Il ne parvenait plus à garder son sérieux. « Bon Dieu, j'ai cru que j'allais m'étrangler, en lui parlant ainsi ! » Il but une gorgée de coca dans un gobelet en plastique. « Il croyait vraiment qu'il allait nous prendre par surprise.

— Au cas où vous ne l'auriez pas remarqué, il est quand même arrivé à moins d'un kilomètre de la portée de tir d'*Atoll,* et nous n'avons pas le droit de tirer sur lui avant qu'il n'ait lui-même commencé — ce qui risquerait de gâcher un peu la journée, grommela le colonel. Vous l'avez joliment mis dedans, lieutenant.

— C'était un plaisir, colonel. » Le pilote jeta un coup d'œil sur son écran. « Bon, il retourne gentiment chez sa maman avec Cobras 3 et 4 sur les talons. Cela va faire un Russkoff malheureux, quand il rentrera chez lui. *Si* il rentre chez lui. Même avec ces réservoirs extérieurs, il doit arriver à l'extrême limite de la panne sèche. » Il réfléchit un moment. « S'ils recommencent, colonel, que penseriez-vous de proposer au gars de nous accompagner chez nous ?

— Mettre la main sur un Forger — dans quel but ? Je suppose que la marine aimerait beaucoup en avoir un pour jouer, ils ne reçoivent pas beaucoup de quincaillerie en provenance de chez Ivanoff, mais le Forger est un bout de tôle sans intérêt. »

Shavrov fut tenté de redescendre en plongée, mais se retint. Il avait montré suffisamment de faiblesse personnelle pour aujourd'hui. Et puis son YAK risquait purement et simplement de rendre l'âme. Ces Eagles pouvaient le suivre sans difficulté, et ils avaient une ample provision de carburant. Il voyait bien qu'ils portaient tous deux des réservoirs supplémentaires extérieurs. Ils pouvaient traverser des océans entiers, avec cela ! Maudits Américains, avec leur arrogance ! Et maudit officier de renseignements, qui lui avait dit qu'il pourrait surprendre les Sentry ! Que les Backfires armés de missiles air-air aillent donc les pourchasser. Ils arriveraient bien à faire rendre gorge à ce foutu avion de ligne surgonflé, ils lui tomberaient dessus avant que ses anges gardiens aient eu le temps de réagir.

Il observa que les Américains n'avaient pas menti, en ce qui concernait le front froid. Les signes avant-coureurs apparaissaient à l'horizon juste au moment où il approchait du *Kiev.* Un pilote américain remonta à sa hauteur, le temps de lui adresser un petit salut, et hocha la tête en voyant le geste que Shavrov lui faisait en réponse. Les deux Eagle firent demi-tour et repartirent vers le nord.

Cinq minutes plus tard, encore blême de rage, il avait regagné le *Kiev*. Dès que les roues eurent touché le pont, il s'élança hors de l'appareil pour aller voir son chef d'escadrille.

Au Kremlin

La ville de Moscou était justement célèbre pour son métro. Pour une somme dérisoire, le gens pouvaient aller presque partout où ils voulaient aller, dans des trains électriques équipés du meilleur confort moderne. En cas de guerre, les tunnels souterrains pouvaient servir d'abris aux habitants. Cet usage supplémentaire résultait des efforts de Nikita Khrouchtchev qui, au début de la construction, dans les années trente, avait suggéré à Staline de faire creuser très profondément. Staline avait approuvé. Cette notion d'abri avait alors des dizaines d'années d'avance sur son temps ; la fission n'existait qu'à l'état de théorie et, quant à la fusion, on ne l'envisageait pas encore.

Sur un tronçon de ligne reliant la place Sverdlov à l'ancien aéroport, et qui passait à proximité du Kremlin, des ouvriers avaient creusé un tunnel qui par la suite fut fermé par un bouchon d'acier et de béton, épais de dix mètres. On accédait du Kremlin à cet espace long de cent mètres par deux ascenseurs, et il était désormais équipé de manière à pouvoir servir de centre de commandement d'où le Politburo pourrait en cas d'urgence contrôler l'empire soviétique en entier. Ce tunnel était également fort pratique en temps normal, car il permettait aux membres du Politburo de quitter discrètement la ville pour gagner leur ultime forteresse, sous le monolithe granitique de Zhiguli. Aucun de ces deux postes de commandement n'était inconnu de l'Ouest — ils existaient depuis trop longtemps pour cela — mais le KGB se fiait à la conviction que rien, dans les arsenaux occidentaux, ne pourrait venir à bout des colossales masses rocheuses qui, dans les deux cas, sépareraient le Politburo de la surface.

Cela ne réconfortait l'amiral Youri Ilych Padorine que modérément. Assis à l'extrémité d'une table de conférence de dix mètres de long, il contemplait les sombres visages des dix membres du Politburo, ce cercle restreint qui, seul, prenait les décisions stratégiques affectant le destin de la nation. Aucun d'eux n'était officier. Ceux qui arboraient l'uniforme devaient rendre des comptes à ces hommes. Au bout de la table, à sa gauche, se trouvait l'amiral Sergueï Gorchkov, qui avait su se dissocier de l'affaire avec un art consommé, parvenant même à exhiber une lettre par laquelle il s'était opposé à l'affectation de Ramius au poste de commandement d'*Octobre rouge*. En sa qualité de chef de l'administration politique centrale, Padorine avait réussi à empêcher la mutation en arguant du fait que le candidat de Gorchkov au commandement d'*Octobre* payait parfois sa cotisation au Parti avec un peu de retard et qu'il ne prenait pas suffisamment la parole dans les réunions pour un officier de son rang. La vérité, c'était que les qualités d'officier du candidat de Gorchkov ne valaient pas celles de Ramius, que Gorchkov souhaitait intégrer à son état-major opérationnel depuis des années. Mais Ramius faisait l'impossible pour y échapper.

Le secrétaire général du Parti et président de l'Union des républiques socialistes soviétiques, Andreï Narmonov, posa son regard sur Padorine. Son visage ne révélait rien, comme toujours — sauf quand il décidait d'exprimer quelque chose, ce qui était fort rare. Narmonov avait succédé à Andropov, quand ce dernier avait succombé à une crise cardiaque. Il circulait des rumeurs sur cette affaire, mais l'Union soviétique bourdonne toujours de rumeurs. Jamais depuis l'époque de Laventry Beria, un chef de la sécurité n'était arrivé aussi près du pouvoir, et les dirigeants du Parti s'étaient laissés aller à l'oublier. Ils ne risquaient guère de recommencer. La remise au pas du KGB avait pris un an entier, mais c'était une mesure indispensable pour garantir le maintien des privilèges de l'élite du Parti, contre les réformes supposées de la clique d'Andropov.

Narmonov était l'*apparatchik* par excellence. Il s'était d'abord distingué comme directeur d'usine, en acquérant la réputation d'un ingénieur capable de fournir ses quotas sans retard, d'un homme qui savait produire des résultats. Il avait grimpé les échelons grâce à l'exploitation de ses propres compétences et de celles des autres, en récompensant qui il fallait et ignorant qui il pouvait. Sa situation de secrétaire général du parti communiste n'était pas totalement sûre car, comme il y faisait ses premières armes, il dépendait encore de la coalition de ses collègues — qui n'étaient pas des amis : ces hommes-là ne se faisaient pas d'amis. Son accès à ce poste avait davantage résulté de liens au sein de la structure du Parti que d'une aptitude personnelle, et pendant des années encore sa position dépendrait de la loi de consensus, jusqu'à l'époque où sa seule volonté pourrait déterminer les politiques.

Padorine pouvait voir que Narmonov avait les yeux rougis par la fumée. Le système de ventilation n'avait jamais fonctionné convenablement dans ce souterrain. De l'autre bout de la table, le secrétaire général louchait sur Padorine en réfléchissant à ce qu'il allait dire, à ce qui satisferait les hommes de cette cabale, ces dix hommes âgés et dépourvus de passion.

« Camarade amiral, commença-t-il froidement, le camarade Gorchkov nous a dit quelles étaient nos chances de retrouver et détruire ce sous-marin rebelle avant qu'il puisse perpétrer son crime monstrueux. Nous n'en sommes guère satisfaits. Nous ne sommes pas satisfaits non plus de la fantastique erreur de jugement qui a amené cette ordure au commandement de notre plus précieux bâtiment. Ce que je veux savoir, camarade, c'est ce qui est arrivé au *zampolit* du bord, et quelles mesures de sécurité ont pris vos services pour empêcher cette infamie de se réaliser ! »

Aucune peur ne perçait dans la voix de Narmonov, mais Padorine savait qu'elle devait néanmoins s'y tapir. Cette « fantastique erreur » pouvait fort bien être déposée aux pieds du président par des membres désireux de voir quelqu'un d'autre prendre sa place — à moins qu'il ne parvienne, d'une manière ou d'une autre, à s'en dissocier. Si cela signifiait de sacrifier la peau de Padorine, eh bien, c'était le problème de l'amiral. Narmonov avait fait immoler d'autres hommes avant lui.

Padorine se préparait à cette scène depuis plusieurs jours. C'était un homme qui avait vécu des mois d'opérations militaires intensives et avait eu plusieurs bateaux coulés sous lui. Et si son corps s'était désormais amolli, son cerveau demeurait le même. Quel que pût être son sort, Padorine était décidé à l'affronter dans la dignité. S'ils se souviennent de moi comme d'un imbécile, se disait-il, ce sera au moins comme d'un imbécile courageux. Il ne lui restait, de toute façon, plus beaucoup de temps à vivre. « Camarade secrétaire général, dit-il, l'officier politique affecté au bord d'*Octobre rouge* était le commandant Ivan Yurevitch Poutine, un vaillant et loyal membre du Parti. Je ne puis imaginer...

— Camarade Padorine, interrompit le ministre de la Défense Ustinov, sans doute ne pouviez-vous pas non plus imaginer l'incroyable trahison de ce Ramius. Espérez-vous réellement que nous allons nous fier à votre jugement sur cet homme ?

— Le plus troublant, ajouta Mikhail Alexandrov, le théoricien du Parti, qui avait succédé à Mikhail Suslov et se montrait encore plus farouche quant à la pureté de la doctrine, c'est de voir la tolérance de l'Administration politique centrale à l'égard de ce renégat. C'est effarant, surtout si l'on considère ses efforts manifestes pour construire le culte de sa propre personnalité dans tout le service des sous-marins, et jusque dans l'arme politique, dirait-on. Votre criminelle détermination à ne pas en tenir compte — cette *évidente* déviation de la politique du Parti — ne donne pas une image très positive de votre jugement.

— Camarades, vous avez raison de juger que j'ai commis une erreur grave en approuvant la nomination de Ramius, et que nous avons eu tort de lui laisser choisir la plupart des officiers supérieurs d'*Octobre rouge*. Toutefois, voici déjà plusieurs années que nous avions décidé d'appliquer cette politique, afin d'associer les officiers à un seul bâtiment pendant plusieurs années, et de donner au commandant une forte influence sur leurs carrières. Il s'agit d'une question opérationnelle, et non politique.

— Nous avons déjà fait le tour de ces considérations, répondit Narmonov. Il est vrai que, dans ce cas, le blâme concerne bon nombre de gens. » Gorchkov ne bougea pas, mais le message était clair : ses tentatives de dissociation d'avec ce scandale avaient échoué. Narmonov se souciait peu du nombre de têtes qu'il faudrait abattre pour affermir son siège.

« Camarade président, objecta Gorchkov, l'efficacité de la flotte...

— Efficacité ? coupa Alexandrov. Efficacité. Ce bâtard lituanien est *efficace*, oui, pour ridiculiser notre flotte avec ses officiers soigneusement sélectionnés, pendant que le reste de nos bateaux zigzague à l'aveuglette comme du bétail à peine castré. » Alexandrov faisait allusion à son premier travail dans une ferme d'Etat. Un début parfait, ricanait-on, car l'homme qui occupait la position de chef idéologue était détesté comme la peste, mais le Politburo avait besoin de lui ou d'un homme comme lui. C'était toujours le chef idéologique qui faisait les rois. Dans quel camp se situait-il maintenant — en plus du sien propre ?

« L'explication la plus vraisemblable, reprit Padorine, c'est que Poutine ait été assassiné. Lui seul, de tous les officiers, laissait derrière lui une femme et des enfants.

— C'est une autre question, camarade amiral. » Narmonov sautait sur l'occasion. « Comment se fait-il qu'aucun de ces hommes ne soit marié ? Cela ne vous a donc pas mis la puce à l'oreille ? Faut-il que le Politburo supervise toujours tout ? Ne pouvez-vous pas penser tout seuls ? »

Comme si vous le souhaitiez, ricana Padorine intérieurement. « Camarade secrétaire général, la plupart de nos commandants de sous-marins préfèrent s'entourer de jeunes officiers célibataires. En mer, le service est exigeant, et les célibataires sont moins distraits. De plus, chacun des officiers supérieurs est membre du Parti, avec un excellent dossier. Ramius a agi en traître, on ne peut le nier, et je serais heureux de tuer ce salaud de mes propres mains... mais il a dupé plus d'hommes valeureux qu'il n'y en a dans cette salle.

— Fort bien, dit Alexandrov. Mais maintenant que nous sommes dans ce bourbier, comment en sortons-nous ? »

Padorine prit une profonde inspiration. Il avait attendu cet instant. « Camarades, nous avons un autre homme à bord d'*Octobre rouge,* à l'insu de Poutine et du commandant Ramius. Un agent de l'Administration politique centrale.

— Quoi ? s'exclama Gorchkov. Et pourquoi ne l'ai-je pas su ? »

Alexandrov sourit. « C'est bien la première chose intelligente que nous entendons aujourd'hui. Continuez.

— Cette taupe a une couverture d'homme d'équipage. Il rend compte directement à notre bureau, sans passer par les voies opérationnelles et politiques. Il s'appelle Igor Loginov. Il a vingt-quatre ans...

— Vingt-quatre ans ! hurla Narmonov. Vous confiez cette responsabilité à un gosse ?

— Camarade, la mission de Loginov consiste à se mêler aux recrues, à écouter les conversations et à identifier les traîtres, espions et saboteurs éventuels. A la vérité, il paraît encore plus jeune. Il sert parmi des jeunes gens, et il doit être jeune lui-même. En fait, il est sorti de la haute école navale de Kiev réservée aux officiers politiques, et diplômé de l'académie des renseignements du GRU. Il est le fils d'Arkady Ivanovitch Loginov, directeur de l'usine sidérurgique Lénine, à Kazan. Nombre d'entre vous le connaissent. » Narmonov opina, une lueur d'intérêt dans l'œil. « Ces responsabilités ne se confient qu'à une élite très restreinte. J'ai personnellement eu un entretien avec ce garçon. Son dossier est bon, c'est un patriote soviétique, sans aucun doute possible.

— Je connais son père, confirma Narmonov. Arkady Ivanovitch est un homme de valeur, qui a élevé plusieurs fils dans le chemin de l'honneur. Quels sont les ordres donnés à ce garçon ?

— Comme je le disais, camarade, ses fonctions ordinaires consistent à observer les hommes d'équipage et rapporter ce qu'il entend. Il le fait depuis deux ans, et il le fait très bien. Il ne dépend pas du *zampolit* de bord, mais directement de Moscou. En cas d'urgence, il doit rendre compte au *zampolit.* Si Poutine était en vie — et je ne le crois pas, camarades —, c'est qu'il ferait partie de la conspiration, et Loginov saurait se garder de rien lui dire. En cas de nécessité, il a donc pour ordre de détruire le bâtiment et de s'évader.

— Est-ce possible ? demanda Narmonov. Gorchkov ?

— Camarades, tous nos navires transportent de grosses charges explosives, et surtout les sous-marins.

— Malheureusement, précisa Padorine, elles ne sont généralement pas armées, et seul le commandant peut les mettre en œuvre. Depuis l'accident du *Storozhevoï*, nous sommes obligés de considérer, à l'Administration politique centrale, qu'un accident de ce type est toujours possible, et que cela risquerait d'être particulièrement dommageable dans le cas d'un sous-marin lance-missiles.

— Ah, dit Narmonov, c'est un technicien de missiles.

— Non, camarade, il est cuistot.

— Magnifique! Il passe ses journées à faire cuire des patates! » Narmonov leva les mains au ciel, tout espoir brutalement évanoui, et remplacé par une fureur palpable. « Vous la voulez tout de suite, cette balle dans la tête?

— Camarade président, il s'agit là d'une couverture bien meilleure que vous ne l'imaginez. » Padorine n'avait pas cillé; il voulait montrer à ces hommes de quoi il était fait. « A bord d'*Octobre rouge*, les chambres des officiers et les cuisines sont à l'arrière, tandis que les postes d'équipage se trouvent à l'avant — l'équipage y mange aussi, puisqu'il ne dispose pas d'un réfectoire distinct —, séparés par le compartiment des missiles. En sa qualité de cuisinier, il doit aller et venir à tout moment de la journée, et sa présence dans tel ou tel secteur ne sera donc pas jugée déplacée. La chambre froide est adjacente à la rampe inférieure des missiles. Nous n'avons pas prévu qu'il doive activer les têtes. Et nous avons permis que le commandant puisse les désarmer. Camarades, je vous rappelle que ces mesures ont fait l'objet de longues et mûres réflexions.

— Continuez, grommela Narmonov.

— Comme vous l'a expliqué le camarade Gorchkov, *Octobre rouge* porte vingt-six engins Seahawk. Ce sont des fusées à carburant solide, et l'une d'elles est équipée d'une sécurité de tir.

— Sécurité de tir? » Narmonov était surpris.

Jusque-là, les autres officiers présents, dont aucun n'appartenait au Politburo, avaient gardé le silence. Padorine s'étonna donc de voir le général V. M. Vishenkov, commandant des Forces stratégiques de missiles, prendre la parole. « Camarades, ces détails ont été mis au point en collaboration avec mes services, voici déjà quelques années. Comme vous le savez, quand nous faisons des essais de missiles, nous embarquons des engins munis d'une sécurité de tir, pour les faire exploser s'ils dévient de leur trajectoire. Sinon, ils risqueraient de retomber sur l'une de nos propres villes. Nos missiles opérationnels n'en sont ordinairement pas équipés — pour l'évidente raison que les impérialistes pourraient ainsi apprendre à les faire exploser en vol.

— Ainsi donc, notre jeune camarade du GRU fera sauter le missile. Qu'advient-il des têtes ? » s'enquit Narmonov. Etant ingénieur de formation, il pouvait toujours se laisser distraire par un discours technique, ou impressionner par un raisonnement astucieux.

« Camarades, poursuivit Vishenkov, les têtes des missiles sont armées par des accéléromètres, et ne peuvent donc l'être que quand le missile atteint la pleine vitesse programmée. Les Américains utilisent le même système, et pour la même raison — afin d'éviter le risque de sabotage. Ces systèmes de sécurité sont absolument fiables. On pourrait faire tomber un véhicule de rentrée du sommet d'une antenne de la télévision de Moscou, sur une plaque d'acier, sans qu'il explose. » Le général faisait ainsi allusion à l'énorme tour de la télévision, dont Narmonov avait personnellement supervisé la construction au temps où il dirigeait le Centre des communications. Vishenkov était un adroit tacticien politique.

« Dans le cas d'une fusée à carburant solide », reprit Padorine, conscient de sa dette envers Vishenkov et se demandant ce qui serait exigé de lui en retour — mais avec l'espoir de vivre assez longtemps pour s'en acquitter, « la sécurité met à feu simultanément les trois étages du missile.

— Le missile part donc purement et simplement ? demanda Alexandrov.

— Non, camarade académicien. L'étage supérieur partirait peut-être, s'il pouvait crever l'opercule du tube de missiles, et cela noierait la salle des missiles, coulant le sous-marin. Mais même s'il y a raté, les deux premiers étages contiennent suffisamment d'énergie thermique chacun pour transformer le sous-marin entier en une mare fumante de métal fondu : vingt fois la quantité nécessaire pour le couler. Loginov a appris à mettre hors service le signal d'alerte de l'opercule du tube des missiles, à armer la sécurité, à déclencher une minuterie et à s'enfuir.

— Pourquoi pas simplement à détruire le sous-marin ?

— Camarade secrétaire général, répondit Padorine, ce serait trop demander que vouloir faire accomplir son devoir à un jeune homme, sachant qu'il y trouvera la mort. Il serait irréaliste de notre part de l'espérer. Il doit avoir au moins la possibilité de s'enfuir, sans quoi la faiblesse humaine pourrait conduire à l'échec.

— Cela paraît censé, admit Alexandrov. Les jeunes sont

motivés par l'espoir, et non par la peur. Dans ce cas précis, le jeune Loginov espérerait sans doute une récompense considérable.

— Et il l'obtiendrait, déclara Narmonov. Nous allons tout faire pour sauver ce jeune homme, Gorchkov.

— S'il est vraiment digne de confiance, insinua Alexandrov.

— Je sais que ma vie en dépend, camarade académicien », répliqua Padorine, le dos toujours très droit. Il n'obtint pas de réponse, seulement des hochements muets de la moitié de l'assemblée. Il avait déjà fait face à la mort, et il était à l'âge où l'homme n'a plus rien à affronter devant lui que la mort.

A la Maison-Blanche

Arbatov entra dans le Salon ovale à 16 h 50. Il y trouva le président et M. Pelt confortablement installés dans des fauteuils, en face du bureau présidentiel.

« Approchez, Alex. Du café ? » Le président désignait un plateau, posé sur le coin de la table. Il ne buvait pas aujourd'hui, observa Arbatov.

« Non merci, monsieur le président. Puis-je vous demander...

— Nous pensons avoir trouvé votre sous-marin, Alex, répondit Pelt. On vient de nous apporter ces dépêches, et nous sommes en train de les lire. » Le conseiller présidentiel brandit une liasse de feuillets de format réglementaire.

« Puis-je vous demander où il se trouve ? » L'ambassadeur gardait un visage de marbre.

« A environ trois cents milles au nord-est de Norfolk. Nous ne l'avons pas encore situé avec exactitude. L'un de nos navires a enregistré une explosion sous-marine dans le secteur — non, ce n'est pas cela. L'enregistrement a été fait sur l'un de nos navires et, quand les bandes ont été repassées plusieurs heures plus tard, ils ont cru entendre un sous-marin exploser et couler. Désolé, Alex, dit Pelt, j'aurais mieux fait de ne pas lire tout cela sans interprète. Dans votre marine aussi, ils ont leur propre langage ?

— Les officiers n'aiment pas que les civils les comprennent. » Arbatov sourit. « C'est certainement vrai depuis le premier jour où un homme a ramassé une pierre.

— Quoi qu'il en soit, nous menons actuellement des recherches avec la marine et l'aviation. » Le président leva les yeux sur Arbatov. « Alex, je viens de m'entretenir avec Dan Foster, le chef des opérations navales. D'après lui, il ne faut pas s'attendre à trouver des survivants. A cet endroit-là, la profondeur est de trois ou quatre cents mètres, et je n'ai pas besoin de vous dire le temps qu'il fait. Ils disent que c'est sur le rebord de la plate-forme continentale.

— Le Norfolk Canyon, précisa Pelt.

— Nous menons des recherches très actives, poursuivit le président. La marine fait venir de l'équipement de sauvetage très spécialisé, du matériel de recherches, ce genre de choses. S'ils repèrent le sous-marin, nous ferons descendre des équipes pour le cas où il y aurait des survivants. D'après ce que me dit le CNO [1], il se pourrait malgré tout que les cloisons intérieures soient intactes. L'autre question, me dit-il, concerne leurs réserves d'air. Le temps joue contre nous, je le crains. Tout cet équipement incroyablement coûteux que nous leur achetons, et ils ne peuvent même pas repérer un objet là, sous leur nez ! »

Arbatov nota mentalement ces paroles. Cela ferait un excellent rapport. Il arrivait au président de bavarder...

« A propos, monsieur l'ambassadeur, que faisait donc votre sous-marin à cet endroit-là ?

— Je n'en ai pas la moindre idée, monsieur Pelt.

— J'espère que ce n'était pas un sous-marin lance-engins, reprit Pelt. Nous avons un accord, je vous le rappelle, nous engageant à les maintenir au-delà de cinq cents milles des côtes. Bien entendu, l'épave sera examinée par nos équipes de sauvetage. Si nous devions découvrir qu'il s'agissait d'un sous-marin lance-engins...

— Je prends note de votre observation. Ce sont toutefois des eaux internationales. »

Le président se tourna vers lui, et dit d'une voix très douce : « De même que le golfe de Finlande, Alex, et, me semble-t-il, la mer Noire. » Il laissa cette observation flotter un peu dans l'air. « J'espère sincèrement que nous ne retournons pas à ce genre de situation. S'agit-il réellement d'un sous-marin lance-engins, Alex ?

— Sincèrement, monsieur le président, je l'ignore. Mais j'espère bien que non. »

Le président remarqua avec quelle circonspection était formulé ce mensonge. Il se demandait si les Russes reconnaîtraient qu'il y avait là un commandant coupable d'avoir transgressé les ordres. Non, ils plaideraient sans doute l'erreur de navigation.

« Fort bien. Quoi qu'il en soit, nous poursuivrons notre opération de recherche et de sauvetage. Nous saurons assez vite de

1. CNO : Commander of Naval Operations, c'est-à-dire chef d'état-major de la marine. (N.d.T.)

quel type de bâtiment il s'agit. » Le président parut soudain mal à l'aise. « Une autre chose dont Foster m'a parlé. Si nous trouvons les corps — pardonnez-moi des paroles si crues, un samedi après-midi —, je suppose que vous voudrez les faire rapatrier.

— Je n'ai pas d'instructions sur ce point, répondit l'ambassadeur, brusquement pris au dépourvu.

— Je me suis laissé expliquer très en détail ce qu'un tel trépas fait d'un homme. En termes simples, ils sont écrasés par la pression de l'eau, et ce n'est pas très joli à voir, me dit-on. Mais c'étaient des hommes, et ils méritent quelque dignité, même dans la mort. »

Arbatov dut s'incliner. « Eh bien, si c'est possible, je crois que le peuple soviétique apprécierait ce geste humanitaire.

— Nous ferons de notre mieux. »

Et ce *mieux* américain, Arbatov ne l'ignorait pas, comprenait un navire du nom de *Glomar Explorer*. Ce fameux bâtiment d'exploration avait été construit par la CIA dans le but précis de récupérer un SNLE soviétique de classe Golf, coulé au fond de l'océan Pacifique. On l'avait ensuite mis de côté, sans aucun doute dans l'attente d'une nouvelle occasion. L'Union soviétique ne pourrait rien faire pour empêcher l'opération, à quelques centaines de milles de la côte américaine, trois cents milles de la plus grande base navale des Etats-Unis.

« J'espère que le droit international sera respecté, messieurs. En ce qui concerne les restes du bâtiment et les corps de l'équipage.

— Bien sûr, Alex. » Le président sourit, et montra un mémorandum placé sur son bureau. Arbatov se maîtrisa au prix d'un effort. Il s'était laissé berner comme un écolier, oubliant que le président américain avait été un tacticien de grand talent dans les tribunaux — une chose à quoi la vie soviétique ne préparait guère — et connaissait toutes les ficelles juridiques. Pourquoi sous-estimait-on si facilement ce salaud ?

Le président faisait également des efforts pour se contrôler. Il n'avait pas souvent l'occasion de voir Alex dans cet état, car c'était un interlocuteur adroit, difficile à déconcerter. Rire aurait tout gâché.

Le mémorandum du procureur général n'était arrivé que ce matin.

Monsieur le Président,

A votre requête, j'ai fait étudier par le chef de notre division navale la question du droit international concernant la propriété des navires coulés ou abandonnés, ainsi que le droit afférent au sauvetage de tels navires. Il existe une jurisprudence considérable sur ces questions. Un simple exemple est celui de Dalmas c/Stathos *(84 F Supp. 828, 1949 AMC 770 (SDNY 1949)) :*

> *Aucun problème de droit étranger n'intervient ici, car il est bien établi que le sauvetage est une question issue du* jus gentium *et ne dépend habituellement pas du droit national des pays particuliers.*

La base internationale de ces dispositions est la Convention de 1910 sur le sauvetage (Bruxelles), qui a codifié la nature transnationale de la navigation et du droit couvrant le sauvetage. Cette Convention a été ratifiée par les Etats-Unis dans le Salvage Act de 1912, Stat. 242 (1912), 46 USCA §§727-731 ; et aussi dans 37 Stat. 1658 (1913).

« Le droit international sera respecté, Alex, promit le président. Dans tous ses détails. » « Et tout ce que nous pourrons récupérer, se disait-il, nous l'emmènerons au port le plus proche, à Norfolk, pour le confier au service des épaves, autre équipe fédérale surchargée de travail. Si les Soviétiques veulent récupérer quelque chose, ils pourront entamer une action devant le tribunal maritime, c'est-à-dire la cour fédérale de district qui siège à Norfolk et, si jamais ils gagnent leur procès — *après* qu'on aura déterminé la valeur du bien sauvé, et *après* que la marine américaine aura reçu un dédommagement adéquat pour son effort de sauvetage, également évalué par le tribunal — l'épave pourra être rendue à ses vrais propriétaires. » Evidemment, le tribunal de district en question avait aux dernières nouvelles une liste d'attente d'environ un an.

Arbatov pouvait bien envoyer un câble à Moscou. Cela ne servirait à rien. Il était certain que le président prendrait un plaisir pervers à manipuler le système juridique américain à son propre avantage, sans cesser de faire observer que la constitution lui interdisait, en tant que président, d'intervenir dans le fonctionnement de la justice.

Pelt consulta sa montre. La seconde surprise n'allait pas tarder. Il était forcé d'admirer le président. Pour un homme qui, quelques années plus tôt, ne savait encore rien des affaires internationales, il avait vite appris. Cet homme d'apparence très simple, au langage tranquille, donnait toute sa mesure dans les situations de face à face et, après une vie entière d'expérience comme procureur, il aimait toujours jouer au jeu de la négociation et des échanges tactiques. Il paraissait capable de manipuler les gens avec une aisance effrayante. Le téléphone sonna et Pelt décrocha, exactement comme convenu.

« Ici Pelt. Oui, amiral... où ? Un seul ? Je vois... A Norfolk ? Je vous remercie, amiral, c'est une excellente nouvelle. Je vais immédiatement en informer le président. Tenez-nous au courant, s'il vous plaît. » Pelt se retourna. « Nous en avons un, vivant, bon Dieu !

— Un survivant du sous-marin perdu ? » Le président se leva.

« C'est un marin soviétique. Un hélicoptère l'a repêché voici une heure, et on le dirige sur l'hôpital de la base de Norfolk. Ils l'ont trouvé à 290 milles au nord-est de Norfolk, et je suppose donc que tout concorde. Nos hommes le trouvent en assez mauvais état, mais l'hôpital est prêt à l'accueillir. »

Le président alla décrocher le téléphone sur son bureau. « Grace, passez-moi Dan Foster tout de suite... Amiral, ici le président. L'homme qu'ils ont repêché, quand arrivera-t-il à Norfolk ? Pas avant deux heures ? » Il fit une grimace. « Amiral, téléphonez à l'hôpital naval et dites-leur que *je* veux que tout soit tenté pour sauver cet homme. Qu'ils le traitent comme mon propre fils, compris ? Bien. Je veux des rapports d'heure en heure sur son état. Je veux que nos meilleures équipes s'en chargent, les meilleures. Merci, amiral. » Il raccrocha. « Bien !

— Peut-être étions-nous trop pessimistes, Alex, renchérit Pelt.

— Pourrons-nous voir notre homme ? questionna aussitôt Arbatov.

— Bien sûr, répondit le président. Vous avez un médecin, à l'ambassade, non ?

— Si, monsieur le président.

— Eh bien, emmenez-le avec vous. On lui accordera toutes facilités sur place. J'y veillerai personnellement. Jeff, cherche-t-on d'autres survivants ?

— Oui, monsieur le président. Il y a une douzaine d'avions sur le secteur, et deux navires supplémentaires en route.

— Bien ! » Le président battit des mains comme un enfant ravi dans un magasin de jouets. « Eh bien, si nous trouvons d'autres survivants, peut-être pourrons-nous offrir un beau cadeau de Noël à votre patrie, Alex. Nous ferons tout ce que nous pourrons, vous avez ma parole.

— C'est très aimable à vous, monsieur le président. Je vais immédiatement communiquer cette bonne nouvelle à mon pays.

— Pas si vite, Alex. » Le président éleva la main. « Il me semble que l'événement mérite d'être arrosé. »

LE DIXIÈME JOUR

Dimanche 12 décembre

Au central SOSUS

Au central des grandes oreilles de mer SOSUS, à Norfolk, l'affaire se compliquait considérablement. Les Etats-Unis ne disposaient tout simplement pas d'une technologie leur permettant de suivre les sous-marins dans les profondeurs de l'Océan. Les détecteurs SOSUS étaient surtout placés à des nœuds de routes, par petits fonds sur les arêtes et les hauts plateaux. La stratégie des pays de l'OTAN dépendait directement de ces limites technologiques. En cas de conflit avec l'Union soviétique, l'OTAN utiliserait le barrage SOSUS de Groenland-Islande-Royaume-Uni comme un énorme piège, un système d'alarme. Les sous-marins et l'aviation de surveillance ASM des alliés s'efforceraient de repérer, d'attaquer et de détruire les sous-marins soviétiques qui s'en approcheraient, avant qu'ils aient pu le franchir.

On n'avait jamais escompté que le barrage arrêterait plus de la moitié des sous-marins ennemis, cependant, et ceux qui parviendraient à le franchir devraient être traités selon une autre stratégie. Les bassins de l'Océan étaient vraiment trop vastes et trop profonds — en moyenne plus de trois mille mètres — pour qu'on pût les parsemer de détecteurs comme on le faisait aux nœuds moins profonds. C'était là un fait à double face. La mission de l'OTAN consisterait à maintenir le pont atlantique et poursuivre les échanges transocéaniques, tandis que l'objectif évident des Soviétiques serait précisément de les en empêcher. Il faudrait disposer des sous-marins dans tout l'Océan pour couvrir le maximum de routes commerciales. La stratégie de l'OTAN derrière les oreilles SOSUS consisterait alors à former d'importants convois, chacun entouré d'escorteurs, d'hélicoptères et d'avions classiques. Ces escortes s'efforceraient de constituer une bulle protectrice d'environ cent milles de diamètre. Les sous-marins ennemis ne pourraient pas s'introduire dans cette bulle, sous réserve de se faire pourchasser et tuer — ou simplement maintenir assez loin pour que le convoi pût passer. Ainsi donc, bien que SOSUS fût conçu pour neutraliser une vaste portion fixe d'espace maritime, la stratégie en bassin profond se fondait sur la mobilité, la création d'une zone mouvante de protection pour la navigation vitale en Atlantique Nord.

Il s'agissait là d'une stratégie parfaitement logique, mais qu'on ne pouvait pas mettre à l'épreuve dans des conditions réalistes et qui, malheureusement, se révélait totalement inutile pour le moment. Avec tous les Victors et les Alfas soviétiques déjà parvenus près des côtes, et les derniers Charles, Echos et Novembers qui arrivaient à leurs postes, l'écran central que contemplait le commandant Quentin n'était plus rempli de petits points rouges discrets mais de grands cercles. Chaque point ou cercle indiquait la position d'un sous-marin soviétique. Un cercle représentait une position estimée d'après la vitesse à laquelle le SM pouvait avancer sans faire assez de bruit pour être localisé par les nombreux détecteurs utilisés. Certains cercles avaient un diamètre de dix milles, d'autres jusqu'à cinquante milles ; il aurait fallu fouiller des secteurs de quatre-vingts à deux mille milles carrés, pour localiser à nouveau un sous-marin.

Et puis il y en avait sacrément trop.

La chasse aux sous-marins était essentiellement l'affaire de l'avion Orion P-3C. Chaque Orion transportait des bouées sonar, des équipements actifs et passifs que l'on jetait de l'avion et qui se déployaient dans l'air. Quand elle détectait quelque chose, la bouée sonar alertait son avion porteur puis coulait, à moins qu'elle n'eût été récupérée par des mains ennemies. Ces bouées sonar avaient une puissance électrique limitée, et donc une portée limitée. Pire, les réserves de bouées touchaient à leur fin, et il allait bientôt falloir rationner les dépenses. En outre, chaque P-3C était équipé de FLIRs, système infrarouge à vision vers l'avant, pour identifier la signature thermique d'un SM nucléaire, et de MADs, détecteurs d'anomalies magnétiques qui localisaient les modifications du champ magnétique terrestre causées par une masse importante de métal ferreux, comme par exemple un sous-marin. Le matériel MAD ne pouvait détecter de modification magnétique qu'à six ou sept cents mètres sur la droite ou la gauche d'un avion en vol et, pour cela, l'appareil devait voler très bas, ce qui consommait beaucoup de carburant et limitait le champ de vision de recherche de l'équipage. FLIR avait sensiblement le même problème.

La technologie employée pour localiser une cible déjà détectée par SOSUS, ou pour « épouiller » un secteur discret en prévision du passage d'un convoi, ne valait donc pas un balayage au hasard du fond de l'Océan.

Quentin se pencha en avant. Un cercle venait juste de se transformer en point. Un P-3C avait lâché une bouée sonore et localisé un SM d'attaque de la classe Echo, à cinq cents milles au sud des Grands Bancs. Depuis une heure ils avaient une solution de tir pratiquement certaine sur cet Echo. Son nom était inscrit sur les torpilles ASM Mark 46 de l'Orion.

Quentin but une gorgée de café. Son estomac se révoltait contre ce nouvel apport de caféine, au souvenir des quatre horribles mois de chimiothérapie qu'il avait dû subir. S'il devait y avoir une guerre, c'était une recette pour la démarrer. Tout d'un coup, leurs sous-marins s'arrêteraient, peut-être précisément comme cela. Ils ne se faufileraient plus pour couler les convois au milieu de l'Océan, mais ils les attaqueraient plus près des côtes, comme l'avaient fait les Allemands... et avec toutes ces oreilles américaines mal placées. Une fois en place, les points se transformeraient en cercles, toujours plus grands, compliquant infiniment la recherche. Silencieux, toutes machines stoppées, les SM seraient d'invisibles pièges pour les navires marchands et les bâtiments de guerre en route pour ravitailler les Européens et aider à leur survie. Les sous-marins étaient comme le cancer. Exactement comme cette maladie qu'il n'avait déjouée que d'extrême justesse. Ces SM invisibles et menaçants trouveraient un endroit, s'y arrêteraient pour le contaminer et, sur son écran, les tumeurs allaient s'accroître jusqu'au moment où l'aviation qu'il contrôlait de cette pièce les attaquerait. Mais il ne pouvait pas les attaquer maintenant. Seulement les surveiller.

« PK EST 1 HEURE — RÉPONSE », entra-t-il sur le clavier de sa console.

— 23 », répondit aussitôt l'ordinatur.

Quentin grommela. Vingt-quatre heures auparavant, PK[1] avait été de quarante — quarante éliminations probables dans l'heure qui aurait suivi l'autorisation de tirer. Maintenant, il n'en restait plus qu'à peine la moitié, et encore fallait-il prendre ce chiffre

1. PK : Probability of a Killing, probabilité d'élimination. (N.d.T.)

avec circonspection, car il aurait fallu supposer que tout marcherait bien, joyeuse supposition qui ne s'avérait que dans les romans. Bientôt, estimait-il, le nombre tomberait au-dessous de dix. Cela n'incluait pas les destructions par sous-marins amis qui suivaient les Russes avec l'interdiction formelle de révéler leurs positions. Ses alliés occasionnels, des Sturgeons, Permits et Los Angeles jouaient à leurs petits jeux ASM d'après leurs propres règles. Une autre race. Il essayait de les voir comme des amis, mais cela ne marchait jamais. Depuis vingt ans qu'il servait dans la marine, les sous-marins avaient toujours été l'ennemi. En temps de guerre, ce seraient de précieux ennemis, mais il était admis qu'en temps de guerre, la notion même de sous-marin ami n'existait pas.

Un B-52

Le pilote du bombardier savait exactement où étaient les Russes. Les Orions de la marine et les Sentries de l'aviation les suivaient maintenant depuis plusieurs jours, et on lui avait dit que, la veille, les Soviétiques avaient envoyé un chasseur armé du *Kiev* vers le Sentry le plus proche. Peut-être en mission d'attaque, mais sans doute pas ; en tout cas, c'était bel et bien de la provocation.

Quatre heures auparavant, l'escadrille de quatorze appareils avait décollé de Plattsburg, dans l'Etat de New York, à 3 h 30, traçant d'épais sillages de fumée noire qui se perdait dans la brume précédant l'aube. Chaque appareil avait un plein chargement de carburant et douze missiles, le poids total de la charge étant nettement inférieur à celui des bombes que le B-52 pouvait normalement transporter. Cela leur donnait une portée accrue.

Et c'était exactement ce qu'il leur fallait. Savoir où trouver les Russes n'était que la moitié de la bataille. L'autre moitié, c'était de les frapper. Le profil de la mission semblait simple, en théorie, mais l'exécution en était nettement plus difficile. Comme ils l'avaient appris lors des missions sur Hanoi — au cours desquelles les B-52 avaient participé et contribué aux dégâts des SAM [1] — la meilleure méthode pour attaquer une cible solidement défendue consistait à converger de toutes les directions à la fois, « comme les bras enveloppants de l'ours furieux », leur avait dit le commandant d'escadrille pendant l'entraînement théorique, se laissant aller à sa nature poétique. Cela donnait à la moitié de l'escadrille un parcours assez direct vers l'objectif ; mais l'autre moitié devait tracer une

1. SAM : missiles sol-air. (N.d.T.)

courbe en prenant garde de rester hors de portée des radars, et tous devaient virer parfaitement en même temps.

Les B-52 avaient tourné dix minutes auparavant, au commandement du Sentry qui, sur l'arrière, appuyait la mission. Le pilote avait ajouté une enjolivure. Sa course vers la formation soviétique plaçait son bombardier dans un couloir de ligne aérienne commerciale. En prenant son virage, il avait changé son transpondeur IFF normalement réglé pour se mettre sur ondes internationales. Il volait à quatre-vingts kilomètres derrière un 747 de ligne, et cinquante devant un autre — et sur radar soviétique, les trois Boeing se ressembleraient parfaitement. Inoffensif.

Il faisait encore nuit à la surface. Rien n'indiquait que les Russes les aient repérés. On supposait seulement que leurs chasseurs ne pouvaient voler qu'à vue, et le pilote imaginait que le décollage et l'appontage en pleine nuit sur un porte-avions devait être joliment dangereux, et plus encore par mauvais temps.

« Lieutenant, appela l'officier de guerre électronique, sur le circuit intérieur, nous recevons des émissions sur bande L- et S. Ils sont exactement là où ils doivent être.

— Compris. Suffisamment pour un retour d'ici ?

— Affirmatif, mais ils croient sans doute que nous volons Pan Am. Pas encore de contrôle de tir, juste la recherche aérienne de routine.

— Distance du but ?

— Un-trois-zéro milles. »

C'était presque le moment. Le profil de la mission était conçu de telle sorte que tous franchiraient en même temps le cercle de cent vingt-cinq milles.

« Tout est prêt ?

— Impec. »

Le pilote se détendit une minute, en attendant le signal d'entrée.

« Lumière, lumière, lumière. » Le message arriva par radio.

« Voilà ! Montrons-leur que nous sommes là ! ordonna le commandant.

— Okay. » L'officier de guerre électronique ôta le couvercle en plastique de son tableau de bord, couvert de touches et de cadrans qui contrôlaient les systèmes de brouillage de l'avion. Il commença par allumer le panneau. Cela ne prit que quelques secondes. L'équipement électronique des B-52 datait des années soixante-dix, sans quoi l'escadrille n'aurait pas fait partie du matériel d'entraînement universitaire. Mais c'étaient de bons outils d'apprentissage, et le lieutenant espérait passer aux nouveaux B-1B qui commençaient à sortir des chaînes de montage de Rockwell, en Californie. Depuis dix minutes, les nacelles ESM placées sur le nez et l'extrémité des ailes du bombardier enregistraient des signaux radar soviétiques, et répertoriaient leurs fréquences exactes, leur taux de pulsion répétitive, leur puissance et les caractéristiques de signature individuelle des émetteurs. Le lieutenant était nouveau à ce jeu. Il venait juste de sortir premier de l'école de guerre électronique. Il réfléchit à ce qu'il devait faire en premier, puis sélectionna un mode de brouillage, pas le meilleur, parmi une série d'options mémorisées.

A bord du Nikolaïev

A cent vingt-cinq milles de là, à bord du croiseur *Nikolaïev* de la classe Kara, un opérateur radar étudiait quelques spots qui semblaient faire un cercle autour de sa formation. En un instant, son écran se couvrit de vingt taches blanchâtres qui couraient dans toutes les directions. Il cria pour donner l'alerte, et un autre *michman* lui fit écho aussitôt après. L'officier de quart accourut pour vérifier l'écran.

A son arrivée, le brouillage avait changé, et six lignes ressemblant aux rayons d'une roue tournaient lentement autour d'un axe.

« Faites le relevé », ordonna l'officier.

Il y avait maintenant des taches, des lignes et des étincelles.

« Ils sont plusieurs, camarade. » Le *michman* tentait de varier ses fréquences.

« Alerte d'attaque ! » cria un autre *michman.* Son récepteur ESM venait de transmettre des signaux de radars de recherche aérienne, du type utilisé pour l'acquisition de cibles de missiles air-sol.

Le B-52

« Nous avons des cibles sûres, annonça l'officier de tir du B-52. Je tiens les trois premiers.

— Okay, dit le pilote. Tiens-les encore dix secondes.

— Dix secondes, répéta l'officier. Coupez le contact... *top !*

— Okay, stoppez le brouillage.

— Systèmes ECM coupés. »

Le Nikolaïev

« Les radars d'acquisition de missiles ont cessé », annonça l'officier du central d'information de combat au commandant du croiseur, qui arrivait de la passerelle. Tout autour d'eux, l'équipage du *Nikolaïev* courait aux postes de combat. « Le brouillage a cessé également.

— Que se passe-t-il ? » demanda le commandant. D'un ciel parfaitement serein, son magnifique bâtiment à l'avant effilé avait reçu des menaces — et maintenant tout allait bien ?

« Au moins huit appareils ennemis en cercle autour de nous. »

Le commandant examina l'écran de surveillance aérienne à bande S, maintenant redevenu normal. On y voyait de nombreux spots, surtout des avions civils. Mais le demi-cercle des autres devait être hostile.

« Auraient-ils pu lancer des missiles ?

— Non, commandant, nous les aurions détectés. Ils ont brouillé nos radars de recherche pendant trente secondes, et nous ont éclairés avec leurs propres systèmes de recherche pendant vingt secondes. Puis tout s'est arrêté.

— Alors, ils nous provoquent pour faire ensuite semblant que rien ne soit arrivé ? grommela le capitaine. Quand seront-ils à portée de missile sol-air ?

— Celui-ci et ces deux-là entreront dans notre champ de tir d'ici quatre minutes s'ils ne changent pas de direction.

— Eclairez-les avec nos systèmes de contrôle de missiles. On va flanquer une leçon à ces salauds. »

L'officier donna les instructions nécessaires, tout en se demandant qui flanquait une leçon à qui. A sept cents mètres au-dessus d'eux, l'un des B-52 était un EC-135 dont les détecteurs électroniques reliés à un ordinateur enregistraient tous les signaux du croiseur soviétique et les analysaient, pour savoir mieux encore comment les brouiller. C'était la première fois qu'on pouvait examiner le nouveau système de missiles SA-N-8.

Deux Tomcats F-14

Le numéro de code à double zéro sur le fuselage révélait qu'il s'agissait du coucou personnel du chef d'escadrille et l'as de pique noir peint sur l'empennage double indiquait le nom de son escadrille, Fighting 41, « Les As Noirs ». Le pilote était le commandant Robby Jackson, et son code d'appel radio était As de pique.

Jackson dirigeait un groupe de deux avions sous le commandement de l'un des Hawkeyes E-2C du *Kennedy,* version réduite pour la marine des AWACS de l'aviation, et frère presque jumeau du COD, un appareil à deux hélices dont l'antenne de radar lui donnait l'air d'un avion terrorisé par un OVNI. Le temps était mauvais — désespérément normal pour l'Atlantique Nord en décembre — mais devait s'améliorer à mesure qu'ils avanceraient vers l'ouest. Jackson et son camarade d'escadrille, le jeune lieutenant Bud Sanchez, volaient dans d'épais nuages, et ils avaient un peu relâché leur formation. La mauvaise visibilité leur rappelait à tous deux que chaque Tomcat avait deux coéquipiers, et valait plus de trente millions de dollars.

Ils faisaient ce que le Tomcat fait le mieux. Intercepteur par tous les temps, le F-14 avait une portée transocéanique, une vitesse Mach 2, et un système de contrôle de tir par ordinateur radar qui pouvait se braquer sur six cibles différentes avec des missiles Phoenix air-air de longue portée. Chacun des chasseurs en portait actuellement deux, ainsi que deux sondes thermiques Sidewinder AIM-9M. Leur proie était une formation de Forgers YAK-36, ces salauds de chasseurs V/STOL qui opéraient à partir du porte-avions *Kiev.* Après avoir harcelé le Sentry, la veille, les Ivanoffs avaient décidé de se rapprocher du groupe *Kennedy,* sans doute guidés par les informations d'un satellite de reconnaissance. Les appareils soviétiques s'étaient approchés, leur portée se situant à cinquante milles de moins qu'il ne leur en fallait pour apercevoir le *Kennedy.* Washington jugeait qu'Ivanoff devenait un peu trop encombrant, de ce côté de l'Océan. L'amiral Painter avait reçu le feu vert pour rendre la politesse, avec une certaine cordialité.

Jackson considérait que Sanchez et lui-même pourraient fort bien s'en charger, même s'ils étaient moins nombreux. Aucun avion soviétique, et le Forger moins qu'un autre, ne pouvait rivaliser avec le Tomcat — « Et certainement pas quand c'est moi qui pilote », se disait Jackson.

« As de pique, votre cible est à midi juste, même altitude, distance vingt milles », annonça la voix de Colibri 1, le Hawkeye qui suivait à cent milles. Jackson ne répondit pas.

« Quelque chose, Chris ? demanda-t-il à son officier d'interception radar, le capitaine Christiansen.

— Un flash de temps en temps, mais rien d'utilisable. » Ils suivaient les Forgers avec le système passif uniquement, ici un détecteur à infrarouge.

Jackson envisageait d'éclairer leurs cibles avec son puissant radar de contrôle de tir. Les nacelles ESM des Forgers le sentiraient aussitôt, informant leurs pilotes que la sentence de mort était écrite, mais pas encore signée. « Et du côté du *Kiev* ?

— Rien. Le groupe *Kiev* est totalement sous contrôle d'émission.

— Joli », apprécia Jackson. Il devina que le raid du Commandement stratégique aérien sur le groupe *Kirov-Nikolaïev* leur avait enseigné la prudence. On ne savait pas toujours que les navires de guerre, bien souvent, négligeaient d'utiliser leurs systèmes de protection par radar. La raison en était qu'on pouvait détecter un faisceau de radar à une distance de plusieurs fois supérieure à celle permettant d'obtenir un signal en retour à l'émetteur, de sorte qu'il en disait plus à l'ennemi qu'à ses propres opérateurs. « Tu crois que ces types pourront retrouver leur chemin sans aide ?

— Sinon, je me demande qui se fera gronder, répondit Christiansen en riant.

— Affirmatif, dit Jackson.

— Bon, j'ai une acquisition infrarouge. Les nuages doivent se dissiper un peu. » Christiansen se concentrait sur ses instruments, oubliant tout ce qui se passait hors du cockpit.

« As de pique, ici Colibri 1, votre but est à midi juste, à votre niveau, distance dix milles. » La communication lui parvenait par circuit radio de section.

Pas mal, songea Jackson, de relever la signature thermique des Forgers dans cette purée, surtout qu'ils avaient des petits moteurs sans puissance.

« Détection radar, commandant, annonça Christiansen. Le *Kiev* fait une recherche aérienne bande S. Ils nous tiennent.

— Bien. » Jackson effleura la touche micro. « Deux de pique, allume les buts... top !

— Cinq sur cinq, vas-y », répondit Sanchez. Inutile de se cacher, désormais.

Les deux chasseurs déclenchèrent l'émission de leurs puissants radars AN/AWG-9. Il restait deux minutes avant l'interception.

Les signaux radar, reçus par les récepteurs ESM sur les dérives de queue des Forgers, déclenchèrent dans les casques des pilotes une tonalité musicale qu'il fallait interrompre par une manœuvre, et allumèrent un voyant rouge d'alerte sur chaque panneau de contrôle.

La mission du Martin-pêcheur

« Martin-pêcheur, ici le *Kiev* », appela l'officier d'opérations aériennes du porte-avions. « Attention : deux chasseurs américains vous rattrapent par-derrière à grande vitesse.

— Bien reçu. » Le chef de patrouille russe contrôla son rétroviseur. Il avait espéré éviter cela, toutefois sans vraiment y croire. Les ordres étaient de ne prendre aucune initiative, sauf si on lui tirait dessus. Ils venaient d'émerger de la purée. Dommage, il se serait senti plus en sécurité dans les nuages.

Le pilote de Martin-pêcheur 3, le lieutenant Shavrov, se pencha pour armer ses quatre Atolls. Pas cette fois-ci, Yankee, se disait-il.

Les Tomcats

« Une minute, As de pique, vous devriez avoir la visibilité d'un instant à l'autre, annonça Colibri 1.

— Okay... Taïaut ! » Jackson et Sanchez sortirent des nuages. Les Forgers volaient à quelques milles au-devant d'eux, et la vitesse supérieure des Tomcats, à deux cent cinquante nœuds, dévorait rapidement cette distance. Les pilotes russes maintiennent une formation rigoureuse, songea Jackson, mais n'importe qui est capable de conduire un bus.

« Deux de pique, on allume la postcombustion à mon signal. Trois, deux, un, feu ! »

Les deux pilotes poussèrent leurs manettes de moteurs et mirent en jeu leurs systèmes de postcombustion, qui projetaient du carburant pur dans les tuyaux d'échappement de leurs nouveaux moteurs F-110. Les avions bondirent littéralement sous l'effet soudain d'une double poussée, et dépassèrent rapidement la vitesse Mach 1.

La mission du Martin-pêcheur

« Martin-pêcheur, alerte, alerte, les *Amerikanski* ont accéléré », avertit le *Kiev*.

Martin-pêcheur 4 se retourna. Il vit les Tomcats à un mille derrière, fines silhouettes jumelles lancées sur eux, et suivies de jets de fumée noire. Le soleil se reflétait sur l'une des verrières, et l'on aurait dit l'éclat de...

« Ils attaquent !

— Quoi ? » Le chef d'escadrille vérifia à nouveau dans son rétroviseur. « Négatif, négatif, maintenez la formation ! »

Les Tomcats déchirèrent l'air à vingt mètres au-dessus d'eux, le bang supersonique résonnant comme une explosion. Shavrov réagit avec son seul instinct de formation au combat. Il tira sur le manche et lança ses quatre missiles sur les chasseurs américains qui s'éloignaient.

« Trois, qu'avez-vous fait ? interrogea le chef d'escadrille russe.

— Ils nous attaquaient, vous n'avez pas entendu ? » protesta Shavrov.

Les Tomcats

« Oh, merde ! As de pique, vous avez quatre Atolls au train, déclara la voix du contrôleur de vol, dans le Hawkeye.

— Deux, dégagez à droite, ordonna Jackson. Chris, active les contre-mesures. » Jackson fit une brutale manœuvre d'évasion à gauche, et Sanchez dans l'autre direction.

Assis derrière Jackson, l'officier d'interception radar manipulait des touches pour déclencher les systèmes de défense de l'appareil. Tandis que le Tomcat virevoltait dans le ciel, une série de fusées éclairantes et de ballons jaillirent de la queue de l'avion, afin de leurrer les missiles. Les quatre étaient lancés sur Jackson.

« Deux de pique est dégagé, Deux de pique est dégagé. As de Pique, vous avez toujours les quatre coucous à vos trousses, reprit la voix du Hawkeye.

— Bien reçu. » Jack s'étonnait du calme avec lequel il réagissait. Le Tomcat avait dépassé les huit cents milles à l'heure et accélérait. Il se demanda quelle était la portée des Atolls. Son voyant de radar arrière clignotait en signe d'alerte.

« Deux, poursuivez-les ! ordonna Jackson.

— Okay », Sanchez amorça un virage montant, retomba en piqué, et plongea vers les chasseurs soviétiques qui s'éloignaient.

Quand Jackson vira, deux des missiles perdirent leur objectif et continuèrent tout droit. Leurré par une fusée éclairante, un troisième explosa sans dommages. Le quatrième maintenait sa tête chercheuse à infrarouge braquée sur les tuyaux d'échappements étincelants d'As de pique, et vint s'y planter. Le missile heurta As de pique à la base de son empennage droit.

L'impact fit basculer l'appareil hors de sa ligne de vol. La majeure partie de la puissance explosive se déclencha lors du franchissement de la surface de la cellule en boron[1] par l'engin. L'empennage fut arraché, ainsi que le stabilisateur de droite. Quant à l'empennage de gauche, des fragments le trouèrent en plusieurs points, et la verrière fut fracassée, tandis qu'un éclat frappait le casque de Chris. Les voyants d'alerte incendie du réacteur droit s'allumèrent aussitôt.

Jack entendit le « ouf » dans ses écouteurs. Il coupa les gaz à droite et mit en action l'extincteur. Puis il réduisit la puissance du réacteur gauche, toujours en situation de postcombustion. Le Tomcat descendait en vrille sur le dos. Les ailes à géométrie variable adoptèrent une configuration de vol à vitesse réduite, ce qui rendit à Jackson le contrôle et il se hâta de regagner une altitude normale. Il était alors à douze cents mètres. Il ne restait pas trop de temps.

« Okay, mon vieux », articula-t-il doucement. Un rapide regain de puissance lui rendit le contrôle aérodynamique, et l'ancien pilote d'essai tenta le retournement de son appareil — trop fort. Il effectua deux tonneaux avant de pouvoir se redresser en ligne de vol. « Et voilà ! Tu m'entends, Chris ? »

Rien. Impossible de regarder derrière lui, car il avait encore quatre chasseurs ennemis à ses trousses.

« Deux de pique, ici l'As.

— Okay, As. » Sanchez tenait les quatre Forgers dans sa mire. Ils venaient de tirer sur son commandant.

Colibri 1

A bord de Colibri 1, le contrôleur réfléchissait à toute vitesse. Les Forgers maintenaient la formation, et il y avait beaucoup d'animation en russe sur leur circuit radio.

« Deux de pique, ici Colibri 1, dégagez, je répète, dégagez, ne tirez pas, je répète, ne tirez pas. Répondez. Deux de pique, As de pique à 9 heures, sept cents mètres dessous. » L'officier jura et regarda l'un des jeunes appelés qui travaillaient avec lui.

« C'était trop rapide, commandant, foutrement trop rapide. Nous avons enregistré les Russes. Je n'y comprends rien, mais on dirait que le *Kiev* est salement furieux.

— Ils ne sont pas les seuls », répondit le contrôleur en se

1. Boron : matériau nouveau, ultra-léger et robuste utilisé depuis 1976 en construction aéronautique. (N.d.T.)

demandant s'il avait bien fait de renvoyer Deux de pique. En tout cas, il l'avait fait bien à contrecœur.

Les Tomcats

Sanchez sursauta sous l'effet de la surprise. « Okay, je dégage. » Il lâcha la touche. « Bon Dieu ! » Il tira sur le manche, engageant son appareil dans un looping brutal. « Où es-tu, As de pique ? »

Sanchez ramena son avion au-dessous de celui de Jackson, et en fit lentement le tour pour évaluer les dégâts visibles.

« Le feu est éteint, commandant. Empennage et stabilisateur de droite emportés. Empennage gauche — merde, je vois à travers, mais on dirait que ça peut tenir. Attends. Chris est allongé, commandant. Tu peux lui parler ?

— Négatif. J'ai essayé. On rentre. »

Rien n'aurait plu davantage à Sanchez que de faire sauter les Forgers, et il aurait facilement pu le faire, avec ses quatre missiles. Mais, comme la plupart des pilotes, il était farouchement discipliné.

« Okay, vas-y.

— As de pique, ici Colibri 1, quelle est votre situation ? Terminé.

— Colibri 1, nous nous en tirerons, à moins qu'autre chose se détache. Dites-leur d'avoir des médecins tout prêts. Chris est blessé. J'ignore la gravité. »

Le retour au *Kennedy* prit une heure. L'appareil de Jackson volait mal, incapable de maintenir un comportement stable. Il devait constamment ajuster l'équilibre. Sanchez lui signala un mouvement à l'arrière du cockpit. L'intercom avait peut-être simplement sauté, se prit à espérer Jackson.

Sanchez reçut l'ordre d'apponter en premier, pour que la plate-forme soit dégagée pour le commandant Jackson. En approchant, le Tomcat commença à donner des signes de faiblesse. Le pilote s'efforça de le maîtriser, et le planta brutalement au sol, arrachant le filet numéro un. Le train droit d'atterrissage s'effondra aussitôt, et l'avion de chasse à trente millions de dollars dérapa jusque dans la barrière que l'on avait dressée. Cent hommes armés de matériel antifeu s'élancèrent de partout.

La verrière se releva, actionnée par l'énergie hydraulique de secours. Jackson déboucla ses sangles et tenta de se frayer un chemin vers l'arrière du cockpit pour retrouver son coéquipier. Ils étaient amis de très longue date.

Chris était vivant. Il avait dû perdre plus d'un litre de sang, qui avait ruisselé sur sa tenue de vol et, quand le premier médecin lui ôta son casque, il vit que le sang coulait encore. Le second médecin écarta Jackson, et fixa un collier cervical au cou du blessé. Christiansen fut ensuite soulevé très doucement et déposé sur une civière, qu'on emporta vers l'îlot au pas de course. Jackson hésita un instant avant de suivre.

A l'hôpital de la base navale de Norfolk

Le capitaine Randall Tait, du service de santé de la marine, s'engagea dans le corridor pour s'entretenir avec les Russes. Il paraissait jeune pour ses quarante-cinq ans, car son épaisse crinière noire ne laissait paraître aucun signe de grisonnement. Tait était mormon, diplômé de l'université Brigham Young et de l'école de médecine de Stanford, et il était entré dans la marine pour voir une plus vaste portion du monde qu'il ne pouvait en voir d'un bureau situé au pied du mont Wasatch. Il avait accompli ce voeu et, jusqu'à ce jour, avait pu éviter tout ce qui ressemblait de près ou de loin à une corvée diplomatique. En sa qualité de nouveau directeur du département hospitalier du Centre Bethseda de la marine, il savait que cela ne pourrait plus durer. Il venait d'arriver quelques heures plus tôt à Norfolk, pour s'occuper personnellement de l'affaire. Quant aux Russes, ils étaient venus sans se presser, en voiture.

« Bonjour, messieurs, je suis le docteur Tait. » Ils échangèrent tous des poignées de main, et le lieutenant qui les avait accompagnés regagna l'ascenseur.

« Docteur Ivanov, annonça le plus petit. Je suis médecin à l'ambassade.

— Capitaine Smirnov. » Tait savait qu'il était l'attaché naval adjoint, officier de carrière du renseignement. Pendant le trajet en hélicoptère, la situation lui avait été exposée en détail par un officier de renseignements du Pentagone, qui buvait maintenant un café à la cafétéria de l'hôpital.

« Vasily Petchkine, docteur. Je suis second secrétaire à l'ambassade. » Celui-ci était un officier supérieur du KGB, un espion « officiel » avec une couverture diplomatique. « Pouvons-nous voir notre homme ?

— Certainement. Voulez-vous me suivre ? » Tait les précéda dans le couloir. Il était debout depuis vingt heures. Cela faisait partie de la vie d'un chef de service à Bethseda. Il recevait tous les appels difficiles. L'un des premiers apprentissages du médecin consiste à apprendre à se priver de sommeil.

L'étage entier était aménagé en service de réanimation d'urgence, car cet hôpital avait été conçu pour pouvoir accueillir des blessés de guerre. L'unité numéro trois du service de réanimation était une salle d'environ soixante-cinq mètres carrés dont les seules fenêtres donnaient sur le corridor, et les rideaux étaient tirés. Un seul des quatre lits était occupé, par un jeune homme qu'on pouvait à peine voir. Le masque à oxygène qui lui recouvrait le visage ne laissait apparaître qu'une masse hirsute de cheveux blond paille. Le reste de son corps était entièrement enveloppé. Il y avait un appareil à perfusion à côté du lit, et les deux flacons de liquide alimentaient un seul tuyau, qui disparaissait sous les couvertures. Une infirmière vêtue de la tenue chirurgicale verte, comme le médecin, se tenait au pied du lit, les yeux fixés sur l'électrocardiographe placé au-dessus de la tête du malade, et baissait parfois la tête pour noter quelque chose sur une feuille. De l'autre côté du lit, il y avait un appareil dont l'usage n'apparaissait pas tout de suite. Le malade était inconscient.

« Son état ? interrogea Ivanov.

— Critique, répondit Tait. C'est un miracle qu'il soit arrivé vivant jusqu'ici. Il a passé au moins douze heures dans l'eau, et sans doute plutôt vingt. Même en tenant compte du fait qu'il portait une combinaison de protection en caoutchouc, étant donné les températures ambiantes de l'air et de l'eau, il est incroyable qu'il ait survécu. Au moment de l'admission, sa température interne était de 23,8 degrés. » Tait hocha la tête. « J'ai lu des récits d'hypothermie encore pire, mais c'est de loin le cas le plus extrême que j'aie vu.

— Pronostic ? » Ivanov jeta un coup d'œil dans la salle.

Tait haussa les épaules. « Difficile à dire. Peut-être cinquante pour cent de chances, peut-être pas. Il est en état de choc grave. Mais fondamentalement, c'est un homme en bonne santé. Cela ne se voit pas d'ici, mais il tient une forme physique superbe, comme un grand sportif. Il a le cœur particulièrement solide ; c'est sans doute ce qui l'a maintenu en vie assez longtemps pour arriver jusqu'ici. Nous avons pratiquement maîtrisé l'hypothermie, à présent. Le problème, c'est qu'avec l'hypothermie, beaucoup de choses se dérèglent en même temps. Il nous faut lutter contre plusieurs ennemis de l'organisme pour les empêcher de détruire ses défenses naturelles. Si quelque chose doit le tuer, ce sera le choc. Nous le traitons par électrolyse, la routine habituelle, mais il va rester sur la touche pendant plusieurs jours, au moins je... »

Tait leva les yeux. Un autre homme s'avançait dans le corridor. Plus jeune que Tait, et plus grand, il avait enfilé une blouse blanche par-dessus la tenue du bloc opératoire. Il portait un tableau métallique.

« Messieurs, voici le docteur Jameson... lieutenant. C'est lui qui suit le malade. Il a fait l'admission. Quoi de neuf, Jamie ?

— L'échantillon de crachat révèle une pneumonie. Très ennuyeux. Mais le pire, c'est que sa formulation sanguine ne s'améliore pas, et le nombre de leucocytes *diminue.*

— C'est gai. » Tait s'adossa à l'encadrement de la fenêtre et jura à mi-voix.

« Voici la feuille d'analyse de sang. » Jameson tendit le papier.

« Puis-je la voir ? » Ivanov s'approcha.

« Bien sûr. » Tait ouvrit le dossier métallique et le tint de manière que tous puissent le voir. Ivanov n'avait jamais travaillé avec des analyses de sang traitées par l'informatique, et il lui fallut plusieurs secondes pour s'orienter.

« Ce n'est pas bon.

— Non, pas du tout, dit Tait.

— Nous allons devoir attaquer cette pneumonie en force, déclara Jameson. Ce gosse a trop de complications. Si la pneumonie se développe vraiment... » Il hocha la tête.

« Keflin ? interrogea Tait.

— Ouais. » Jameson tira une fiole de sa poche. « Autant qu'il pourra en supporter. Je suppose qu'il était déjà légèrement atteint en tombant à l'eau, et il paraît que des variétés résistant à la pénicilline se propagent en Union soviétique. Vous employez surtout la pénicilline, là-bas, non ? » Jameson posa son regard sur Ivanov.

« Correct. Qu'est-ce que ce keflin ?

— C'est un gros truc, un antibiotique de synthèse, et qui marche bien contre les variétés résistantes.

— Commençons tout de suite, Jamie », ordonna Tait.

Jameson entra dans la chambre. Il injecta l'antibiotique dans un flacon de cent centilitres et le suspendit.

« Il est très jeune, observa Ivanov. C'est lui qui a pris notre homme en main dès le début ?

— Il s'appelle Albert Jameson, et nous le surnommons Jamie. Il a vingt-neuf ans, il est sorti troisième de l'université de Harvard, et il travaille avec nous depuis ce jour-là. Il a fait une spécialité de médecine interne et de virologie. Il est aussi bon qu'on peut l'être. » Tait s'aperçut brusquement qu'il était mal à l'aise en face des Russes. Toute son éducation et ses années de service dans la marine lui avaient enseigné que ces hommes étaient l'ennemi. Peu importait. Des années auparavant, il avait fait le serment de traiter ses patients sans tenir compte des considérations extérieures. Allaient-ils le croire, ou bien pensaient-ils qu'il allait laisser mourir leur homme parce qu'il était russe ? « Messieurs, je veux que vous compreniez ceci : nous prodiguons à votre compatriote les meilleurs soins dont nous sommes capables. Nous nous y consacrons entièrement. S'il existe un moyen de vous le rendre vivant, nous le trouverons. Mais nous ne pouvons encore rien promettre. »

Les Russes s'en rendaient bien compte. En attendant les instructions de Moscou, Petchkine avait enquêté sur Tait, et appris que, malgré son fanatisme religieux, il était un médecin efficace et honorable, l'un des meilleurs au service de l'Etat.

« A-t-il dit quelque chose ? s'enquit Petchkine, négligemment.

— Pas depuis mon arrivée. Jamie dit que, quand ils ont commencé à le réchauffer, il était à demi conscient et a déliré pendant quelques minutes. Nous avons tout enregistré, bien sûr, et l'avons fait écouter à un officier qui parle russe. Une histoire de fille aux yeux bruns, très décousue. Sans doute sa petite amie — il est beau garçon, et il a sûrement une demoiselle qui l'attend. Mais il était totalement incohérent. Un malade dans cet état n'a plus aucune conscience de ce qui se passe.

— Pourrions-nous écouter la bande ? demanda Petchkine.

— Bien sûr. Je vais la faire apporter. »

Jameson reparut. « Voilà qui est fait. Un gramme de keflin toutes les six heures. Espérons que ça marchera.

— Dans quel état sont ses mains et ses pieds ? » Le commandant Smirnov connaissait les dangers du froid.

« Nous ne nous en préoccupons même pas, répondit Jameson. Nous lui avons enveloppé les extrémités dans du coton pour éviter la macération. S'il survit, d'ici quelques jours nous aurons des ampoules et peut-être même des pertes tissulaires, mais c'est bien le dernier de nos problèmes. Quelqu'un de chez vous peut-il l'identifier ? » Petchkine virevolta. « Il ne portait aucune plaque d'identité. Ses vêtements n'avaient aucune mention du nom du bâtiment. Pas de portefeuille, pas d'identification, pas même de monnaie dans les poches. Ce n'est pas très grave pour le traitement initial, mais je préférerais que vous retrouviez son dossier médical. Il serait souhaitable de savoir s'il a des allergies ou une situation médicale spécifique. Nous ne voudrions pas qu'il tombe dans le coma à cause d'une allergie médicamenteuse.

— Que portait-il ? demanda Smirnov.

— Une combinaison de protection en caoutchouc, répondit

Jameson. Les types qui l'ont trouvé la lui ont laissée, Dieu merci. Je l'ai découpée sur lui quand on me l'a amené. Dessous, il portait une chemise, des sous-vêtements, un mouchoir. Vos hommes ne portent donc pas de plaque d'identification ?

— Si, répondit Smirnov. Comment l'avez-vous trouvé ?

— D'après ce que j'ai compris, par pur hasard. Un hélicoptère naval en patrouille l'a repéré dans l'eau. Ils n'avaient pas de matériel de sauvetage à bord, et ils ont dû marquer l'emplacement avec un repère colorant et regagner leur frégate. Un gabier s'est porté volontaire pour descendre le chercher. Ils l'ont embarqué dans l'hélico avec un petit canot et sont repartis, pendant que la frégate se hâtait vers le sud. Le gabier a balancé le canot, sauté — et il est tombé dessus. Pas de chance. Il s'est brisé les deux jambes, mais il a quand même pu hisser votre matelot dans le canot. La frégate les a ramassés une heure plus tard, et on les a amenés ici directement tous les deux.

— Comment va votre gabier ?

— Il s'en tirera. La jambe gauche n'a pas été trop abîmée, mais le tibia droit a souffert. Il sera rétabli d'ici quelques mois. Mais il ne pourra plus danser avant un moment. »

Les Russes soupçonnaient les Américains d'avoir délibérément subtilisé la plaque d'identité de l'homme. Jameson et Tait pensaient que l'homme avait dû s'en débarrasser lui-même, peut-être dans l'espoir de passer à l'Ouest. Une marque rouge sur son cou indiquait un arrachage brutal.

« Si vous me le permettez, dit Smirnov, j'aimerais voir votre homme et le remercier.

— Permission accordée, commandant, acquiesça Tait. Ce serait très aimable à vous.

— Ce doit être un homme courageux.

— Un marin faisant son devoir. Vos hommes en auraient fait autant. » Tait se demanda si c'était vrai. « Nous avons des méthodes différentes, messieurs, mais la mer n'en tient aucun compte. La mer... n'essaie-t-elle pas de nous tuer tous, sans distinction de nationalité ? »

Petchkine s'était retourné et regardait par la vitre, pour tenter de distinguer le visage du malade.

« Pourrions-nous voir ses vêtements et effets personnels ? demanda-t-il.

— Bien entendu, mais cela ne vous renseignera guère. Il est cuisinier. C'est tout ce que nous savons, dit Jameson.

— Cuisinier ? » Petchkine se retourna.

— L'officier qui a écouté la bande — c'était évidemment un officier de renseignements, non ? Il a regardé le numéro inscrit sur la chemise, et déclaré que ce devait être un cuisinier. » Le numéro à trois chiffres indiquait que le patient appartenait à l'équipe de quart de bâbord, et que son poste de combat était au PC sécurité. Jameson se demandait pourquoi les Russes numérotaient tous leurs appelés. Pour être sûrs qu'ils ne changeaient pas indûment de poste ? Il remarqua que la tête de Petchkine touchait presque la vitre.

« Docteur Ivanov, souhaitez-vous suivre votre malade ? suggéra Tait.

— Est-ce permis ?

— Oui.

— Quand sortira-t-il ? voulut savoir Petchkine. Quand pourrons-nous lui parler ?

— Sortir ? répliqua sèchement Jameson. La seule façon de sortir d'ici avant un mois, pour lui, ce serait dans une caisse, monsieur. Et quant à savoir quand il reprendra conscience, nul n'en sait rien. C'est un petit gars très malade, que vous avez là.

— Mais il faut absolument que nous lui parlions ! » protesta l'agent du KGB.

Tait dut relever les yeux vers l'homme. « Monsieur Petchkine, je comprends votre désir de communiquer avec votre homme... mais pour le moment, il est mon malade. Nous ne ferons rien, je dis bien, *rien,* qui puisse interférer avec son traitement et sa guérison. J'ai reçu l'ordre de venir ici au plus vite pour m'en occuper. On me dit que l'ordre vient de la Maison-Blanche. Très bien. Les docteurs Jameson et Ivanov m'assisteront, mais ce patient est désormais placé sous ma responsabilité, et mon devoir consiste à tout faire pour qu'il puisse quitter cet hôpital vivant et en bonne santé. Tout le reste est secondaire, en comparaison de cet objectif. Tout sera fait pour vous être agréable. Mais c'est moi qui commande ici. » Tait marqua une pause. La diplomatie n'était pas son point fort. « Je vais vous dire, si vous voulez vous relayer ici, je n'y vois pas d'inconvénients. Mais il faudra suivre le règlement. Cela vous oblige à vous désinfecter, revêtir des vêtements stériles et suivre les instructions de l'infirmière de garde. Cela vous va ? »

Petchkine acquiesça. Ces médecins américains se prennent pour des dieux, se disait-il.

Occupé à examiner une nouvelle fois les résultats de l'analyseur de sang, Jameson n'avait pas écouté le sermon. « Pouvez-vous nous dire, messieurs, sur quel type de sous-marin il se trouvait ?

— Non, répondit aussitôt Petchkine.

— Quelle est votre idée, Jamie ?

— La chute des leucocytes et divers autres indices donnent à envisager une irradiation. Les symptômes lourds auraient été masqués par l'hypothermie. » Soudain, Jameson dévisagea les Soviétiques. « Messieurs, il faut que vous nous répondiez, se trouvait-il à bord d'un sous-marin nucléaire ?

— Oui, répondit Smirnov. Il se trouvait à bord d'un sous-marin nucléaire.

— Jamie, portez ses vêtements à la radiologie. Faites contrôler les boutons, fermetures Eclair, tout ce qui est métallique, pour faire apparaître l'éventuelle contamination.

— Oui. » Jameson alla chercher les effets du patient.

« Pouvons-nous nous en occuper aussi ? demanda Smirnov.

— Oui, commandant », répondit Tait, en se demandant à quelle curieuse race ils appartenaient. Ce type venait d'un sous-marin nucléaire, non ? Pourquoi ne l'avaient-ils pas dit tout de suite ? Ne voulaient-ils donc pas qu'il en réchappe ?

Petchkine réfléchissait à la signification de tout cela. Ne savaient-ils donc pas qu'il venait d'un sous-marin nucléaire ? Evidemment il essayait de faire cracher à Smirnov que l'homme venait d'un sous-marin lance-engins. Ils essayaient de masquer le problème avec cette histoire de contamination. Rien qui puisse faire du mal au malade, mais quelque chose qui embrouille leurs ennemis de classe. Astucieux. Il avait toujours pensé que les Américains étaient astucieux. Et il devait rendre compte à l'ambassade dans une heure — rendre compte de quoi ? Comment était-il censé découvrir l'identité de ce marin ?

A l'arsenal de Norfolk

Le sous-marin américain *Ethan Allen* était pratiquement au bout de son rouleau. Construit en 1961, il avait été utile à ses équipages et à sa patrie pendant plus de vingt ans, transportant les missiles Polaris au cours d'interminables patrouilles dans des mers sans soleil. Il avait maintenant l'âge de voter, ce qui est très vieux pour un sous-marin. Ses tubes de missiles avaient été remplis d'eau et scellés quelques mois plus tôt. Il ne restait plus à bord qu'un équipage symbolique, en attendant que les bureaucrates du Pentagone aient décidé de son avenir. On avait parlé d'un système de missiles de croisière très compliqué, pour le transformer en SSGN, comme les nouveaux Oscars russes, mais c'était trop coûteux. La technologie de l'*Ethan Allen* datait de la génération précédente. Son réacteur

S5W était trop ancien pour pouvoir servir encore bien longtemps. La radiation nucléaire avait bombardé le récipient métallique et ses accessoires intérieurs avec des milliards de neutrons. Comme l'avait révélé un récent examen de bandes-échantillons, le caractère du métal avait changé avec le temps, pour devenir dangereusement friable. Il lui restait au maximum trois ans de vie utile. Un nouveau réacteur aurait coûté trop cher. L'*Ethan Allen* était condamné par sa propre décrépitude.

L'équipage d'entretien se composait de membres de son dernier équipage, surtout des anciens qui attendaient la retraite, avec un levain de jeunes recrues qui avaient besoin d'apprendre à faire des réparations. L'*Ethan Allen* pouvait encore servir d'école, et en particulier d'école de réparation, puisque la quasi-totalité de son équipement était à bout.

L'amiral Gallery était arrivé à bord ce matin de bonne heure. Les officiers-mariniers y avaient vu un signe de très mauvais augure. Il avait été le premier commandant du bâtiment, bien des années auparavant, et les amiraux semblaient visiter volontiers leurs premiers bateaux — juste avant qu'on les mette à la casse. Il avait reconnu quelques officiers-mariniers anciens, et leur avait demandé si ce brave rafiot avait encore un peu de souffle. D'une seule voix, ces gradés avaient dit oui. Un bateau devient bien plus qu'une machine, pour son équipage. Sur cent bâtiments construits dans le même chantier par les mêmes hommes, chacun aura ses caractéristiques — mauvaises pour la plupart mais, une fois habitués à ses défauts, les hommes qui le servent en parlent avec affection, surtout rétrospectivement. L'amiral était passé partout à bord de l'*Ethan Allen*, s'arrêtant pour passer ses mains déformées par l'arthrite sur le périscope qu'il avait utilisé pour s'assurer parfois qu'il existait vraiment un monde à l'extérieur de la coque d'acier, et pour préparer l'éventuelle « attaque » contre un navire pourchassant son SM — ou un pétrolier de passage, juste pour s'entraîner. Il avait commandé l'*Ethan Allen* pendant trois ans, faisant alterner son équipage rouge avec l'équipage bleu d'un autre officier; il avait opéré à partir de Holy Loch, en Ecosse. Ah, c'était le bon temps, se disait-il, sacrément mieux que de rester assis derrière un bureau, avec une flopée d'assistants insipides qui couraient dans tous les sens. C'était le bon vieux jeu de la marine, promu ou éjecté : quand on avait enfin quelque chose qu'on savait faire, quelque chose qu'on aimait vraiment, hop, c'était fini. Du point de vue de la direction du personnel, c'était logique. Il fallait laisser la place aux jeunes qui montaient — mais, mon Dieu! être jeune encore, commander l'un de ces nouveaux bâtiments qu'il n'avait plus l'occasion d'apprécier que quelques heures à la fois, quand on voulait faire une politesse à ce vieux salaud maigrichon de Norfolk.

L'*Ethan Allen* ferait l'affaire, Gallery le savait. Il ferait parfaitement l'affaire. Ce n'était pas la fin qu'il aurait choisie pour *son* bateau de combat mais, quand on y réfléchissait, il était rare qu'un sous-marin fît une fin très honorable. Le *Victory* de Nelson, ou *Constitution* dans le port de Boston, ces vieux navires de guerre momifiés à cause de leurs noms — ils avaient reçu un traitement digne. Mais la plupart des bâtiments de guerre étaient coulés comme cibles ou mis en pièces pour faire des lames de rasoir. L'*Ethan Allen* périrait pour une mission. Une mission folle, peut-être même assez folle pour réussir, se disait-il en regagnant le quartier général de Comsublant.

Deux heures plus tard, un camion arriva au bassin où l'*Ethan Allen* demeurait sans vie. Le gradé de quart qui se trouvait alors sur le pont remarqua que ce camion provenait de la base aéronavale d'Océana. Curieux, songea-t-il. Plus curieux encore, l'officier qui en sortit n'arborait ni ailes ni dauphins. Il salua d'abord le planton, puis le gradé de quart, tandis que les deux officiers de lf12Ethan Allen surveillaient une réparation dans le compartiment machines. L'officier de la base aéronavale organisa le chargement à bord de quatre objets en forme d'obus que l'on fit passer par le panneau de pont. Ces engins étaient très gros, et ils passèrent difficilement par les panneaux de chargement de torpilles, à grands renforts de manœuvres et de poussées. Ensuite arrivèrent des palettes en plastique et des sangles métalliques pour les arrimer. On dirait des bombes, songea le chef électricien tandis que les hommes plus jeunes faisaient un travail de bêtes de somme. Mais ce ne pouvait pas en être; c'était trop léger, et visiblement fabriqué avec des plaques de métal ordinaire. Une heure plus tard, un camion doté d'un réservoir sous pression arriva. Le personnel du sous-marin fut évacué, et le bord soigneusement ventilé. Puis trois hommes introduisirent à bord les tuyaux du camion et les abouchèrent à chacun des quatre objets. Quand ils eurent terminé, ils ventilèrent à nouveau et laissèrent des détecteurs de fuite près de chaque objet. L'équipage remarqua que leur bassin et celui d'à côté étaient désormais gardés par des marines armés, pour que personne ne pût venir voir ce qui arrivait à l'*Ethan Allen.*

Quand le chargement, le remplissage, ou Dieu sait quoi, fut terminé, un gradé mécanicien descendit examiner les quatre objets métalliques plus à loisir. Il recopia l'inscription PPB76A/J6713 sur un calepin. Un officier-marinier chercha la désignation dans un catalogue, et n'aima pas du tout ce qu'il y trouva — Pave Pat Blue 76. Pave Pat Blue 76 était une bombe, et l'*Ethan Allen* en avait quatre à bord. Rien d'aussi puissant que les ogives de missiles qu'il avait transportées naguère, mais beaucoup plus menaçant, décida l'équipage. Le lumineux qui autorisait l'équipage à fumer fut éteint d'un commun accord, sans que personne en eût donné l'ordre.

Gallery revint peu après, et s'entretint avec les anciens en tête à tête. Les plus jeunes furent envoyés à terre avec leurs effets personnels et l'avertissement qu'ils n'avaient rien vu, senti, entendu ni remarqué d'inhabituel à bord de l'*Ethan Allen*. On allait le saborder en mer. Voilà tout. Une décision politique de Washington — et si vous en parlez à qui que ce soit, vous pouvez vous préparer à aller passer vingt ans à MacMurdo, comme l'exprima l'un des hommes.

Il était tout à l'honneur de Vincent Gallery que chacun des anciens gradés eût décidé de rester à bord. Il s'agissait en partie de la dernière chance de faire un tour en mer avec leur cher bateau, de dire adieu à un ami. Mais c'était surtout parce que Gallery leur disait que ce serait important, et que les anciens se souvenaient de ce que valait sa parole.

Les officiers arrivèrent au coucher du soleil. Le moins gradé était un capitaine de corvette. Deux autres quatre galons allaient s'occuper du réacteur, avec trois chefs mécaniciens ; deux encore se chargeraient de la navigation, et deux capitaines de frégate, de l'électronique. Les autres se répartiraient dans le sous-marin pour effectuer la quantité de tâches nécessaires au maniement d'un vaisseau de guerre complexe. Leur nombre total s'élevait à moins du quart d'un équipage normal, ce qui aurait pu susciter des remarques acerbes de la part des chefs mécaniciens, qui ne considéraient pas seulement l'étendue de l'expérience de ces officiers.

Un officier allait être barreur de plongée, apprit le gradé timonier avec horreur. Le chef électricien avec qui il en discuta le prit très calmement. Après tout, répondit-il, le vrai plaisir consistait à manœuvrer les bateaux, et les officiers n'y avaient droit qu'à New London. Ensuite, il ne leur restait plus qu'à tourner en rond et faire l'important. C'était vrai, admit le timonier, mais sauraient-ils manœuvrer ? Sinon, décida l'électricien, ils viendraient à la rescousse — à quoi servaient les mécaniciens, sinon à protéger les officiers de leurs erreurs ? Ensuite, ils en arrivèrent tout naturellement à discuter de bonne humeur pour savoir qui prendrait le commandement du bâtiment. Les deux hommes avaient à peu près la même expérience et la même ancienneté.

L'*Ethan Allen* appareilla pour la dernière fois à 23 h 45. Aucun remorqueur ne l'aida à quitter le bassin. Le commandant manœuvra adroitement pour s'écarter du quai, avec un maniement de moteur très doux et une contraction des traits que son timonier fut bien obligé d'admirer. Il avait déjà servi ce commandant, sur le *Skipjack* et le *Will Rogers*. « Pas de remorqueur ni rien, raconta-t-il plus tard à son voisin de couchette. Le vieux connaît son turbin. » En une heure, ils avaient dépassé les caps de Virginie et s'apprêtaient à plonger. Dix minutes plus tard, ils avaient disparu. En bas, en route au un-un-zéro, le petit équipage d'officiers et de mécaniciens s'installaient dans la routine exigeante du maniement de leur vieille grosse bête avec très peu d'hommes. L'*Ethan Allen* tournait à merveille, faisant ses huit nœuds sans que sa vieille mécanique fasse le moindre bruit.

LE ONZIÈME JOUR

Lundi 13 décembre

Un Thunderbolt A-10

C'était beaucoup plus amusant que les DC-9. Le commandant Andy Richardson avait plus de dix mille heures de vol en DC-9, et seulement six cents avec son chasseur Thunderbolt II A-10, mais ce petit biréacteur lui plaisait bien plus. Richardson appartenait au 175e groupe tactique de combat de la surveillance aérienne nationale du Maryland. Habituellement, son escadrille opérait à partir d'un petit aérodrome militaire, à l'est de Baltimore. Mais deux jours plus tôt, quand son unité avait été appelée, le 175e et six autres groupes de surveillance nationale et de réserve étaient venus embouteiller la base aérienne déjà active de Loring, dans le Maine. Ils avaient décollé à minuit, et venaient de se ravitailler en vol une demi-heure plus tôt, à quinze cents kilomètres au large de la côte atlantique. A présent, Richardson et ses trois coéquipiers volaient au ras des eaux noires à six cents kilomètres à l'heure.

A cent cinquante kilomètres derrière les quatre chasseurs, quatre-vingt-dix avions suivaient à dix mille mètres d'altitude, en formation que les Soviétiques auraient jugée tout à fait semblable à un escadron d'assaut, une mission d'attaque de chasseurs tactiques armés. C'était exactement cela — et aussi une feinte. La mission véritable concernait l'équipe des quatre appareils qui volaient à quarante mètres au-dessus de l'eau.

Richardson adorait l'A-10, et d'ailleurs tous ceux qui en pilotaient l'appelaient « Phacochère » avec une affection désinvolte. Pratiquement tous les avions tactiques avaient un profil satisfaisant, dû au besoin de vitesse et de manœuvrabilité pendant le combat. Mais pas le Phacochère, qui était sans doute le coucou le plus laid que l'aviation américaine eût jamais construit. Ses turboréacteurs jumeaux pendaient comme des ajouts hâtifs à la double dérive de queue, qui elle-même évoquait les années trente. Ses ailes comme des dalles n'avaient pas un iota d'angle de flèche et, en plus, elles s'incurvaient au milieu pour tenir un train d'atterrissage encombrant. Le dessous des ailes était littéralement clouté de pointes pour pouvoir transporter l'artillerie, tandis que le fuselage était construit autour de l'arme première de l'appareil, à savoir le canon rotatif GAU-8 de trente millimètres, spécialement conçu pour détruire les tanks soviétiques.

Pour la mission de cette nuit, l'escadrille de Richardson avait un plein chargement d'obus à charge d'uranium réduite pour leurs canons Avenger, et deux bombes Rockeye anti-personnel, ainsi que des armes antitank supplémentaires. Juste au-dessous du fuselage se trouvait une nacelle Lantirn (infrarouge pour la navigation à basse altitude et le tir de nuit) ; tous les autres postes d'artillerie sauf un étaient occupés par des réservoirs de carburant.

Le 175e avait été le premier escadron de surveillance nationale équipé de Lantirn. Il s'agissait d'un petit ensemble de systèmes électroniques et optiques permettant au Phacochère de voir la nuit en volant à l'altitude minimale pour chercher des cibles. Ces systèmes projetaient un affichage sur le pare-brise de l'avion, ce qui avait pour effet de transformer la nuit en jour, et de rendre le profil de la mission un peu moins périlleux. A côté de chaque nacelle Lantirn se trouvait un objet de plus petite taille qui, contrairement aux obus de canon et aux Rockeyes, devait servir cette nuit.

Richardson ne s'inquiétait pas des risques de la mission — il s'en réjouissait au contraire. Deux de ses trois camarades étaient, comme lui, pilotes de ligne, et le troisième poudreur de récoltes, tous expérimentés dans la tactique en rase-mottes. Et c'était une bonne mission.

La séance de préparation, menée par un officier de marine, avait duré plus d'une heure. Ils allaient rendre visite à la marine soviétique. Richardson avait lu dans les journaux que les Russes manigançaient quelque chose et, quand il avait appris au cours de la séance qu'ils envoyaient leur flotte traîner ses bottes si près de la côte américaine, tant d'audace l'avait révolté. Il avait appris avec rage qu'un de leurs minables petits chasseurs avait tiré en passant sur un Tomcat de la marine, la veille, blessant très gravement un officier. Il se demandait pourquoi la marine était tenue à l'écart de la réaction. La presque totalité du groupe aérien de Saratoga était visible sur les pistes en béton de Loring, aligné près des B-52, des Intruders A-6E, et des Hornets F-18 avec leurs chariots de chargement d'artillerie à quelques mètres de là. Il devinait que sa mission n'était que le premier acte, la partie la plus délicate. Pendant que les Soviétiques auraient les yeux rivés sur l'escadron d'assaut qui apparaîtrait en bordure de leur champ de portée SAM, son groupe de quatre chasseurs s'élancerait sous couverture radar jusqu'à leur vaisseau amiral, le croiseur nucléaire de combat *Kirov*. Pour livrer un message.

Il était surprenant que les hommes de la garde aient été sélectionnés pour cette mission. Près de mille appareils tactiques étaient mobilisés en ce moment même sur la côte Est, près d'un tiers d'entre eux étant plus ou moins réservistes, et Richardson supposait que c'était là une partie du message. Une opération tactique de grande difficulté était menée par des aviateurs de seconde ligne, tandis que les escadrilles régulières se tenaient prêtes sur les pistes d'envol de Loring, de McGuire, de Dover, de Pease, et de nombreuses autres bases depuis la Virginie jusqu'au Maine, ravitaillement fait, mission expliquée, prêts à décoller. Près de mille avions ! Richardson sourit. Il n'y aurait pas assez de buts pour tout le monde.

« Chef de seconde ligne, ici Sentry-Delta. Relèvement du but zéro-quatre-huit, distance quatre-vingts kilomètres. Route un-huit-cinq, vitesse vingt. »

Richardson ne répondit pas à la transmission par radio codée. Le vol était sous EMCON. Le moindre bruit électronique aurait risqué d'alerter les Soviétiques. Il avait même éteint son radar de tir, et seuls son infrarouge passif et ses détecteurs de télévision à clarté réduite fonctionnaient. Il jeta un bref coup d'œil à droite et à gauche. Pilotes de seconde ligne, merde ! maugréa-t-il. Chacun des hommes de cette mission avait au moins quatre mille heures, bien plus que la plupart des pilotes réguliers n'en auraient jamais, bien plus que la plupart des astronautes, et leurs coucous étaient entretenus par des types qui bricolaient les avions parce qu'ils aimaient cela. La vérité de l'affaire, c'était que son escadrille avait un meilleur taux de disponibilité d'appareils que toute autre escadrille, et qu'elle avait eu moins d'accidents que tous ces petits jeunes prétentieux qui pilotaient les Phacochères en Angleterre et en Corée. Ils allaient le faire voir aux Russkoffs.

Il sourit intérieurement. C'était assurément mieux que de piloter chaque jour son DC-9 de Washington à Providence et

Harford puis revenir, pour US Air ! Richardson, qui avait été pilote de chasseurs, avait quitté le service huit ans auparavant parce qu'il convoitait le salaire plus élevé et le style de vie plus flatteur d'un pilote de ligne commerciale. Il avait manqué le Viêt-nam, et le vol commercial ne requérait guère ce degré de compétence ; cela n'avait pas l'excitation du rase-mottes au-dessus des arbres.

Pour autant qu'il le sût, le Phacochère n'avait jamais été employé pour des missions d'assaut en mer — autre élément du message. Et il ne faisait aucun doute que ce Phacochère ferait parfaitement l'affaire. Ses munitions antitank seraient très efficaces contre les navires. Les balles de canon et les bombes Rockeye étaient conçues pour lacérer le blindage des tanks de combat, et Richardson ne doutait pas qu'elles en feraient autant aux navires de guerre à coque mince. Dommage que ce ne soit pas pour de bon. Il était temps que quelqu'un inflige une bonne correction aux Ivanoffs.

Un voyant de détecteur radar se mit à clignoter sur son récepteur de menace ; radar à bande S, sans doute fait pour la recherche en surface, et pas assez puissant pour faire revenir le faisceau. Les Soviétiques n'avaient pas de plates-formes d'antennes de radar, et celles dont ils disposaient à bord de leurs navires étaient limitées par la courbe de la terre. Le faisceau passait juste au-dessus de sa tête ; il en devinait le léger frémissement. Ils auraient encore mieux évité toute détection s'ils avaient volé à quinze mètres et non à quarante, mais les ordres étaient formels.

« Vol seconde ligne, ici Sentry-Delta. Dispersez-vous et allez-y », commanda l'AWACS.

Les A-10 s'écartèrent de leur formation initiale serrée pour intercaler des espaces de plusieurs kilomètres entre eux. Les ordres consistaient à se disperser pour l'attaque, à cinquante kilomètres les uns des autres. Quatre minutes. Richardson consulta sa montre digitale ; l'escadrille de seconde ligne était parfaitement à l'heure. Derrière eux, les Phantoms et les Corsairs en formation d'assaut allaient virer vers les Soviétiques, juste pour attirer leur attention. Il allait bientôt les voir...

L'écran infrarouge montrait des petites bosses sur l'horizon projeté — la rangée extérieure de destroyers, les Udaloï et les Sovremenny. L'officier qui leur avait donné les instructions leur avait également montré des croquis et des photos de ces navires de guerre.

Bip ! fit son récepteur d'alerte. Un radar de tir à bande X venait de balayer son appareil et de le perdre, et tentait à présent de retrouver le contact. Richardson alluma son système de contre-mesures électroniques. Les escorteurs n'étaient plus qu'à huit kilomètres. Quarante secondes. « Restez abrutis, camarades », songea-t-il.

Il commença à manœuvrer son avion brutalement, grimpant, retombant, virant à gauche, à droite, sans motif précis. Ce n'était qu'un jeu, mais pourquoi faciliter la tâche aux Ivanoffs. En cas d'attaque réelle, ses Phacochères auraient foncé derrière un essaim de missiles anti-radar, accompagnés par la Belette sauvage qui aurait esayé de brouiller et de détruire les systèmes de contrôle de missiles des Soviétiques. Tout allait très vite, à présent. Un escorteur de l'écran tactique se dressait sur son chemin, et il poussa un peu son gouvernail pour l'éviter en passant à trois cents mètres. Trois kilomètres jusqu'au *Kirov* — dix-huit secondes.

L'écran infrarouge présentait une image intensifiée. La structure pyramidale mât-avions en attente-radar remplissait tout le pare-brise. Il distinguait des signaux clignotants tout autour du croiseur de combat. Richardson vint un peu sur la droite. Ils devaient passer à cent mètres du navire, ni plus ni moins. Son Phacochère allait leur passer sous le nez, lui à l'avant, et les autres à l'arrière et de chaque côté. Il ne voulait pas raser de trop près. Il vérifia que ses commandes de bombe et de canon étaient bloquées en position de sûreté. Inutile de risquer de se laisser emporter. Dans une attaque réelle, ce serait le moment d'agir sur la détente, et un flot de petits obus serait précipité sur la coque mince des compartiments missiles du *Kirov,* faisant exploser les missiles sol-air et les missiles de croisière en un grand feu de joie, et déchirant la superstructure comme du papier journal.

A cinq cents mètres, le commandant se prépara à armer la nacelle de fusées éclairantes, fixée à coté du Lantirn.

Go ! Il pressa la touche, qui déploya une demi-douzaine de fusées éclairantes au magnésium de forte intensité. Les quatre appareils de seconde ligne agirent en l'espace de quelques secondes. Le *Kirov* se trouva brusquement pris dans un volume de lumière bleue et blanche au magnésium. Richardson tira le manche, amorçant un virage montant. L'aveuglante lumière le gênait, mais il voyait la ligne gracieuse du bâtiment de guerre soviétique évoluant rondement sur la mer agitée, tandis que les hommes couraient comme des fourmis sur le pont.

Si nous le voulions, vous seriez tous morts maintenant — vous saisissez le message ?

Richardson alluma sa radio. « Chef de seconde ligne à Sentry-Delta, annonça-t-il en clair. Robin des Bois, je répète, Robin des

Bois. Vol de seconde ligne, ici le chef, mettez-vous en formation. On rentre.

— Vol seconde ligne, ici Sentry-Delta. Magnifique ! répondit le contrôleur. Attention, le *Kiev* a deux Forgers en vol, trente milles à l'est, en route vers vous. Ils devront faire vite pour vous rattraper. Nous vous tiendrons au courant. Terminé. »

Richardson se livra à un rapide calcul mental. Les Forgers ne pourraient sans doute pas les rattraper et, même s'ils y arrivaient, douze Phantoms du 107e groupe d'interception d'avions de combat les attendaient.

« Sacré coup, chef ! » Seconde Ligne 4, celui qui traitait les moissons par avion, s'inséra en douceur à sa place. « Vous avez vu ces dindes nous montrer du doigt ? Bon Dieu, on leur a secoué les puces !

— Attention aux Forgers », avertit Richardson, souriant d'une oreille jusqu'à l'autre sous son masque à oxygène. *Pilote de seconde ligne, merde !*

« Qu'ils y viennent ! répondit Seconde Ligne 4. Qu'un de ces salauds vienne me frôler avec mon trente, et ce sera sa dernière connerie ! » Quatre était un peu trop agressif pour le goût de Richardson, mais il savait à coup sûr mener son Phacochère.

« Vol de seconde ligne, ici Sentry-Delta. Les Forgers ont fait demi-tour. Tout est dégagé. Terminé.

— Cinq sur cinq, terminé. Okay, vol seconde ligne, on se calme et on rentre. Je crois qu'on n'aura pas volé la paye ! » Richardson vérifia qu'il était sur la bonne fréquence. « Mesdames et Messieurs, ici le commandant Barry l'Ami », déclara-t-il, reprenant la plaisanterie des personnels d'US Air qui était devenue une tradition du 175e. « J'espère que ce vol vous a plu, et je vous remercie de voyager sur Air Phacochère. »

Le Kirov

A bord du *Kirov,* l'amiral Stralbo quitta en courant le central information pour gagner la passerelle, mais trop tard. Ils n'avaient acquis les intrus à basse altitude qu'une seule minute, avant la ligne des escorteurs d'écrans. Les artifices américains étaient déjà derrière le bâtiment, et plusieurs brûlaient encore dans l'eau. Il observa que le personnel de la passerelle était ému.

« Soixante à soixante-dix secondes avant qu'ils soient là, amiral, annonça le commandant, nous suivions la force d'attaque, et ces quatre-là — quatre à notre avis — sont arrivés sous notre couverture radar. Nous en tenions deux sous le feu malgré leur brouillage. »

Stralbo se renfrogna. Cette performance était loin de le satisfaire. Si l'attaque avait été réelle, Kirov s'en serait tiré au mieux très endommagé. Les Américains auraient volontiers sacrifié deux ou trois chasseurs pour un croiseur nucléaire. Si toute l'aviation américaine attaquait ainsi...

« L'arrogance de ces Américains est incroyable ! gronda le *zampolit*.

— Il était stupide de les provoquer, rétorqua aigrement Stralbo. Je savais qu'il arriverait quelque chose de ce genre, mais je l'attendais du *Kennedy*.

— C'était une erreur, voyons, une simple erreur de pilote, reprit l'officier politique.

— Bien sûr, Vasily. Mais *ceci* n'était pas une erreur ! Ils nous envoient simplement un message, pour nous rappeler que nous sommes à quinze cents kilomètres de leur côte sans couverture aérienne valable, et qu'ils disposent de plus de quinze cents chasseurs prêts à nous attaquer de l'ouest. Pendant ce temps, le *Kennedy* nous bloque à l'est comme un loup enragé. Notre position n'a rien de plaisant.

— Les Américains ne seraient pas si fanfarons.

— En êtes-vous sûr, camarade ? Bien sûr ? Et si l'un de leurs appareils commet une " erreur de pilote " ? Et coule un de nos escorteurs ? Et si le président américain appelle Moscou sur la ligne directe pour s'excuser avant que nous puissions rendre compte ? S'ils jurent que c'était un accident et promettent de sanctionner le pilote idiot — hein ? Croyez-vous que le comportement des impérialistes soit très prévisible, si près de leur côte ? Moi pas. Je crois qu'ils attendent le moindre prétexte pour se jeter sur nous. Venez dans ma chambre. Il faut que nous y réfléchissions. »

Les deux hommes se dirigèrent vers l'arrière. La chambre de Stralbo était d'une austérité spartiate. Le seul ornement au mur était un portrait de Lénine s'adressant aux gardes rouges.

« Quelle est notre mission, Vasily ? demanda Stralbo.

— Appuyer nos sous-marins, les aider à mener leur recherche...

— Exactement. Notre mission consiste à appuyer, et non à lancer des opérations offensives. Les Américains ne veulent pas de nous ici. Objectivement, je peux le comprendre. Avec tous nos engins, nous représentons une menace.

— Mais les ordres sont de ne pas les menacer, protesta le *zampolit*. Pourquoi voudrions-nous attaquer leur pays ?

— Et bien entendu, les impérialistes reconnaissent que nous sommes de paisibles socialistes ! Allons, Vasily, ce sont nos ennemis ! Evidemment, ils n'ont aucune confiance en nous. *Evidemment*, ils souhaitent nous attaquer, au plus infime prétexte. Ils s'immiscent déjà dans nos recherches en prétendant nous aider. Ils ne veulent pas de nous ici... et en nous laissant provoquer par leurs actions agressives, nous tombons dans leur piège. » L'amiral fixait un regard vide sur son bureau. « Eh bien, nous allons changer cela. Je vais ordonner à la flotte de cesser tout ce qui pourrait paraître le moins du monde agressif. Nous cesserons toute opération aérienne autre que le patrouillage normal. Nous ne harcèlerons pas leurs unités navales. Nous n'utiliserons que des radars de navigation normale.

— Et ?

— Et nous ravalerons notre orgueil en nous faisant humbles comme des souris. Quelles que soient leurs provocations, nous n'y réagirons pas.

— Certains y verront de la lâcheté, amiral », avertit le *zampolit*.

Stralbo s'était attendu à cela.

« Ne voyez-vous donc pas, Vasily ? En faisant mine de nous attaquer, ils nous ont déjà conditionnés. Ils nous forcent à activer nos systèmes de défense les plus récents et les plus secrets, de manière à pouvoir amasser des renseignements sur nos radars et nos systèmes de contrôle de tir. Ils scrutent la performance de nos chasseurs et de nos hélicoptères, la maniabilité de nos navires et, surtout, l'efficacité de notre commandement et de notre contrôle. Nous allons mettre fin à tout cela. Notre mission première est trop importante. S'ils continuent à nous provoquer, nous agirons comme si notre mission était entièrement pacifique — elle l'est d'ailleurs en ce qui les concerne — et nous ne leur donnerons rien en contrepartie. Ou bien préférez-vous qu'ils nous empêchent d'accomplir notre mission ? »

Le *zampolit* marmonna son consentement. S'ils échouaient dans leur mission, l'accusation de lâcheté serait un élément dérisoire. Mais s'ils trouvaient le sous-marin renégat, ils seraient des héros quoi qu'ils aient pu faire d'autre.

A bord du Dallas

Depuis combien de temps était-il de quart? se demandait Jones. Il aurait aisément pu le vérifier en pressant la touche de sa montre digitale, mais il ne voulait pas. Ce serait trop déprimant. Moi et ma grande gueule — *Qu'est-ce que vous pariez, commandant,* mon cul! jura-t-il intérieurement. Il avait détecté le SM à une distance d'environ vingt milles, peut-être, il l'avait tout juste repéré — et ce bordel d'océan Atlantique qui a cinq mille kilomètres de large! Il allait lui falloir plus que de la chance.

Bon, il y avait gagné une douche hollywoodienne. Normalement, une douche à bord d'un bâtiment pauvre en eau signifiait quelques secondes pour se mouiller, une minute de savonnage, et encore quelques secondes pour rincer la mousse. Cela vous lavait, mais sans vous donner aucun plaisir. C'était déjà une amélioration sur le bon vieux temps, disaient les anciens. Mais à cette époque-là, répliquait volontiers Jones, les marins devaient ramer — ou marcher au diesel avec des batteries, ce qui revenait au même. Une douche hollywoodienne, c'est le rêve des marins après quelques jours en mer. On laisse l'eau couler, un long flot continu d'eau délicieusement chaude. Le commandant Mancuso offrait volontiers cette détente exquisement sensuelle en récompense de performances hors pair. Cela motivait les hommes. A bord d'un SM, on ne pouvait pas dépenser une prime, et il n'y avait ni bière ni femmes.

Les vieux films — ils faisaient un effort sur ce point. La bibliothèque du bord n'était pas mauvaise, quand on avait le temps de fouiller. Le *Dallas* avait également deux ordinateurs Apple et quelques dizaines de programmes de jeu ou de divertissement. Jones était le champion incontesté de Choplifter et de Zork. Mais les ordinateurs servaient également à la formation, bien sûr, et les textes d'apprentissage pour les examens pratiques prenaient presque tout le temps d'utilisation.

Le *Dallas* patrouillait un secteur à l'est des Grands Bancs. Tout bâtiment empruntant la Route numéro 1 tendait à passer par là. Il marchait à cinq nœuds, en remorquant le réseau sonar BQR-15. Il y avait toutes sortes de contacts. D'abord, la moitié des sous-marins de la marine soviétique étaient passés à grande allure, souvent à la suite de SM américains. Un Alfa les avait dépassés à moins de trois mille mètres, lancé à quarante nœuds. Ce serait si facile, s'était dit Jones sur le moment. L'Alfa faisait tant de bruit qu'on aurait pu l'entendre avec un verre contre la coque, et il avait dû baisser l'ampli de son casque au minimum pour ne pas s'abîmer les oreilles.

Dommage qu'ils n'aient pas pu tirer. Le coup était si simple, et la solution de tir si facile qu'un gamin aurait pu le faire avec une vieille règle à calcul. Cet Alfa s'était vraiment offert sur un plateau. Ensuite étaient arrivés les Victors, puis les Charles et les Novembers pour finir. Jones avait écouté les navires de surface plus loin à l'ouest, bien souvent lancés à vingt nœuds, et qui faisaient un bruit d'enfer en heurtant les vagues. Ils étaient très loin, et ne le concernaient pas.

Ils essayaient d'acquérir cette cible-là depuis plus de deux jours et Jones n'avait pu dormir qu'une heure ici et là. Bon, c'est pour ça qu'on me paie, se disait-il sombrement. Ce n'était pas la première fois, il l'avait déjà fait, mais il serait bien content quand ce serait fini.

Le réseau sonar très évasé était à l'extrémité d'une remorque de trois cents mètres. Jones le surnommait l'appât des baleines. En plus du fait qu'il était le plus sensible de leurs sonars, il protégeait le *Dallas* contre les intrus qui auraient pu le suivre. D'ordinaire, un sonar de sous-marin fonctionne dans toutes les directions sauf l'arrière — qu'on appelle le cône de silence. Le BQR-15 changeait cela. Jones avait entendu toutes sortes de choses sur ce sonar, des SM et des navires tout le temps, et parfois des avions à basse altitude. Une fois, lors d'un exercice au large de la Floride, il avait entendu plonger des pélicans sans pouvoir situer ce bruit, jusqu'au moment où le commandant avait sorti le périscope. Et puis près des Bermudes, il avait rencontré des baleines amoureuses, qui faisaient un sacré vacarme. Jones avait une copie personnelle de la bande pour s'en servir à terre : certaines femmes trouvaient cela intéressant, dans le genre équivoque. Il sourit intérieurement.

Il y avait un bruit de surface considérable. Les circuits de traitement en filtraient la plus grande partie, et Jones les mettait hors service toutes les trois ou quatre minutes pour avoir le son complet et s'assurer que les processeurs ne filtraient pas trop. Ces appareils étaient idiots ; Jones se demandait si le système de traitement SAPS risquait de laisser perdre une partie de ce signal irrégulier à l'intérieur des puces. C'était un problème, avec les ordinateurs, ou surtout avec la programmation : on disait à la machine de faire quelque chose, et elle allait le faire en se trompant d'objet. Jones s'amusait souvent à créer des programmes. Il avait quelques anciens copains de fac qui inventaient des jeux pour les ordinateurs familiaux ; l'un d'eux gagnait beaucoup d'argent avec les systèmes Sierra-On-Line...

Encore à rêvasser, Jonesy, s'admonesta-t-il. Ce n'était pas facile d'écouter le néant pendant des heures d'affilée. Ce serait une bonne idée, se disait-il, de laisser les opérateurs sonar lire pendant leur service. Il avait cependant trop de bon sens pour le suggérer. Thompson aurait peut-être été d'accord, mais le commandant et les autres officiers supérieurs étaient des ex-opérateurs de réacteur, des inconditionnels du règlement d'acier : Tu observeras chaque instrument de toute ton attention à chaque instant. Jones ne trouvait pas cela très intelligent. Au sonar, c'était différent. Les opérateurs s'épuisaient trop vite. Pour lutter, Jones avait ses bandes de musique et ses jeux. Il pouvait se plonger dans toutes sortes de diversions, et surtout Choplifter. Un homme avait besoin, raisonnait-il, de se plonger dans quelque chose au moins une fois par jour. Et dans certains cas, aussi pendant le service. Même les camionneurs, qui n'étaient pas des intellectuels, avaient des radios et des cassettes pour éviter de se laisser hypnotiser. Mais des marins dans un sous-marin nucléaire qui coûtait près d'un milliard de dollars...

Jones se pencha en avant, pressant les écouteurs sur ses oreilles. Il arracha une page de griffonnages de son bloc et nota l'heure sur une feuille propre. Il procéda ensuite à quelques ajustements des commandes d'acquisition, déjà près du haut de l'échelle, et coupa à nouveau les processeurs. La cacophonie des bruits de surface faillit lui arracher la tête. Jones supporta cela pendant une minute, en manipulant les commandes manuelles de suppression de son pour filtrer le plus gros du bruit à haute fréquence. Ha, ha ! se dit Jones. Peut-être bien que SAPS m'embrouille un peu — trop tôt pour être sûr.

Quand Jones avait commencé à se familiariser avec cet équipement au cours de sonar, il avait éprouvé un désir brûlant de le montrer à son frère, qui avait un doctorat en électricité et travaillait comme consultant dans l'industrie du disque. Il avait onze brevets à son nom. Le matériel du *Dallas* lui aurait fait sortir les yeux de la tête. Les systèmes de digitalisation des sons qu'utilisait la marine avaient des années d'avance sur les techniques commercialisées. Dommage que ce soit entièrement couvert par le secret, avec tous les trucs nucléaires...

« Monsieur Thompson, appela doucement Jones sans tourner la tête, voulez-vous demander au commandant si nous pourrions appuyer un peu vers l'est et réduire d'un ou deux nœuds ? »

Thompson sortit dans le passage pour transmettre la requête. Les ordres de route et d'allure furent donnés en quinze seconde. Dix secondes plus tard, Mancuso pénétrait dans le compartiment sonar.

Le commandant avait attendu ce moment. Il était apparu deux jours plus tôt que leur contact antérieur n'avait pas agi comme prévu ; il n'avait pas emprunté la route, ou n'avait pas ralenti. Le commandant Mancuso s'était trompé quelque part — s'était-il aussi trompé sur la route de leur visiteur ? Et que s'était-il passé, si leur ami n'avait pas pris la Route numéro un ? Jones avait trouvé la réponse depuis longtemps. Il en faisait un sous-marin lance-engins. Et ces grosses bêtes-là ne vont jamais vite.

Jones était assis comme d'habitude, voûté au-dessus de sa table, la main gauche levée pour demander le silence, tandis que le réseau sonar s'orientait à l'azimut est-ouest précis au bout de sa remorque. Sa cigarette se consumait dans le cendrier, oubliée. Un magnétophone à bandes opérait en continu dans le compartiment sonar ; changées toutes les heures, les bandes étaient conservées pour être ensuite analysées à terre. Il y en avait un second juste à côté, dont on utilisait les enregistrements à bord du *Dallas* pour réexaminer les contacts. Il se pencha pour le brancher et, se retournant, vit son commandant qui l'observait. Le visage de Jones s'éclaira d'un mince sourire fatigué.

« Ouais », souffla-t-il.

Mancuso désigna le haut-parleur, et Jones secoua la tête. « Trop ténu, commandant. Je viens tout juste de le saisir. Plutôt au nord, je pense, mais il me faut encore un moment. » Mancuso fixait l'indicateur d'intensité que Jones tapotait. « Ces saletés de filtres SAPS en gomment une partie !!! Il nous faut des amplis plus doux et de meilleurs filtres à commande manuelle !!! » écrivit-il.

Mancuso se disait que c'était légèrement ridicule. Il observait Jones comme il avait observé sa femme à la naissance de Dominic, et il chronométrait les mouvements de l'indicateur comme il avait chronométré les contractions de sa femme. Mais rien ne pouvait être plus excitant. La comparaison qu'il employait pour l'expliquer à son père était le sentiment qu'on éprouvait le jour de l'ouverture de la chasse, quand on entendait frémir le feuillage, et qu'on savait que ce n'était pas un homme qui faisait ce bruit. Mais c'était encore mieux. Il chassait des hommes, des hommes comme lui, dans un SM comme le sien...

« On entend mieux, commandant. » Jones se redressa et alluma une cigarette. « Il vient vers nous. Je le relève au trois-cinq-zéro, peut-être plutôt trois-cinq-trois. Encore très faible, mais c'est bien lui. Nous le tenons. » Jones décida de risquer une impertinence. Il avait bien mérité un peu de tolérance. « On attend, ou on poursuit, commandant ?

— On attend. Inutile de l'effaroucher. Laissons-le approcher bien tranquillement, tout près, en faisant notre fameuse imitation du trou dans l'eau, et puis nous le suivrons et lui collerons aux fesses pendant quelque temps. Je veux une autre bande, et je veux que le BC-10 fasse un balayage SAPS. Suivez les instructions pour supprimer les algorythmes de traitement. Je veux ce contact analysé, pas interprété. Passez-le toutes les deux minutes. Je veux sa signature enregistrée, digitalisée, brisée et tronquée. Je veux savoir tout ce qu'il y a à savoir sur lui, ses bruits de propulsion, sa signature de réacteur, tout. Je veux savoir exactement qui il est.

— C'est un russkoff, commandant, observa Jones.

— Mais quel russkoff? »

Mancuso sourit.

« Vu, commandant. » Jones avait compris. Il aurait encore deux heures de quart, mais il en voyait le bout. Presque. Mancuso s'assit et prit un jeu d'écouteurs, chipant au passage une cigarette du paquet de Jones. Il essayait d'arrêter depuis un mois. Mais il aurait davantage de chances à terre.

A bord de l'HMS Invincible

Ryan arborait à présent un uniforme de la Royal Navy. C'était temporaire. La hâte avec laquelle toute l'opération avait été montée apparaissait entre autres dans le fait qu'il n'avait qu'un seul uniforme et deux chemises. Sa garde-robe entière se trouvait donc à la teinturerie du bord et, en attendant, il portait un pantalon anglais et un chandail. « Typique — se disait-il — personne ne sait même que je suis ici. » Ils l'avaient oublié. Aucun message du président — non qu'il en eût espéré — et Painter et Davenport devaient être trop heureux de pouvoir oublier son passage à bord du *Kennedy*. Quant à Greer et au juge, ils étaient sans doute fort occupés à quelque folle entreprise, et s'amusaient peut-être même beaucoup à l'idée que Jack Ryan faisait une croisière de plaisir aux frais de la princesse.

Ce n'était pas une croisière de plaisir. Jack avait redécouvert sa tendance au mal de mer. Au large du Massachusetts, l'*Invincible* attendait les forces de surface soviétiques et pourchassait vigoureusement les SM rouges dans le secteur. Ils tournaient activement sur un océan qui ne voulait pas se calmer. Tout le monde était occupé — sauf lui. Les pilotes décollaient deux fois par jour, pour s'entraîner avec leurs partenaires de la marine et de l'aviation américaines, à partir de bases terrestres. Quant aux navires, ils appliquaient les tactiques de guerre de surface. Comme l'avait dit l'amiral White au petit déjeuner, c'était devenu un joyeux prolongement de Dauphin malin. Ryan n'appréciait guère d'être en surnombre. Tout le monde était poli, bien sûr. En fait, cette hospitalité était littéralement écrasante. Il avait accès au central et, quand il observait la manière dont les Anglais chassaient les sous-marins, on lui expliquait tout avec suffisamment de détails pour qu'il en comprenne la moitié.

Pour le moment, il lisait seul dans la chambre de White, qui était devenue son domicile permanent à bord. Ritter avait eu la bonne idée de fourrer un dossier d'étude de la CIA dans son sac. Titre : « Les Enfants perdus : profil psychologique des déserteurs du bloc de l'Est. » Ce document de trois cents pages était l'œuvre d'une commission de psychologues et de psychiatres qui, avec la CIA et diverses autres agences de renseignements, aidaient les transfuges à s'intégrer à la vie américaine — et, il en était sûr, à augmenter la sensibilité au risque dans la sécurité de la CIA. Ce n'était pas qu'il y en eût beaucoup, mais tout ce que faisait la Compagnie avait un revers.

Ryan devait bien admettre que c'était très intéressant. Il n'avait jamais vraiment réfléchi à ce qui faisait d'un homme un transfuge, persuadé qu'il se passait suffisamment de choses de l'autre côté du rideau de fer pour donner l'envie à tout être humain normalement constitué de saisir la première occasion pour filer à l'Ouest. Mais ce n'était pas si simple, lut-il, pas si simple du tout. Chaque transfuge était un cas particulier. L'un pouvait être motivé par les iniquités de la vie en pays communiste et aspirer à la justice, à la liberté religieuse, à trouver un épanouissement personnel, alors qu'un autre pouvait simplement vouloir s'enrichir, après avoir lu comme les capitalistes cupides exploitent les masses, et décidé qu'être un exploiteur avait du bon. Ryan trouva cela cynique, mais intéressant.

Un autre type de transfuge était l'imposteur, élément vivant de désinformation planté sur la CIA. Mais ce genre de personnage était à double tranchant. Il pouvait finalement se révéler un authentique transfuge. L'Amérique, Ryan sourit, pouvait être joliment séduisante, pour quelqu'un habitué à la grisaille de la vie soviétique. Cependant, la plupart de ces mouchards étaient de dangereux ennemis et, pour cette raison, on ne faisait jamais confiance à un transfuge. Jamais. Un homme qui avait changé de pays une fois pouvait recommencer. Même les idéalistes étaient sujets au doute, à des problèmes de conscience pour avoir déserté leur patrie. Dans une note en bas de page, un médecin précisait que, pour Soljenitsyne, le châtiment le plus douloureux était l'exil. Fervent patriote il souffrait davantage de vivre loin de chez lui que de vivre au goulag. Ryan trouvait cela curieux, mais précisément assez pour être vrai.

Le reste du document traitait du problème de leur insertion.

Une proportion non négligeable de déserteurs soviétiques s'étaient suicidés après quelques années. Certains s'étaient simplement trouvés dans l'incapacité de faire face à la liberté, de la même manière que, après une longue peine de réclusion, les prisonniers bien souvent n'arrivent plus à vivre sans le contrôle fortement structuré qui régissait leur existence, et ils commettent de nouveaux crimes dans l'espoir de retourner à cet environnement rassurant. Au fil des ans, la CIA avait mis au point un système pour résoudre ce problème, et un graphique en annexe montrait que les cas d'inadaptation grave diminuaient considérablement. Ryan prenait son temps pour bien lire. En préparant son doctorat d'histoire à l'université de Georgetown, il avait profité de ses moments libres pour assister à des cours de psychologie. Il en était sorti avec la conviction viscérale que les *psy* ne savaient vraiment pas grand-chose, qu'ils se contentaient de se réunir pour s'entendre sur quelques idées prises au hasard, et qu'ils utiliseraient tous... Il hocha la tête. Il arrivait à sa femme de dire la même chose. Clinicienne enseignante en chirurgie ophtalmologique à l'hôpital Saint Guy de Londres, dans le cadre d'un programme d'échanges, Caroline Ryan voyait tout sous un angle pratique. Si quelqu'un avait des problèmes d'yeux, elle pouvait ou ne pouvait pas y remédier. Mais l'esprit était autre chose, décida Jack après avoir entièrement relu le document, et chaque transfuge devait être traité comme un individu spécifique, manipulé délicatement par un officier traitant compréhensif, qui aurait à la fois le temps et le goût de s'en occuper comme il fallait. Il se demandait s'il saurait bien le faire.

L'amiral White entra. « Vous vous ennuyez, Jack ?

— Pas vraiment, amiral. Quand établirons-nous le contact avec les Soviétiques ?

— Ce soir. Vos gars leur ont fait passer un mauvais quart d'heure, à la suite de l'incident du Tomcat.

— Très bien. Peut-être que les gens vont se réveiller avant qu'il arrive quelque chose de vraiment grave

— Vous croyez à ce risque ? »

White s'assit.

« Eh bien, amiral, s'ils chassent vraiment un sous-marin manquant, oui. Sinon, c'est qu'ils sont ici dans un tout autre but, et je me suis trompé. Pis encore, il me faudra vivre avec cette erreur de jugement — ou mourir avec elle. »

A l'hôpital de la base navale de Norfolk

Tait se sentait mieux. Le docteur Jameson avait pris la relève pendant plusieurs heures, de sorte qu'il avait pu dormir, recroquevillé sur un canapé de la salle de repos des médecins, pendant cinq heures. C'était apparemment le maximum de sommeil qu'il puisse avoir d'une seule traite, mais cela suffisait à le faire paraître insolemment plus en forme aux yeux de tout l'étage. Il passa un bref appel téléphonique, et on lui apporta du lait. Etant mormon, Tait évitait toute caféine — café, thé, et même boissons au cola — et bien que ce type de discipline fût inhabituelle chez un médecin, pour ne pas parler d'un officier en uniforme, il y pensait rarement, sauf dans les rares occasions où il en faisait observer les bienfaits dans le domaine de la longévité à ses confrères. Tait but son lait, se rasa dans le cabinet de toilette, et reparut prêt à affronter une nouvelle journée.

« Des nouvelles de la radiation, Jamie ? »

Le labo de radiologie avait frappé un grand coup. « Ils ont fait venir d'un ravitailleur de sous-marins un officier spécialisé en nucléonique et il a passé les vêtements au scanner. Il y avait peut-être une contamination de vingt rads, mais insuffisante pour produire des effets physiologiques. Je crois que c'était probablement dû au fait que l'infirmière a pris l'échantillon sur le dos de la main du Russe. Les extrémités devaient encore souffrir du resserrement vasculaire. Cela pourrait expliquer la chute des leucocytes. Peut-être.

— Comment va-t-il, autrement ?

— Mieux. Pas beaucoup, mais mieux. Je pense que ce pourrait être l'effet du keflin. » Le médecin ouvrit le dossier. « Les leucocytes remontent. Je lui ai injecté une unité de sang entier, il y a deux heures. La formulation sanguine approche des limites normales. Tension artérielle, 10-6, rythme cardiaque, 94. La température, il y a dix minutes, était à 39 — elle oscille depuis plusieurs heures. Le cœur semble aller bien. En vérité, je crois qu'il va s'en tirer, à moins d'événement inattendu. »

Jameson se rappelait malgré tout que, dans les cas d'extrême hypothermie, l'inattendu pouvait se produire au bout d'un mois ou même davantage.

Tait examina le dossier en se souvenant que, des années auparavant, il avait été un brillant jeune médecin, comme Jamie, persuadé de pouvoir guérir la terre entière. C'était un sentiment agréable. Dommage que l'expérience — dans son cas, deux ans à

Danang — vous l'extirpe. Mais Jamie avait raison ; l'amélioration était assez nette pour donner une image plus positive des chances de survie du malade.

« Que fabriquent les Russes ? demanda Tait.

— C'est Petchkine qui monte la garde, en ce moment. Quand son tour est venu de se changer, figurez-vous qu'il a fait garder ses vêtements par le commandant Smirnov, comme s'il croyait que nous allions les lui voler ? »

Tait expliqua que Petchkine était un agent du KGB.

« Sans blague ? Il a peut-être une arme cachée. » Jameson eut un petit rire. « Dans ce cas, il ferait mieux d'être très prudent. Nous avons trois marines avec nous à l'étage.

— Des marines ? Pour quoi faire ?

— J'avais oublié de vous le dire. Un journaliste a découvert que nous avions un Russkoff ici, et il a essayé de se faufiler. Une infirmière l'a arrêté. Quand l'amiral Blackburn l'a appris, il est devenu fou furieux. L'étage entier est fermé. Quel est donc ce grand secret ?

— Pas idée, mais c'est comme ça. Que pensez-vous de ce type, Petchkine ?

— Je ne sais pas. Je n'avais jamais rencontré de Russes. Ils ne sourient pas des masses. A la façon dont ils se relaient pour garder le malade, ils ont l'air de croire que nous voulons le supprimer !

— Ou bien qu'il va dire des choses que nous ne devons pas entendre ? réfléchit Tait à voix haute. Avez-vous eu l'impression qu'ils ne tenaient pas à le voir s'en tirer ? Je veux dire, quand ils refusaient de nous révéler la nature de son sous-marin ? »

Jameson y pensa un instant.

« Non. Les Russes sont connus pour faire mystère de tout, non ? Et puis de toute façon, Smirnov a craché le morceau.

— Allez dormir, Jamie.

— Okay, commandant. »

Jameson s'éloigna en direction de la salle de repos.

« Nous leur avons demandé quel type de sous-marin c'était, songeait le capitaine, pour savoir s'il s'agissait d'un navire à propulsion nucléaire ou non. Mais peut-être ont-ils cru que nous leur demandions si c'était un lance-missiles ? C'est logique, non ? Ouais. Un SM lance-missiles juste au ras de nos côtes, et toute cette activité en Atlantique Nord. Saison de Noël. Mon Dieu ! S'ils voulaient faire quelque chose, ils le feraient maintenant, non ? » Il s'engagea dans le corridor. Une infirmière sortait de la chambre avec un échantillon de sang pour le porter au labo, comme on le faisait toutes les heures, laissant Petchkine seul avec le patient pendant plusieurs minutes.

Tait aperçut alors Petchkine par la fenêtre, assis près du lit, et les yeux fixés sur son compatriote, qui demeurait inconscient. Il portait la tenue verte aseptique. Faites pour s'enfiler en vitesse, ces tenues étaient réversibles, avec une poche de chaque côté, pour que le chirurgien ne perde pas une seconde à regarder si c'était à l'envers. Au moment où Tait l'observait, Petchkine passa la main dans son encolure échancrée, pour chercher quelque chose.

« Mon Dieu ! » Tait s'élança par la porte battante. L'air surpris de Petchkine se mua en effarement quand le médecin lui arracha des mains cigarette et briquet, puis en fureur quand il fut soulevé de son siège et jeté dehors. Tait était plus petit, mais cette brusque éruption d'énergie lui suffit à projeter l'homme hors de la pièce. « Sécurité ! hurla Tait.

— Qu'est-ce que cela signifie ? » s'enquit Petchkine. Tait le maintenait au corps à corps. Aussitôt, il entendit des pas précipités dans le couloir, en provenance du hall.

« Qu'y a-t-il, commandant ? » Un caporal du corps des marines s'arrêta devant eux, essoufflé, avec un Colt 45 à la main.

« Cet homme vient de tenter d'assassiner mon patient !

— *Quoi !* » Petchkine était cramoisi.

« Caporal, vous monterez désormais la garde devant cette porte. Si cet homme essaie d'y entrer, arrêtez-le par tous les moyens. Compris ?

— Oui, commandant. » Le caporal regarda le Russe. « Monsieur, veuillez vous écarter de cette porte.

— Que signifie cet outrage ?

— Monsieur, veuillez vous écarter de cette porte immédiatement. »

Le marine remit son arme à l'étui.

« Que se passe-t-il ici ? » Ivanov avait assez de bon sens pour poser la question calmement, en restant à trois mètres.

« Docteur, voulez-vous oui ou non que votre marin survive ? demanda Tait en essayant de se ressaisir.

— Quoi... Evidemment, nous voulons qu'il survive. Comment pouvez-vous poser cette question ?

— Alors pourquoi votre camarade Petchkine vient-il de tenter de l'assassiner ?

— Je n'ai rien fait de tel ! » rugit Petchkine.

Avant que Tait eût pu répondre, Petchkine parla rapidement en russe, puis revint à l'anglais. « Je voulais fumer, voilà tout. Je n'ai pas d'arme. Je ne veux tuer personne. Je souhaite simplement fumer une cigarette.

— Nous avons des panneaux *Défense de fumer* partout à cet étage, excepté dans le hall — vous ne les avez pas vus ? Vous étiez dans la salle de réanimation, avec un patient sous oxygène à cent pour cent, des vêtements et de la literie saturés d'oxygène, et vous alliez allumer votre saloperie de briquet ! » Le docteur Tait employait rarement ce langage. « Oh, bien sûr, vous auriez eu quelques brûlures, on aurait cru à un accident... et ce gamin serait mort ! Je sais ce que vous êtes, Petchkine, et je ne pense pas que vous soyez si stupide. Quittez cet étage ! »

L'infirmière, qui avait observé la scène, entra dans la chambre du malade. Elle en ressortit avec un paquet de cigarettes, deux cigarettes déjà sorties, un briquet à gaz en plastique, et une curieuse expression sur le visage.

Petchkine avait viré au gris cendre. « Je vous assure, docteur Tait, que je n'avais aucune intention de ce genre. Que dites-vous qu'il serait arrivé ?

— Camarade Petchkine, répondit Ivanov en anglais, lentement, il se produirait une explosion et un incendie. On ne peut pas allumer de flamme à proximité de l'oxygène.

— *Nitchevo !* » Petchkine comprenait enfin ce qu'il avait fait. Il avait attendu le départ de l'infirmière — les gens du milieu médical ne vous laissent jamais fumer, quand on leur demande. Il ne connaissait rien aux hôpitaux et, étant agent du KGB, il avait l'habitude de faire ce qu'il voulait. Il se mit à parler en russe à Ivanov. Le médecin soviétique ressemblait à un parent écoutant les explications d'un enfant à propos d'un verre brisé. Sa réponse fut animée.

Pour sa part, Tait commençait à se demander s'il n'avait pas réagi un peu fort — les fumeurs étaient tous des imbéciles, d'abord !

« Docteur Tait, déclara finalement Petchkine, je vous jure que je ne savais rien de cette histoire d'oxygène. Peut-être suis-je stupide.

— Infirmière », Tait se retourna, « nous ne laisserons plus notre patient un seul instant sans la surveillance de notre personnel — jamais. Faites venir quelqu'un du labo pour prendre les échantillons de sang ou autres. Si vous devez aller aux toilettes, faites-vous remplacer d'abord.

— Oui, docteur.

— Plus question de faire des conneries, monsieur Petchkine.

Une seule entorse au règlement, et vous quittez l'étage pour de bon. Vous comprenez bien ?

— Ce sera comme vous dites, docteur, et veuillez me permettre de vous faire mes excuses.

— Ne bougez pas d'ici », ordonna Tait au marine.

Il s'éloigna en hochant la tête, furieux contre les Russes, embarrassé par son comportement, regrettant de ne pas être à Bethesda, qui était sa vraie place, et regrettant de ne pas savoir jurer avec plus d'aisance. Il prit l'ascenseur de service, descendit au premier étage, et passa cinq minutes à chercher l'officier de renseignements qui avait fait le voyage avec lui. Il finit par le trouver dans une salle de loisirs, jouant à Pac Man. Ils s'entretinrent dans le bureau vacant de l'administrateur de l'hôpital.

« Vous croyez vraiment qu'il essayait de tuer le type ? demanda l'officier, incrédule.

— Qu'étais-je censé croire ? répliqua Tait. Qu'en pensez-vous ?

— Je crois qu'il a simplement fait une connerie. Ils veulent ce petit gars vivant — non, avant tout, ils veulent qu'il parle — encore bien plus que vous.

— Comment le savez-vous ?

— Petchkine appelle son ambassade toutes les heures. Nous les avons sur écoute, bien sûr. Qu'en dites-vous ?

— Et si c'était un piège ?

— S'il est aussi bon acteur, il devrait faire du cinéma. Maintenez le garçon en vie, docteur, et faites-nous confiance pour le reste. Mais c'est une bonne idée, d'avoir placé un marine en faction. Cela va les contrarier. Jamais rater une chance de les contrarier ! Alors, quand va-t-il reprendre conscience ?

— Impossible à dire. Il est encore fiévreux, et très faible. Pourquoi veulent-ils qu'il parle ? demanda Tait.

— Pour savoir sur quel sous-marin il était. Le contact KGB de Petchkine a lâché ça au téléphone — imprudent ! *Très* imprudent ! Ils doivent être vraiment très excités là-dessus.

— Et nous ? Nous savons quel sous-marin c'était ?

— Bien sûr, répondit l'officier de renseignements d'un air mystérieux.

— Mais alors que se passe-t-il, pour l'amour du ciel !

— Peux pas vous dire, doc. » L'officier sourit comme s'il savait tout mais, en vérité, il baignait dans la même ignorance que les autres.

A l'arsenal de Norfolk

L'USS *Scamp* était à quai, tandis qu'une énorme grue déposait l'*Avalon* sur son support. Le commandant suivait l'opération d'un air impatient, du haut du kiosque. Il avait été rappelé avec son bâtiment alors qu'il poursuivait des Victors, et cela ne lui plaisait pas du tout. Le commandant du SM d'attaque venait de faire un exercice de recherche et de sauvetage quelques semaines plus tôt, et pour l'instant il avait mieux à faire que de jouer à la maman baleine avec ce foutu joujou inutile. Et puis la présence de ce mini-sous-marin perché sur le panneau de secours allait lui faire perdre dix nœuds sur sa vitesse maximale. Sans parler des quatre hommes supplémentaires à coucher et nourrir. Le *Scamp* n'était pas si vaste.

Au moins, cela leur rapporterait des vivres. Le *Scamp* avait passé cinq semaines en mer quand l'ordre de rappel était arrivé. Leurs réserves de légumes frais étaient épuisées, et ils profitaient de l'occasion pour se faire livrer par camion. Un homme se lasse vite de la salade aux légumes secs. Ce soir, ils auraient de la vraie laitue, des tomates et du maïs frais au lieu de conserves. Mais cela ne compensait pas le fait qu'il y avait là-bas des Russes, dont il fallait s'inquiéter.

« Tout est bien arrimé ? cria le commandant en direction de la plage arrière.

— Oui, commandant. Nous sommes prêts quand vous le serez, répondit le lieutenant de vaisseau Ames.

— Central, appela le commandant au téléphone, paré à manœuvrer dans dix minutes.

— Nous sommes parés, commandant. »

Un remorqueur attendait, pour les aider à sortir du bassin. C'était Ames qui avait les ordres pour la mission, et cela ne plaisait pas non plus au commandant. Ils n'allaient sûrement pas repartir en chasse, pas avec ce foutu *Avalon* sur le dos.

*A bord d'*Octobre rouge

« Regardez là, Svyadov, déclara Melekhine. Je vais vous montrer comment raisonne un saboteur. »

L'enseigne s'approcha et regarda. L'ingénieur lui montrait une vanne de sécurité sur l'échangeur de chaleur. Avant de s'expliquer, Melekhine alla décrocher le téléphone.

« Commandant, ici Melekhine. J'ai touvé. Il faut absolument

arrêter le réacteur pendant une heure. Nous pouvons faire marcher la chenille sur batteries, non ?

— Bien sûr, répondit Ramius. Allez-y. »

Melekhine se tourna vers son adjoint. « Stoppez le réacteur et passez les moteurs de la chenille sur batteries.

— Tout de suite, camarade. » L'officier se mit aussitôt à manœuvrer.

Le temps consacré à chercher la fuite avait paru long à tous. Lorsqu'ils avaient découvert que les compteurs Geiger étaient sabotés, et que Melekhine et Borodine les avaient réparés, ils avaient entrepris un contrôle complet du compartiment du réacteur, tâche diablement difficile s'il en est. Il n'avait jamais été question d'une fuite importante de vapeur, sans quoi Svyadov l'aurait cherchée avec un balai — même une toute petite fuite pouvait facilement faire disparaître un bras. Ils avaient réfléchi qu'il devait s'agir d'une petite fuite dans les systèmes à basse pression. N'est-ce pas ? C'était de ne pas savoir qui avait troublé tout le monde.

La vérification menée par l'ingénieur et l'officier en second n'avait pas duré moins de huit heures, pendant lesquelles le réacteur était de nouveau resté arrêté. Ce qui coupait l'électricité dans tout le bâtiment, à l'exception de l'éclairage de secours et des moteurs de chenille. Même la ventilation avait été réduite. Et l'équipage avait commencé à murmurer.

Le problème, c'était que Melekhine ne trouvait toujours pas la fuite et que, la veille, quand les badges avaient été développés, il n'y avait rien sur eux ! Comment était-ce possible ?

« Allons, Svyadov, dites-moi ce que vous voyez. »

Melekhine revint et montra à nouveau.

« La vanne de purge de l'eau. »

Ouverte uniquement au port, quand le réacteur était froid, elle servait à vider le système de refroidissement et à contrôler l'éventuelle contamination de l'eau. C'était une grosse vanne parfaitement banale, solide, avec un grand volant. Le bec situé juste au-dessous, sous la porte pressurisée du tuyau, était fileté plutôt que soudé.

« Une grosse clé de chasse, s'il vous plaît, lieutenant. »

Melekhine faisait durer la leçon, songea Svyadov. Il était le prof le plus lent qui soit, quand il essayait de communiquer quelque chose d'important. Svyadov revint avec une clé d'un mètre de long. Le chef ingénieur attendit que le réacteur soit arrêté, puis vérifia un manomètre à deux reprises pour s'assurer que les tuyaux étaient dépressurisés. C'était un homme soigneux. La clef fut ajustée sur le volant, et il la tourna. Cela vint aisément.

« Vous voyez, lieutenant, les filetages du collecteur tournent sur l'emboîtement de la vanne. Comment est-ce possible ?

— Les filetages sont sur la paroi extérieure du collecteur, camarade. C'est la vanne même qui subit la pression. Le volant qui est vissé dessus n'est que la tête d'un clapet. La nature de l'assemblage ne compromet pas la boucle de pression.

— Correct. Un raccord vissé n'est pas assez fort pour la pression totale du réacteur. »

Melekhine dévissa entièrement le raccord à la main. Il se révélait parfaitement fabriqué, les filetages encore brillants.

« Et voilà le sabotage.

— Je ne comprends pas.

— Quelqu'un a soigneusement préparé son coup, lieutenant. » La voix de Melekhine exprimait la rage et l'admiration. « En pression normale, c'est-à-dire en vitesse de croisière, le système est pressurisé à huit kilos par centimètre carré, correct ?

— Oui, camarade, et à pleine puissance, la pression augmente de quatre-vingt-dix pour cent. » Svyadov savait tout cela par cœur.

« Mais nous allons rarement à pleine puissance. Ce que nous avons ici, c'est un cul-de-sac de la boucle de vapeur. Maintenant, on a percé ici un petit trou, à peine un millimètre. Regardez. » Melekhine se pencha pour regarder lui-même. Svyadov était ravi de garder ses distances. « Même pas un millimètre. Le saboteur a ôté le raccord, percé le trou, puis remis le raccord. Le minuscule trou permet le passage d'une quantité infime de vapeur, très lentement. La vapeur ne peut pas monter, puisque le raccord appuie sur son support. Regardez-moi ce travail de précision ! C'est parfait, voyez-vous, parfait ! La vapeur ne peut donc pas s'échapper vers le haut. Elle ne peut que se forcer un chemin autour des filetages, jusqu'à ce qu'elle arrive enfin à s'échapper par le bas. Juste assez. Juste assez pour contaminer ce compartiment avec de minuscules doses. » Melekhine releva la tête. « Quelqu'un s'est montré très fort. Assez fort pour savoir exactement comment fonctionne notre appareil propulsif. Quand nous avons réduit la puissance pour chercher la fuite, la première fois, il ne restait plus assez de pression dans la boucle pour forcer la vapeur à descendre le long des filetages, et nous ne pouvions donc pas repérer la fuite. Il n'y a suffisamment de pression qu'à puissance normale — mais quand on recherche une fuite, on baisse le régime. Et si nous avions mis la puissance maximale, qui sait ce qui serait arrivé ? » Melekhine hocha admirativement la tête. « Quelqu'un s'est montré très, très fort. J'espère le rencontrer. Oh, j'espère bien rencontrer ce type si fort. Car ce jour-là, je prendrai une grosse paire de tenailles en acier... », la voix de Melekhine baissa jusqu'à devenir un chuchotement... « et je lui écraserai les couilles ! Donnez-moi le petit fer à souder, camarade. Je sais réparer cela moi-même en quelques minutes. »

L'ingénieur n'avait qu'une parole. Il ne laisserait personne approcher de son boulot. C'était son réacteur et sa responsabilité. Svyadov n'y voyait certes aucun obstacle. Une minuscule goutte d'acier inoxydable fut introduite dans le trou, et Melekhine lima ensuite la surface avec des outils de bijoutier pour protéger les filetages. Puis, avec un pinceau, il étala un produit étanche à base de caoutchouc sur les filetages, et revissa soigneusement le raccord. A la montre de Svyadov, l'opération entière avait duré vingt-huit minutes. Comme on le lui avait dit à Leningrad, Melekhine était le meilleur ingénieur mécanicien de sous-marins.

« Essai de pression statique, huit kilos », ordonna-t-il à l'ingénieur en second.

Le réacteur fut réactivé. Cinq minutes plus tard, la pression remontait progressivement jusqu'à la pleine puissance. Melekhine maintint un compteur sous la fuite pendant dix minutes — et n'obtint rien, même au niveau du second raccord. Il téléphona au commandant pour lui rendre compte que la fuite était réparée.

Melekhine fit revenir les matelots dans le compartiment, pour leur faire ranger les outils.

« Vous voyez comment on fait, lieutenant ?

— Oui, camarade. Cette seule fuite suffisait-elle à causer la contamination ?

— C'est clair. »

Svyadov s'interrogeait. Le compartiment du réacteur n'était qu'un assemblage de tuyaux et de raccords, et ce petit sabotage n'avait pas dû prendre longtemps. Et s'il y avait d'autres bombes à retardement dissimulées dans cet ensemble ?

« Je crois que vous vous inquiétez trop, camarade, dit Melekhine. Oui, j'y ai réfléchi. En arrivant à Cuba, nous ferons un essai statique à pression maximale, pour contrôler le système entier mais, pour le moment, je ne pense pas que ce soit une bonne idée. Nous allons poursuivre le quart par périodes de deux heures. Il est possible que l'un de nos hommes soit le saboteur, et je ne laisserai personne assez longtemps dans ce compartiment pour pouvoir commettre d'autres méfaits. Vous devrez surveiller attentivement les gens. »

LE DOUZIÈME JOUR

Mardi 14 décembre

A bord du Dallas

« Ivan le Fou ! cria Jones, assez fort pour se faire entendre du central. Il vient à droite !

— Commandant ! » Thompson répéta l'avertissement.

« Stoppez tout ! ordonna aussitôt Mancuso. Régime silence absolu ! »

A mille mètres devant le *Dallas,* le Soviétique venait d'effectuer un grand virage à droite. Il le faisait plus ou moins toutes les deux heures, depuis qu'ils avaient réacquis le contact, mais pas assez régulièrement pour que le *Dallas* pût s'installer dans une routine confortable. Celui qui commande cette grosse bête sait ce qu'il fait, songea Mancuso. Le sous-marin lance-engins soviétique traçait un cercle complet, afin de détecter au sonar si quelqu'un se cachait dans son cône de silence.

La contre-manœuvre était plus que difficile — elle était dangereuse, surtout comme Mancuso la faisait. Quand *Octobre rouge* changeait de route, son arrière tournait dans la position opposée au nouveau cap, comme tous les navires. Il dressait donc un mur d'acier sur la route du *Dallas* pendant la première partie du virage, et un sous-marin d'attaque de sept mille tonnes avait besoin de beaucoup de place pour s'immobiliser.

Le nombre exact de collisions survenues entre des sous-marins américains et soviétiques demeurait un secret jalousement gardé, mais l'existence même de ces collisions n'en était pas un. Une tactique typique des Russes, pour forcer les Américains à garder leurs distances, consistait à tourner d'une certaine manière, qu'on appelait « Ivan le Fou » dans la marine américaine.

Pendant les premières heures de tenue de contact, Mancuso avait pris soin de garder ses distances. Il avait observé que le sous-marin ne tournait pas vite. Il manœuvrait plutôt tranquillement, et semblait monter de vingt ou trente mètres pendant la manœuvre, en s'inclinant comme un avion. Mancuso soupçonnait le commandant de ne pas employer toute sa manœuvrabilité — astuce fort intelligente, qui permettait au commandant de garder en réserve certaines possibilités pour bénéficier ensuite d'un effet de surprise. Ces faits donnaient au *Dallas* une marge suffisante pour suivre *Octobre rouge* de très près, et pouvoir couper la vitesse et se laisser glisser de telle manière qu'il évitait de justesse l'arrière du Russe. Il devenait très fort à ce petit jeu-là — un peu trop fort, chuchotaient ses officiers. La dernière fois, ils n'avaient manqué les hélices du Russe que de cent cinquante mètres à peine. Le vaste cercle du contact lui faisait faire un tour complet autour du *Dallas*, tandis que celui-ci reniflait la queue de sa proie.

La partie la plus dangereuse de la manœuvre consistait donc à éviter l'abordage, mais ce n'était pas la seule. Le *Dallas* devait également rester invisible sur les systèmes sonar passifs de son adversaire. Pour cela, les ingénieurs devaient réduire la puissance de leur réacteur S6G à une minuscule fraction de ses possibilités. Heureusement, le réacteur pouvait marcher à cette allure sans pompe de refroidissement, puisque le refroidisseur pouvait être activé par le circuit de convection normale. Quand les turbines de vapeur s'arrêtaient, tous les bruits de propulsion cessaient totalement. De plus, une consigne de silence très stricte était appliquée à bord. Aucune activité susceptible de provoquer du bruit n'était admise à bord du *Dallas,* et l'équipage prenait l'affaire tellement au sérieux que même les conversations ordinaires à table s'arrêtaient.

« La vitesse diminue, annonça le lieutenant de vaisseau Goodman. » Mancuso décida que cette fois le *Dallas* ne risquait pas l'abordage, et il se rendit au local sonar.

« Le but est en train de venir à droite, déclara doucement Jones. Devrait être dégagé. Distance de son arrière, peut-être deux cents mètres, ou un poil moins... Oui, nous sommes dégagés, à présent, le relèvement change plus rapidement. Les bruits de vitesse et de moteurs sont constants. Un lent virage à droite. » Jones aperçut son commandant du coin de l'œil, et se retourna pour hasarder une observation. « Commandant, ce type avait vraiment confiance en lui. Je veux dire, *vraiment* confiance.

— Expliquez-vous, répondit Mancuso, avec le sentiment de sans doute connaître la réponse.

— Commandant, il ne réduit pas l'allure comme nous, et nous tournons beaucoup plus facilement que lui. On dirait presque... qu'il fait cela par habitude, vous voyez ? Comme s'il était pressé d'arriver quelque part, et qu'il ne pensait pas qu'on puisse le suivre... Attendez... ouais, bon, il vient de changer de cap, maintenant, il s'écarte sur tribord, disons un demi-mille... Toujours le coup du virage lent. Il va recommencer à tourner autour de nous. Commandant, s'il sait qu'il a quelqu'un derrière lui, il a un sang-froid incroyable. Qu'en pensez-vous, Frenchie ? »

Le chef opérateur sonar Laval secoua la tête. « Il ne sait pas que nous sommes là. » Le chef ne voulait rien dire d'autre. Il jugeait la filature rapprochée de Mancuso téméraire. Ce type avait de l'estomac, pour jouer ainsi avec un 688, mais au moindre cafouillage, il se retrouverait sur la plage avec un seau et une pelle.

« Il passe sur tribord. Aucune émission sonar. » Jones prit sa calculatrice et effleura quelques touches. « Commandant, avec cette amplitude angulaire du virage et à cette vitesse, la distance actuelle est d'environ trois cents mètres. Croyez-vous que cette curieuse propulsion fausse un peu le jeu de son gouvernail ?

— Possible. » Mancuso prit un jeu d'écouteurs et les brancha pour écouter.

C'était le même bruit. Une sorte de froufrou, et toutes les quarante ou cinquante secondes, un curieux ronflement à basse fréquence. De si près, ils pouvaient également entendre le gargouillement et la vibration de la pompe du réacteur. Il y eut un bruit métallique, peut-être un cuisinier déplaçant une casserole sur une grille de fourneau. Pas très silencieux, ces sous-mariniers. Mancuso sourit. Il avait l'impression d'être un cambrioleur à l'affût, si près d'un sous-marin ennemi — non, pas un ennemi, pas vraiment — qu'il entendait tout. Dans de meilleurs conditions acoustiques, ils auraient pu entendre les conversations. Pas assez bien pour les comprendre, bien sûr, mais comme dans une réception, quand on écoute le brouhaha d'une vingtaine de convives.

« Ils passent derrière et tournent toujours. Son rayon de giration doit être d'au moins trois cents mètres, estima Mancuso.

— Oui, commandant. Plus ou moins cela.

— Il ne peut pas jouer de sa barre à fond, vous avez raison, Jonesy, il est sacrément désinvolte. Hum, il paraît que les Russes sont tous paranoïaques — mais pas ce gars-là. » Tant mieux, se disait Mancuso.

S'il devait entendre le *Dallas,* ce serait maintenant, avec leur sonar d'étrave littéralement pointé sur eux. Mancuso ôta les écouteurs pour entendre ce qui se passait sur son bâtiment. Le *Dallas* était un tombeau. L'expression « Ivan le Fou » avait circulé, et en quelques secondes l'équipage entier avait réagi. Comment récompense-t-on tout un équipage ? se demanda Mancuso. Il savait qu'il leur imposait un rythme très dur, parfois trop dur — mais, bon Dieu ! Ils savaient se donner !

« Il est à bâbord, reprit Jones. Par le travers gisement 270, vitesse deux-sept-zéro ; vitesse inchangée, peut-être un peu plus rapide, distance environ quatre cents mètres, je crois. » L'opérateur prit un mouchoir dans sa poche revolver et s'essuya les mains.

Il y a une sacrée tension, se disait le commandant, mais on ne le dirait pas, à écouter ce gosse. Tout le monde à bord se comportait en professionnel.

« Il est passé à bâbord, et je crois que sa manœuvre est terminée. Je vous parie qu'il a repris le cap un-neuf-zéro. » Jones releva la tête en souriant. « On a encore réussi, commandant.

— Okay. C'est du bon boulot, les gars. » Mancuso regagna le central. Tous ses officiers l'y attendaient. Le *Dallas* était comme mort dans l'eau, et descendait lentement, avec son assiette légèrement négative.

« Remettez les moteurs en route. Montez lentement à treize nœuds. » Quelques secondes plus tard, un bruit presque imperceptible s'éleva, comme le réacteur prenait de la puissance. Un moment après, le loch grimpa. Le *Dallas* était de nouveau en route.

« Attention à tous, ici le commandant », annonça Mancuso au téléphone de communication générale. Les haut-parleurs étaient débranchés, et ses paroles allaient être retransmises par les hommes de quart dans tous les compartiments. « Ils sont passés autour de nous sans nous repérer. Bravo à tous. Nous pouvons souffler à nouveau. » Il raccrocha. « Goodman, reprenez la tenue de contact.

— Oui, commandant. A gauche cinq.

— La barre est cinq à gauche. » L'homme de barre manœuvrait tout en répétant l'ordre. Dix minutes plus tard, le *Dallas* avait repris son poste derrière son but.

Un réglage de tir fut mis en place en permanence. Les torpilles Mark 48 auraient à peine le temps de s'armer avant d'atteindre le but en vingt-neuf secondes.

Au ministère de la Défense à Moscou

« Comment te sens-tu, Micha ? »

Mikhail Semyonovitch Filitov quitta des yeux une énorme pile de documents. Il paraissait encore congestionné et fiévreux. Dmitri Ustinov, ministre de la Défense, s'inquiétait pour son vieil ami. Il aurait dû rester encore quelques jours à l'hôpital, comme le lui conseillait le médecin. Mais Micha n'avait jamais su suivre les conseils, seulement les ordres.

« Je me sens bien, Dmitri. On se sent toujours bien quand on quitte l'hôpital... même si on est mort. » Filitov sourit.

« Tu as encore l'air malade, observa Ustinov.

— Ah ! A notre âge, on a toujours l'air malade. Tu bois quelque chose, camarade ministre de la Défense ?

— Tu bois trop, mon ami, protesta Ustinov.

— Je ne bois pas assez, au contraire. Un peu plus d'antigel, et je n'aurais pas pris froid la semaine dernière. » Il remplit à demi deux godets, et en tendit un à son visiteur. « Tiens, Dmitri, il fait froid dehors. »

Les deux hommes trinquèrent, burent une gorgée du liquide transparent, et soufflèrent des « Ah ! » explosifs.

« Je me sens déjà mieux. » Filitov avait un rire enroué. « Dis-moi, qu'est devenu ce Lituanien renégat ?

— Nous ne sommes pas encore sûrs, dit Ustinov.

— Pas encore ? Et maintenant, peux-tu me dire ce qu'il t'avait écrit ? »

Ustinov but une nouvelle gorgée avant d'expliquer. Quand il eut fini son récit, Filitov se tenait appuyé en avant sur sa table, atterré.

« Par la sainte mère de Dieu ! Et on ne l'a pas encore retrouvé ? Combien de têtes sont tombées ?

— L'amiral Korov est mort. Le KGB l'a arrêté, bien sûr, et il est mort peu après d'une hémorragie cérébrale.

— Une hémorragie de neuf millimètres, j'imagine, observa froidement Filitov. Combien de fois l'ai-je répété ? A quoi nous sert cette saloperie de marine ? Allons-nous nous en servir contre la Chine ? Ou contre les armées de l'OTAN qui nous menacent — non ! Combien de roubles gaspillons-nous à construire et alimenter ces jolies barques pour Gorchkov, et quels avantages en retirons-nous — rien du tout ! Et maintenant qu'il perd un sous-marin, toute sa saloperie de flotte est incapable de remettre la main dessus. Heureusement que Staline n'est plus là pour voir cela ! »

Ustinov acquiesça. Il était assez vieux pour se rappeler ce qui arrivait à quiconque rendait compte d'autre chose qu'un succès total. « De toute façon, Padorine a peut-être sauvé sa peau. Il avait posté une taupe supplémentaire sur le sous-marin.

— Padorine ! » Filitov but une nouvelle gorgée. « Cet eunuque ! Je ne l'ai rencontré que... quoi, trois fois. Un vrai pisse-froid, même pour un commissaire. Il ne rit jamais, même quand il boit. Tu parles d'un Russe. Comment expliques-tu, Dmitri, que Gorchkov garde autant de vieux cons autour de lui ? »

Ustinov sourit derrière son godet. « Pour la même raison que moi, Micha. » Les deux hommes se mirent à rire.

« Alors, comment le camarade Padorine va-t-il sauver nos secrets et sa propre peau ? En inventant une machine à remonter le temps ? »

Ustinov expliqua l'affaire à son vieil ami. Il n'y avait pas beaucoup d'hommes avec qui le ministre de la Défense pût parler en toute confiance et liberté. Filitov percevait une pension de colonel de blindés et continuait à arborer fièrement son uniforme. Il avait affronté le combat pour la première fois au quatrième jour de la Grande Guerre patriotique, lors de l'invasion fasciste à l'est. Le lieutenant Filitov les avait rencontrés au sud-est de Brest-Litovsk avec une troupe de tanks T-34/76. Bon officier, il avait survécu à son premier assaut contre les panzers de Guderian, s'était replié en bon ordre, et avait mené une action mobile permanente plusieurs jours avant de se trouver coincé dans le grand siège de Minsk. En se battant il était parvenu à sortir de ce piège, et ensuite d'un autre à Vyasma, puis il avait commandé un bataillon à la tête de la contre-attaque de Zhukov, dans la banlieue de Moscou. En 1942, Filitov avait pris part à la désastreuse contre-offensive vers Kharkov mais cette fois encore avait pu s'échapper, à pied, entraînant les restes vaincus de son régiment à l'écart de cette horrible fournaise sur le Dniepr. Avec un autre régiment, plus tard dans la même année, il avait conduit l'attaque qui avait écrasé l'armée italienne sur le flanc de Stalingrad, et encerclé les Allemands. Blessé deux fois pendant cette campagne, Filitov avait acquis la réputation d'un commandant servi par la chance aussi bien que par sa valeur. La chance toutefois l'avait quitté à Koursk, où il s'était battu contre la division SS Das Reich. A la tête de ses hommes dans un furieux combat de tanks, Filitov et son véhicule étaient tombés dans une embuscade de mortiers de quatre-vingt-huit millimètres. Qu'il eût survécu était un miracle. Son torse portait encore les cicatrices de son tank en feu, et son bras droit en était resté presque inutilisable. Cela suffisait à retirer du service un commandant d'attaque tactique qui avait gagné la médaille d'or du Héros de l'Union soviétique à trois reprises, ainsi qu'une douzaine d'autres décorations.

Après des mois de navette entre plusieurs hôpitaux, il était devenu représentant de l'Armée rouge dans les usines d'armement que l'on avait repliées dans l'Oural, à l'est de Moscou. L'énergie qui avait fait de lui un combattant hors pair allait en fin de compte servir encore mieux l'Etat sur l'arrière. Organisateur né, Filitov apprit à être impitoyable avec les directeurs d'usines pour leur faire améliorer la production, et à cajoler les ingénieurs concepteurs pour les inciter à intégrer dans leurs produits ces petits changements parfois essentiels qui permettent de sauver les troupes et de gagner les batailles.

C'était dans ces usines que Filitov et Ustinov s'étaient rencontrés, le vétéran de la première ligne et l'*apparatchik* bourru que Staline avait chargé de faire produire assez d'armes pour refouler l'envahisseur détesté. Après quelques heurts, le jeune Ustinov avait dû reconnaître que Filitov ignorait totalement la peur, et qu'il ne se laissait pas intimider lorsqu'étaient en jeu des questions de contrôle de qualité ou d'efficacité de combat. Au milieu d'une discussion enflammée, Filitov avait littéralement traîné Ustinov dans la tourelle d'un tank, et lui avait imposé un cours d'entraînement au combat pour lui faire comprendre l'importance du problème. Ustinov n'avait pas besoin de se faire répéter les choses deux fois, et ils n'avaient pas tardé à devenir amis. Il ne pouvait manquer d'admirer le courage d'un soldat qui pouvait dire non au commissaire du peuple aux armements. Vers le milieu de 1944, Filitov faisait partie de son équipe permanente, en tant qu'inspecteur spécial — en bref, homme de main. Quand survenait un problème dans une usine, Filitov s'en chargeait, et rapidement. Ses trois médailles d'or et les traces invalidantes de ses blessures suffisaient habituellement à convaincre les directeurs à changer d'attitude — et sinon, Micha avait une voix tonnante et un vocabulaire à faire blêmir un sergent.

Filitov n'était jamais devenu un dignitaire du Parti, et il pouvait donc donner à son patron toute l'énergie d'un homme de terrain. Il continuait à suivre de très près la conception des tanks et leur production, prenant souvent un prototype ou un modèle choisi au hasard sur la chaîne de fabrication, afin de lui faire subir un essai par une équipe de vétérans sélectionnés, et de voir lui-même si tout marchait bien. Bras infirme ou non, il gardait la réputation d'être l'un des meilleurs tireurs d'Union soviétique. Mais il restait un homme simple. En 1965, Ustinov avait cru faire une bonne surprise à son ami en lui offrant des étoiles de général, et la réaction de Filitov l'avait un peu fâché — il ne voulait pas de ces étoiles qu'il n'avait pas gagnées sur le champ de bataille, car celles-là seules comptaient. Remarque peu politique s'il en était, car Ustinov arborait l'uniforme de maréchal de l'Union soviétique, mérité par son seul travail au sein du Parti et sa gestion industrielle, mais elle prouvait néanmoins que Filitov était un véritable Homme Nouveau soviétique, fier de ce qu'il était, et conscient de ses limites.

Quel malheur, songeait Ustinov, que Micha ait eu si peu de chance à part cela. Il avait épousé une femme charmante, Elena Filitova, qui dansait des petits rôles au Kirov quand le jeune officier l'avait connue. Ustinov se souvenait d'elle avec une trace d'envie; elle avait été la parfaite épouse de soldat. Elle avait donné à l'Etat deux beaux fils. Tous deux étaient morts, désormais. L'aîné avait péri en 1956, jeune cadet expédié en Hongrie à cause de sa loyauté politique, et tué par des contre-révolutionnaires avant même l'âge de dix-sept ans. C'était un soldat, qui avait pris un risque de soldat. Mais le plus jeune avait trouvé la mort dans un accident d'entraînement, déchiqueté par un mécanisme de culasse défectueux sur un tank T-55 neuf, en 1959. Un malheur terrible. Et Elena était morte peu après, de chagrin plus que d'autre chose. Dommage.

Filitov n'avait pas tellement changé. Il buvait trop, comme bien des soldats, mais il restait un buveur calme. Vers 1961, Ustinov s'en souvenait, il s'était mis au ski de fond. C'était bon pour sa santé et cela l'épuisait, ce qu'il souhaitait vraiment, sans doute, ainsi que la solitude. Mais il savait encore écouter. Quand Ustinov avait une nouvelle idée à lancer au Politburo, il commençait habituellement par l'essayer sur Filitov pour voir sa réaction. Dépourvu de sophistication, Filitov était cependant un homme d'une exceptionnelle finesse, doué d'un instinct de soldat pour trouver les faiblesses et exploiter les forces. Comme officier de liaison, il n'avait pas son pareil. Peu d'hommes vivants avaient gagné trois médailles d'or sur le champ de bataille. Cela lui valait l'attention et le respect d'officiers qui lui étaient supérieurs.

« Eh bien, Dmitri Fedorovich, penses-tu que ça pourrait marcher? Est-ce qu'un homme seul peut détruire un sous-marin? demanda Filitov. Tu connais les bombes, moi pas.

— Bien sûr. C'est une question mathématique. Il y a suffisamment d'énergie dans une bombe pour faire fondre le sous-marin.

— Et que deviendra notre homme? » insista Filitov. Resté

l'homme de première ligne, inévitablement, il allait s'inquiéter d'un brave, seul en territoire ennemi.

« Nous ferons de notre mieux, bien sûr, mais il n'y a guère d'espoir.

— Il faut le sauver, Dmitri ! Tu l'oublies, les jeunes de cette trempe ont une valeur bien supérieure à leurs actions, ce ne sont pas de simples machines accomplissant leur tâche. Ce sont des symboles pour d'autres jeunes officiers et, vivants, ils valent cent nouveaux tanks ou sous-marins. C'est comme ça, le combat, camarade. Nous l'avons oublié — et regarde ce qui se passe en Afghanistan !

— Tu as raison, mon ami, mais... à quelques centaines de kilomètres seulement de la côte américaine, et peut-être même pas ?

— Puisque Gorchkov nous parle tellement de ce que peut faire sa marine, eh bien ! qu'il s'en charge ! » Filitov se versa une nouvelle rasade. « Encore un, je crois.

— Tu ne vas pas repartir skier, Micha ? » Ustinov remarquait qu'il prenait souvent des forces avant de partir en voiture vers les forêts, à l'est de Moscou. « Je ne le permettrai pas.

— Pas aujourd'hui, Dmitri, je te le promets — je crois pourtant que cela me ferait du bien. Aujourd'hui, je vais aller au *banya* prendre un bain de vapeur, et transpirer les poisons incrustés dans ma vieille carcasse. Tu viens avec moi ?

— J'ai beaucoup de travail.

— Le *banya* te ferait du bien », insista Filitov. C'était peine perdue, ils le savaient tous deux. Membre de la « noblesse », Ustinov ne s'abaissait pas à fréquenter les bains publics. Micha n'avait point tant de prétentions.

Le Dallas

Vingt-quatre heures exactement après la réacquisition d'*Octobre rouge,* Mancuso rassembla les officiers supérieurs au carré. La situation s'était un peu stabilisée. Mancuso avait même réussi à intercaler deux périodes de sommeil de quatre heures dans cette longue traque, et il se sentait redevenir vaguement humain. Ils avaient maintenant le temps d'établir une image sonar précise de leur gibier, et l'ordinateur affinait une classification de signature qui serait envoyée aux autres SM d'attaque de la flotte d'ici peu de semaines. En le suivant de si près, ils avaient relevé un modèle très exact des caractéristiques sonores du système de propulsion et, grâce aux tours complets effectués toutes les deux heures, ils avaient également pu construire une image des dimensions du SM et de ses spécifications de propulsion.

Le commandant en second, Wally Chambers, agitait son crayon comme une baguette de chef d'orchestre. « Jonesy a raison. C'est le même réacteur que les Oscars et les Typhons. Ils l'ont assourdi, mais les caractéristiques globales de signature sont pratiquement identiques. La question est : qu'est-ce qui le fait marcher ? On dirait que les hélices tournent dans une conduite, ou qu'elles sont voilées. C'est peut-être un support directionnel avec un collier, ou bien un genre de système de tunnel. Est-ce que nous n'avons pas expérimenté cela, à un moment ?

— Il y a longtemps, répondit l'ingénieur Butler. J'en ai vaguement entendu parler quand j'étais à Arco. Cela n'a pas marché, mais j'oublie pourquoi. En tout cas, les bruits de propulsion sont vraiment atténués. Mais ce grondement... bon, c'est un genre d'harmonie... mais quoi ? Sans cela, vous savez, nous ne l'aurions jamais repéré.

— C'est possible, admit Mancuso. Jonesy dit que le traitement du signal filtrait ce bruit presque totalement, presque comme si les Soviétiques savaient ce que fait SAPS, et qu'ils avaient conçu un système spécial pour en tirer parti. Mais c'est difficile à croire. » L'assemblée exprima son accord sur ce point. Tout le monde connaissait les principes de fonctionnement de SAPS, mais il n'existait sans doute pas cinquante personnes, dans tout le pays, capables d'expliquer vraiment le système dans ses détails.

« Nous sommes bien d'accord qu'il s'agit d'une grosse bête ? » demanda Mancuso.

Butler acquiesça. « Impossible de mettre un groupe moteur pareil dans une coque d'attaque. Et surtout, il se comporte en grosse bête.

— Pourrait être un Oscar, suggéra Chambers.

— Non. Pourquoi envoyer un Oscar si loin au sud ? L'Oscar est une plate-forme antinavires. Hum hum, ce type conduit une grosse bête. Il a pris la Route numéro un à la même vitesse que celle qu'il a en ce moment — et ça, c'est un comportement de sous-marin lance-engins, conclut Mannion. Que manigancent-ils donc, avec toute cette autre activité ? Voilà la vraie question. Ils essaient peut-être de se faufiler jusqu'à nos côtes — juste pour voir s'ils y arrivent. Cela s'est déjà fait, et tout le reste ne sert qu'à faire diversion. »

Ils y réfléchirent tous ensemble. La chose avait déjà été tentée dans les deux camps. Plus récemment, en 1978, un SNLE soviétique de la classe Yankee s'était approché du bord de la plate-forme continentale, au large de la Nouvelle-Angleterre. L'objectif évident consistait à voir si les Etats-Unis pouvaient le détecter ou non. La marine avait réussi, et la question s'était alors posée de savoir s'il fallait ou non réagir, et le faire savoir aux Soviétiques.

« Bon, je pense que nous pouvons laisser la grande stratégie aux gars qui restent au sec. Téléphonons-leur la nouvelle. Mannion, dites à l'officier de quart de remonter ; périscope dans vingt minutes. Nous allons essayer de nous éclipser et de revenir ensuite sans nous faire remarquer. » Mancuso fronça les sourcils. Ce n'était jamais facile.

Une demi-heure plus tard, le *Dallas* envoyait son message.

Z140925Z
SECRET DEFENSE
DE USS DALLAS
POUR COMSUBLANT
INFOCINCLANTFLT
A. USS DALLAS Z090414ZDEC

1. BRUITEUR PARTICULIER SIGNALE LE 9 RETROUVÉ LE 13 À 0538Z EN POSITION 42°35′ NORD 49°12′ OUEST ROUTE 194 VITESSE 13 IMMERSION 200
   BRUITEUR SUIVI PENDANT 24 HEURES SANS RÉACTION ÉLECTRONIQUE DE SA PART
   ÉVALUATION SNLE SOVIÉTIQUE GROS TONNAGE PROBABLEMENT TYPE TYPHON AVEC PARTICULARITÉ CONCERNANT PROPULSION SANS JE DIS SANS HÉLICES AVONS ÉTABLI DOSSIER COMPLET SIGNATURE ACOUSTIQUE
2. REPRENANT TENUE DE CONTACT DEMANDONS DÉFINITION NOUVELLE ZONE OPÉRATIONNELLE RÉPONSE ATTENDUE À 1030Z

Opérations Comsublant

« Tilt ! » marmonna Gallery. Il regagna son bureau en prenant grand soin de refermer la porte avant de décrocher la ligne secrète avec Washington.

« Sam, ici Vince. Ecoutez : le *Dallas* communique qu'il suit une grosse bête russe avec un nouveau système de propulsion silencieuse, à environ six cents milles au sud-est des Grands Bancs, cap un-neuf-quatre, vitesse treize nœuds.

— Parfait ! C'est Mancuso ? demanda Dodge.

— Bartolomeo Vito Mancuso, mon Rital préféré ! » confirma Gallery. Il avait eu du mal à l'imposer à ce commandement, à cause de son âge. Mais il avait poussé très fort. « Je vous le disais, Sam, que ce garçon était fort.

— Seigneur, vous avez vu comme ils sont près du groupe *Kiev ?* » Dodge étudiait son tableau de situation tactique.

« Ils sont très près, en effet, admit Gallery. Mais l'*Invincible* n'est pas bien loin, et j'ai également le *Pogy* sur place. Nous l'avons mis en place quand nous avons rappelé le *Scamp*. J'imagine que le *Dallas* va avoir besoin de soutien. La question est de savoir si nous voulons nous montrer ou non.

— Pas trop. Ecoutez, Vince, il faut que j'en parle à Dan Foster.

— D'accord. Je dois répondre au *Dallas* dans, merde, dans cinquante-cinq minutes. Vous connaissez le truc. Il doit quitter son but et remonter pour communiquer avec nous, puis reprendre son poste sans se faire remarquer. Faites vite, Sam.

— Ouais. » Dodge composa un nouvel indicatif téléphonique. « Ici l'amiral Dodge. Je dois parler immédiatement à l'amiral Foster. »

Au Pentagone

« Ouch. Entre le *Kiev* et le *Kirov*. Joli. » Le général Harris sortit un marqueur de sa poche pour représenter *Octobre rouge*. C'était un morceau de bois en forme de sous-marin, arborant le pavillon noir à tête de mort des pirates. Harris avait un curieux sens de l'humour. « Le président dit que nous pouvons le garder ? demanda-t-il.

— Si nous pouvons l'amener à l'endroit voulu, et au moment voulu, répondit le général Hilton. Le *Dallas* peut-il lui adresser nos ordres ?

— Bonne idée, général. » Foster secoua la tête. « Commençons par le commencement. Envoyons d'abord le *Pogy* et l'*Invincible* sur place, et puis nous réfléchirons au moyen de l'informer. S'il garde le même cap, bon Dieu, il se dirige tout droit sur Norfolk. Un culot pareil, c'est incroyable, non ? Au pire, nous pourrons toujours tenter de l'escorter jusqu'à la base.

— Dans ce cas, il faudra rendre le sous-marin, objecta Dodge.

— Il nous faut une position de repli, Sam. Si nous ne pouvions pas entrer en contact avec lui à temps, nous essaierions de faire passer plusieurs bâtiments en même temps que lui pour empêcher les Ivanoffs de tirer.

— Le droit de la mer est votre domaine, pas le mien, observa le général Barnes, chef d'état-major de l'armée de l'air. Mais vu d'ci, on pourrait fort bien qualifier leur geste comme un acte de piraterie ou de déclaration de guerre. Cet exercice n'est-il pas déjà bien assez compliqué ?

— Très juste, mon général, reconnut Foster.

— Messieurs, je crois qu'il nous faut un peu de temps pour y réfléchir. Bon, nous avons encore le temps, mais demandons tout de suite au *Dallas* de rester vigilant et de suivre ce saligaud, suggéra Harris. Et de nous avertir de tout changement de cap ou d'allure. Je crois qu'il nous reste quinze minutes pour le faire. Ensuite, nous pourrons faire marquer la route par le *Pogy* et l'*Invincible.*

— Parfait, Eddie. » Hilton se tourna vers l'amiral Foster. « Si vous êtes d'accord, faisons-le tout de suite.

— Envoyez l'ordre, Sam, déclara Foster.

— D'accord. » Dodge décrocha le téléphone et ordonna à l'amiral Gallery d'envoyer la réponse attendue par le *Dallas*.

Z141030Z DEC
SECRET DÉFENSE
DE COMSUBLANT
POUR USS DALLAS
A. USS DALLAS Z140925Z

1. CONTINUEZ POURSUITE EN COURS SIGNALEZ TOUT CHANGEMENT ROUTE ET VITESSE SOUTIEN PRÉVU SUR ITINÉRAIRE
2. ÉMISSION LETTRE G SUR TRÈS BASSE FRÉQUENCE RADIO SIGNIFIE MESSAGE OPÉRATIONNEL EXTRÊME URGENT EN ATTENTE TRANSMISSION VERS VOUS
3. AUCUNE LIMITE À VOS MOUVEMENTS — BIEN JOUÉ DALLAS CONTINUEZ SIGNÉ VICE-AMIRAL GALLERY

« Bon, voyons un peu, reprit Harris. Ce que mijotent les Russes n'a jamais été clair, n'est-ce pas ?

— Comment cela, Eddie ? interrogea Hilton.

— La composition de leur force, par exemple. La moitié des navires de surface ont un équipement antiaérien et antisurface, au lieu d'être avant tout anti-sous-marin. Et pourquoi faire venir le *Kirov ?* Bon, d'accord, il fait un joli navire amiral, mais ils pourraient faire la même chose avec le *Kiev*.

— Nous avons déjà parlé de cela, observa Foster. Ils ont fait la liste de ce qu'ils avaient, pouvant aller aussi loin à grande vitesse, et ils ont pris tout ce qui était disponible. Même chose pour leurs sous-marins, la moitié sont des bâtiments d'attaque anti-surface aux possibilités limitées contre les sous-marins. La raison, Eddie, c'est que Gorchkov veut avoir tous les éléments dont il peut disposer, à pied d'œuvre. Un bâtiment à moitié opérationnel vaut mieux que rien du tout. Même un vieil Echo pourrait avoir un coup de chance, et Sergueï doit sûrement prier à genoux tous les matins pour que la chance lui sourie.

— Même dans ce cas, ils ont séparé leurs groupes de surface en trois forces, chacune composée d'éléments antiaériens et antisurface, et c'est plutôt maigre en ce qui concerne la force anti-sous-marine. Ils n'ont pas non plus fait venir leur aviation de patrouille ASM basée à Cuba. Et ça, c'est bizarre, déclara Harris.

— Cela aurait réduit leur couverture en miettes. On ne cherche pas un SM mort avec des avions — bon, ils pourraient, mais s'ils commençaient à mettre en œuvre une escadrille d'Ours basée à Cuba, le président deviendrait fou furieux, observa Foster. Nous les harcèlerions tellement qu'ils ne pourraient rien faire. Pour nous, il s'agirait d'une opération technique, mais ils impliquent la politique dans tout ce qu'ils font.

— Très bien, mais cela n'explique encore pas tout. Les navires et les hélicos ASM qu'ils ont font du sonar à mort. C'est peut-être la façon de chercher un SM mort, mais *Octobre* n'est pas mort, que je sache ?

— Je ne comprends pas, Eddie, répondit Hilton.

— Comment chercheriez-vous un SM égaré, dans des circonstances identiques ? demanda Harris à Foster.

— Pas de cette façon-là, répondit Foster après un moment de réflexion. L'emploi du sonar actif de surface avertirait le SM longtemps avant qu'ils puissent avoir un contact ferme. Les grosses bêtes vivent du sonar passif. Il aurait vite fait de les entendre venir et de filer en douce. Vous avez raison, Eddie. C'est un coup fourré.

— Mais alors que foutent leurs navires de surface ? s'étonna Barnes.

— La doctrine navale soviétique veut qu'on utilise la flotte de surface pour soutenir les opérations sous-marines, expliqua Harris. Gorchkov est un théoricien tactique très potable, et il lui arrive d'être un monsieur très innovateur. Voici des années qu'il a annoncé que, pour pouvoir opérer efficacement, les sous-marins avaient besoin de soutiens extérieurs directs ou indirects, aériens ou de surface. Aujourd'hui ils ne peuvent pas agir par air aussi loin de chez eux sans opérer à partir de Cuba, et il leur serait pour le moins difficile de retrouver en plein océan un bateau décidé à ne pas se laisser retrouver.

« Par contre, ils se doutent de sa destination, vers un nombre limité d'asiles discrets, et ils ont truffé les approches de ces secteurs avec cinquante-huit sous-marins. L'objectif de leurs forces de surface n'est donc pas de participer à la chasse — encore que, s'ils avaient de la chance, ils ne s'en plaindraient pas. Les forces de surface sont là pour nous empêcher d'interférer avec leurs sous-marins. Ils peuvent y parvenir en patrouillant dans les zones où nous risquons de rencontrer leurs navires de surface, et en regardant ce que nous faisons. » Harris se tut un moment. « C'est astucieux. Nous sommes bien obligés de les couvrir, non ? et puisqu'ils sont en mission de " sauvetage ", nous devons plus ou moins faire la même chose qu'eux, et nous jouons donc du sonar actif, tandis qu'ils profitent de notre compétence ASM pour atteindre leurs propres objectifs. Nous sommes dans leurs mains.

— Pourquoi ? voulut encore savoir Barnes.

— Nous nous sommes engagés à les aider dans leurs recherches. Si nous retrouvons le SM, ils seront assez près pour le savoir, identifier le sous-marin, le localiser et faire feu — et que pourrons-nous y faire ? Rien du tout.

« Comme je le disais, ils espèrent le localiser et le détruire avec leurs sous-marins. Une acquisition par la surface ne pourrait être que de pure chance, et l'on ne peut pas compter sur la chance. Le premier objectif de la flotte de surface est donc de faire le guet pour leurs sous-marins et de nous en tenir à l'écart. En second lieu, leurs bâtiments peuvent servir de rabatteurs, pour ramener le gibier vers les torpilles — et là encore, avec nos sonars, nous les aidons. Nous fournissons de la cavalerie supplémentaire. » Harris hocha la tête, admiratif malgré lui. « Pas trop minable, n'est-ce pas ? S'il les entend venir, *Octobre rouge* accélérera pour gagner le port de son choix, et il tombera dans un joli piège bien fermé. Dan, quelles sont leurs chances de le coincer à l'arrivée sur Norfolk, à ton avis ? »

Foster examina la carte. Des sous-marins russes étaient en barrage devant chaque port, depuis le Maine jusqu'à la Floride. « Ils ont plus de sous-marins que nous n'avons de ports. Maintenant, nous savons que ce type peut se faire repérer, et il n'y a jamais qu'un secteur de recherche assez limité devant chaque port, même en dehors des eaux territoriales... Tu as raison, Eddie. Ils ont d'assez bonnes chances de taper dans le mille. Nos groupes de surface sont trop loin pour pouvoir intervenir. Nos SM ne savent pas ce qui se passe, nous avons ordre de ne pas le leur dire et, même si nous le pouvions, comment pourraient-ils intervenir ? Tirer sur les SM russes avant qu'ils aient commencé — et commencer une guerre ? » Foster exhala une longue bouffée d'air. « Il faudrait bien l'avertir pour qu'il s'éloigne.

— Comment ? demanda Hilton.

— Par sonar, message téléphoné, peut-être », suggéra Harris.

L'amiral Dodge secoua la tête. « L'émission s'entend à travers la coque. Si nous persistons à penser que seuls les officiers sont dans le coup, eh bien, l'équipage pourrait comprendre ce qui se passe, et alors là, nul ne peut prédire quelles en seraient les conséquences. Vous croyez que nous pourrions les forcer à s'éloigner de la côte, en nous servant du *Nimitz* et de l'*America ?* Ils vont bientôt être assez près pour démarrer l'opération. Bon Dieu ! Je ne veux pas que ce type arrive aussi près du but pour se faire descendre devant chez nous.

— Aucune chance, déclara Harris. Depuis le raid sur le *Kirov,* ils affichent trop de docilité. Ça aussi, c'est un joli numéro. Je parie qu'ils avaient préparé leur coup. Ils savent que c'est une provocation, de venir opérer si près de nos côtes avec cette énorme flotte, alors ils ouvrent le jeu, nous montons la mise, et ils ramassent le pli — et si nous les harcelons, nous sommes les méchants. Ils procèdent simplement à une opération de sauvetage, ils ne menacent personne. Le *Washington Post* de ce matin annonce que nous avons un survivant russe à l'hôpital naval de Norfolk. En tout cas, le point positif, c'est qu'ils ont mal calculé la vitesse d'*Octobre.* Les deux groupes vont le dépasser bille en tête, avec leurs sept nœuds d'avance.

— Si on laissait tomber les groupes de surface ? suggéra Maxwell.

— Non, répondit Hilton. Ils comprendraient que leur couverture est éventée. Ils se demanderaient pourquoi — et puis il faut continuer à couvrir leurs groupes de surface. Ils constituent une menace, même s'ils jouent à la brave petite flotte marchande.

« Ce que nous pouvons faire, c'est feindre de donner liberté de manœuvre à l'*Invincible.* Avec le *Nimitz* et l'*America* prêts à entrer dans la danse, nous pouvons le renvoyer chez lui. Au moment où ils dépasseront *Octobre,* nous pourrons en profiter. Nous expédions l'*Invincible* au large de leur flotte, comme s'il rentrait chez lui, et l'interposons sur le parcours d'*Octobre.* Reste à trouver le moyen de communiquer, cependant. Je vois bien comment disposer nos pièces maîtresses, mais ce problème-là demeure entier, messieurs. Pour le moment, sommes-nous d'accord pour placer le *Pogy* et l'*Invincible* en position d'interception ? »

*A bord de l'*Invincible

« A quelle distance est-il ? s'enquit Ryan.

— Deux cents milles. Nous pouvons y être dans dix heures. » le commandant Hunter marqua la position sur la carte. « L'USS *Pogy* arrive de l'est, et il devrait pouvoir rencontrer le *Dallas* environ une heure après nous. Cela nous situera à environ cent milles à l'est de ce groupe de surface quand *Octobre* arrivera. Bon Dieu. Le *Kiev* et le *Kirov* l'encadrent à cent milles est et ouest.

— Pensez-vous que le commandant d'*Octobre* s'en rende compte ? » Penché sur la carte, Ryan mesurait des yeux la distance.

« Peu probable. Il est en immersion, et leurs sonars passifs ne sont pas aussi bons que les nôtres. Et puis les conditions météo jouent contre eux. Un vent de surface de vingt nœuds peut handicaper sérieusement un sonar, même à cette profondeur.

— C'est à nous de l'avertir. » L'amiral White étudiait la direction opérationnelle. « Sans nous servir d'engins acoustiques.

— Comment diable peut-on faire cela ? On ne peut pas communiquer par radio à cette profondeur, observa Ryan. Même moi, je le sais. Mon Dieu, ce type a parcouru quatre mille milles, et il va se faire tuer en vue de son objectif.

— Comment communiquer avec un sous-marin ? »

Le commandant Barclay se redressa. « Messieurs, nous n'essayons pas de communiquer avec un sous-marin, nous essayons de communiquer avec un homme.

— Dites-nous votre pensée, suggéra Hunter.

— Que savons-nous de Marko Ramius ? » Les yeux de Barclay se rétrécirent.

« C'est un cow-boy, le commandant de sous-marin type, il croit qu'il peut marcher sur l'eau, répondit le commandant Carstairs.

— Qui a passé presque toute sa vie dans des sous-marins d'attaque, ajouta Barclay. Marko a joué sa vie sur le pari qu'il pourrait se faufiler dans un port américain sans se faire repérer. Pour l'avertir de ne pas y aller, il faut démolir cette confiance qu'il a.

— Il faut d'abord lui parler, intervint fermement Ryan.

— C'est ce que nous allons faire », répondit Barclay avec un sourire, car l'idée avait maintenant pris forme dans son cerveau. « Il était commandant de sous-marin d'*attaque*. Il pense sûrement encore à la manière d'attaquer ses ennemis, et comment un commandant de sous-marin fait-il cela ?

— Dites ? » demanda Ryan.

La réponse de Barclay était manifestement la bonne. Ils

discutèrent de son idée pendant une heure entière, puis Ryan la transmit à Washington pour approbation. Un rapide échange de renseignements techniques suivit. L'*Invincible* allait devoir effectuer la rencontre en plein jour, et ce n'était pas le moment. L'opération fut reculée de douze heures. Le *Pogy* se rallia à l'*Invincible*, et se tint en guet sonar à vingt milles à l'est. Une heure avant minuit, l'émetteur ELF du Nord-Michigan transmit un message : « G. » Vingt minutes plus tard, le *Dallas* remontait près de la surface pour recevoir les ordres.

LE TREIZIÈME JOUR

Mercredi 15 décembre

A bord du Dallas

« Ivan le Fou ! lança Jones, il vient à gauche !

— Okay, arrêtez tout », ordonna Mancuso, tenant à la main les ordres qu'il relisait depuis des heures. Ils ne lui disaient rien qui vaille.

« Tout est stoppé, commandant, répondit l'homme de quart.

— Arrière toute.

— Arrière toute, commandant. » Le servant transmit l'ordre et se retourna d'un air intrigué.

Dans tout le bâtiment, l'équipage entendit le bruit, ce bruit trop fort des vannes qui s'ouvraient pour lâcher la vapeur sur l'arrière des ailettes des turbines, afin de faire tourner l'hélice en sens inverse. Il en résulta aussitôt une vibration et des bruits de cavitation à l'arrière.

« A droite toute !

— La barre est toute à droite, commandant.

— Ici sonar, alerte cavitation, annonça Jones par téléphone.

— *Okay,* sonar ! » répondit Mancuso sèchement. Il ne comprenait pas ses nouveaux ordres, et ce qu'il ne comprenait pas l'exaspérait.

« Nous sommes à quatre nœuds, annonça le lieutenant de vaisseau Goodman.

— La barre à zéro, stoppez tout.

— La barre est à zéro, commandant », répondit aussitôt

l'homme de barre. Il ne voulait pas que le commandant l'engueule. « Commandant, la barre est à zéro. »

« Seigneur! s'exclama Jones dans le compartiment sonar. Qu'est-ce que fabrique le commandant? »

Une seconde plus tard, Mancuso entrait au sonar.

« Evolution à gauche en cours, commandant. Il est sur notre arrière à cause de notre propre évolution. » Jones restait aussi neutre que possible. Le ton était néanmoins proche de l'accusation, observa Mancuso.

« On saccage le jeu, Jonesy », répondit froidement le commandant.

« C'est vous le patron », songea Jones, mais il eut le bon sens de ne rien ajouter. Le commandant avait l'air disposé à couper des têtes, et Jones venait déjà d'user sa ration de tolérance pour un mois. Il brancha ses écouteurs sur le réseau sonar déployé.

« Les bruits de moteur diminuent, commandant. Il ralentit. » Jones se tut. Il fallait cependant transmettre la suite. « Commandant, j'ai l'impression qu'il nous a entendus.

— C'est précisément ce qu'il fallait », déclara Mancuso.

*A bord d'*Octobre rouge

« Sous-marin ennemi, commandant, annonça le *michman* d'une seule traite.

— Ennemi? répéta Ramius.

— Américain. Il devait nous suivre, et il a dû reculer pour éviter la collision quand nous avons tourné. Américain, confirmé, sur arrière bâbord, distance moins d'un kilomètre, je crois. » Il tendit à Ramius ses écouteurs.

« 688, déclara Ramius à Borodine. Merde! Il a dû nous tomber dessus il y a une heure ou deux. Quelle malchance. »

A bord du Dallas

« Okay, Jonesy, cherchez-le et émettez. » Mancuso donnait l'ordre d'émission sonar. Le *Dallas* avait tourné encore un peu avant de presque s'arrêter.

Jones hésita un instant, continuant à lire le bruit du réacteur sur ses systèmes passifs. Puis il tendit le bras et actionna les transducteurs actifs de la sphère centrale du BQQ-5, à l'arrière.

Ping! Une onde d'énergie sonore fut dirigée sur le but.

Pong ! L'onde alla heurter la dure coque d'acier et revint sur le *Dallas*.

« Distance du but, 1 050 mètres », annonça Jones. L'onde de retour fut traitée sur l'ordinateur BC-10 et révéla quelques détails. « Configuration correspond à grosse bête classe Typhon. Inclinaison, soixante-dix environ. Pas d'effet doppler. Il s'est arrêté. » Six émissions supplémentaires confirmèrent cette estimation.

« Bien visé », dit Mancuso. Il éprouvait une certaine petite satisfaction à apprendre qu'il avait correctement évalué le contact. Mais pas énorme.

Jones stoppa l'émetteur, en se disant : « Pourquoi diable fallait-il que je fasse cela ? » Il avait déjà tout fait sauf lu le numéro d'immatriculation sur la coque.

*A bord d'*Octobre rouge

Tout le monde à bord savait désormais qu'ils étaient repérés. Le faisceau du sonar avait résonné dans toute la coque, et ce n'était pas un bruit bien sympathique à l'oreille d'un sous-marinier. Surtout quand il venait s'ajouter à des problèmes de réacteur, songea Ramius. Peut-être pourrait-il en profiter...

A bord du Dallas

« Quelqu'un en surface, annonça Jones d'une voix tendue. D'où diable arrivent-ils ? Commandant, il n'y avait rien, *rien*, une minute avant, et maintenant j'entends des bruits de moteurs. Deux, peut-être plus... Je peux vous dire que ce sont deux escorteurs... et quelque chose de plus gros. On dirait qu'ils nous attendent tranquillement là-haut. Il y a une minute ils étaient immobiles. Merde ! Je n'entends plus *rien*. »

*A bord de l'*Invincible

« Nous avons assez bien minuté l'affaire, déclara l'amiral White.

— Nous avons eu de la chance, observa Ryan.

— La chance fait partie du jeu, Jack. »

La frégate britannique *Bristol* fut la première à détecter la présence des deux sous-marins et le tour qu'avait effectué *Octobre rouge*. Même à cinq milles, les SM étaient presque inaudibles. La manœuvre d'Ivan le Fou s'était terminée à trois milles d'eux, et les bâtiments de surface avaient pu déterminer leur position grâce aux émissions sonar actives du *Dallas*.

« Deux hélicoptères en route, amiral, annonça le commandant Hunter. Ils seront en place d'ici une minute.

— Signalez au *Bristol* et au *Fife* de se placer au vent. Je veux que l'*Invincible* soit entre eux et le contact.

— Bien, amiral. » Hunter transmit l'ordre au PC transmissions. Les commandants des escorteurs allaient trouver curieux l'ordre d'utiliser un porte-avions pour dissimuler des escorteurs.

Quelques instants plus tard, deux hélicoptères Sea King vinrent tourner au-dessus de la surface, faisant descendre des sonars plongeants au bout d'un câble tout en s'efforçant de maintenir leur position. Ces sonars étaient beaucoup moins puissants que ceux des navires, et ils présentaient des caractéristiques distinctives. Les données qu'ils relevaient étaient transmises digitalement au central de l'*Invincible*.

A bord du Dallas

« Des Rosbifs, annonça immédiatement Jones. C'est un moteur d'hélicoptère. Le 195, je crois. Cela signifie que le gros bâtiment posté au sud est l'un de leurs porte-avions, commandant, avec une escorte de deux bâtiments. »

Mancuso acquiesça. « C'est l'HMS *Invincible*. Il était avec nous dans l'exercice Dauphin malin. Nous avons donc l'école britannique, avec leurs meilleurs opérateurs ASM.

— Le gros vient par ici, commandant. Les tours indiquent dix nœuds. Les moulins — il y en a deux — nous ont tous les deux. Pas d'autre SM que je puisse entendre dans les parages. »

*A bord de l'*Invincible

« Contact sonar positif, annonça le haut-parleur métallique. Deux sous-marins, distance deux milles de l'*Invincible,* relèvement zéro-deux-zéro.

— Et maintenant, la partie difficile », déclara l'amiral White.

Ryan se trouvait sur la passerelle de l'amiral avec les quatre officiers de la Royal Navy qui étaient dans le secret de la mission, tandis que l'officier ASM d'escadre était au-dessous, au central opérations. L'*Invincible* remontait très doucement au nord, légèrement sur la gauche du relèvement des contacts, et les cinq hommes balayaient le secteur avec de puissantes jumelles.

« Allons, commandant Ramius, articula Ryan à mi-voix. Vous avez une réputation de grand joueur, prouvez-le. »

*A bord d'*Octobre rouge

Ramius avait regagné le central, et étudiait la carte d'un air mécontent. Un Los Angeles américain qui lui tombait dessus isolément, c'était une chose, mais il se trouvait là devant une véritable force d'intervention. Et des Anglais, en plus. Pourquoi ? Sans doute un exercice. Les Américains et les Anglais travaillaient souvent ensemble et, par pur accident, *Octobre* se retrouvait au beau milieu du mouvement. Bon. Il allait devoir leur échapper avant de pouvoir mener à bien ce qu'il avait entrepris. C'était aussi simple que cela. Mais l'était-ce vraiment ? Un sous-marin de chasse, un porte-avions, et deux escorteurs après lui. Quoi d'autre ? Il allait devoir s'en informer, s'il voulait les semer tous. Cela lui prendrait l'essentiel de la journée. Mais pour commencer, il lui fallait voir à qui il était confronté. D'ailleurs, cela leur montrerait qu'il n'avait pas peur, et qu'il pouvait les poursuivre aussi, s'il le désirait.

« Borodine, remontez à l'immersion périscopique. Aux postes de combat. »

*A bord de l'*Invincible

« Allons, Marko, monte, disait Barclay. Nous avons un message pour toi, mon vieux.

— Hélicoptère trois signale que le but remonte, annonça le haut-parleur.

— Parfait ! » Ryan frappa du poing la rambarde.

White décrocha un téléphone. « Rappelez l'un des hélicoptères. »

La distance d'*Octobre rouge* était réduite à un mille et demi. L'un des Sea Kings monta et se mit à tourner, rembobinant son transducteur sonar.

« Profondeur du but cent soixante mètres, en remontée. »

*A bord d'*Octobre rouge

Borodine vidait lentement l'eau des régleurs d'*Octobre.* Le SNLE augmenta progressivement l'allure jusqu'à quatre nœuds, et presque toute l'énergie requise pour changer d'immersions provenait des barres de plongée. Le *starpom* prenait garde de monter lentement, et Ramius avait réglé le cap droit sur l'*Invincible.*

*A bord de l'*Invincible

« Hunter, demanda l'amiral White, votre morse est-il encore potable ?

— Je le crois, amiral. » Tout le monde était très excité. Quel magnifique coup de chance !

Ryan avait du mal à déglutir. Pendant ces quelques heures où *l'Invincible* était resté en attente sur la mer agitée, son estomac avait réellement souffert. Les comprimés que lui avait donnés le médecin de bord l'aidaient, mais l'excitation qu'il éprouvait maintenant aggravait sérieusement le problème. La passerelle surplombait la mer avec un à-pic de trente mètres. « Bon, se dit-il, si je dois dégueuler, la voie est libre. Et puis merde. »

A bord du Dallas

« Bruits de coque, annonça Jones. Je crois qu'il monte.

— Monte ? répéta Mancuso, soudain surpris. Ouais, ça concorde. C'est un vrai cow-boy. Il veut voir l'obstacle avant de s'enfuir. Ça correspond bien. Je parie qu'il ne sait pas où nous venons de passer ces deux derniers jours. » Le commandant se dirigea vers le central d'attaque, à l'avant.

« On dirait qu'il remonte, commandant, observa Mannion en scrutant le tableau d'attaque. C'est idiot. » Mannion avait une opinion très précise des commandants de sous-marins qui comptaient sur leur périscope. Trop d'entre eux passaient trop de temps à monter regarder le monde. Il se demandait dans quelle mesure il s'agissait d'une réaction au confinement de la vie à bord, comme pour vérifier qu'il existait vraiment un monde, là-haut, pour s'assurer que les instruments fonctionnaient correctement. Entièrement humain, se disait Mannion, mais cela rend vulnérable...

« Nous montons aussi, commandant ?

— Ouais, en douceur. »

*A bord de l'*Invincible

Le ciel était envahi de nuages blancs et cotonneux, au ventre gris et alourdi d'une menace de pluie. Un vent de vingt nœuds soufflait du sud-ouest, et des crêtes blanches coiffaient le sommet des lames sombres. Ryan voyait le *Bristol* et le *Fife* maintenir leur position au vent. Sans aucun doute, les commandants devaient marmonner des paroles bien senties à l'encontre de cette disposition. Les escorteurs américains détachés la veille étaient à présent en route pour rencontrer le *New Jersey*.

White parlait de nouveau au téléphone. « Commandant, prévenez-moi dès que nous aurons un écho radar dans la zone visée. Braquez tout sur ce secteur-là. Je veux également être informé de tout signal sonar, je répète, tout signal sonar, provenant du secteur... C'est cela. Profondeur du but? Très bien. Rappelez le second hélicoptère, je les veux tous les deux postés sous le vent. »

Ils étaient tous convenus que le meilleur moyen de transmettre le message, serait d'utiliser un fanal morse lumineux. Seule une personne placée en ligne de vue directe pourrait lire le signal. Hunter s'approcha du fanal, tenant à la main le feuillet que lui avait remis Ryan. Les officiers-mariniers et timoniers normalement de quart sur la passerelle avaient disparu.

*A bord d'*Octobre rouge

« Trente mètres, commandant », annonça Borodine. Au central, le personnel était à son poste de combat.

« Périscope », ordonna calmement Ramius. Le tube de métal huilé grimpa en grinçant sous la force de la pression hydraulique. Le commandant tendit sa casquette au jeune officier de quart pour pouvoir se pencher vers l'oculaire. « Ainsi donc, nous avons là trois bâtiments impérialistes. L'*Invincible!* Quel nom pour un navire! plaisanta-t-il pour l'assistance. Deux escorteurs, le *Bristol* et un croiseur de la classe Country. »

*A bord de l'*Invincible

« Périscope, tribord arrière! annonça le haut-parleur.

— Je le vois s'exclama Barclay. Il est là! »

Ryan fit un effort pour l'apercevoir. « Je l'ai. » On aurait dit un petit balai dressé dans l'eau, à environ un mille. Au passage des lames, le bas de la partie visible du périscope scintillait.

« Hunter », appela White d'une voix neutre. Sur la gauche de Ryan, le commandant entreprit d'actionner le levier qui ouvrait et refermait les volets du fanal.

*A bord d'*Octobre rouge

Ramius ne le vit pas tout de suite. Il scrutait le cercle complet de l'horizon, à la recherche d'éventuels autres navires ou d'avions.

Quand il eut terminé, l'éclat de la lumière attira son regard. Il s'efforça aussitôt d'interpréter le signal. Il lui fallut un moment pour se rendre compte que cela s'adressait à lui.

AAA AAA AAA OCTOBRE ROUGE OCTOBRE ROUGE POUVEZ-VOUS LIRE CECI POUVEZ-VOUS LIRE CECI VEUILLEZ SIGNALER PAR UNE ÉMISSION SONAR SI VOUS POUVEZ LIRE CECI VEUILLEZ SIGNALER PAR UNE ÉMISSION SONAR SI VOUS POUVEZ LIRE CECI AAA AAA AAA OCTOBRE ROUGE OCTOBRE ROUGE POUVEZ-VOUS LIRE CECI

Le message se répétait continuellement. Le message sautillait maladroitement, mais Ramius n'y prêta pas attention. Il traduisit le message anglais dans sa tête, croyant d'abord intercepter un texte adressé au sous-marin américain. Ses jointures blanchirent sur les poignées du périscope, tandis qu'il traduisait mentalement le signal.

« Borodine, déclara-t-il finalement, après avoir relu le message une quatrième fois, nous allons faire un petit exercice de visée sur l'*Invincible.* Merde, le réglage du périscope est brouillé. Une seule émission sonar, camarade. Juste une, pour la distance. »

Ping !

*A bord de l'*Invincible

« Une émission sonar dans le relèvement du contact, amiral, on dirait que c'est du soviétique », annonça le haut-parleur.

White décrocha son téléphone. « Merci. Tenez-nous au courant. » Il raccrocha. « Eh bien, messieurs...

— Il l'a fait ! s'exclama Ryan. Vite, la suite, pour l'amour du ciel !

— Tout de suite. » Hunter grimaçait un sourire de fou.

OCTOBRE ROUGE OCTOBRE ROUGE VOTRE FLOTTE ENTIÈRE VOUS POURSUIT VOTRE FLOTTE ENTIÈRE VOUS POURSUIT VOTRE ROUTE EST BLOQUÉE PAR NOMBREUX BÂTIMENTS NOMBREUX SOUS-MARINS D'ATTAQUE ATTENDENT POUR VOUS DÉTRUIRE RÉPÉTONS NOMBREUX SOUS-MARINS D'ATTAQUE ATTENDENT POUR VOUS DÉTRUIRE RENDEZ-VOUS POINT 33N 75W NOS NAVIRES VOUS ATTENDENT RÉPÉTONS RENDEZ-VOUS POINT 33N 75W NOS NAVIRES VOUS ATTENDENT SI COMPRIS ET D'ACCORD VEUILLEZ FAIRE NOUVELLE ÉMISSION SONAR

*A bord d'*Octobre rouge

« Distance du but, Borodine ? » interrogea Ramius, regrettant de n'avoir pas plus de temps, tandis que le message se répétait inlassablement.

« Deux mille mètres, commandant. Une belle cible appétissante, si nous... » La voix du *starpom* s'éteignit devant l'expression qu'arborait son commandant.

« Ils connaissent notre nom, songeait Ramius, ils connaissent notre nom ! Comment est-ce possible ? Ils savaient où nous trouver — exactement ! Comment ? Que peuvent donc bien savoir les Américains ? Depuis combien de temps ce Los Angeles nous suit-il ? Décide-toi — il faut décider ! »

« Camarade, encore une émission sur le but, juste une ! »

*A bord de l'*Invincible

« Encore une émission, amiral.

— Merci. » White se tourna vers Ryan. « Eh bien, Jack, il semblerait que votre évaluation des indices ait été correcte. C'est très bien.

— Très bien, mon cul, mylord ! J'avais raison ! Nom de Dieu ! » Ryan jeta les bras en l'air, oubliant complètement son mal de mer. Puis il se calma. L'occasion exigeait plus de dignité. « Veuillez m'excuser, amiral. Nous avons diverses choses à faire. »

A bord du Dallas

« *Flotte entière vous poursuit... rendez-vous carreau 33N 75W*. Que diable se passe-t-il ? » se demanda Mancuso en attrapant la fin du second signal.

« Ici sonar. Recevons bruits de coque du but. Son immersion change. Bruits de moteurs accrus.

— Descendez le périscope. » Mancuso décrocha le téléphone. « Très bien, sonar. Du nouveau, Jones ?

— Non, commandant. Les hélicoptères sont partis, et aucune émission en provenance des bâtiments de surface. Qu'est-ce que ça donne, commandant ?

— Pas idée. » Mancuso hocha longuement la tête, tandis que Mannion ramenait le *Dallas* en position de poursuite derrière *Octobre rouge*. Que diable se passait-il là-bas ? se demandait le commandant. Pourquoi un porte-avions britannique envoyait-il des signaux à un sous-marin soviétique, et pourquoi lui donnaient-ils rendez-vous au large des Carolines ? *Quels* sous-marins lui bloquaient la route ? Impossible. Voyons, impossible...

*A bord de l'*Invincible

Ryan se trouvait au poste central de transmissions du bord.

« MAGE À OLYMPE, entra-t-il dans le codeur spécial que lui avait confié la CIA, AI JOUÉ MA MANDOLINE CE JOUR. SON EXCELLENT. PRÉVOYONS PETIT CONCERT LIEU HABITUEL. ESPÉRONS BONNES CRITIQUES. ATTENDONS INSTRUCTIONS. » Ryan avait bien ri en découvrant les mots de code qu'il lui faudrait utiliser. Il riait encore maintenant, mais pour une autre raison.

A la Maison-Blanche

« Ainsi donc, commença Pelt, Ryan s'attend à réussir la mission. Tout se déroule comme prévu, mais il n'a pas employé le mot de code pour le succès assuré. »

Le président s'adossa confortablement dans son fauteuil. « Il est honnête. Il peut toujours arriver quelque chose. Mais il faut bien admettre quand même que tout semble aller parfaitement.

— Ce plan des états-majors est complètement fou, monsieur le président.

— Peut-être, mais voici plusieurs jours que vous essayez d'y percer une faille, et vous n'y arrivez pas. Les pièces vont rapidement se mettre en place. »

Le président faisait l'esprit fort, observa Pelt. Il aimait cela.

*A bord de l'*Invincible

« OLYMPE À MAGE. J'AIME LA MUSIQUE ANCIENNE SUR MANDOLINE. CONCERT APPROUVÉ », disait le message.

Ryan se carra dans son fauteuil et but une gorgée de cognac. « Voilà qui est parfait. Je me demande qu'elle sera l'étape suivante du plan ?

— Je pense que Washington nous en informera. Pour le moment, dit White, nous allons devoir revenir à l'ouest, pour nous placer entre *Octobre* et la flotte soviétique. »

*A bord de l'*Avalon

Le lieutenant de vaisseau Ames observait la scène par le minuscule hublot avant de l'*Avalon.* L'Alfa gisait sur le flanc bâbord. Il était visiblement tombé d'abord sur l'arrière, violemment. Une pale de l'hélice était arrachée, et le gouvernail inférieur écrasé. Tout l'arrière pouvait être démoli pour de bon ; c'était difficile à dire, avec cette mauvaise visibilité.

« Avant lente », ordonna-t-il. Derrière lui, un enseigne et un premier maître maniaient les instruments et s'apprêtaient à déployer le bras manipulateur préalablement monté sur leur mini-sous-marin, et qui était équipé d'une caméra de télévision et de projecteurs. Ce matériel leur offrait un champ de vision un peu plus large que celui des hublots. Le DSRV rampait à une vitesse de un nœud. La visibilité était inférieure à vingt mètres, malgré les millions de bougies d'éclairage des phares avant.

Le fond marin à cet endroit formait une pente dangereuse de limon alluvial parsemé de grosses roches. Manifestement, seul son gouvernail planté comme une cale dans le sol avait empêché l'Alfa de glisser plus bas.

« Mon Dieu ! » Le premier maître l'avait vu en premier. Il y avait une fissure dans la coque de l'Alfa... non ?

« Accident de réacteur, diagnostiqua Ames d'une voix clinique, détachée. Quelque chose a brûlé et transpercé la coque. Seigneur, et c'est du *titane !* Complètement traversé, de part en part. Et en voilà un autre — deux brûlures. Celle-ci est plus importante, elle doit faire un bon mètre de large. Pas besoin de se demander ce qui l'a coulé, les gars. Voilà deux compartiments éventrés. » Ames consulta l'indicateur d'immersion : 600 mètres. « Tout cela est enregistré ?

— Oui, commandant, répondit l'électricien. Vilaine façon de mourir, les pauvres.

— Ouais, ça dépend de ce qu'ils manigançaient. »

Ames manœuvra son *Avalon* autour de l'étrave de l'Alfa, maniant l'hélice directionnelle avec prudence et réglant l'assiette de manière à pouvoir longer l'autre côté, qui se trouvait sur le dessus du sous-marin mort.

« Voyez-vous la preuve de la fracture de la coque ?

— Non, répondit l'enseigne, seulement les deux brûlures. Je me demande ce qui s'est passé ?

— Un syndrome chinois pour de bon. C'est finalement arrivé à quelqu'un. » Ames hocha la tête. S'il y avait bien une chose que la marine prêchait, à propos des réacteurs, c'était la sécurité. « Amenez le transducteur contre la coque. Nous allons voir s'il reste quelqu'un vivant à l'intérieur.

— Oui, commandant. »

L'électricien manipula les commandes du waldo, tandis qu'Ames s'efforçait de maintenir l'*Avalon* totalement immobile. Aucune de ces tâches n'était aisée. Le DSRV oscillait, presque posé sur le kiosque. S'il y avait des survivants, ils ne pouvaient être qu'au central ou à l'avant. Aucune vie n'était possible à l'arrière.

« Okay, j'ai établi le contact. »

Les trois hommes écoutaient intensément, espérant entendre quelque chose. Leur métier consistait à chercher, trouver et sauver. Eux-mêmes sous-mariniers, ils prenaient cela très au sérieux.

« Ils dorment peut-être. »

L'enseigne brancha le sonar localisateur. Les ondes à haute fréquence résonnèrent dans les deux sous-marins. Cela faisait un bruit à réveiller les morts, mais ils n'obtinrent aucune réaction. Les réserves d'air du *Politovsky* étaient épuisées depuis la veille.

« Et voilà », conclut doucement Ames. Il entreprit une manœuvre de remontée, pendant que l'électricien rentrait le bras manipulateur, en cherchant un endroit où déposer un transpondeur sonar. Ils reviendraient quand les conditions météo en surface se seraient améliorées. La marine n'allait pas laisser passer cette occasion d'examiner un Alfa, et le *Glomar Explorer* n'attendait que de servir, quelque part sur la côte Ouest. Allait-on le remettre en état ? Ames n'aurait pas parié le contraire.

« *Avalon, Avalon,* ici *Scamp*... » Au téléphone, la voix était déformée, mais reconnaissable. « ... Remontez immédiatement. Répondez.

— *Scamp*, ici *Avalon*. Nous remontons. »

Le *Scamp* venait de recevoir un message ELF, et avait dû remonter brièvement à l'immersion périscopique, pour recevoir un ordre opérationnel Flash. « RENDEZ-VOUS LE PLUS VITE POSSIBLE AU POINT 33N 75W. » Le message ne disait pas pourquoi.

Au quartier général de la CIA

« Cardinal est toujours avec nous, annonça Moore à Ritter.

— Dieu soit loué. » Ritter s'assit.

« Il y a un signal en route. Cette fois, il n'a pas essayé de se faire flamber en nous l'adressant. Son séjour à l'hôpital l'aura peut-être effrayé un peu. Je lui adresse une nouvelle proposition pour le faire sortir.

— Encore ?

— Bob, nous sommes bien obligés de faire le geste.

— Je sais. J'ai moi-même fait faire une proposition dans ce sens, il y a quelques années. Ce vieux salaud ne veut absolument pas passer la main. Vous savez comment ça marche. Il y a des gens qui adorent l'action. Ou bien c'est qu'il n'a pas encore assouvi sa rage... Je viens de recevoir un appel du sénateur Donaldson. » Donaldson présidait la commission restreinte de contrôle des services secrets.

« Ah ?

— Il veut savoir ce que nous savons des événements actuels. Il ne croit pas à cette histoire de mission de sauvetage, et il pense que nous en connaissons une autre. »

Le juge Moore se carra dans son fauteuil. « Je me demande qui a bien pu lui fourrer une idée pareille dans la tête.

— Ouais. J'ai une petite idée qui pourrait marcher. Je crois qu'il est temps, et l'occasion qui s'offre est parfaite. »

Les deux hauts fonctionnaires en discutèrent pendant une heure et, avant que Ritter ne parte pour le Sénat, ils s'assurèrent l'accord du président.

Washington DC

Donaldson fit attendre Ritter dans un salon attenant pendant un quart d'heure, en lisant son journal. Il voulait montrer à Ritter quelle était sa vraie place. Certaines observations du directeur des services secrets, relatives aux fuites provenant du Sénat, avaient touché un point sensible chez le sénateur du Connecticut, et il jugeait essentiel de faire comprendre aux fonctionnaires la différence entre eux-mêmes et les représentants élus du peuple.

« Désolé de vous avoir fait attendre, monsieur Ritter. » Donaldson ne montra aucune velléité de se lever ou de lui serrer la main.

« Ce n'est pas grave, monsieur. J'en ai profité pour lire une revue. Pas souvent l'occasion, avec tout le travail que j'ai. » Ils s'affrontaient d'emblée.

« Alors, que manigancent les Soviétiques ?

— Monsieur le sénateur, avant d'aborder ce sujet, je dois vous dire ceci : pour cet entretien, j'ai dû obtenir l'accord préalable du président. Ces renseignements ne s'adressent qu'à vous, et personne d'autre ne peut en avoir connaissance. Personne. Ces consignes proviennent directement de la Maison-Blanche.

— Je ne suis pas le seul membre de cette commission, monsieur Ritter.

— Monsieur, si je n'ai pas votre parole d'homme d'honneur, insista Ritter avec un sourire, je ne vous révélerai rien. Tels sont mes ordres. Je travaille pour l'exécutif, monsieur le sénateur. Je reçois mes ordres directement du président. » Ritter espérait que son matériel d'enregistrement marchait bien.

« D'accord », déclara Donaldson à contrecœur. Ces stupides restrictions le fâchaient, mais il était content de savoir qu'il apprendrait toute l'affaire. « Allez-y.

— Honnêtement, monsieur le sénateur, nous ne sommes pas vraiment sûrs de ce qui se passe.

— Ah, vous m'avez donc fait jurer le secret pour que je ne puisse dire à personne que la CIA, une fois de plus, ignore ce qui se passe ?

— J'ai dit que nous ne le savions pas exactement. Mais nous savons cependant un certain nombre de choses. Nos renseignements proviennent essentiellement des Israéliens, et aussi des Français. De ces deux sources, nous avons appris que la marine soviétique avait de sérieuses difficultés.

— C'est ce que j'ai cru comprendre. Ils ont perdu un sous-marin.

— Au moins un, mais ce n'est pas le vrai problème. Quelqu'un, nous semble-t-il, à joué un tour au commandement opérationnel de la Flotte soviétique du nord. Je ne peux pas l'affirmer avec certitude, mais je pense que ce sont les Polonais.

— Pourquoi les Polonais ?

— Je n'en suis pas absolument sûr, mais les Français et les Israéliens sont très liés avec les Polonais, *et* les Polonais ont un vieux contentieux avec les Russes. Je sais — tout au moins, je crois savoir — que cela ne provient pas d'une agence de renseignements occidentale.

— Alors, que se passe-t-il ? voulut savoir Donaldson.

— A notre avis, quelqu'un a fabriqué au moins un faux, et peut-être même trois, dans le but de créer un véritable branle-bas de combat dans la marine soviétique — mais quels que soient les faits exacts, ils ont échappé à tout contrôle. Beaucoup de gens se donnent un mal de chien pour couvrir leurs arrières, d'après les Israéliens. C'est une supposition de ma part, mais je crois qu'ils sont parvenus à modifier les ordres opérationnels d'un sous-marin, puis à forger de toutes pièces une lettre du commandant menaçant de lancer ses engins. Le plus étonnant, c'est que les Russes ont marché. » Ritter fronça le sourcil. « Mais nous pouvons aussi très bien avoir tout vu à l'envers. Tout ce que nous savons avec certitude, c'est que quelqu'un, sans doute les Polonais, a joué un sale tour fabuleux aux Soviétiques.

— Et ce n'est pas nous ? insinua Donaldson.

— Non, monsieur le sénateur, absolument pas ! Si nous tentions quelque chose de ce genre — et même si nous réussissions, ce qui est peu probable —, ils risqueraient de vouloir ensuite nous en faire autant. Et ce pourrait être le début d'une guerre — vous savez bien que le président ne nous le permettrait jamais.

— Mais quelqu'un de la CIA pourrait se moquer de ce que pense le président.

— Pas dans mon département ! Je risquerais ma tête ! Croyez-vous vraiment que nous pourrions lancer une opération de ce genre, et réussir à la garder secrète ? Ah, sénateur, je *voudrais bien* que nous en soyons capables.

— Pourquoi les Polonais, et pourquoi en sont-ils capables ?

— Depuis un certain temps, nous entendons parler d'une faction dissidente au sein de leur communauté de renseignements, une faction qui n'aime pas particulièrement les Soviétiques. On peut trouver plusieurs raisons à cela. Il y a d'abord leur inimitié fondamentale, et puis les Russes semblent oublier que les Polonais sont d'abord polonais, et communistes ensuite. Personnellement, je suppose que c'est cette affaire avec le pape, plus encore que cette histoire de loi martiale. Nous savons que notre vieil ami Andropov a entamé une reprise de l'affaire Henry II-Becket. Le pape apporte beaucoup de prestige à la Pologne, et fait pour le pays des choses qu'apprécient même les membres du Parti. Voilà que les Russkoffs sont allés cracher sur leur patrie — et vous vous étonnez qu'ils soient furieux ? Quant à leur compétence, les gens semblent oublier quel service d'élite ils ont toujours eu. Ce sont eux qui ont fait la découverte de Enigma en 1939, et non pas les Britiches. Ils sont sacrément efficaces, pour la même raison qu'Israël. Ils ont des ennemis à l'Est et à l'Ouest. Ce genre de situation fait les bons agents. Nous savons avec certitude qu'ils ont beaucoup de gens à l'intérieur de l'Union soviétique, des travailleurs qui remboursent Narmonov pour l'aide économique qu'il accorde à leur pays. Nous savons également que beaucoup d'ingénieurs polonais travaillent sur les chantiers navals d'Union soviétique. J'avoue que c'est assez drôle, car aucun de ces deux pays n'a de véritable tradition maritime, mais les Polonais construisent une bonne partie des navires marchands russes. Leurs chantiers sont plus actifs que les russes et, ces derniers temps, ils ont fourni une assistance technique, surtout dans le domaine du contrôle de qualité, sur les chantiers de construction navale.

— Donc, les services secrets polonais ont joué un tour aux Soviétiques, résuma Donaldson. Gorchkov est l'un des types qui ont pris une ligne dure dans les questions d'intervention, non ?

— C'est vrai, mais il n'est sans doute qu'une cible d'occasion. Le vrai but de l'opération consistait à embarrasser Moscou. Le fait qu'elle attaque la marine soviétique ne signifie rien en soi. Il s'agit de déchaîner l'enfer dans leurs circuits militaires supérieurs, et ils se retrouvent tous à Moscou. Ah, je voudrais bien savoir ce qui se passe exactement ! D'après les cinq pour cent que nous savons, cette opération ne peut être qu'un chef-d'œuvre, de l'étoffe dont on fait les légendes. Nous travaillons dessus, nous essayons d'en savoir plus. De même que les Anglais, les Français et les Israéliens... Il paraît que Benny Herzog, du Mossad, est absolument fou furieux. Les Israéliens se font une règle de jouer ce genre de tours à leurs voisins, de temps en temps. Ils prétendent officiellement qu'ils n'en savent pas davantage que ce qu'ils nous disent. C'est possible. Mais il se pourrait également qu'ils aient fourni une aide technique aux Polonais... Difficile à dire. Il est certain que la marine soviétique menace directement Israël. Mais il nous faut encore du temps. La participation israélienne paraît un peu trop à propos, pour le moment.

— Mais vous ne savez pas *ce* qui se passe, seulement le comment et le pourquoi.

— Sénateur, ce n'est pas si facile. Donnez-nous un peu de temps. Pour l'instant, nous pourrions même ne pas vouloir savoir. Pour résumer, quelqu'un a joué un colossal tour de désinformation à la marine soviétique. L'objectif était sans doute de les secouer, mais il a manifestement été dépassé. Comment ou pourquoi, nous l'ignorons. Mais il y a cependant fort à parier que celui qui a fait le coup se donne maintenant beaucoup de mal pour couvrir ses arrières. » Ritter voulait que le sénateur comprenne bien cela. « Si les Soviétiques découvrent le coupable, la réponse sera brutale — soyez-en sûr. Les Israéliens nous doivent un ou deux trucs, et ils finiront bien par nous dire de quoi il retourne.

— En échange de quelques F-15 et d'une compagnie de tanks, observa Donaldson.

— Pas cher pour ce que ça vaut.

— Mais si nous ne sommes pas impliqués là-dedans, pourquoi ce secret ?

— Vous m'avez donné votre parole, sénateur, lui rappela

Ritter. D'abord, si le bruit s'en répand, les Soviétiques pourront-ils croire que nous n'y sommes pour rien? Improbable! Nous nous efforçons de civiliser le jeu du renseignement. C'est-à-dire que nous restons ennemis, mais que l'entretien du conflit entre les divers services secrets gâche trop d'énergies, et qu'il est dangereux pour les deux camps. Ensuite, eh bien, si nous finissons par apprendre un jour comment tout cela s'est produit, nous pourrions vouloir nous en servir nous-mêmes.

— Ces motifs sont contradictoires. »

Ritter sourit. « Le jeu du renseignement est ainsi fait. Si nous découvrons qui l'a fait, nous pourrons utiliser l'information à notre avantage. Quoi qu'il en soit, sénateur, j'ai votre parole, et j'en informerai le président dès mon retour à Langley.

— Très bien. » Donaldson se leva. L'entretien s'achevait. « Je compte bien que vous nous tiendrez informés des développements de la situation.

— C'est notre devoir, monsieur le sénateur. » Ritter se leva.

« En effet. Merci d'être venu. » Ils ne se serrèrent pas la main cette fois non plus.

Ritter sortit dans le corridor sans passer par la pièce attenante. Il s'arrêta pour jeter un coup d'œil en bas, dans le hall de l'immeuble Hart, qui lui rappelait l'hôtel Hyatt. Contrairement à son habitude, il descendit au rez-de-chaussée par l'escalier, au lieu de prendre l'ascenseur. Il avait eu la chance de marquer un point magistral. Sa voiture l'attendait dehors, et il se fit conduire aux bureaux du FBI.

« Ce n'est pas une opération de la CIA? s'enquit Peter Henderson, premier assistant du sénateur.

— Non, je crois à ce qu'il m'a dit, répondit Donaldson. Il n'est pas assez intelligent pour avoir monté un coup pareil.

— Je ne comprends pas pourquoi le président ne s'en débarrasse pas, observa Henderson. Evidemment, avec ces gens-là, mieux vaut qu'ils soient incompétents. » Le sénateur acquiesça.

En regagnant son bureau, Henderson baissa le store vénitien de sa fenêtre, bien que le soleil fût de l'autre côté du bâtiment. Une heure plus tard, le chauffeur d'un taxi Black & White leva les yeux en passant et en prit note mentalement.

Henderson travailla tard ce soir-là. L'immeuble Hart était presque vide, car la plupart des sénateurs avaient quitté la ville. Donaldson n'était resté que pour ses affaires personnelles, et pour garder un œil sur la situation. En tant que président de la commission restreinte de contrôle des services secrets, il lui incombait plus de tâches qu'il n'aurait voulu en cette période de l'année. Henderson descendit en ascenseur dans le hall principal de l'immeuble, avec l'air du parfait premier assistant de sénateur — complet gris trois pièces, coûteux attaché-case en cuir, coupe de cheveux irréprochable, et la démarche alerte en franchissant la porte. Un taxi Black & White apparut, et s'arrêta pour faire descendre un client. Henderson y monta.

« Watergate », annonça-t-il. Il ne prononça rien d'autre avant que le taxi eût parcouru plusieurs centaines de mètres.

Henderson occupait un simple studio dans l'immeuble du Watergate, ironie dont il avait lui-même souvent conscience. En parvenant à sa destination, il ne donna aucun pourboire au chauffeur. Une femme monta dans la voiture au moment où il pénétrait chez lui. A Washington, les taxis travaillent beaucoup en début de soirée.

« Université de Georgetown, s'il vous plaît. » C'était une jolie jeune femme aux cheveux roux sombre, encombrée d'une pile de livres.

« Cours du soir ? interrogea le chauffeur en jetant un coup d'œil dans le rétroviseur.

— Examens, répondit la fille avec un peu d'embarras. En psycho.

— Le mieux pour les examens, c'est d'être détendu », lui conseilla le chauffeur.

L'agent spécial Hazel Loomis posa ses livres tant bien que mal sur ses genoux, et fit tomber son sac. « Oh, merde. » Elle se pencha pour le ramasser et, ce faisant, récupéra le minuscule magnétophone qu'un autre agent avait déposé sous le siège du conducteur.

Elle fut à l'université en quinze minutes. Il y en avait pour trois dollars quatre-vingt-cinq. Loomis donna un billet de cinq dollars au chauffeur en lui disant de garder la monnaie. Elle traversa le campus à pied, et monta dans une Ford qui la conduisit directement à l'immeuble J. Edgar Hoover. Cette manœuvre avait demandé beaucoup de travail — et elle se déroulait avec tant de facilité !

« Toujours, quand l'Ours arrive en vue. » L'inspecteur qui suivait l'affaire bifurqua à gauche, dans Pennsylvania Avenue. « Le problème, c'est de commencer par débusquer l'Ours. »

Le Pentagone

« Messieurs, je vous ai fait venir parce que vous êtes tous des officiers de renseignements professionnels, compétents dans les questions de sous-marins, et parlant le russe, déclara Davenport aux quatre officiers assis dans son bureau. J'ai besoin d'officiers répondant à ces critères. Il s'agit d'une affectation volontaire, qui pourrait impliquer un danger considérable — nous ne pouvons pas encore le savoir avec certitude. La seule chose que je puisse dire, c'est que je vous propose un travail *rêvé,* pour un officier de renseignements — mais un travail rêvé dont vous ne pourrez jamais parler à personne. Nous sommes tous habitués à cela, n'est-ce pas ? » Davenport hasarda l'un de ses rares sourires. « Comme on dit au cinéma, si vous voulez être dans le coup, très bien ; sinon, vous pouvez vous en aller maintenant, et on n'en reparlera plus jamais. Ce serait trop vouloir qu'espérer voir des hommes s'exposer aveuglément au danger. »

Bien entendu, personne ne s'en alla ; ce n'était pas le genre des hommes qui se trouvaient rassemblés là. Et puis ils savaient qu'on en reparlerait, au contraire ; Davenport avait une mémoire redoutable. C'étaient de vrais officiers. L'une des compensations, pour le fait de porter un uniforme et de gagner moins d'argent qu'un homme d'égale compétence dans le monde réel, c'était le risque de se faire tuer.

« Merci, messieurs. Je pense que vous ne le regretterez pas. » Davenport se leva, et tendit à chacun une enveloppe brune. « Vous allez bientôt avoir l'occasion d'examiner un sous-marin lance-engins soviétique... de l'intérieur. »

Quatre paires d'yeux cillèrent à l'unisson.

33N 75W

Le SM américain *Ethan Allen* avait gagné sa position depuis plus de trente heures, et tournait dans un rayon de cinq milles à soixante-dix mètres d'immersion. Rien ne pressait. Il avançait juste assez vite pour maintenir sa direction, le réacteur ne produisant que dix pour cent de sa capacité. Le maître timonier donnait un coup de main à la cuisine.

« Première fois de ma vie que je fais ça sur un sous-marin », observa l'un des officier de l'*Allen,* qui, tenant lieu de cuisinier, battait une omelette.

Le maître timonier soupira imperceptiblement. Ils auraient dû partir avec un vrai cuisinier, mais le leur n'était encore qu'un gamin, et tous les hommes embarqués avaient plus de vingt ans de service. Tous étaient des techniciens à l'exception du maître timonier, qui pouvait faire face à un grille-pain dans ses bons jours.

« Vous faites souvent la cuisine, chez vous ?

— Oui, assez. Mes parents avaient un restaurant à Pass Christian. Voici l'omelette cajun, spécialité de ma mère. Dommage que nous n'ayons pas de bar. Je pourrais vous faire des trucs formidables, avec du bar et du citron. Vous aimez la pêche ?

— Non. » Le petit groupe d'officiers et de techniciens travaillait dans une atmosphère détendue, et le maître timonier était un homme habitué à la discipline et au respect de la hiérarchie. « Commandant, puis-je vous demander ce que nous fichons là ?

— Je voudrais bien le savoir. Nous attendons quelque chose.

— Mais quoi, commandant ?

— Du diable si j'en sais quelque chose. Voulez-vous me passer ces cubes de jambon ? Et vérifier le pain dans le four ? Il devrait être prêt. »

A bord du New Jersey

Le contre-amiral Eaton était perplexe. Son groupe de combat s'étendait sur vingt milles au sud des Russes. S'il n'avait pas fait nuit, il aurait pu voir la haute structure du *Kirov* se découper sur l'horizon, de sa passerelle d'amiral. Les escorteurs formaient une vaste ligne en deçà du croiseur de combat, et émettaient au sonar, pour retrouver un sous-marin.

Depuis que l'aviation avait lancé sa fausse attaque, les Soviétiques filaient doux. C'était pour le moins singulier. Le *New Jersey* et ses escorteurs surveillaient sans répit la formation russe et, pour plus de sûreté, deux chasseurs Sentry veillaient aussi. Le redéploiement des Russes avait fait basculer la responsabilité d'Eaton sur le groupe *Kirov*. Cela lui convenait. Ses principales tourelles d'artillerie étaient rentrées, mais les canons étaient chargés, et les postes de contrôle de tir prêts à entrer en action. Le *Tarawa* se trouvait à trente milles au sud, avec son escadrille de Harriers prête à décoller en cinq minutes. Les Soviétiques devaient bien le savoir, même si leurs hélicoptères ASM n'avaient pas approché un bâtiment américain à moins de cinq milles depuis deux jours. Les bombardiers Bear et Backfire qui les survolaient en faisant la navette avec Cuba — il y en avait fort peu, et ceux qui regagnaient l'Union soviétique allaient aussi vite qu'ils le pouvaient pour faire demi-tour — ne pouvaient pas manquer de rapporter ce qu'ils voyaient. Les navires américains étaient en formation d'attaque déployée, et les missiles du *New Jersey* et de ses escorteurs recevaient un flux continu d'informations transmises par les senseurs. Et les Russes les ignoraient. Leurs seules émissions électroniques étaient les radars ordinaires de navigation. Bizarre.

Après une course de cinq mille milles pour accourir de l'Atlantique Sud, le *Nimitz* se trouvait à portée de vol ; le porte-avions et ses escorteurs nucléaires, le *California*, le *Bainbridge* et le *Truxtun*, n'étaient plus qu'à quatre cents milles au sud, suivis à une demi-journée de navigation par le groupe de combat *America*. Quant au *Kennedy*, il était stationné à cinq cents milles à l'est. Les Soviétiques allaient devoir réfléchir au danger que représentaient trois formations de porte-avions à leurs trousses, et plusieurs centaines d'appareils basés à terre et revenant progressivement du sud, de base en base. Peut-être cela expliquait-il leur passivité.

Les bombardiers Backfire se faisaient escorter par relais depuis l'Islande, d'abord par les Tomcats de l'escadrille navale de *Saratoga*, puis par les Phantoms opérant dans le Maine, qui confiaient ensuite les avions russes aux Eagles et aux Fighting Falcons, qui surveillaient la côte au sud presque jusqu'à Cuba. On ne pouvait guère douter de l'intérêt extrême des Etats-Unis, même si les unités américaines ne harcelaient plus les Russes activement. Ce qui satisfaisait bien Eaton. Il n'y avait plus rien à gagner à les harceler et, de toute façon, ce groupe de combat pouvait s'il le fallait passer de l'état de paix à celui de guerre en moins de deux minutes.

Les appartements du Watergate

« Excusez-moi, je viens d'emménager, juste au bout du couloir, et mon téléphone n'est pas encore branché. Pourrais-je passer un coup de fil de chez vous ? »

Henderson arriva rapidement à la décision. Un mètre soixante, des cheveux auburn, des yeux gris, une ligne très correcte, un sourire éblouissant et des vêtements de bon ton. « Bien sûr. Bienvenue à Watergate. Entrez.

— Merci. Je m'appelle Hazel Loomis. Mes amis me surnomment Sissy. » Elle lui tendit la main.

« Pete Henderson. Le téléphone est dans la cuisine. Je vais vous montrer. » L'avenir s'illuminait. Il venait de mettre fin à une liaison difficile avec l'une des secrétaires du sénateur, et ils en avaient tous deux souffert.

« J'espère que je ne vous dérange pas ? Vous avez quelqu'un ?

— Non, je suis seul avec la télé. Vous êtes nouvelle à Washington ? La folle vie nocturne n'y est pas aussi folle qu'on le raconte ! Tout au moins, pas quand il faut se lever le lendemain pour aller travailler. Où travaillez-vous — je crois comprendre que vous êtes célibataire ?

— C'est cela. Je suis programmatrice à DARPA, et je ne puis évidemment pas en parler beaucoup. »

Que de bonnes nouvelles ! songea Henderson. « Voici le téléphone. »

Loomis jeta un coup d'œil autour d'elle comme pour examiner la décoration de la pièce, puis fouilla dans son sac et en tira une pièce de dix cents, qu'elle tendit à Henderson. Il se mit à rire.

« Le premier appel est gratuit, et je vous garantis que vous pourrez venir téléphoner de chez moi aussi souvent que vous le souhaiterez.

— Je le savais, dit-elle en composant un numéro, je savais que ce serait bien mieux qu'au Laurel. Allô, Kathy ? Sissy à l'appareil. Je viens d'emménager, et le téléphone n'est même pas encore branché... Oh, c'est un type qui habite à côté, qui a la gentillesse de me prêter le sien... D'accord, à demain pour le déjeuner. Salut, Kathy. »

Loomis parcourut une nouvelle fois la pièce du regard. « Qui vous a fait la décoration ?

— Moi-même. J'ai fait une option d'art à Harvard, et je connais quelques jolies boutiques à Georgetown. On y trouve d'excellentes affaires, quand on sait où chercher.

— Oh, j'adorerais décorer mon appartement comme le vôtre ! Je peux visiter ?

— Bien sûr ! On commence par la chambre ? » Henderson ponctua sa proposition d'un rire, pour montrer qu'il n'avait pas d'intentions malhonnêtes — bien qu'il en eût, mais il était patient dans ce genre d'affaires. La visite, qui dura plusieurs minutes, confirma à Loomis que l'appartement était bel et bien vide. Une minute plus tard, on frappa à la porte. Henderson grommela avec bonne humeur en allant ouvrir.

« Peter Henderson ? » L'homme qui posait cette question arborait un costume strict. Henderson était en blue-jeans et chemise sport.

« Oui ? » Henderson recula, devinant ce qui lui arrivait. Pourtant, la suite le surprit.

« Vous êtes en état d'arrestation, monsieur Henderson, déclara Sissy Loomis en exhibant sa carte. Vous êtes accusé d'espionnage. Vous avez le droit de garder le silence et de vous entretenir avec un avocat. Si vous renoncez au droit de garder le silence, tout ce que vous direz sera enregistré et pourra être retenu contre vous. Si vous n'avez pas d'avocat, ni les moyens d'en engager un, nous ferons le nécessaire pour vous en procurer un d'office. Comprenez-vous ces droits, monsieur Henderson ? » C'était la première affaire d'espionnage de Sissy Loomis. Pendant cinq ans, elle s'était spécialisée dans les affaires de cambriolage de banque, et il lui était souvent arrivé de tenir le rôle de caissière avec un revolver Magnum 357 dans son tiroir. « Souhaitez-vous renoncer à ces droits ?

— Non. » La voix de Henderson avait pris une intonation rauque.

« Oh, vous y viendrez, dit l'inspecteur. Vous y viendrez. » Il se tourna vers les trois agents qui l'accompagnaient. « Messieurs, je veux une fouille complète des lieux. Proprement, messieurs, et en silence. Nous ne voulons réveiller personne. Qant à vous, monsieur Henderson, vous allez nous accompagner. Vous pouvez changer d'avis avant. Nous pouvons procéder de la manière douce, ou de la manière dure. Si vous promettez de coopérer, pas de menottes. Mais si vous essayez de fuir — n'en faites rien, croyez-moi. »

L'inspecteur travaillait depuis vingt ans pour le FBI, et n'avait même jamais sorti son revolver de service dans un moment de colère, tandis que Loomis avait déjà tiré et abattu deux hommes. Il était un ancien de la maison, qui ne pouvait s'empêcher de se demander ce qu'en aurait pensé monsieur Hoover, sans parler du nouveau directeur juif.

*A bord d'*Octobre rouge

Ramius et Kamarov discutèrent plusieurs minutes au-dessus de la carte, traçant des parcours possibles avant de tomber d'accord sur une route. L'équipage s'en désintéressait. On ne les avait jamais encouragés à s'intéresser aux cartes. Le capitaine alla décrocher le téléphone.

« Camarade Melekhine, appela-t-il, puis il attendit quelques secondes. Camarade, ici le commandant. Y a-t-il encore des problèmes de réacteur ?

— Non, commandant.

— Parfait. Continuez encore deux jours. » Ramius raccrocha. Il restait trente minutes avant le changement de quart.

Melekhine et Kirill Surzpoï, l'ingénieur adjoint, avaient la responsabilité du compartiment machines. Melekhine s'occupait des turbines, et Surzpoï du réacteur. Chacun était aidé d'un *michman* et de trois matelots. Les ingénieurs avaient eu un voyage très contraignant. Chaque instrument et chaque indicateur des compartiments machines avait été vérifié, plusieurs ayant même été entièrement démontés et remontés par les deux officiers, avec l'aide de Valentin Bugayev, l'officier électronique et génie du bord qui assumait également la responsabilité des cours de prise de conscience politique réservés à l'équipage. Les hommes des compartiments machines étaient les plus secoués. Tout le monde avait eu vent de la contamination supposée — les secrets ne tiennent jamais bien longtemps, à bord d'un sous-marin. Pour alléger un peu leur tâche, de simples matelots prenaient le quart au compartiment machines. Le commandant estimait que c'était là une bonne chose, dans le cadre de la formation sur le tas qu'il prônait toujours. L'équipage considérait que c'était une bonne chose pour être empoisonné. La discipline restait en vigueur, bien sûr. Cela s'expliquait en partie par la confiance qu'inspirait le commandant à ses hommes, en partie par leur formation, mais surtout par leur conscience de ce qui se passerait s'ils n'exécutaient pas les ordres immédiatement, et avec enthousiasme.

« Camarade Melekhine, appela Surzpoï, je remarque des fluctuations de pression sur la grande boucle, indicateur numéro six.

— J'arrive. » Melekhine accourut et écarta le *michman* en parvenant au panneau central de contrôle. « Encore des instruments défectueux ! Les autres paraissent normaux. Rien de grave », déclara l'ingénieur d'une voix neutre, faisant en sorte d'être entendu de tous. Tout le quart du compartiment vit le chef ingénieur chuchoter quelque chose à son assistant. Le plus jeune des deux hocha lentement la tête, tandis que leurs quatre mains manipulaient les commandes.

Une forte sonnerie biphasée et une lampe rotative rouge se déclenchèrent.

« Coupez la pile, ordonna Melekhine.

— Coupé. » Surzpoï écrasa du doigt la touche d'extinction totale.

« Tous les hommes, à l'avant ! » ordonna Melekhine. Nul n'hésita. « Non, vous, branchez les moteurs de la chenille sur la batterie, vite ! »

Le maître principal revint en courant brancher les contacts requis, tout en maudissant le changement d'ordre. Cela prit quarante secondes.

« C'est fait, camarade !

— *Dehors !* »

Le maître principal fut le dernier à sortir. Il s'assura que les panneaux étaient bien fermés avant de s'élancer vers le central.

« Quel est le problème ? s'enquit Ramius d'une voix calme.

— Alerte de radiation dans le compartiment du réacteur.

— Très bien, retournez à l'avant et douchez-vous, ainsi que toute votre équipe de quart. Ressaisissez-vous. » Ramius tapota le bras du *michman*. « Nous avons déjà eu ce problème. Vous êtes un homme d'expérience. L'équipage voit en vous un chef. »

Ramius décrocha le téléphone. Un moment s'écoula avant que son correspondant réponde. « Que s'est-il passé, camarade ? » Le personnel du central regardait le commandant écouter la réponse. Ils ne pouvaient s'empêcher d'admirer son calme. Les alertes de radiation avaient retenti dans tout le bâtiment. « Très bien. Il ne nous reste pas beaucoup d'heures d'utilisation de la batterie, camarade. Il faut que nous remontions à l'immersion périscopique. Restez sur place pour mettre en route le diesel. Oui. » Il raccrocha.

« Camarades, écoutez-moi. » Ramius maîtrisait parfaitement sa voix. « Il y a un petit problème dans les systèmes de contrôle du réacteur. L'alarme que vous venez d'entendre ne signalait pas une fuite radioactive, mais un problème de systèmes de contrôle du réacteur. Les camarades Melekhine et Surzpoï ont réussi une manœuvre de coupure d'urgence du réacteur, mais nous ne pouvons pas faire fonctionner normalement le réacteur sans les contrôles principaux. Nous allons donc poursuivre le voyage au diesel. Afin de nous protéger des *éventuelles* contaminations radioactives, les compartiments du réacteur ont été isolés et les autres, en particulier ceux des machines, vont être ventilés à l'air libre dès que nous serons remontés en surface. Kamarov, vous irez à l'arrière pour manœuvrer les vannes des manches à air. Je prends le quart.

— Bien, commandant ! » Kamarov se dirigea vers l'arrière.

Ramius décrocha le micro pour informer l'équipage. Tout le monde attendait des nouvelles. A l'avant, des hommes d'équipage murmuraient entre eux que le mot *petit* servait un peu trop, que les sous-marins, ça ne marchait pas au diesel, bon Dieu, et ça ne se ventilait pas en surface.

Quand il eut terminé sa troisième annonce, Ramius ordonna de se rapprocher de la surface.

A bord du Dallas

« Ça m'épate, commandant. » Jones hocha la tête. « Les bruits de réacteur ont cessé, les pompes sont arrêtées, mais il continue à la même vitesse, exactement comme avant. Sur une batterie, j'imagine.

— Ce doit être une sacrée batterie, pour faire avancer si vite un aussi gros morceau, observa Mancuso.

— J'ai fait quelques calculs là-dessus, tout à l'heure. » Jones prit son bloc de papier. « Sur la base de la coque Typhon, avec un bon coefficient, et c'est donc sans doute un minimum.

— Où avez-vous appris à faire cela, Jonesy ?

— Le lieutenant Thompson a vérifié les trucs d'hydrodynamique pour moi. Quant à l'aspect électrique, c'est simple comme bonjour. Il a vraisemblablement quelque chose d'exotique — des cuves de carburant, par exemple. Sinon, s'il marche sur batterie ordinaire, il a assez de puissance électrique pour faire démarrer toutes les voitures de Los Angeles. »

Mancuso hocha la tête. « Cela ne peut pas durer indéfiniment. »

Jones leva la main. « Bruits de coque... On dirait qu'il remonte. »

*A bord d'*Octobre rouge

« Hissez le schnorchel », ordonna Ramius. En regardant par le périscope, il vérifia que le tube était monté. « Bien, aucun autre navire en vue. C'est une bonne nouvelle. Je crois que nous avons semé nos poursuivants impérialistes. Sortez l'antenne ESM. Assurons-nous qu'aucun avion ennemi ne rôde avec des radars.

— Dégagé, commandant. » Bugayev s'occupait de l'écoute radar. « Rien du tout, pas même un avion de ligne.

— Nous avons donc semé la meute de rats. » Ramius décrocha à nouveau le téléphone. « Melekhine, vous pouvez ouvrir le collecteur d'échappement et évacuer l'air des compartiments machines, puis démarrez le diesel. » Une minute plus tard, tout le monde à bord sentit la vibration de l'énorme moteur Diesel qui se mettait en marche. Tout l'air des espaces du réacteur fut remplacé par de l'air aspiré par le schnorchel, tandis que l'air « contaminé » était rejeté à la mer.

Le moteur continua à vibrer pendant deux minutes et, dans tout le sous-marin, les hommes guettaient le changement de régime signifiant que le groupe électrogène tournait bien, et pouvait produire l'énergie nécessaire à la charge de la batterie. Mais il restait en position de démarrage et, au bout de trente secondes, il cala. Le téléphone du central sonna. Ramius décrocha.

« Que se passe-t-il avec le diesel ? demanda sèchement le commandant. Je vois. Je vous renvoie des hommes... oh ! Restez à proximité. » Ramius jeta un coup d'œil à la ronde, la bouche crispée en une mince ligne décolorée. Le jeune ingénieur, Svyadov, se tenait à l'arrière du compartiment. « Il me faut un homme qui connaisse les moteurs Diesel, pour aider le camarade Melekhine.

— J'ai grandi dans une ferme, déclara Bugayev. J'ai commencé tout petit à tripoter les moteurs de tracteurs.

— Il y a un nouveau problème... »

Bugayev hocha la tête avec assurance. « C'est ce que j'ai compris, commandant, mais nous avons besoin du diesel, non ?

— Je n'oublierai pas cela, camarade, promit doucement le commandant.

— Eh bien, vous pourrez m'offrir une tournée de rhum à Cuba, camarade. » Bugayev sourit bravement. « J'aimerais bien rencontrer une camarade cubaine — de préférence avec les cheveux longs.

— Je peux vous accompagner, camarade ? » proposa Svyadov anxieusement. Il avait été bousculé par des matelots en fuite au moment où il s'approchait du panneau du compartiment du réacteur pour prendre le quart.

« Etudions d'abord la nature du problème, suggéra Bugayev en regardant le commandant pour obtenir son assentiment.

— Oui, nous avons tout notre temps, Bugayev. Venez me rendre compte personnellement dans dix minutes.

— Oui, commandant.

— Svyadov, prenez le poste du lieutenant. » Ramius désigna le tableau ESM. « Profitez-en pour vous instruire. »

Le lieutenant obéit à l'ordre. Le commandant paraissait très préoccupé. Svyadov ne l'avait jamais vu dans cet état.

LE QUATORZIÈME JOUR

Jeudi 16 décembre

Un Super Stallion

Ils avançaient à cent cinquante nœuds, à sept cents mètres au-dessus de la mer sombre. C'était un vieil hélicoptère Super Stallion. Construit vers la fin de la guerre du Viêt-nam, il avait commencé son service par le déminage du port de Haiphong. Cela avait constitué sa première tâche, avec un traîneau de mer à la remorque, en servant de dragueur de mines volant. Maintenant, le gros Sikorski servait à d'autres tâches, en particulier aux missions de transport lourd sur longues distances. Les trois moteurs à turbines perchés au sommet du fuselage produisaient une quantité d'énergie considérable, et pouvaient transporter une section entière de troupes de combat armées sur de grandes distances.

Ce soir, en plus de son équipage normal, composé de trois hommes, il transportait quatre passagers, ainsi qu'une lourde cargaison de carburant placée dans les réservoirs extérieurs. Les passagers étaient entassés dans le coin arrière de la section fret, et bavardaient en s'efforçant de couvrir le vacarme des moteurs. La conversation était animée. Les officiers de renseignements avaient refoulé la notion de danger inhérente à la mission — inutile de s'y attarder — et tentaient d'imaginer ce qu'ils pourraient trouver à bord d'un vrai sous-marin russe authentique. Chaque homme pensait aux récits qui auraient pu en résulter, et trouvait honteux de ne jamais pouvoir les raconter à personne. Nul cependant n'exprimait ces pensées. Au mieux, une poignée d'hommes connaîtraient un jour l'histoire entière ; quant aux autres, ils n'en verraient que des fragments épars qui, par la suite, apparaîtraient comme les éléments de diverses autres opérations. Et si un agent soviétique cherchait à déterminer quelle avait été cette mission, il se retrouverait dans un labyrinthe, confronté à des dizaines de murs aveugles.

Le profil de la mission était serré. L'hélicoptère faisait route pour rejoindre le porte-aéronefs britannique l'*Invincible,* d'où ils s'envoleraient à destination du sous-marin américain le *Pigeon,* à bord d'un Sea King de la Royal Navy. L'absence du Stallion pendant quelques heures serait considérée à la base aéronavale d'Oceana comme une simple affaire de routine.

Les moteurs de l'hélicoptère marchaient à pleine puissance et consommaient une quantité énorme de carburant. L'appareil avait maintenant parcouru quatre cents milles au large de la côte américaine, et devait encore en couvrir quatre-vingts. Son vol en direction de l'*Invincible* n'était pas direct ; il zigzaguait, afin de tromper quiconque aurait pu s'apercevoir de leur départ et les suivre au radar. Les pilotes étaient fatigués. Quatre heures peuvent paraître bien longues, quand on est serré dans un cockpit surchargé, et l'aviation militaire n'est pas spécialement réputée pour le confort qu'elle offre à ses usagers. Les voyants rouges des instruments luisaient lugubrement. Les deux hommes étaient particulièrement attentifs à guetter leur horizon artificiel ; le ciel uniformément couvert les privait de tout point de repère fixe, et l'on risquait de se laisser hypnotiser quand on volait de nuit au-dessus de l'eau. Mais cela n'avait cependant rien d'une mission inhabituelle. Les pilotes en avaient souvent eu d'analogues, et leurs préoccupations ressemblaient assez à celles d'un bon conducteur sur une route glissante. Le danger existait, mais faisait partie de la routine.

« Juliet 6, votre destination est en position zéro-huit-zéro, distance soixante-quinze milles, annonça le Sentry.

— Il croit qu'on est perdus ? protesta le commandant John Marcks dans l'intercom.

— C'est bien l'Air Force, répondit le copilote. Ils ne savent pas voler sur l'eau ! Ils croient qu'on va se perdre dès qu'il n'y a plus de route à longer !

— Ha ha ! rit Marcks. Lesquels joues-tu ce soir, dans le match des Eagles ?

— Houston, à trois et demi.

— Six et demi. L'arrière de Philadelphie est encore handicapé.

— Cinq.

— Okay, cinq dollars. Je ne veux pas t'accabler. » Marcks sourit. Il adorait parier. Le lendemain de l'attaque des Malouines par l'Argentine, il avait demandé si quelqu'un de l'escadrille voulait prendre l'Argentine avec sept points.

Au-dessus de leurs têtes et à l'arrière, les moteurs tournaient à des milliers de tours à la minute pour actionner les sept pales du rotor. Ils ne pouvaient pas savoir qu'une fracture se développait dans la boîte de transmission, près de l'orifice d'admission du fluide.

« Juliet 6, votre destination vient d'envoyer un chasseur pour vous escorter à bon port. Rendez-vous dans huit minutes. Ils approchent à onze heures, trois anges.

— C'est gentil », dit Marcks.

Harrier 2-0

Le lieutenant Parker pilotait le Harrier qui devait escorter le Super Stallion, et un sous-lieutenant se trouvait assis derrière lui, dans la cabine de l'appareil de la Royal Navy. Le vrai but n'était pas d'accompagner l'hélico jusque sur l'*Invincible,* mais de vérifier une dernière fois qu'aucun sous-marin soviétique ne risquait de remarquer la présence du Super Stallion et de s'interroger sur ce qu'il faisait.

« De l'activité sur l'eau ? interrogea Parker.

— Pas le moindre reflet. » Le sous-lieutenant manœuvrait l'appareil infrarouge avant, qui balayait les alentours de leur parcours. Aucun des deux hommes ne savait ce qui se passait, mais ils avaient longuement tenté de deviner, en se trompant, ce qui pouvait bien pourchasser ainsi leur porte-avions à travers ce foutu océan.

« Essayez de repérer l'hélico, suggéra Parker.

— Un instant... Voilà. Juste au sud de notre route. » Le sous-lieutenant pressa un bouton, et l'écran du pilote s'anima. L'image thermique montrait surtout les moteurs groupés au-dessus de l'appareil, dans la lueur verte plus faible, plus terne, des pointes du rotor chaud.

« Harrier 2-0, ici Sentry Echo. Votre cible est à une heure, distance vingt milles. Répondez.

— Bien reçu, nous l'avons dans la caisse IR. Merci, terminé, dit Parker. Sacrément utiles, ces Sentries.

— Le Sikorski marche à pleine puissance, regardez cette signature de moteur ! »

Super Stallion

A ce moment-là, la boîte de transmission craqua. Aussitôt les dizaines de litres de fluide lubrifiant se transformèrent en un nuage gras derrière la tête du rotor, et les mécanismes délicats commencèrent à s'entre-déchirer. Un voyant d'alarme s'alluma sur le tableau de bord. Marcks et le copilote eurent aussitôt le réflexe de couper tous les contacts. Mais ils n'en eurent pas le temps. La transmission se bloqua presque, mais la force des trois moteurs la fit littéralement exploser. Des pièces arrachées s'engouffrèrent dans l'enceinte de sûreté et détruisirent tout l'avant de l'appareil. La force du rotor faisait tournoyer sauvagement le Stallion, qui tombait en chute libre. Deux des officiers de l'arrière, qui avaient desserré leurs ceintures, jaillirent de leurs sièges et se projetèrent en avant, en position roulée.

« May Day May Day May Day, ici Juliet 6 », appela le copilote. Le corps du commandant Marcks avait basculé sur les commandes, avec une tache sombre sur la nuque. « Nous tombons, nous tombons. May Day May Day May Day. »

Le copilote essaya de faire quelque chose. Le rotor principal tournait lentement — trop lentement. Le système de découplage qui devait lui permettre de tourner en autonomie avec un reste de contrôle ne fonctionnait plus. Les commandes ne servaient plus à rien, et il se trouvait lancé dans une course folle vers l'océan noir. Il lui restait vingt secondes avant le choc. Il se débattit avec ses commandes et son rotor de queue pour redresser l'appareil. Il y réussit, mais c'était trop tard.

Harrier 2-0

Ce n'était pas la première fois que Parker voyait mourir des hommes. Lui-même en avait tué un, en expédiant un missile Sidewinger dans le tuyau d'échappement d'un Dagger de combat argentin. Cela n'avait rien eu de réjouissant. Mais ceci était bien pire. Sous ses yeux, le moteur extérieur du Super Stallion explosa en gerbes d'étincelles. L'appareil ne brûlait pas vraiment, mais cela ne changeait pas grand-chose pour les passagers. Il contemplait le désastre en concentrant sa force de volonté sur le nez pour le faire remonter — et le nez remonta un peu, mais pas suffisamment. Le Stallion heurta violemment l'eau. Le fuselage éclata en se brisant par le milieu. L'avant coula instantanément, mais l'arrière oscilla quelques secondes, comme une baignoire avant de commencer à se remplir d'eau. D'après l'image infrarouge, personne ne put se dégager avant le naufrage.

« Sentry, Sentry, vous avez vu, là ?

— Oui, vu, Harrier. Lançons immédiatement mission de sauvetage. Pouvez-vous rester sur place ?

— Okay, nous allons tourner. » Parker vérifia le niveau de carburant. « Autonomie de quatre-vingt dix minutes. Je reste là. » Parker amorça une descente vers l'épave et alluma ses feux d'atterrissage, ce qui déclencha le système vidéo à éclairage restreint. « Tu as vu ça, Ian ? demanda-t-il à son coéquipier.

— Je crois que ça a bougé.

— Sentry, Sentry, nous avons peut-être un survivant dans l'eau. Dites à l'*Invincible* d'envoyer tout de suite un Sea King. Je descends pour vérifier. On vous tiendra au courant.

— Bien reçu, Harrier 2-0. Votre commandant signale qu'un hélico décolle déjà. Terminé. »

Le Sea King de la Royal Navy arriva vingt-cinq minutes plus tard. Un infirmier en tenue de plongée sauta dans l'eau pour prendre au collet l'unique survivant. Il n'y en avait pas d'autre, ni d'épave, seulement une traînée de carburant qui s'évaporait peu à peu dans l'air froid. Un second hélicoptère poursuivit les recherches, tandis que le premier se hâtait de regagner le porte-aéronef.

*A bord de l'*Invincible

De la passerelle, Ryan regarda les infirmiers emporter la civière dans l'îlot. Un autre homme d'équipage apparut un instant plus tard, portant une serviette de cuir.

« Il tenait cela, amiral. C'est un capitaine de corvette du nom de Dwyer. Une jambe et plusieurs côtes brisées. Il est en mauvais état, amiral.

— Merci. » White prit la serviette. « Peut-on espérer trouver d'autres survivants ? »

Le matelot secoua la tête. « Pas vraiment, amiral. Le Sikorski a dû couler comme une pierre. » Il se tourna vers Ryan. « Je suis navré, commandant.

— Merci. »

« *Norfolk* en liaison radio, amiral, annonça un officier des transmissions.

— Allons-y, Jack. » L'amiral White lui tendit la serviette et le précéda au poste des transmissions.

« L'hélico a coulé. Nous avons un survivant en cours de

réanimation », annonça Ryan par radio. Il y eut un moment de silence.

« Comment s'appelle-t-il ?

— Dwyer. On l'a transporté immédiatement à l'infirmerie, amiral. Il est hors d'état d'agir. Quelle que soit la mission, il faut la reconsidérer.

— Bien reçu. Terminé, répondit l'amiral Blackburn.

— Quoi que nous décidions de faire, observa l'amiral White, il va falloir agir vite. Nous devons expédier notre hélico au *Pigeon* d'ici deux heures, pour pouvoir le récupérer avant l'aube. »

Ryan savait exactement ce que cela impliquait. Il n'y avait que quatre hommes en mer sachant exactement ce qui se passait, et situés assez près pour agir. Il était le seul Américain des quatre. Le *Kennedy* était trop loin. Le *Nimitz* aurait pu intervenir, mais cela supposait de lui exposer les faits par radio, ce qui n'enthousiasmait guère Washington. La seule autre possibilité consistait à constituer une nouvelle équipe d'agents de renseignements, et l'envoyer à la place de la première. Mais le temps pressait trop.

« Ouvrons cette serviette, amiral. Il faut que je voie quelle était la mission. » En regagnant la cabine de White, ils requirent au passage les services d'un second maître mécanicien. Il se révéla excellent serrurier.

« Mon Dieu ! s'exclama Ryan d'une voix étouffée en lisant les documents contenus dans la serviette. Vous feriez mieux de regarder cela.

— Eh bien, articula White quelques minutes plus tard, c'est astucieux.

— Joli comme tout, renchérit Ryan. Je me demande quel est le génie qui a concocté cela. Mais je sais que ça va me retomber dessus. Je vais demander à Washington la permission d'emmener quelques officiers. »

Dix minutes plus tard, ils étaient de nouveau au poste de transmissions. White fit dégager le compartiment. Puis Ryan parla sur la ligne protégée. Tous deux espéraient que le mécanisme de protection était efficace.

« Je vous entends bien, monsieur le président. Vous savez ce qui est arrivé à l'hélicoptère.

— Oui, Jack, c'est tout à fait regrettable. J'ai besoin de vous pour notre coup final.

— Oui, je m'en doutais.

— Je ne peux pas vous l'ordonner, mais vous connaissez l'enjeu. Acceptez-vous de jouer ? »

Ryan ferma les yeux. « Affirmatif.

— J'apprécie votre dévouement, Jack. »

Je m'en doute un peu. « Monsieur le président, il me faut votre autorisation pour me faire aider par quelques officiers britanniques.

— Un seul, déclara le président.

— Il m'en faut davantage.

— Un.

— Compris. Nous partirons dans une heure.

— Vous savez ce qui doit arriver ?

— Oui. Le survivant de l'hélico avait les ordres sur lui. Je les ai déjà lus.

— Bonne chance, Jack.

— Merci, monsieur. Terminé. » Ryan coupa la communication par satellite et se tourna vers l'amiral White. « Portez-vous volontaire une fois, juste une, et vous verrez ce qui vous arrivera.

— Peur ? » White ne semblait pas amusé.

« Foutrement, oui. Puis-je vous emprunter un de vos officiers ? Un type qui parle russe, de préférence. Vous savez ce qui pourrait arriver.

— Nous allons voir. Venez. »

Cinq minutes plus tard, ils avaient regagné la chambre de White et attendaient l'arrivée de quatre officiers. Tous étaient lieutenants de vaisseau et avaient moins de trente ans.

« Messieurs, commença l'amiral, voici le commandant Ryan. Il lui faut un volontaire pour l'accompagner en mission de la plus haute importance. La nature de cette mission est secrète et très exceptionnelle. Elle implique également un certain danger. Vous avez été retenus, tous les quatre, parce que vous parlez russe. C'est tout ce que je puis vous dire.

— On va parler avec un sous-marin russe ? lança l'aîné des quatre. Je suis votre homme ! J'ai une licence de russe, et ma première affectation était le sous-marin nucléaire lanceur d'engins *Dreadnought.* »

Ryan hésita un instant devant la responsabilité morale d'accepter cet homme avant de lui dire ce qu'il aurait à faire. Puis il hocha la tête en signe d'assentiment, et White congédia les autres.

« Je m'appelle Jack Ryan. » Il lui tendit la main.

« Owen Williams. Alors, que faut-il faire ?

— Le sous-marin s'appelle *Octobre rouge...*

— *Krasny Oktyabr.* » Williams sourit.

« Et il tente de passer à l'Ouest. Aux Etats-Unis.

— Vraiment ? Voilà donc la cause de tout ce tremblement. Joli coup de la part du commandant. En sommes-nous tout à fait certains ? »

Ryan consacra plusieurs minutes à lui exposer le détail des renseignements obtenus. « Nous lui avons donné des instructions par signaux morses lumineux, et il semble avoir joué le jeu. Mais nous ne le saurons avec certitude qu'en arrivant à bord. Les transfuges changent volontiers d'avis, on le sait, et cela se produit plus fréquemment que vous ne pourriez l'imaginer. Voulez-vous toujours venir ?

— Rater une chance pareille ? Comment allons-nous arriver à bord, commandant ?

— Appelez-moi Jack. J'appartiens à la CIA, et non à la marine. »

Il lui expliqua le projet.

« Parfait. Ai-je le temps de me préparer ?

— Soyez ici dans dix minutes, déclara White.

— Oui, amiral. » Williams salua et sortit.

White était déjà au téléphone. « Envoyez-moi le lieutenant Sinclair. » L'amiral expliqua à Ryan qu'il s'agissait du commandant du détachement de marines, à bord de l'*Invincible.* « Peut-être aurez-vous besoin d'un autre ami. »

L'autre ami était un pistolet automatique FN 9 millimètres, avec un chargeur d'appoint et un étui d'épaule qui disparaissait parfaitement sous sa veste. L'ordre de mission fut déchiré et brûlé avant le départ.

L'amiral White accompagna Ryan et Williams sur la plate-forme d'envol. Ils s'arrêtèrent au panneau, et regardèrent le Sea King dont les moteurs se mettaient bruyamment en marche.

« Bonne chance, Owen. » White serra la main du jeune homme, qui salua et partit.

« Mon bon souvenir à votre femme, amiral. » Ryan lui prit la main.

« Cinq jours et demi de route entre ici et l'Angleterre. Vous la verrez sans doute avant moi. Soyez prudent, Jack. »

Ryan grimaça un sourire. « C'est mon évaluation de la situation, n'est-ce pas ? Si j'ai vu juste, ce sera une partie de plaisir... en supposant que l'hélicoptère ne va pas s'écraser sur moi !

— L'uniforme vous va très bien, Jack. »

Ryan ne s'était pas attendu à cela. Il se mit au garde-à-vous et salua comme il avait appris à le faire à Quantico. « Merci, amiral. A bientôt. »

White le regarda monter dans l'hélicoptère. Le chef d'équipage referma la portière et, un instant plus tard, les moteurs du Sea King passèrent au régime de décollage. L'appareil s'éleva de quelques mètres en titubant, puis vira sec sur bâbord et après une courte descente entreprit de monter en se dirigeant vers le sud. Feux masqués, la silhouette sombre disparut en moins d'une minute.

Au point 33N 75W

Le *Scamp* retrouva l'*Ethan Allen* quelques minutes après minuit. Le sous-marin d'attaque se plaça à mille mètres derrière le vieux lance-missiles, et ils tracèrent un large cercle tandis que leurs opérateurs sonar guettaient l'approche d'un bâtiment à moteurs Diesel, le *Pigeon* américain. Trois pièces du jeu se trouvaient en place. Il en manquait encore trois.

*A bord d'*Octobre rouge

« Nous n'avons pas le choix, déclara Melekhine. Je dois continuer à travailler sur le diesel.

— Laissez-nous vous aider, suggéra Svyadov.

— Que connaissez-vous aux pompes diesel ? répondit Melekhine d'une voix fatiguée, mais chaleureuse. Non, camarade. Surzpoi, Bugayev et moi pourrons y arriver seuls. Il n'y a aucune raison de vous exposer aussi. Je vous ferai un rapport dans une heure.

— Merci, camarade. » Ramius raccrocha. « Ce voyage a été difficile. Sabotage. Jamais de toute ma carrière je n'avais vu cela ! Si nous ne parvenons pas à réparer le diesel... Il ne nous reste que quelques heures de propulsion avec nos batteries, et le réacteur exige un démontage et une inspection complets. Je vous jure bien, camarades, que si nous trouvons le salaud qui a fait cela...

— Ne devrions-nous pas demander du secours ? suggéra Ivanov.

— Si près de la côte américaine, et peut-être avec un sous-marin impérialiste à nos trousses ? Quelle sorte d'*aide* pouvons-nous espérer, hein ? Peut-être sommes-nous devenus les pions d'un jeu meurtrier ? » Il secoua la tête. « Non, nous ne pouvons pas prendre ce risque. Les Américains ne doivent pas mettre la main sur ce sous-marin ! »

Au quartier général de la CIA

« Merci d'arriver si vite, sénateur. Pardonnez-moi de vous avoir fait lever si tôt. » Le juge Moore accueillit Donaldson à la porte et le fit entrer dans son vaste bureau. « Vous connaissez le directeur Jacobs, n'est-ce pas ?

— Bien sûr, et qu'est-ce donc qui rassemble les chefs du FBI et de la CIA à l'aube ? » demanda Donaldson avec un sourire. Cela s'annonçait bien. Diriger la commission restreinte n'était pas seulement une responsabilité, c'était aussi un plaisir, un vrai plaisir, d'être l'une des rares personnes à vraiment connaître le dessous des choses.

Le troisième homme présent dans la pièce, Ritter, aida une quatrième personne à se lever d'un siège à haut dossier qui l'avait caché jusque-là. C'était Peter Henderson, constata Donaldson surpris. Le complet de son adjoint était fripé comme s'il ne s'était pas couché de la nuit. Soudain, ce n'était plus drôle du tout.

Le juge Moore observa avec une feinte sollicitude : « Vous connaissez M. Henderson, bien sûr.

— Que signifie tout cela ? s'enquit Donaldson, plus docilement qu'on ne l'aurait imaginé.

— Vous m'avez menti, sénateur, déclara Ritter. Vous m'aviez promis de ne révéler à personne ce que je vous ai dit hier, tout en sachant que vous le répéteriez à cet homme...

— Je n'ai rien fait de tel.

— ... qui s'est empressé d'en informer un collègue du KGB, poursuivit Ritter. Emil ? »

Jacobs posa sa tasse de café. « Nous surveillons M. Henderson depuis un certain temps. C'est son contact qui nous intriguait. Certaines choses sont trop évidentes. Beaucoup de gens à Washington se font conduire par un taxi régulier. Le contact de Henderson était chauffeur de taxi. Nous avons fini par tomber juste.

— C'est grâce à vous que nous avons débusqué Henderson, sénateur, expliqua Moore. Nous avions un très bon agent à Moscou, voici quelques années, un colonel de leurs services des missiles stratégiques. Il nous transmettait d'excellents renseignements depuis cinq ans, et nous allions le faire sortir avec sa famille. Nous nous efforçons toujours d'agir ainsi, vous savez ; on ne peut pas faire travailler un agent indéfiniment, et nous devions vraiment beaucoup à cet homme. Mais j'ai commis l'erreur de révéler son nom à votre commission. Une semaine plus tard, il avait disparu — volatilisé. Par la suite, bien sûr, ils l'ont fusillé. Quant à sa femme et à ses trois filles, elles ont été expédiées en Sibérie. D'après nos renseignements, elles vivent dans un camp de bûcheronnage à l'est de l'Oural. Un endroit typique, pas d'eau courante, une nourriture ignoble, aucune possibilité de soins médicaux, et comme elles sont la famille d'un traître condamné, vous pouvez imaginer quel enfer elles doivent subir. Un homme courageux assassiné et une famille anéantie. Essayez d'y penser, sénateur. C'est une histoire vraie, et de vraies personnes.

« Nous ignorions, au début, d'où provenaient les fuites. Ce ne pouvait être que vous, ou bien deux autres personnes — et nous avons commencé à révéler des renseignements à divers membres de la commission. Cela nous a pris six mois, mais votre nom est revenu trois fois. Ensuite, nous avons fait surveiller tout votre personnel par le FBI. Emil ?

« En 1970, quand Henderson était rédacteur adjoint du *Crimson,* à Harvard, il a été envoyé sur le campus de Kent State pour faire un reportage sur la fusillade. Vous vous souvenez, l'affaire des " Jours de Fureur " après l'incursion cambodgienne, et cette bavure désastreuse de la garde nationale. J'étais justement là-bas, moi aussi, par coïncidence. Evidemment, Henderson en a eu l'estomac retourné. C'est compréhensible. Mais sa réaction l'est moins. Après ses études, quand il est entré à votre service, il a commencé à parler de son travail avec ses anciens amis militants. Ensuite les Russes ont pris contact avec lui et lui ont demandé des renseignements. Cela se passait pendant les bombardements de Noël — il ne les encaissait pas. Il a obtempéré. Ils ont commencé par des choses sans importance, qu'ils auraient pu apprendre quelques jours plus tard en lisant le *Washington Post.* C'est chaque fois la même chose. Ils lui ont tendu l'hameçon, et il a mordu. Quelques années plus tard, naturellement, ils ont tiré sur l'hameçon pour affermir la prise, et il n'a pas pu se dégager. Nous savons tous comment fonctionne ce petit jeu.

« Hier, nous avons placé un magnétophone dans son taxi. Vous seriez surpris de voir comme c'est facile. Les agents deviennent paresseux, comme tout le monde. Pour abréger l'histoire, nous avons enregistré votre promesse de ne révéler l'information à personne et, moins de trois heures après, nous avons Henderson ici présent qui raconte tout à un agent connu du KGB, également enregistré. Vous n'avez enfreint aucune loi, sénateur, mais il en va tout autrement pour M. Henderson. Il a été arrêté hier soir à 21 heures, inculpé d'espionnage, et nous avons toutes les preuves nécessaires pour que cela tienne.

— Je ne savais rien de tout cela, déclara Donaldson.

— Nous ne le supposions pas un instant », répondit Ritter.

Donaldson s'approcha de son assistant. « Qu'avez-vous à dire pour votre défense ? »

Henderson ne répondit rien. Il envisagea de dire qu'il regrettait, mais comment expliquer ses émotions ? Le sentiment déplaisant d'être l'agent d'une puissance étrangère, juxtaposé avec l'excitation de berner toute une légion d'espions du gouvernement. Au moment de son arrestation, ces émotions s'étaient muées en peur de ce qui allait lui arriver, avec le soulagement que tout fût enfin fini.

« M. Henderson a accepté de collaborer avec nous, annonça obligeamment Jacobs. Plus précisément, dès que vous aurez quitté le Sénat.

— Comment cela ?

— Vous êtes sénateur depuis quoi ? Treize ans, n'est-ce pas ? A l'origine, vous aviez été nommé pour suppléer à un mandat inachevé, si ma mémoire est bonne, observa Moore.

— Peut-être pourriez-vous vous enquérir de ma réaction au chantage ? répliqua le sénateur.

— Chantage ? » Moore tendit les mains. « Mon Dieu, sénateur, le directeur Jacobs vous a déjà dit que vous n'aviez enfreint aucune loi, et vous avez ma parole que la CIA ne laissera rien transpirer de tout ceci. Toutefois, que le ministère de la Justice décide de poursuivre M. Henderson ou non n'est pas de notre ressort. " Assistant de sénateur inculpé de trahison : sénateur Donaldson professe ignorance des activités de son adjoint. " »

Jacobs ajouta : « Sénateur, l'université du Connecticut vous offre la chaire de sciences politiques, depuis plusieurs années. Pourquoi ne pas accepter ?

— Sinon, Henderson ira en prison. Vous voulez me le mettre sur la conscience ?

— Il ne peut manifestement pas continuer à travailler pour vous, et il devrait vous apparaître tout aussi clairement que, s'il est licencié après tant d'années de bons et loyaux services, cela ne passera pas inaperçu. Si, par contre, vous décidiez de quitter la vie publique, il serait moins surprenant qu'il ne retrouve pas de poste équivalent auprès d'un autre sénateur. Il aura donc un emploi tout à fait honorable à la comptabilité générale, où il aura accès à toutes sortes de secrets. Seulement, désormais, déclara Ritter, c'est nous qui déciderons quels secrets il transmettra.

— L'espionnage n'est pas prescriptible, signala Jacobs.

— Si les Soviétiques s'en aperçoivent... » commença Donaldson, mais il s'interrompit. Cela ne l'intéressait pas vraiment, après tout. Pas plus Henderson que ce Russe inventé de toutes pièces. Il avait une image à sauver, des pertes à éponger.

« Vous avez gagné, juge.

— Je pensais bien que vous verriez les choses comme nous. Je vais en informer le président. Merci d'être venu, sénateur. M. Henderson sera un peu en retard au bureau, ce matin. Ne le plaignez pas trop, sénateur. S'il joue le jeu honnêtement, d'ici quelques années nous le libérerons de l'hameçon. Cela s'est déjà produit, mais il faudra qu'il l'ait mérité. Au revoir. »

Henderson marcherait droit. L'alternative était de passer toute sa vie dans une prison de haute sécurité. Après avoir écouté l'enregistrement de sa conversation dans le taxi, il avait fait des aveux complets devant un sténographe de tribunal et une caméra de télévision.

A bord du Pigeon

Le trajet aérien jusqu'au *Pigeon* s'était déroulé avec une merveilleuse banalité. Ce bâtiment de sauvetage à coque de catamaran avait une petite plate-forme d'envol d'hélicoptères à l'arrière, et le Sea King de la Royal Navy était resté un moment en suspens au-dessus, pour donner le temps à Ryan et à Williams de sauter à bord. Ils furent aussitôt conduits à la passerelle, tandis que l'hélicoptère repartait au nord-est vers sa base.

« Messieurs, bienvenue à bord, déclara chaleureusement le commandant. Washington m'informe que vous avez des ordres pour moi. Café ?

— Avez-vous du thé ? s'enquit Williams.

— Nous pourrons sans doute en trouver.

— Allons quelque part où nous pourrons parler tranquillement », suggéra Ryan.

A bord du Dallas

Le *Dallas* était désormais au courant du projet. Alerté par une autre émission ELF, Mancuso était brièvement remonté à l'immersion périscopique pendant la nuit. Puis il avait décodé à la main le long message TOP SECRET, A LIRE ET DÉTRUIRE, dans sa cabine. Le décodage n'était pas le point fort de Mancuso, et il y avait passé une heure entière, tandis que Chambers ramenait le *Dallas* sur la piste de son but. En passant devant la cabine du commandant, un matelot avait entendu un « Merde » étouffé à travers la porte. Quand il réapparut, Mancuso ne pouvait retenir un petit sourire content. Il n'était pas non plus très fort aux cartes.

A bord du Pigeon

Le *Pigeon* était l'un des deux navires modernes de sauvetage de sous-marins, conçus de manière à pouvoir repérer et atteindre un sous-marin coulé assez vite pour sauver l'équipage. Il était doté de multiples équipements ultra-sophistiqués, et en particulier d'un mini-sous-marin, le *Mystic,* qui reposait entre les deux coques jumelles du *Pigeon.* Il y avait également un sonar volumétrique fonctionnant à très faible puissance, surtout comme balise, pendant que le *Pigeon* faisait des ronds dans l'eau, lentement, à quelques milles au sud du *Scamp* et de l'*Ethan Allen.* Deux frégates de la classe Perry croisaient à vingt milles au nord, en liaison avec trois avions Orion, pour former un cordon sanitaire autour du secteur.

« *Pigeon,* ici *Dallas,* essai radio, à vous.

— *Dallas,* ici *Pigeon,* on vous reçoit cinq sur cinq, à vous, répondit le commandant du bâtiment de sauvetage sur le circuit radio protégé.

— Le paquet est ici. Terminé.

— Commandant, déclara Ryan, nous avons fait envoyer le message de l'*Invincible* par morse lumineux. Pouvez-vous manœuvrer un fanal ?

— Pour participer à cela ? Vous plaisantez ? »

Le plan était assez simple, juste un peu trop fignolé. Il était clair qu'*Octobre rouge* voulait passer à l'Ouest. Peut-être même que tout l'équipage était d'accord — mais cela semblait peu vraisemblable. Ils allaient faire quitter le bord à tous ceux qui souhaiteraient regagner la Russie, puis feindre de faire sauter le sous-marin avec l'une des énormes charges d'explosifs que les bâtiments soviétiques, de notoriété publique, transportent toujours. Les officiers restants mèneraient ensuite leur bâtiment au nord-ouest, dans la baie de Pamlico, en attendant que la flotte soviétique reparte chez elle, convaincue qu'*Octobre rouge* avait coulé, et avec l'équipage pour le prouver. Qu'est-ce qui pouvait mal tourner ? Mille choses.

*A bord d'*Octobre rouge

Ramius regarda dans le périscope. Le seul navire en vue était l'USS *Pigeon,* mais son antenne ESM révélait une activité radar de surface au nord, et deux frégates en garde à l'horizon. Tel était donc le plan. Il observait les signaux lumineux et traduisait mentalement le message.

Au centre médical de Norfolk

« Merci d'être descendu, doc. » L'officier de renseignements occupait le bureau de l'administrateur adjoint de l'hôpital. « Je crois comprendre que notre patient s'est réveillé.

— Il y a environ une heure, confirma Tait. Il est resté conscient pendant une vingtaine de minutes, et s'est rendormi.

— Cela signifie-t-il qu'il soit tiré d'affaire ?

— C'est un signe positif. Il était raisonnablement cohérent, de sorte que le risque de complication cérébrale semble écarté. Je dirais que les chances sont en sa faveur, désormais, mais ces affaires d'hypothermie ont une façon bien à elles de vous retomber dessus brutalement. Nous avons là un gamin mal en point, cela n'a pas changé. » Tait se tut un moment. « J'ai une question à vous poser, commandant : pourquoi les Russes sont-ils aussi insatisfaits ?

— Qu'est-ce qui vous le fait penser ?

— Difficile de ne pas le remarquer. Par ailleurs, Jamie a déniché dans l'équipe un médecin qui comprend le russe, et nous l'avons pris avec nous.

— Pourquoi ne m'en avez-vous pas informé ?

— Les Russes ne le savent pas non plus. Il s'agissait d'une décision médicale, commandant. Avoir un médecin qui parle la langue du patient relève de la simple éthique médicale. » Tait sourit, ravi d'avoir mis au point son propre système de renseignements tout en respectant l'éthique médicale et les règlements de la marine. Il sortit une fiche de sa poche. « Quoi qu'il en soit, le patient se nomme André Katyskine. Il est cuisinier comme nous le pensions, originaire de Leningrad. Son bâtiment s'appelait le *Politovsky*.

— Mes compliments, docteur. » L'officier de renseignements reconnaissait le succès de la manœuvre de Tait, mais se demandait pourquoi il fallait toujours que les amateurs fassent les malins quand ils butaient sur quelque chose qui ne les regardait pas.

« Alors pourquoi les Russes sont-ils mécontents ? » Tait n'obtenait toujours pas de réponse. « Et pourquoi n'avez-vous pas un type là-haut, vous ? Vous le saviez depuis le début, n'est-ce pas ? Vous saviez de quel bateau il provenait, et vous saviez pourquoi il avait coulé, et si les nouvelles qu'ils ont reçues ne leur plaisent pas... cela signifie-t-il qu'ils ont un *autre* sous-marin perdu en mer? »

Au quartier général de la CIA

Moore décrocha son téléphone. « James, arrivez tout de suite ici avec Bob!

— Qu'y a-t-il, Arthur? demanda Greer quelques instants plus tard.

— Dernières nouvelles de Cardinal. » Moore leur tendit à tous deux des copies d'un message. « Combien de temps pour prévenir là-bas?

— Si loin? Il faut un hélico, au moins deux heures. Il faut les prévenir plus vite que cela, déclara Greer.

— Nous ne pouvons pas mettre Cardinal en danger, un point c'est tout. Rédigez un message, et faites-le remettre en mains propres par la marine ou l'aviation. »

Moore n'aimait pas cela non plus, mais il n'avait pas le choix.

« Ce sera trop long! protesta Greer.

— Moi aussi, je tiens à ce garçon, James. Mais rien ne sert d'en parler. Dépêchez-vous. »

Greer quitta la pièce en jurant comme le vieux matelot qu'il était.

*A bord d'*Octobre rouge

« Camarades. Officiers et matelots d'*Octobre rouge,* ici le commandant. » L'équipage remarqua que la voix de Ramius semblait abattue. Le début de panique qui avait commencé quelques heures plus tôt les avait amenés au bord de l'émeute. « Nos efforts pour réparer les moteurs ont échoué. Nos batteries sont presque à plat. Nous sommes trop loin de Cuba pour obtenir de l'aide, et nous ne pouvons rien attendre de la *Rodina.* Nous n'avons même plus assez de puissance électrique pour faire fonctionner nos systèmes de régénération d'air au-delà de quelques heures. Nous n'avons plus le choix, il faut abandonner le bâtiment.

« Ce n'est pas par hasard qu'un navire américain se trouve maintenant à proximité, et nous offre ce qu'ils appellent leur assistance. Je vais vous dire ce qui s'est produit, camarades. Un espion impérialiste a saboté notre sous-marin, et ils ont réussi à apprendre quelle était notre mission. Ils nous attendaient, camarades, dans l'espoir de mettre leurs sales mains sur notre bâtiment.

Mais ils n'y parviendront pas. L'équipage sera débarqué. Ils n'auront pas notre *Octobre rouge!* Les officiers supérieurs et moi-même resterons à bord pour amorcer les mines de sabordage. Le fond est ici de cinq milles mètres. Ils n'auront pas notre sous-marin. Tous les hommes sauf ceux de quart doivent se rassembler dans les postes. Terminé. » Ramius parcourait du regard le central. « Nous avons perdu, camarades. Bugayev, adressez les signaux nécessaires à Moscou et au navire américain. Nous descendrons ensuite à cent mètres. Nous ne prendrons aucun risque qui puisse leur permettre de s'emparer d'*Octobre rouge.* Je revendique l'entière responsabilité de ce... malheur! Retenez bien cela, camarades. La faute m'en revient, à moi seul. »

A bord du Pigeon

« Signal reçu : " SSS ", annonça la radio.

— Jamais allé en sous-marin, Ryan? demanda Cook.

— Non. J'espère que c'est plus agréable qu'en avion. »

Ryan s'efforçait de plaisanter. Il éprouvait une peur affreuse. « Allez, on va vous installer dans le *Mystic.* »

A bord du Mystic

Le petit sous-marin de sauvetage n'était rien de plus que trois sphères métalliques soudées ensemble, avec une hélice sur le dos et de la tôle à chaudière tout autour pour protéger les parties de la coque soumises à la pression. Ryan franchit le panneau en premier, suivi de Williams. Ils trouvèrent des sièges et attendirent. Un équipage de trois hommes était déjà à l'œuvre.

Le *Mystic* était prêt à manœuvrer. Au commandement, le treuil du *Pigeon* le mit à l'eau, et il plongea aussitôt, sans que ses moteurs électriques fassent le moindre bruit. Son système sonar à basse puissance acquit aussitôt le sous-marin russe, à un demi-mille et cent mètres de profondeur. On avait prévenu l'équipage qu'il s'agissait d'une simple mission de sauvetage. Ils étaient des spécialistes. En dix minutes, le *Mystic* se trouva au-dessus du sas avant de sauvetage du sous-marin lance-missiles.

Les hélices directionnelles les amenèrent soigneusement en position, et un gradé s'assura que la jupe d'assemblage était bien fixée. L'eau contenue dans la jupe qui reliait le *Mystic* à *Octobre rouge* fut bruyamment évacuée dans un sas à basse pression du sauveteur.

Les deux bâtiments se trouvèrent ainsi étroitement liés, et le reste de l'eau fut chassé à la pompe.

« A vous de jouer, maintenant, je crois. »

Le lieutenant de vaisseau montra à Ryan le panneau, sur le sol du segment central.

« Je le suppose, en effet. » Ryan s'agenouilla près du panneau et le frappa du poing à plusieurs reprises. Aucune réponse. Il essaya ensuite un mouvement de torsion. Un instant plus tard, trois coups lui répondirent, et Ryan ouvrit les barres qui bloquaient le panneau. Quand il souleva le panneau, il en trouva un autre qu'on avait déjà ouvert d'en bas. Cependant, le panneau inférieur vertical demeurait fermé. Ryan prit une profonde inspiration et descendit l'échelle du cylindre peint en blanc, suivi de Williams. Une fois arrivé en bas, Ryan frappa sur le panneau inférieur.

*A bord d'*Octobre rouge

Il s'ouvrit aussitôt.

« Messieurs, je suis le commandant Ryan, de la marine américaine. Pouvons-nous vous aider ? »

L'homme à qui il s'adressait était plus petit et plus massif que lui. Il arborait trois étoiles sur ses épaulettes, une ribambelle de rubans sur la poitrine et un large galon doré sur la manche. C'était donc Marko Ramius...

« Parlez-vous russe ?

— Non, commandant. Quelle est la nature de votre difficulté ?

— Nous avons une fuite de réacteur importante, le bâtiment est contaminé à l'arrière du central. Nous sommes contraints d'évacuer. »

Aux mots de *fuite* et de *réacteur,* Ryan sentit sa peau se recroqueviller. Il se souvint de sa certitude d'avoir deviné juste. A terre, dans un bureau confortable et accueillant situé à quinze cents kilomètres de là, et au milieu d'amis... enfin, pas d'ennemis. Les regards que fixaient sur lui les vingt hommes présents dans le compartiment étaient meurtriers.

« Mon Dieu ! Bon, allons-y. Nous pouvons embarquer vingt-cinq hommes à la fois, commandant.

— Pas si vite, commandant Ryan. Qu'adviendra-t-il de mes hommes ? s'enquit Ramius à voix forte.

— Ils seront traités en hôtes de marque, bien sûr. S'ils ont besoin de soins médicaux, ils les recevront. Ils seront de retour en

Union soviétique aussi rapidement que possible. Pensiez-vous que nous les mettrions en prison ? »

Ramius grommela et se retourna pour parler aux autres en russe. Pendant le trajet en hélicoptère, Ryan et Williams avaient décidé de ne pas révéler tout de suite que celui-ci parlait russe, et Williams portait à présent l'uniforme américain. Ils ne pensaient pas qu'un Russe puisse déceler la différence d'accent.

« Docteur Petrov, déclara Ramius, vous dirigerez le premier groupe de vingt-cinq. Surveillez ces hommes, camarade ! Ne laissez pas les Américains leur parler individuellement, et ne laissez aucun d'eux s'éloigner des autres. Vous vous comporterez correctement, ni plus ni moins.

— Compris, commandant. »

Ryan regarda Petrov compter les hommes à mesure qu'ils franchissaient le panneau et grimpaient à l'échelle. Quand ils eurent terminé, Williams souqua d'abord le panneau du *Mystic*, puis celui du sas de sauvetage d'*Octobre rouge*. Ramius fit vérifier la manœuvre par un *michman*. Ils entendirent le sous-marin sauveteur se dégager et s'éloigner.

Le silence qui suivit fut long et embarrassé. Ryan et Williams se tenaient dans un coin du compartiment, face à Ramius et ses hommes. Cela rappelait à Ryan les soirées dansantes de lycéens, quand les garçons et les filles se rassemblaient en groupes distincts, et qu'il se formait au milieu une sorte de no man's land. Comme un officier prenait une cigarette, il tenta de briser la glace.

« Puis-je avoir une cigarette, s'il vous plaît ? »

D'un geste, Borodine en fit sortir une à moitié du paquet. Ryan la prit, et Borodine l'alluma avec une allumette en papier.

« Merci. J'ai arrêté, mais dans un sous-marin en panne de réacteur, ce ne doit pas être trop dangereux, non ? » La première expérience de Ryan avec une cigarette russe fut malheureuse. Le tabac noir et fort lui fit tourner la tête, et ajouta une odeur âcre à l'air déjà chargé de sueur, de chou et d'huile de machines.

« Comment vous êtes-vous trouvés là ? interrogea Ramius.

— Nous nous dirigions vers la côte de Virginie, commandant. Un sous-marin soviétique a coulé là-bas la semaine dernière.

— Ah ? » Ramius admira l'histoire de couverture. « Un sous-marin soviétique ?

— Oui, commandant. C'était un bâtiment que nous appelons Alfa, voilà tout ce que je sais. On a repêché un survivant, et il se trouve à l'hôpital naval de Norfolk. Puis-je vous demander votre nom ?

— Marko Aleksandrovitch Ramius.

— Jack Ryan.

— Owen Williams. » Ils échangèrent des poignées de main à la ronde.

« Vous avez une famille, commandant Ryan ? demanda Ramius.

— Oui, commandant. Une femme, un fils et une fille. Et vous ?

— Non, pas de famille. » Il se détourna et s'adressa en russe à un jeune officier. « Emmenez le groupe suivant. Vous avez entendu mes instructions au médecin ?

— Oui, commandant ! » répondit le jeune homme.

Ils entendirent les moteurs du *Mystic* au-dessus d'eux. Un instant plus tard, résonna le choc métallique de la jupe d'assemblage sur le sas de sauvetage. Cela avait duré quarante minutes, mais on aurait dit une semaine. Mon Dieu, et si le réacteur avait vraiment une fuite ? se demandait Ryan.

A bord du Scamp

A deux milles de là, le *Scamp* s'était arrêté à quelques centaines de mètres de l'*Ethan Allen*. Les deux sous-marins échangeaient des messages téléphoniques. Les opérateurs sonar du *Scamp* avaient noté le passage des trois sous-marins une heure plus tôt. Le *Pogy* et le *Dallas* se trouvaient à présent entre *Octobre rouge* et les deux autres sous-marins américains, et leurs opérateurs sonar guettaient intensément toute possibilité d'interférence, tout risque de bâtiment pouvant approcher. La zone de transfert était assez loin de la côte pour ne pas être traversée par le trafic côtier des cargos et des pétroliers, mais cela ne les empêchait pas de pouvoir rencontrer un navire isolé venant d'ailleurs.

*A bord d'*Octobre rouge

Quand le troisième groupe de matelots partit sous la garde du lieutenant Svyadov, un cuisinier en bout de la file s'écarta en expliquant qu'il voulait récupérer son magnétophone, qui lui avait coûté plusieurs mois d'économies. Personne ne remarqua qu'il ne revenait pas, pas même Ramius. Ses hommes se bousculaient, même les *michmaniy* les plus expérimentés, pour sortir du sous-marin. Il ne restait plus qu'un groupe à évacuer.

A bord du Pigeon

Les hommes du bâtiment soviétique furent conduits aux postes d'équipage. Les matelots américains observaient attentivement leurs collègues soviétiques, mais aucun mot ne s'échangeait. Les Russes trouvèrent un repas tout servi, à base d'œufs au jambon, de pain grillé et de café. Petrov en fut ravi. La surveillance des hommes ne posait aucun problème, tandis qu'ils dévoraient comme des loups. Un jeune officier leur servant d'interprète, ils redemandèrent et obtinrent de nouvelles rations de bacon. Les cuisiniers avaient reçu l'ordre de servir aux Russes autant de nourriture qu'ils pourraient en manger. Tout le monde était donc fort occupé tandis qu'un hélicoptère arrivait de la terre ferme et débarquait vingt hommes, dont un s'élança aussitôt vers la passerelle.

*A bord d'*Octobre rouge

« Dernier groupe », murmura Ryan pour lui-même. Le *Mystic* s'arrima une nouvelle fois. Le dernier trajet avait duré une heure entière. Quand les deux panneaux furent ouverts, le commandant du petit sous-marin descendit à bord d'*Octobre rouge.*

« Messieurs, le prochain transport est retardé. Nos batteries sont déchargées. Il nous faut quatre-vingt-dix minutes pour les recharger. Pas de problème ?

— Ce sera comme vous le dites », répondit Ramius. Il traduisit pour ses hommes, puis ordonna à Ivanov de prendre la tête du groupe. « Les officiers supérieurs resteront en arrière. Nous avons une tâche à accomplir. » Ramius prit la main du jeune officier. « S'il arrive quelque chose, dites-leur, à Moscou, que nous avons fait notre devoir.

— Je le ferai, commandant. » Ivanov faillit s'étrangler en répondant.

Ryan regarda les hommes partir. Le panneau du sas de sauvetage d'*Octobre rouge* fut refermé, puis celui du *Mystic.* Une minute plus tard, le mini-sous-marin se dégageait avec un bruit métallique. Ryan entendit les moteurs électriques s'éloigner et s'éteindre très rapidement, et sentit les cloisons peintes en vert se resserrer sur lui. Les voyages en avion avaient quelque chose d'effrayant, mais au moins l'air ne menaçait pas de vous écraser. Il se trouvait là, sous l'eau, à trois cents milles de la terre ferme et à bord du plus grand sous-marin du monde, avec seulement dix hommes capables de le manœuvrer.

« Commandant Ryan, déclara Ramius en se mettant au garde-à-vous, mes officiers et moi-même sollicitons l'asile politique aux Etats-Unis... et nous vous apportons ce petit cadeau. » Ramius désigna les cloisons d'acier.

Ryan avait déjà préparé sa réponse. « Commandant, au nom du président des Etats-Unis, j'ai l'honneur de vous accorder votre requête. Bienvenue au monde libre, messieurs. »

Personne ne savait que le système d'intercom du compartiment avait été remis en fonction. Son voyant avait été débranché des heures auparavant. Et deux compartiments plus loin, le cuisinier écoutait en se disant qu'il avait eu raison de rester en arrière, et en regrettant de ne pas s'être trompé. Maintenant, qu'allait-il faire? se demandait-il. Son devoir. Cela paraissait facile — mais allait-il se rappeler comment faire?

« Je ne sais pas comment exprimer ce que je pense de vous, les gars. » Ryan leur serra une nouvelle fois la main à tous. « Vous avez réussi. Vous avez vraiment réussi votre coup!

— Excusez-moi, commandant, dit Kamarov. Parlez-vous russe?

— Non, désolé. Le lieutenant Williams ici présent le parle, mais pas moi. C'était un groupe d'officiers parlant le russe qui devait venir ici à ma place, mais leur hélicoptère a explosé en vol la nuit dernière. » Williams traduisit ses paroles. Quatre des officiers présents ne parlaient pas l'anglais.

« Et que se passe-t-il, maintenant?

— Dans quelques minutes, un sous-marin lance-missiles explosera à deux milles d'ici. L'un des nôtres, un vieux. Sans doute avez-vous dit à vos hommes que vous alliez vous saborder... Seigneur, j'espère que vous ne leur avez pas révélé ce que vous comptiez vraiment faire?

— Pour avoir la guerre à bord? » Ramius se mit à rire. « Non, Ryan, non. Et ensuite?

— Quand tout le monde croira qu'*Octobre rouge* a sombré, nous nous dirigerons au nord-ouest vers la crique d'Ocracoke, et nous attendrons. Les bâtiments américains *Dallas* et *Pogy* nous escorteront. Ces quelques hommes pourrons-ils manœuvrer le sous-marin?

— Ces hommes savent manœuvrer tous les bateaux du monde! » rétorqua Ramius, d'abord en russe. Ses hommes sourirent. « Vous pensez donc que nos hommes ignoreront ce qu'il est advenu de nous?

— Très juste. Le *Pigeon* verra une explosion sous-marine. Ils n'ont aucun moyen de savoir que ce n'est pas le bon endroit, n'est-ce pas ? Vous savez que votre marine a de nombreux navires en opération le long de notre côte en ce moment même ? Quand ils partiront, eh bien, nous trouverons un endroit où conserver ce cadeau définitivement. J'ignore où ce sera. Bien entendu, messieurs, vous serez nos hôtes. Beaucoup de gens, chez nous, souhaitent parler avec vous. Pour le moment, soyez certains que vous serez très bien traités — mieux que vous ne pouvez l'imaginer. » Ryan était certain que la CIA offrirait à chacun d'eux une somme d'argent considérable. Il ne leur en dit rien, toutefois, ne voulant pas insulter leur bravoure. Il avait été surpris d'apprendre que les transfuges s'attendaient rarement à recevoir de l'argent et n'en demandaient pratiquement jamais.

« Et l'éducation politique ? » voulut savoir Kamarov.

Ryan rit de bon cœur. « Lieutenant, il y aura sûrement un moment où quelqu'un vous prendra à part pour vous expliquer comment fonctionne notre pays. Cela prendra environ deux heures. Aussitôt après, vous pourrez commencer à nous expliquer en quoi nous nous trompons... le monde entier le fait, pourquoi pas vous ? Mais je ne peux pas m'en charger maintenant. Croyez-moi, cela vous plaira beaucoup, sans doute même plus qu'à moi, car je n'ai jamais vécu dans un pays privé de liberté, et peut-être ne suis-je pas capable d'apprécier mon pays autant que je le devrais. Pour le moment, je suppose que vous avez du travail à faire.

— Correct, dit Ramius. Venez, nouveaux camarades, nous allons vous mettre au travail aussi. »

Ramius mena Ryan vers l'arrière, par une succession de portes étanches. En quelques minutes, ils parvinrent au local des missiles, un vaste compartiment équipé de vingt-six tubes vert sombre, dressés entre deux ponts. Le côté business d'une grosse bête, avec plus de deux cents ogives thermonucléaires. La menace contenue dans cette pièce suffit à hérisser la nuque de Ryan. Il ne s'agissait plus d'abstractions académiques mais d'objets bien réels. Le pont sur lequel il marchait était à claire-voie, tandis que le pont inférieur, qu'il pouvait voir, était plein. Après la traversée de ce compartiment, puis d'un autre, ils arrivèrent au central. L'intérieur du sous-marin était d'un calme spectral ; Ryan sentit alors pourquoi les marins sont superstitieux.

« Asseyez-vous là. » Ramius montra à Ryan la place de l'homme de barre, à bâbord. Il y avait là une barre semblable à celle d'un avion, et une série d'instruments.

« Que dois-je faire ? s'enquit Ryan.

— Vous tiendrez la barre, commandant. Ne l'avez-vous jamais fait ?

— Non. Je n'ai jamais embarqué à bord d'un sous-marin.

— Mais vous êtes officier de marine. »

Ryan secoua la tête. « Non, commandant. Je travaille pour la CIA.

— La CIA ? » Ramius prononçait ce mot comme s'il eût été venimeux.

« Je sais, je sais. » Ryan laissa retomber sa tête sur la barre. « On nous appelle les Forces de l'Ombre. Commandant, vous avez devant vous une force de l'ombre qui va sans doute mouiller sa culotte avant que nous ayons fini. Je travaille dans un bureau, et vous pouvez me croire sur ce point même si vous refusez de croire autre chose, il n'est rien au monde que je souhaite autant que de rentrer tout de suite chez moi, retrouver ma femme et mes enfants. Si j'avais un peu de cervelle, je serais resté à Annapolis et j'aurais continué à écrire des livres.

— Des livres ? Comment cela ?

— Je suis historien, commandant. On m'a proposé, voici quelques années, d'entrer comme analyste à la CIA. Savez-vous ce qu'est un analyste ? Les agents apportent des renseignements, et j'essaie de deviner ce qu'ils signifient. Je suis entré dans tout cela par erreur — merde, vous ne me croyez pas, mais c'est vrai. Bon, enfin, j'écrivais des livres sur l'histoire navale.

— Parlez-moi de vos livres, ordonna Ramius.

— *Options et Décisions*, *Les Aigles condamnés*, et un nouveau qui sortira l'an prochain, *Marin combattant*, qui est une biographie de l'amiral Halsey. Mon premier livre traitait de la bataille du golfe de Leyte. Il y a eu une critique dans votre revue maritime *Morskoi Sbornik*, paraît-il. J'y étudiais la nature des décisions tactiques prises dans des conditions de combat. Il doit y en avoir une dizaine d'exemplaires à la bibliothèque Frunze. »

Ramius garda le silence un moment. « Ah, je connais ce livre. Oui, j'en ai lu des passages. Vous vous trompiez, Ryan. Halsey a agi stupidement.

— Vous réussirez dans mon pays, commandant Ramius. Vous êtes déjà critique littéraire. Commandant Borodine, puis-je me permettre de vous demander encore une cigarette ? » Borodine lui lança un paquet entier et une pochette d'allumettes. Ryan en alluma une. Cela avait un goût horrible.

*A bord de l'*Avalon

Le quatrième retour du *Mystic* donna à l'*Ethan Alley* et au *Scamp* le signal de leur entrée en action. L'*Avalon* quitta son poste d'attente et parcourut quelques centaines de mètres jusqu'au vieux sous-marin lance-engins. Le commandant avait déjà rassemblé ses hommes dans le compartiment des torpilles. Tous les panneaux, tous les passages et tous les tiroirs du bord avaient été ouverts. L'un des officiers rejoignait les autres, traînant derrière lui une mèche noire qui reliait toutes les bombes placées à bord. Il fixa à l'extrémité de la mèche un détonateur.

« Tout est prêt, commandant. »

*A bord d'*Octobre rouge

Ryan regarda Ramius placer ses hommes à leurs postes. La plupart allèrent vers l'arrière s'occuper des machines. Ramius avait l'élégance de parler en anglais, et de tout répéter lui-même en russe pour ceux qui ne comprenaient pas leur nouvelle langue.

« Kamarov et Williams, allez à l'avant pour souquer tous les panneaux. » Ramius expliqua à Ryan : « Si quelque chose tourne mal — il n'y a aucune raison, mais si jamais cela arrivait — nous n'avons pas suffisamment d'hommes pour réparer. Nous bouclons donc le bâtiment entier. »

Ryan trouva cela très raisonnable. Il posa une tasse vide sur la console de contrôle, pour lui tenir lieu de cendrier. Ramius et lui demeuraient seuls au central.

« Quand devons-nous partir ?

— Dès que vous serez prêts, commandant. Nous devons arriver à Ocracoke à marée haute, environ huit minutes après minuit. Est-ce faisable ? »

Ramius consulta sa carte. « Aisément. »

Kamarov précéda Williams dans le local des transmissions, à l'avant du central. Ils laissèrent le sas ouvert et avancèrent jusqu'au compartiment missiles. Là, ils descendirent une échelle et parcoururent le pont inférieur, jusqu'à la cloison antérieure du compartiment missiles. Ils franchirent la porte et s'engagèrent dans tous les compartiments de magasinage, vérifiant chaque panneau l'un après l'autre. A l'avant, ils gravirent une autre échelle pour entrer dans le compartiment des torpilles, refermèrent le panneau derrière eux, et repartirent vers l'arrière en passant par le compartiment des torpilles de réserve et les postes d'équipage. Les deux hommes ressentaient l'étrangeté qu'il y avait à se trouver à bord d'un bâtiment sans équipage, et ils prenaient leur temps, Williams tournant la tête en tous sens et posant des questions à Kamarov qui était heureux de pouvoir répondre dans sa langue maternelle. En officiers compétents, les deux hommes partageaient un romantique sentiment d'attachement pour leur profession. Pour sa part, Williams était fort impressionné par *Octobre rouge*, et il le répéta plusieurs fois. Les plus petits détails avaient été l'objet d'une grande attention. Le pont était carrelé. Les panneaux étaient bordés d'épais joints caoutchoutés. Ils ne faisaient presque aucun bruit, tandis qu'ils circulaient pour vérifier les sas d'étanchéité, et il était clair qu'on s'était vraiment donné du mal pour rendre ce sous-marin aussi silencieux.

Williams traduisait en russe son histoire de mer préférée lorsqu'ils ouvrirent le panneau du pont supérieur du compartiment des missiles. En le franchissant à la suite de Kamarov, il se souvint qu'à l'aller les vives lumières du plafonnier étaient restées allumées. Ou bien se trompait-il ?

Ryan essayait sans succès de se détendre. Le siège était inconfortable, et il se rappela la blague russe sur la manière dont on façonnait l'homme nouveau soviétique — avec des sièges d'avion qui tordaient l'individu dans toutes sortes de formes impossibles. A l'arrière, les officiers avaient mis le réacteur en marche. Ramius parlait à l'intercom avec son chef ingénieur, juste avant que le bruit du système de refroidissement ne devienne assourdissant, au moment de produire la vapeur pour les turboalternateurs.

La tête de Ryan se redressa. Il eut l'impression d'avoir senti le bruit avant de l'entendre. Un frisson lui parcourut l'échine avant même que son cerveau eût reconnu la cause du bruit.

« Qu'est-ce que c'est ? demanda-t-il mécaniquement, sachant déjà la réponse.

— Quoi ? » Ramius se trouvait à trois mètres en arrière, et les moteurs de la chenille s'étaient mis à tourner. Un étrange grondement résonnait dans le sous-marin.

« J'ai entendu un coup de feu... non, plusieurs. »

Amusé, Ramius s'approcha. « Je crois que vous entendez le bruit du moteur de la chenille, et que c'est votre première visite à bord d'un sous-marin, comme vous l'avez dit. La première fois est toujours difficile. Même moi, je m'en souviens encore. »

Ryan se leva. « C'est possible, commandant, mais je reconnais un coup de feu quand j'en entend un. » Il ouvrit sa veste et sortit son pistolet.

« Donnez-moi cela. » Ramius tendit la main. « Vous ne pouvez pas avoir d'arme à bord de mon sous-marin.

— Où sont Williams et Kamarov ? » Ryan agita la main.

Ramius haussa les épaules. « Ils sont en retard, oui, mais c'est un gros bâtiment.

— Je vais à leur recherche.

— Restez à votre poste ! ordonna Ramius. Vous ferez ce que je vous dis !

— Commandant, je viens d'entendre quelque chose qui ressemblait à des coups de feu, et je vais me rendre à l'avant pour vérifier. Vous a-t-on déjà tiré dessus ? Moi, oui. J'ai des cicatrices à l'épaule qui le prouvent. Il vaudrait mieux que vous preniez la barre. »

Ramius décrocha un téléphone, appuya sur une touche et prononça quelques mots en russe avant de raccrocher. « Je vais vous montrer que mon sous-marin n'a pas d'âmes... d'esprits, oui ? Des esprits, pas d'esprits. » Il désigna le pistolet. « Et vous n'êtes pas espion, hein ?

— Commandant, croyez ce que vous voulez croire, d'accord ? C'est une longue histoire, et je vous la raconterai un jour. » Ryan attendit les secours que, manifestement, Ramius avait demandés. Le grondement du système de propulsion donnait l'impression d'être à l'intérieur d'un tambour.

Un officier dont il ne se rappelait pas le nom entra. Ramius déclara quelque chose qui le fit rire — mais l'officier s'arrêta en voyant l'arme de Ryan. Manifestement, aucun des deux Russes n'était très content.

« Avec votre permission, commandant ? » Ryan montrait la direction de l'avant.

« Allez-y, Ryan. »

La porte étanche qui séparait le central de l'espace suivant était restée ouverte. Ryan pénétra lentement dans le local des transmissions, en surveillant sa gauche et sa droite. C'était dégagé. Il s'avança vers la porte du compartiment des missiles, qui était fermée. Cette porte d'environ un mètre cinquante de haut sur moins d'un mètre de large se fermait à fond par le moyen d'un volant placé au milieu. Ryan le débloqua d'une seule main. Il était bien huilé, et les gonds aussi. Ryan ouvrit lentement la porte et passa la tête pour scruter la salle.

« Oh, merde ! » souffla-t-il, en faisant signe au commandant d'avancer. Le compartiment des missiles mesurait une bonne soixantaine de mètres, et n'était éclairé que par six ou huit petites veilleuses. Ryan se souvenait pourtant d'un éclairage puissant? Tout au bout brillait une lumière et, près du dernier panneau, deux formes gisaient sur les claires-voies. Elles ne bougeaient pas. La lumière qui permettait à Ryan de les voir clignotait près d'un tube de missile.

« Des esprits, commandant? chuchota-t-il.

— C'est Kamarov. » Ramius marmonna quelque chose en russe.

Ryan s'assura que le chargeur de son FN automatique était bien en place, puis ôta ses chaussures.

« Laissez-moi faire. J'ai été lieutenant dans les marines. » « Et mon entraînement à Quantico n'avait pas grand-chose à voir avec ça », ajouta-t-il *in petto*. Ryan s'engagea dans le compartiment.

Le local des missiles occupait presque un tiers de la longueur totale du bâtiment, et la hauteur de deux ponts. Le pont inférieur était en métal plein, et le pont supérieur à claires-voies. La forêt de Sherwood, le surnommait-on à bord des sous-marins américains, et c'était bien trouvé. Avec un diamètre d'environ trois mètres, et peints d'un vert plus sombre que le reste du local, les tubes de missiles ressemblaient à d'énormes troncs d'arbres. Il referma le panneau derrière lui et avança sur la droite.

La lumière semblait provenir du tube de missile le plus éloigné à tribord, sur le pont supérieur. Ryan s'arrêta pour écouter. Quelque chose se passait par là. Il distinguait une sorte de bruissement étouffé, et la lumière bougeait comme une lampe baladeuse de travail. Le son se répercutait le long des parois lisses du local.

« Pourquoi moi? » se chuchota-t-il. Il allait devoir passer treize tubes pour parvenir à la source de la lumière, et parcourir plus de soixante mètres en terrain découvert.

Il contourna le premier tube, tenant de la main droite son pistolet au niveau de la ceinture, et suivant de la main gauche le métal froid du tube. Il transpirait déjà sur la crosse en caoutchouc dur gaufré. C'est pour ça qu'on les gaufre, se dit-il. Il se glissa entre le premier et le second tube, s'assura qu'il n'y avait personne à gauche, et s'apprêta à avancer. Encore douze.

La grille du pont était faite de barres de métal de vingt centimètres. Il avait déjà mal aux pieds. En contournant lentement le tube suivant, il eut l'impression d'être un astronaute tournant autour de la Lune, et traversant un horizon continu. Sauf que sur la Lune, personne ne vous guettait pour vous tirer dessus.

Une main se posa sur son épaule. Ryan sursauta et se retourna.

Ramius. Il voulait dire quelque chose, mais Ryan posa ses doigts sur ses lèvres en secouant la tête. Le cœur de Ryan battait si fort qu'il aurait pu s'en servir pour envoyer un message en morse, et il entendait sa propre respiration — comment avait-il pu ne pas entendre Ramius ?

Ryan fit signe qu'il allait longer les missiles sur le flanc extérieur. Ramius indiqua qu'il les longerait de l'intérieur. Ryan acquiesça. Il décida de boutonner sa veste et d'en relever le col, pour être une cible plus difficile. Mieux valait une silhouette sombre qu'éclairée d'un triangle blanc. Au tube suivant.

Ryan vit qu'il y avait des lettres peintes sur les tubes, et d'autres inscriptions forgées dans le métal même. Les caractères cyrilliques disaient sans doute *Défense de Fumer, Vive Lénine,* ou quelque chose de tout aussi inutile. Il voyait et entendait tout avec une vive acuité, comme si on lui avait aiguisé les sens au papier de verre. Il contourna le tube suivant, crispant ses doigts sur la crosse, et se retenant d'essuyer la sueur qui lui coulait dans les yeux. Rien ici non plus ; dégagé sur la gauche. Au suivant...

Il lui fallut cinq minutes pour parcourir la moitié du compartiment, entre le sixième et le septième tube. Le bruit provenant de l'avant s'entendait plus clairement, à présent. Sans aucun doute la lumière bougeait. Pas beaucoup, mais l'ombre du tube numéro un frémissait très légèrement. Ce devait être une baladeuse branchée sur une prise murale. Que faisait-il ? bricoler un missile ? Et n'y avait-il qu'un seul homme ? Pourquoi Ramius n'avait-il pas compté ses hommes à mesure qu'ils embarquaient sur le *Mystic ?*

« Pourquoi ne l'ai-je pas fait, moi ? » jura Ryan entre ses dents. Encore six.

Tout en faisant le tour du tube suivant, il fit signe à Ramius qu'il devait y avoir un homme à l'extrémité de la salle. Ramius acquiesça sèchement, car il avait déjà tiré la même conclusion. Il remarqua soudain que Ryan avait ôté ses chaussures et, trouvant l'idée bonne, il leva le pied gauche pour se déchausser. Ses doigts gourds et maladroits laissèrent tomber la chaussure sur une barre métallique, où elle résonna. Ryan se trouvait en terrain découvert. Il se figea. La lumière bougea au fond du compartiment, puis s'immobilisa à nouveau. Ryan s'élança sur sa gauche, et s'abrita derrière un tube pour jeter un coup d'œil. Encore cinq. Il aperçut un pan de visage... et un éclair.

Il entendit le coup et se recroquevilla tandis que la balle heurtait la cloison arrière avec un claquement. Puis il se cacha complètement.

« Je vais passer de l'autre côté, annonça Ramius.

— Attendez mon signal. » Ryan empoigna Ramius par le bras et regagna le côté tribord du tube, en tenant son pistolet devant lui. Il vit le visage et, cette fois, tira le premier, tout en sachant qu'il manquerait son but. Au même moment, il poussa Ramius à gauche. Le commandant courut de l'autre côté, et s'accroupit derrière un tube.

« Nous vous tenons, annonça Ryan à voix forte.

— Vous ne tenez rien. » C'était une voix jeune. Jeune et très effrayée.

« Que faites-vous ? interrogea Ryan.

— Que croyez-vous, Yankee ? » Cette fois, la gouaille était plus réussie.

Il cherche sans doute un moyen de déclencher une ogive, songea Ryan. Heureuse idée.

« Vous allez mourir aussi », dit Ryan. La police n'essayait-elle pas de raisonner avec les criminels barricadés ? Un flic new-yorkais avait même déclaré un jour à la télévision : « Nous essayons de les ennuyer à mourir. » Mais il s'agissait de criminels. A qui Ryan se mesurait-il ? Un matelot resté en arrière ? Un officier de Ramius qui avait changé d'avis ? Un agent du KGB ? Un homme du GRU camouflé en homme d'équipage ?

« Eh bien ! je mourrai », admit la voix. La lumière bougea. Quel qu'ait été son projet, il essayait de retourner l'achever.

Ryan tira deux fois en contournant le tube. Encore quatre. Ses balles résonnèrent inutilement sur la cloison avant. Il avait une vague chance de l'avoir en mitraillant — non... Il regarda à gauche et vit que Ramius était resté avec lui, dans l'ombre des tubes. Il n'avait pas de revolver. Pourquoi n'en avait-il pas pris ?

Ryan respira à fond et s'élança vers le tube suivant. Le type attendait ce moment. Ryan plongea au sol, et la balle le manqua.

« Qui êtes-vous ? » interrogea Ryan en se relevant sur les genoux et s'appuyant au tube pour reprendre son souffle.

« Un patriote soviétique ! Vous êtes l'ennemi de mon pays, et vous n'aurez pas ce bâtiment ! »

Il parlait trop, songea Ryan. Tant mieux. Peut-être. « Vous avez un nom ?

— Mon nom n'a pas d'importance.

— Et votre famille ?

— Mes parents seront fiers de moi. »

Un agent du GRU. Ryan en était sûr. Pas l'officier politique. Il parlait trop bien l'anglais. Sans doute un genre de second pour l'officier politique. Il se trouvait en face d'un officier de renseignements bien entraîné. Magnifique. Un agent bien entraîné et, comme il le disait, un patriote. Pas un fanatique, un homme qui cherchait à faire son devoir. Il avait peur. Mais il le ferait.

Et il fera sauter cette saloperie de bateau, avec moi dedans.

Cependant, Ryan savait qu'il avait un atout. L'autre avait quelque chose à accomplir. Ryan n'avait qu'à l'en empêcher, ou le retarder suffisamment longtemps. Il se coula contre le tube et risqua un œil pour regarder sur la droite. Aucune lumière de ce côté-là — nouvel atout. Ryan le voyait mieux qu'il n'était vu de lui.

« Vous n'avez pas besoin de mourir, mon ami. Si vous lâchez cette arme... » Et ensuite ? Pour finir dans une prison fédérale ? Plus vraisemblablement disparaître. Moscou ne devait pas savoir que les Américains avaient leur sous-marin.

« Et la CIA ne me tuera pas, hein ? ricana la voix en chevrotant. Je ne suis pas idiot. Si je dois mourir, ce sera pour mon but, mon ami ! »

La lumière s'éteignit. Ryan se demanda combien de temps cela lui prendrait. Cela signifiait-il qu'il avait fini ce qu'il faisait ? Dans ce cas, ils allaient tous sauter d'ici peu. Ou peut-être que le type avait compris que la lumière le rendait plus vulnérable. Officier entraîné ou non, c'était un gamin, un gamin apeuré, et il avait sûrement autant à perdre que Ryan. Sacré bon Dieu non, songea Ryan, j'ai une femme et deux gosses, et si je ne l'attrape pas vite, je vais les perdre.

Joyeux Noël, les enfants, votre papa vient de sauter. Désolé qu'il ne reste pas de corps à enterrer, mais voyez-vous... L'idée de prier effleura Ryan — mais pour quoi ? Pour réussir à tuer un autre homme ? *C'est comme ça, Seigneur...*

« Vous êtes toujours là, commandant ? appela-t-il.

— *Da.* »

Voilà qui donnerait à l'agent du GRU matière à s'inquiéter. Ryan espérait que la présence du commandant forcerait l'homme à se renfoncer davantage encore dans l'ombre bâbord de son tube. Ryan se plia en deux et contourna le sien sur bâbord en courant. Ramius le suivait. Il s'attira un coup de feu, mais Ryan entendit la balle rater son but.

Il dut s'arrêter, pour reprendre son souffle. Il était en état d'hyperventilation. Ce n'était pas le moment. Il avait été lieutenant dans les marines — pendant trois mois entiers, avant l'explosion de l'hélico — et il aurait dû savoir que faire ! Il avait *dirigé* des hommes.

Mais il était bien plus facile de mener quarante hommes armés de fusils que de se battre tout seul.

Réfléchis !

« Nous pourrions peut-être nous entendre, suggéra Ryan.

— Ah oui, pour décider dans quelle oreille on tirera !

— Vous aimeriez peut-être devenir américain.

— Et mes parents, Yankee, que deviendraient-ils ?

— Nous pourrions peut-être les faire sortir », expliqua Ryan depuis le côté tribord du tube, puis il se déplaça à gauche en attendant la réponse. Il sauta une nouvelle fois. Maintenant, deux tubes le séparaient de son ami du GRU, qui s'efforçait sans doute de mettre à feu les ogives pour transformer un demi-mille cube d'océan en plasma.

« Viens donc, Yankee, nous mourrons ensemble. Nous ne sommes plus séparés que par un *puskatel.* »

Ryan réfléchit rapidement. Il ne se rappelait pas combien de coups il avait tirés, mais le chargeur contenait treize balles. Il en aurait suffisamment. Le chargeur supplémentaire était inutile. Il pourrait le jeter d'un côté et avancer de l'autre, pour créer une diversion. Cela marcherait-il ? Merde ! Ça marchait au cinéma. Et la seule chose sûre, c'est que rien n'allait se faire tout seul.

Ryan prit le pistolet dans sa main gauche, et fouilla la poche droite de sa veste pour trouver le chargeur d'appoint. Il tint le chargeur entre ses dents pour reprendre le pistolet de la main droite. Il aurait fait un brigand lamentable... Il prit ensuite le chargeur de sa main gauche. Bon. Il allait falloir le lancer à gauche, et avancer à droite. Est-ce que ça marcherait ? De toute façon, il n'avait pas des masses de temps.

A Quantico, on lui avait appris à lire des cartes, à évaluer un terrain, à organiser des raids aériens ou des tirs d'artillerie, à manœuvrer ses pelotons et ses équipes de tir avec adresse — et il se retrouvait là, coincé dans ce foutu tuyau en acier à cent mètres sous l'eau, à tirer au pistolet dans une pièce contenant deux cents bombes à hydrogène !

Il était temps d'agir. Il savait ce qu'il fallait faire — mais Ramius bougea le premier. Du coin de l'œil, il aperçut le commandant qui s'élançait vers la cloison avant. Ramius bondit et alluma une lumière au moment où l'adversaire lui tirait dessus. Ryan lança le chargeur à droite et fonça en avant. L'agent se retourna sur sa gauche pour voir quel était ce bruit, certain qu'il s'agissait d'une manœuvre concertée.

Tandis qu'il couvrait la distance entre les deux derniers tubes de missiles, Ryan vit le commandant tomber. Il plongea au-delà du premier tube et retomba sur le côté gauche, sans tenir compte de la douleur qui lui enflammait le bras, pour rouler jusqu'à son but. L'homme se retournait au moment où Ryan lui tirait six balles dessus. Ryan ne s'entendit pas hurler. Deux balles touchèrent l'agent ; il fut soulevé de terre et retourné à demi par l'impact. Son pistolet lui échappa, et il retomba, inerte, sur le pont.

Ryan tremblait trop pour pouvoir se relever tout de suite. Le pistolet, toujours serré dans sa main, restait braqué sur la poitrine de sa victime. Il respirait avec peine, et son cœur battait violemment. Ryan ferma la bouche et s'efforça de déglutir, à plusieurs reprises ; il avait la bouche sèche et cotonneuse. Il se releva lentement sur les genoux. L'agent respirait encore, étendu sur le dos, les yeux ouverts. Ryan dut s'aider de ses mains pour se relever.

Il avait été touché deux fois, observa Ryan, d'une balle dans le torse, et d'une autre dans l'abdomen, dans la région du foie et de la rate. La blessure au ventre avait formé un cercle rouge humide, que l'homme pressait à deux mains. Il n'avait guère plus de vingt ans, et ses yeux bleu clair fixaient le plafond tandis qu'il tentait de parler. La souffrance lui contractait le visage, pendant qu'il s'efforçait d'articuler, mais rien ne sortait qu'un gargouillis inarticulé.

« Commandant, appela Ryan, ça va ?

— Je suis blessé, mais je pense que je m'en tirerai, Ryan. Qui est-ce ?

— Comment voulez-vous que je le sache ? »

Les yeux bleus se fixèrent sur le visage de Jack. Quelle que fût son identité, il savait qu'il allait mourir. La souffrance fit place à une autre expression sur ses traits. La tristesse, une tristesse infinie... Il essayait encore de parler. Une écume rose apparut aux commissures de ses lèvres. Le poumon était touché. Ryan se rapprocha, poussant le revolver hors d'atteinte avant de s'agenouiller au-dessus du garçon.

« Nous aurions pu nous entendre », murmura-t-il.

L'agent voulut dire quelque chose, mais Ryan ne parvint pas à comprendre. Une malédiction, un dernier appel à sa mère, quelque chose d'héroïque ? Jack ne le saurait jamais. Les yeux s'agrandirent une dernière fois sous l'effet de la souffrance. Le dernier souffle sortit dans un sifflement, avec quelques bulles, et les mains crispées sur l'abdomen se relâchèrent. Ryan chercha un pouls sur la veine du cou. C'était fini.

« Je regrette. » Ryan se pencha pour fermer les yeux de sa victime. Il regrettait — pourquoi ? De minuscules gouttes de sueur perlèrent sur son front, et la force qui l'avait soutenu pendant la fusillade le quitta soudain. Une nausée l'envahit. « Oh, mon Dieu, je... » Il retomba à quatre pattes et vomit violemment. Le jet traversa la grille à claire-voie et retomba sur le pont inférieur, trois mètres plus bas. Pendant une minute entière, son estomac continua à se soulever, alors qu'il s'était vidé entièrement. Il dut cracher à plusieurs reprises pour chasser l'aigreur de sa bouche, avant de se relever.

Etourdi par l'intensité de l'action et l'adrénaline, il dut secouer plusieurs fois la tête, sans quitter des yeux l'homme mort à ses pieds. Il était temps de revenir à la réalité.

Ramius était blessé à la cuisse. Il saignait, et serrait la blessure à deux mains mais, malgré tout le sang, cela ne semblait pas grave. Si l'artère fémorale avait été touchée, le commandant serait déjà mort.

Le lieutenant de vaisseau Williams était atteint à la tête et à la poitrine. Il respirait encore, mais sans avoir repris connaissance. La blessure à la tête était superficielle, mais celle de la poitrine, tout près du cœur, faisait un bruit de succion. Kamarov avait eu moins de chance. Une balle l'avait atteint entre les deux yeux, et l'arrière de son crâne était en bouillie.

« Mon Dieu, pourquoi personne n'est venu à notre secours ! s'exclama Ryan quand l'idée le frappa.

— Les porte étanches sont fermées, Ryan. Il y a le... comment dit-on ? »

Ryan regarda ce que le commandant lui montrait du doigt. C'était le système intercom. « Quel bouton ? » Le commandant éleva deux doigts. « Central, ici Ryan. J'ai besoin d'aide ici, votre commandant est blessé. »

La réponse lui parvint en russe saccadé, et Ramius parla à voix forte pour se faire entendre. Ryan examina le tube de missile. L'agent avait utilisé une baladeuse tout à fait semblable à celles qu'on emploie en Amérique, une ampoule sur monture métallique, avec un grillage sur le devant. Une porte était ouverte dans le tube de missile. A l'intérieur, un petit panneau qui devait évidemment mener au missile était également ouvert.

« Que faisait-il ? Il essayait de faire exploser les ogives ?

— Impossible, répondit Ramius, souffrant manifestement. Les ogives de fusée — nous appelons cela sécurité spéciale. Les ogives ne peuvent pas — pas être mises à feu.

— Alors que faisait-il ? » Ryan s'approcha du tube. Une sorte de poche en caoutchouc gisait par terre. « Qu'est-ce que c'est ? » Il ramassa l'objet. Une structure métallique ou plastique sous-tendait le caoutchouc, avec un téton métallique dans un angle et une embouchure.

« Il bricolait quelque chose sur le missile, mais il disposait d'un équipement spécial pour quitter le sous-marin à temps, dit Ryan. Bon Dieu, un détonateur ! » Il se pencha pour ramasser la lampe, l'alluma, puis recula et examina le compartiment du missile. « Commandant, qu'y a-t-il là-dedans ?

— C'est... le local de guidage. Un ordinateur dirige le parcours de la fusée. La porte... » Ramius avait du mal à respirer « ... permet l'accès à l'officier missilier ».

Ryan regarda par le panneau. Il trouva une masse de fils multicolores et de circuits reliés de telle manière qu'il n'en avait jamais vu. Il fouilla un peu dans les fils, en s'attendant plus ou moins à y trouver un détonateur branché sur des bâtons de dynamite. Il ne trouva rien de tel.

Maintenant, que fallait-il faire ? L'agent avait préparé quelque chose — mais quoi ? Avait-il fini ? Comment Ryan pouvait-il le savoir ? Il n'avait aucun moyen. Une partie de son cerveau lui hurlait de faire quelque chose, et l'autre lui disait qu'il aurait été fou d'essayer.

Ryan prit la poignée caoutchoutée de la lampe entre ses dents et fouilla à deux mains dans le compartiment. Il s'empara d'une grosse poignée de fils et tira. Quelques-uns seulement se détachèrent. Il en lâcha une partie et se concentra sur le reste. Un fouillis de plastique et de spaghetti en cuivre se défit. Il arracha le second paquet. « Haa ! » haleta-t-il en recevant une décharge électrique. Un moment interminable suivit, pendant lequel il attendit l'explosion. Rien ne se produisit. Il restait encore des fils à arracher. En moins d'une minute, il avait débranché tous les fils qu'il pouvait voir, ainsi qu'une demi-douzaine de petits panneaux bricolés. Ensuite, il frappa avec la lampe tout ce qui semblait pouvoir se briser, jusqu'à ce que le compartiment ressemble à la caisse à jouets de son fils — plein de fragments inutilisables.

Il entendit des bruits de pas précipités. Borodine arriva en tête. Ryan lui fit signe de s'approcher de Ramius et de l'agent mort.

« Sudets ? dit Borodine. Sudets ? » Il regarda Ryan. « C'est le cuisinier. »

Ryan ramassa le pistolet sur le pont. « Et voici son livre de recettes. Je crois que c'était un agent du GRU. Il essayait de nous faire sauter. Commandant Ramius, et si nous lancions ce missile — juste pour larguer cette saloperie, d'accord ?

— Bonne idée, je pense. » La voix de Ramius n'était plus qu'un chuchotement rauque. « Refermez d'abord le panneau d'inspection, et puis... nous pourrons tirer du central. »

Ryan balaya de la main les fragments qui encombraient le panneau du missile, et la porte se referma sans difficulté. Il en fut tout autrement pour la porte du tube, qui, conçue pour résister à la pression, était très lourde et maintenue par deux leviers à ressorts. Ryan la claqua trois fois. Elle rebondit deux fois et se ferma à la troisième.

Borodine et un autre officier transportaient déjà Williams vers l'arrière. Quelqu'un avait serré une ceinture sur la blessure de Ramius. Ryan l'aida à se relever et le soutint pour marcher. Ramius laissait échapper un grognement de douleur chaque fois qu'il devait bouger sa jambe gauche.

« Vous avez pris un risque insensé, commandant, observa Ryan.

— C'est mon bateau — et je n'aime pas l'obscurité. C'était ma faute! Nous aurions dû compter les hommes plus soigneusement lorsqu'ils quittaient le bord. »

Ils arrivèrent à la porte étanche. « Bon, je passerai le premier. » Ryan passa, puis se retourna pour aider Ramius. La ceinture s'était desserrée, et la blessure saignait à nouveau.

« Fermez le panneau et souquez », ordonna Ramius.

Il fermait bien. Ryan donna trois tours, puis revint soutenir le commandant. Encore six ou sept mètres, et ils parvinrent au central. L'officier qui tenait la barre avait le visage gris cendre.

Ryan installa le commandant sur un siège, à bâbord. « Avez-vous un couteau ? »

Ramius fouilla dans la poche de son pantalon, et en tira un canif ainsi qu'un autre objet. « Tenez, prenez cela. C'est la clé des ogives. On ne peut pas les mettre à feu sans cette clé. Gardez-la. » Il essaya de rire. C'était la clé de Poutine.

Ryan la passa autour de son cou, ouvrit le couteau et coupa le pantalon du commandant jusqu'en haut. La balle avait traversé de part en part la chair de la cuisse. Il tira un mouchoir propre de sa poche, et le pressa contre la blessure d'entrée. Ramius lui tendit un autre mouchoir, que Ryan plaça contre la blessure de sortie. Il entoura ensuite les deux pansements avec la ceinture, et serra aussi fort qu'il le put.

« Ma femme ne serait peut-être pas d'accord, mais il faudra que ça marche.

— Votre femme ? interrogea Ramius.

— Elle est médecin, chirurgien ophtalmo, pour être plus précis. Le jour où j'ai reçu une balle, c'est exactement ce qu'elle m'a fait. » La jambe de Ramius pâlissait. La ceinture était trop serrée, mais Ryan ne voulait pas encore la desserrer. « Et maintenant, le missile ? »

Ramius donna un ordre à l'officier qui tenait la barre, et celui-ci le transmit par l'intercom. Deux minutes plus tard, trois officiers pénétrèrent au central. La vitesse fut réduite à cinq nœuds, ce qui prit plusieurs minutes. Ryan s'inquiétait au sujet du missile, et se demandait s'il avait ou non détruit tous les pièges installés par l'agent. Chacun des trois officiers ôta une clé attachée à son cou. Ramius en fit autant, et remit sa seconde clé à Ryan. Il désigna la cloison tribord du compartiment.

« Contrôle des fusées. »

Ryan aurait pu le deviner. Tout autour du central, il y avait cinq tableaux, chacun équipé de trois rangées de vingt-six lumineux, avec une serrure sous chaque ensemble.

« Mettez votre clé dans le numéro un, Ryan. » Jack obtempéra, et les autres insérèrent également les leurs. Le voyant rouge s'alluma et une sonnerie retentit.

Le tableau de l'officier des missiles était le plus compliqué. Il tourna une manette pour inonder le tube de missile et ouvrir le panneau numéro un. Le voyant rouge du tableau se mit à clignoter.

« Tournez votre clé, Ryan, dit Ramius.

— Est-ce que le missile sera mis à feu ? » « Seigneur, et si cela se produit ? » se demanda Ryan.

« Non, non, la fusée doit être armée par l'officier missilier. Cette clé fait exploser la charge de gaz. »

Ryan pouvait-il le croire ? Bon, il était honnête, mais comment Ryan pouvait-il être sûr qu'il disait la vérité ?

« Allez ! » ordonna Ramius. Ryan tourna sa clé en même temps que les autres. Le voyant orange, au-dessus du rouge, continua à clignoter. Le vert resta éteint.

Un frémissement parcourut *Octobre rouge* tandis que le SS-N-20 numéro un était éjecté par la charge de gaz. On aurait dit un bruit de freins de camion. Les trois officiers retirèrent leurs clés. L'officier missilier referma aussitôt le panneau du tube.

A bord du Dallas

« Quoi ? dit Jones. Ici sonar, le but vient de lancer un engin — une fusée, un missile ? Dieu du ciel ! » De sa propre initiative, Jones augmenta la puissance du sonar et commença à émettre à haute fréquence.

« Qu'est-ce que vous foutez ? » s'écria Thompson. Mancuso arriva un instant plus tard.

« Que se passe-t-il ? » Jones montra l'écran.

« Le sous-marin vient de lancer un missile, commandant. Regardez, deux cibles. Mais il reste suspendu là. Pas d'ignition de missile. Mon Dieu ! »

*A bord d'*Octobre rouge

Va-t-il flotter ? se demandait Ryan.

Non. Le missile Seahawk fut propulsé vers le haut, sur la droite, par la charge de gaz, puis s'arrêta à quinze mètres au-dessus d'*Octobre,* qui poursuivit sa route. Le panneau de guidage que Ryan avait refermé n'était pas parfaitement souqué. L'eau remplit le compartiment, et inonda les circuits de l'ogive. Le missile, de toute façon, avait une flottabilité nettement négative, et la masse ajoutée dans le cône le fit basculer. Le déséquilibrage de l'assiette lui donna un parcours fantaisiste, et il descendit en spirale comme une ailette tombant d'un sycomore. A trois mille mètres de fond, la pression de l'eau écrasa l'enveloppe des cônes explosifs du missile, mais le Seahawk, à part cela, demeura intact et parvint entier jusqu'au fond.

*A bord de l'*Ethan Allen

La seule chose qui marchait encore était le détonateur. Il était réglé à trente minutes, ce qui avait donné tout le temps nécessaire à l'équipage pour embarquer à bord du *Scamp,* qui s'éloignait maintenant à la vitesse de dix nœuds. Le vieux réacteur avait été complètement débranché. Il était froid. Il ne restait plus que quelques voyants de sécurité allumés, entretenus par la puissance résiduelle d'une batterie. Le détonateur avait trois circuits d'allumage, et tous se déclenchèrent à un millième de seconde d'intervalle, envoyant un signal le long des fils.

Ils avaient placé quatre bombes Pave Pat Blue à bord de l'*Ethan Allen.* Les bombes Pave Pat Blue fonctionnaient à l'explosif liquide-gaz, dont l'efficacité était environ cinq fois supérieure à celle de n'importe quel autre explosif chimique ordinaire. Chaque bombe avait deux soupapes d'émission de gaz et, sur les huit soupapes, une seule resta bloquée. Quand elles s'ouvrirent, le propane pressurisé à l'intérieur se dilata violemment et, en un instant, la pression atmosphérique du vieux sous-marin tripla tandis qu'il se remplissait d'un mélange explosif de gaz et d'air. Les quatre bombes remplirent l'*Ethan Allen* avec l'équivalent de vingt-cinq tonnes de TNT également réparties dans toute la coque.

Les amorces explosèrent presque simultanément, et les résultats furent catastrophiques : la solide coque d'acier de l'*Ethan Allen* éclata comme un ballon. Le seul élément à ne pas être entièrement détruit fut le réacteur qui, dégagé de l'épave, tomba rapidement au fond de l'océan. La coque elle-même fut réduite en morceaux déchiquetés, méconnaissables. L'équipement intérieur formait un nuage métallique à l'intérieur de la coque détruite, et tout retomba lentement, s'étalant sur une large zone, pendant les cinq mille mètres de descente jusqu'au fond de la mer.

A bord du Dallas

« Bon Dieu de merde ! » Jones arracha ses écouteurs, et bâilla pour s'éclaircir l'ouïe. Les relais automatiques, à l'intérieur du système sonar, protégeaient ses oreilles de la pleine force de l'explosion, mais ce qu'il en avait perçu suffisait à lui donner l'impression d'avoir reçu un coup de marteau en plein sur le crâne. Tout l'équipage l'entendit aussi.

« Votre attention à tous, ici le commandant. Ce que vous venez d'entendre ne doit nullement vous préoccuper. C'est tout ce que je puis vous dire.

— Bon Dieu, commandant ! articula Mannion.

— Ouais, retournons à notre contact.

— Bien, commandant. » Mannion jeta un curieux regard à son commandant.

A la Maison-Blanche

« L'avez-vous averti à temps ? demanda le président.

— Non, monsieur. » Moore s'affala sur son siège. « L'hélicoptère est arrivé quelques minutes trop tard. Il n'y a peut-être pas de quoi s'inquiéter. On peut imaginer que le commandant aurait la bonne idée de débarquer tout le monde sauf ses acolytes. Nous nous inquiétons, bien sûr, mais nous ne pouvons rien faire.

— Je le lui ai demandé personnellement, juge. C'est moi. »

Bienvenue au monde de la réalité, monsieur le président, songea Moore. Le chef de l'exécutif avait eu de la chance — il n'avait jamais eu à envoyer des hommes à la mort. Moore réfléchit que c'était une chose plus facile à évoquer dans l'abstrait, et qu'on ne s'y habituait guère. Il avait prononcé des condamnations à mort, de sa place à la cour d'appel, et cela n'avait pas été facile — même pour des hommes qui avaient richement mérité leur destin.

« Eh bien, il ne nous reste qu'à attendre, monsieur le président. La source de ces renseignements est plus précieuse qu'aucune opération.

— Bien. Et le sénateur Donaldson ?

— Il a accueilli favorablement notre suggestion. Cet aspect de l'opération a parfaitement marché.

— Croyez-vous vraiment que les Russes vont marcher ? demanda Pat.

— Nous avons placé un joli appât, et nous allons secouer un peu la ligne pour attirer leur attention. D'ici un jour ou deux, nous verrons s'ils y mordent. Henderson est une de leurs vedettes — son nom de code est Cassius — et nous verrons à leur réaction quel genre de désinformation nous pourrons faire passer par lui. Il pourrait se révéler fort utile, mais nous allons devoir faire très attention. Nos collègues du KGB ont une manière très directe de régler les problèmes.

— Nous ne le lâcherons pas tant qu'il ne l'aura pas vraiment mérité », décréta froidement le président.

Moore sourit. « Oh ! il va le mériter. Nous le tenons bien, ce M. Henderson. »

LE QUINZIÈME JOUR

Vendredi 17 décembre

Dans la crique d'Ocracoke

Il n'y avait pas de lune. Le convoi des trois bâtiments entra dans la crique à cinq nœuds, juste après minuit, pour profiter de la grande marée. Le *Pogy* était guide de la formation, car il avait le plus faible tirant d'eau, et le *Dallas* suivait *Octobre rouge.* Les postes de garde côtière, de part et d'autre de l'embouchure, étaient armés par des officiers de marine qui avaient relevé les gardes-côtes.

Ryan avait reçu l'autorisation de se tenir en haut du kiosque, par un geste humanitaire de Ramius qu'il avait vivement apprécié. Après dix-huit heures passées à bord d'*Octobre rouge,* Jack avait commencé à souffrir du confinement, et il était heureux de revoir le monde — même s'il n'y avait rien d'autre qu'un espace vide et noir. Le *Pogy* ne laissait voir qu'une faible lueur rouge qui disparaissait quand on la regardait plus de quelques secondes. Il pouvait voir les plumes d'écume de l'eau, et les étoiles qui jouaient à cache-cache dans les nuages. Brutal, le vent d'ouest arrivait de la mer à vingt nœuds.

Borodine donnait des ordres abrupts, monosyllabiques, pour remonter ce chenal qu'il fallait régulièrement curer, tous les quelques mois, malgré l'énorme jetée construite au nord. La route était facile, et les vagues d'à peine un mètre ne comptaient guère, pour la masse de ce sous-marin lance-missiles de trente mille tonnes. L'eau noire se calma et, quand ils entrèrent dans les eaux abritées, une embarcation gonflable de type Zodiac se précipita vers eux.

« Ohé, *Octobre rouge !* » cria une voix dans l'obscurité. Ryan distinguait à peine la silhouette grise en losange du Zodiac, précédée par une petite tache d'écume que formait le moteur hors-bord en tournant.

« Puis-je répondre, commandant Borodine ? » s'enquit Ryan, et il reçut un signe de tête affirmatif en guise de réponse. « Je suis Ryan. Nous avons deux blessés à bord, dont l'un en mauvais état. Il nous faut un médecin et une équipe chirurgicale tout de suite ! Compris ?

— Deux blessés, et il vous faut un médecin, vu. » Ryan crut voir l'homme porter quelque chose à son visage, et il lui sembla entendre le faible grésillement d'une radio. « Okay. Nous vous envoyons un médecin tout de suite. *Octobre !* Le *Dallas* et le *Pogy* ont tous deux des médecins à bord. Vous les voulez ?

— Et comment ! Tout de suite ! répondit Ryan.

— Okay. Suivez le *Pogy* encore deux milles et arrêtez-vous. » Le Zodiac fonça en avant, fit demi-tour, et disparut dans la nuit.

« Dieu merci, murmura Ryan.

— Vous êtes... croyant ? s'enquit Borodine.

— Oui, bien sûr. » Ryan n'aurait pas dû s'étonner de la question. « Bon Dieu, il faut bien croire à quelque chose.

— Et pourquoi cela, commandant Ryan ? » Borodine observait le *Pogy* avec ses énormes jumelles de nuit.

Ryan se demandait comment répondre. « Eh bien, parce que sinon, à quoi sert de vivre ? Cela signifierait que Sartre, Camus et tous ces types-là avaient raison — tout est chaos, la vie n'a aucun sens. Je refuse de croire cela. Si vous voulez une meilleure réponse, je connais deux ou trois prêtres qui seraient ravis de discuter avec vous. »

Borodine ne répondit pas. Il donna un ordre dans le micro de passerelle, et ils tournèrent de quelques degrés sur la droite.

A bord du Dallas

Un demi-mille en arrière, Mancuso tenait devant ses yeux des jumelles de nuit. Un peu en retrait, Mannion s'efforçait de voir.

« Bon Dieu de bon Dieu, articula Mancuso à voix basse.

— Bien dit, commandant, apprécia Mannion, frissonnant sous sa veste. Je ne suis pas certain d'y croire non plus. Voilà le Zodiac. »

Mannion tendit à son commandant la radio portative qui servait pour accoster.

« Vous m'entendez ?

— Ici Mancuso.

— Quand notre ami s'arrêtera, je veux que vous transfériez dix hommes à son bord, y compris votre médecin. Ils annoncent deux blessés qui ont besoin de soins. Choisissez bien vos hommes, commandant, ils devront aider à manœuvrer le bateau — et assurez-vous qu'ils ne parleront pas.

— Compris. Dix hommes dont le toubib. Terminé. » Mancuso regarda le canot s'éloigner à toute vitesse vers le *Pogy*. « Vous voulez venir, Pat ?

— Pouvez parier votre cul, euh, commandant. Vous comptez y aller ? » demanda Mannion.

Mancuso était un sage. « Il me semble que Chambers pourra très bien commander le *Dallas* pendant un jour ou deux, non ? »

A terre, un officier de marine téléphonait à Norfolk. Le poste côtier était bondé, presque entièrement d'officiers. Mais un coffrage en fibre de verre entourait le téléphone, permettant de communiquer en toute liberté avec Cinclant. Ils n'étaient là que depuis deux heures, et s'apprêtaient déjà à repartir. Rien ne semblait sortir de l'ordinaire. Au-dehors, un amiral et deux capitaines de frégates suivaient les silhouettes sombres avec des jumelles astronomiques. Ils avaient l'air solennel comme à l'église.

A Cherry Point, en Caroline du Nord

Le commandant Ed Noyes se détendait dans la salle de repos des médecins de l'hôpital de la base aérienne du corps des marines, à Cherry Point. Chirurgien de l'air parfaitement compétent, il était de garde pour les trois nuits à venir, de façon à avoir quatre jours pour Noël. La nuit avait commencé calmement. Cela allait changer.

« Doc ? »

Noyes leva les yeux, et vit un capitaine de marines en tenue de police militaire. Il le connaissait. La police militaire amenait des quantités de blessés. Il posa son *New England Journal of Medicine*.

« Salut, Jerry. Quelque chose pour moi ?

— Doc, j'ai ordre de vous dire de préparer tout ce qu'il vous faut pour une urgence. Vous avez deux minutes, et je vous conduis au terrain d'aviation.

— Pour quoi faire ? Quel genre d'intervention ? » Noyes se leva.

« On ne me l'a pas dit, doc, simplement que vous partez quelque part, tout seul. Les ordres viennent de tout là-haut, je n'en sais pas plus.

— Bon Dieu, Jerry, il faut que je sache quel genre d'opération, pour savoir quoi prendre !

— Alors prenez tout, doc. Il faut que je vous conduise à l'hélico. »

Avec un juron, Noyes se rendit dans la salle d'accueil des urgences. Deux autres marines l'y attendaient. Il leur tendit quatre trousses stériles, des plateaux d'instruments préemballés. Il se demanda s'il aurait besoin de médicaments, et décida d'en prendre une brassée, ainsi que deux unités de plasma. Le capitaine l'aida à enfiler son manteau, et ils sortirent pour monter dans une jeep qui attendait devant la porte. Cinq minutes plus tard, ils montaient dans un Sea Stallion dont les moteurs rugissaient déjà.

« Qu'y a-t-il ? » demanda Noyes au colonel des services de renseignements qui était à l'intérieur, en se demandant où était le pilote.

« Nous allons dans la baie, expliqua le colonel. Nous devons vous embarquer à bord d'un sous-marin qui a des blessés à bord. Il y a deux infirmiers pour vous assister, et c'est tout ce que je sais, d'accord ? » Il fallait bien que ce soit d'accord. Noyes n'avait guère le choix.

Le Stallion s'éleva immédiatement. Noyes avait l'habitude. Il avait deux cents heures de pilotage d'hélicoptère, et trois cents d'avion. Noyes était le genre de médecin qui avait découvert trop tard que le pilotage lui plaisait autant que la médecine. Toutes les occasions lui étaient bonnes pour voler, et il accordait souvent aux pilotes des soins spéciaux pour leurs familles, afin d'obtenir des droits de passage en Phantom F-4. Il remarqua que le Sea Stallion, au lieu d'avancer normalement, fonçait à la vitesse maximale.

Dans la baie de Pamlico

Le *Pogy* s'immobilisa à peu près au moment où l'hélicoptère quittait Cherry Point. *Octobre* vira à nouveau légèrement sur la droite, et s'arrêta à l'aplomb du *Pogy*, au nord. Le *Dallas* suivit le mouvement. Une minute après, le Zodiac reparut sur le flanc du *Dallas*, puis s'approcha lentement d'*Octobre rouge*, disparaissant presque sous sa cargaison d'hommes.

« Ohé, *Octobre rouge !* »

Cette fois, ce fut Borodine qui répondit. Il avait un accent, mais son anglais était compréhensible. « Identifiez-vous.

— Ici Bart Mancuso, commandant de l'USS *Dallas*. J'ai notre médecin avec moi, ainsi que plusieurs hommes. Je demande la permission de monter à bord, commandant. »

Ryan vit le *starpom* grimacer. Pour la première fois, Borodine devait vraiment faire face à la situation, et il n'aurait guère été humain s'il n'avait éprouvé quelque lutte intérieure.

« Permission est... oui. »

Le Zodiac vint se placer contre la coque. Un homme sauta à bord avec un filin pour attacher le canot. Dix hommes en débarquèrent, dont l'un se sépara des autres pour escalader le kiosque du sous-marin.

« Commandant ? Je suis Bart Mancuso. Je crois comprendre que vous avez des malades à bord.

— Oui. » Borodine acquiesça. « Le commandant et un officier britannique, tous deux blessés par balles.

— Par balles ? » Mancuso était surpris.

« On s'inquiétera plus tard, intervint Ryan sèchement. Amenons-leur d'abord votre toubib, d'accord ?

— Bien sûr, où est le panneau ? »

Borodine prononça quelques mots dans le micro de passerelle, et un moment plus tard apparut un cercle de lumière au pied du kiosque, sur le pont.

« Nous n'avons pas de médecin, mais un infirmier est là. Il est très bien, et l'homme du *Pogy* sera là d'ici quelques minutes. Qui êtes-vous donc, à propos ?

— C'est un espion, répondit Borodine avec une ironie palpable.

— Jack Ryan.

— Et vous ?

— Commandant en second Vasily Borodine. Je suis... le second, oui ? Venez au central, commandant. Veuillez m'excuser, nous sommes tous très fatigués.

— Vous n'êtes pas les seuls. » Il n'y avait pas grand place. Mancuso se percha sur l'hiloire de panneau. « Commandant, je tiens à vous dire que nous avons eu un mal de chien à vous poursuivre. Permettez qu'on vous félicite pour votre adresse. »

Ce compliment ne suscita pas la réaction attendue de Borodine. « Vous avez réussi à nous suivre. Comment ?

— Je l'ai amené avec moi. Vous allez faire sa connaissance.

— Et qu'allons-nous faire ?

— Les ordres venus de terre sont d'attendre le médecin, et de plonger. Ensuite, nous resterons cachés en attendant l'ordre de bouger. Peut-être un jour, peut-être deux. Je crois qu'un peu de repos nous fera du bien à tous. Ensuite, nous vous emmènerons dans un endroit agréable et bien à l'abri, et je vous offrirai personnellement le meilleur dîner italien de votre vie. » Mancuso sourit. « Vous avez de la nourriture italienne, en Russie ?

— Non, et si vous aimez la bonne cuisine, vous risquez de ne pas vous plaire à bord de *Krasny Oktyabr.*

— Je pourrai peut-être arranger cela. Combien d'hommes à bord ?

— Douze. Dix Soviétiques, l'Anglais et l'espion. » Borodine lança un coup d'œil à Ryan, avec un pâle sourire.

« Okay. » Mancuso plongea la main dans la poche de son manteau et en sortit une radio. « Ici Mancuso.

— Nous sommes là, commandant, répondit Chambers.

— Rassemblez de quoi manger pour nos amis. Six repas pour vingt-cinq personnes. Envoyez-nous aussi un cuisinier. Wally, je veux montrer à ces hommes ce que c'est qu'un gueuleton. Vu ?

— Oui, commandant. Terminé.

— J'ai de bons cuisiniers, commandant. Dommage qu'on ne soit pas la semaine dernière. On a eu de la lasagne, juste comme maman les faisait ! Il ne manquait que le chianti.

— Ils ont de la vodka, observa Ryan.

— Seulement pour les espions », dit Borodine. Deux heures après la fusillade, Ryan avait été pris de violents tremblements, et Borodine lui avait fait porter de l'alcool de la réserve pharmaceutique. « Il paraît que vos sous-mariniers sont très gâtés.

— C'est possible, admit Mancuso. Mais nous restons soixante ou soixante-dix jours d'affilée en mer. C'est déjà assez dur, vous ne trouvez pas ?

— Si nous descendions ? » suggéra Ryan. Tout le monde fut d'accord. Il commençait à faire froid.

Borodine, Ryan et Mancuso descendirent, et trouvèrent les Américains agglutinés d'un côté du central, et les Soviétiques de l'autre, exactement comme avant. Le commandant américain brisa la glace.

« Commandant Borodine, voici l'homme qui vous a trouvés. Venez là, Jonesy.

— Ce n'était pas très facile, commandant, dit Jones. Puis-je me mettre au travail ? Puis-je voir votre local sonar ?

— Bugayev. » Borodine fit signe à l'officier électronicien d'approcher, et ce dernier emmena l'opérateur sonar vers l'arrière.

Jones jeta un coup d'œil au matériel et murmura : « Camelote. » Les façades des meubles avaient tous des volets pour libérer la chaleur. Seigneur, utiliseraient-ils des tubes à vide ? se demanda Jones. Il tira un tournevis de sa poche pour vérifier.

« Vous parlez anglais ?

— Oui, un peu.

— Puis-je voir les schémas des circuits, s'il vous plaît ? »

Bugayev cilla. Jamais un seul appelé ni un seul de ses *michmaniy* n'avait demandé cela. Puis il prit le volume des plans schématiques sur une étagère.

Jones trouva le numéro de code de la série qu'il voulait vérifier dans la section adéquate du volume. En dépliant le diagramme, il nota avec soulagement que les ohms étaient des ohms dans le monde entier. Il commença à suivre du doigt les tracés, puis ôta le dessus du panneau pour regarder l'intérieur du circuit.

« Quelle hypermléga-camelote ! » Jones était tellement frappé qu'il retombait dans ses tics de langage adolescent.

« Excusez-moi, qu'est-ce que cela veut dire ?

— Oh, excusez-moi. C'est une expression de la marine. Je ne sais pas la traduire en russe. Désolé. » Jones retint un sourire et retourna à l'étude du schéma. « Celui-ci, là, c'est un circuit à basse puissance sur haute fréquence, n'est-ce pas ? Vous vous en servez pour les mines et les trucs comme ça ? »

Ce fut au tour de Bugayev d'être choqué. « Vous avez suivi une formation spécialisée en matériel soviétique ?

— Non, mais j'en ai beaucoup entendu parler. » N'était-ce pas évident ? se demanda Jones. « C'est un circuit à haute fréquence, mais qui n'utilise guère d'énergie. A quoi d'autre pourrait-il servir ? Une modulation de fréquence à faible puissance, on s'en sert pour les mines, pour le travail sous la glace, et pour entrer au port, non ?

— Correct.

— Vous avez une gertrude ?

— Gertrude ?

— Un téléphone sous-marin, pour communiquer avec d'autres sous-marins. » Ce type ne connaissait donc rien ?

« Ah oui, mais il est au central, et il ne marche plus.

— Ah ! » Jones étudia de nouveau le diagramme. « Je crois que je pourrais installer un modulateur là-dessus et vous bricoler une gertrude. Ça pourrait être utile. Vous croyez que votre commandant serait d'accord ?

— Je vais lui demander. » Il imaginait que Jones resterait en retrait, mais le jeune opérateur sonar le suivit jusqu'au central. Bugayev expliqua la suggestion à Borodine, tandis que Jones parlait à Mancuso.

« Ils ont un petit modulateur tout à fait comme les vieilles gertrudes de l'école sonar. Nous avons un modulateur de rechange en réserve, et je pourrais leur installer ça en une demi-heure sans me bousculer.

— Etes-vous d'accord, commandant Borodine ? » demanda Mancuso.

Borodine se sentait un peu trop bousculé, même si l'idée était bonne. « Oui, vous pouvez le faire faire par votre homme.

— Commandant, on est là pour combien de temps ? s'enquit Jones.

— Un ou deux jours, pourquoi ?

— Eh bien, on dirait que ce bateau manque un peu de confort pour les usagers, vous voyez ? Si on prenait une télé avec un magnéto ? Histoire de leur donner quelque chose à voir, un genre de coup d'œil rapide sur l'Amérique, vous voyez ? »

Mancuso se mit à rire. Ils voulaient apprendre tout ce qu'ils pouvaient sur ce bâtiment, mais ils auraient tout leur temps, et l'idée de Jones semblait propice à la détente. Cependant, il ne voulait pas risquer de provoquer une émeute à bord de son propre sous-marin. « Okay, prenez l'appareil du carré.

— Oui, commandant. »

Le Zodiac amena le médecin du *Pogy* quelques minutes plus tard, et ramena Jones au *Dallas*. Peu à peu, les officiers commençaient à parler un peu entre eux. Deux Russes tentaient d'entrer en conversation avec Mannion et observaient ses cheveux. Ils n'avaient jamais vu d'homme noir.

« Commandant Borodine, j'ai ordre de prendre quelque chose au central qui puisse identifier — c'est-à-dire quelque chose qui vienne de ce bâtiment. » Mancuso pointa le doigt. « Puis-je prendre cet indicateur de profondeur ? Je le ferai remplacer par l'un de mes hommes. » Il avait vu que la jauge portait un chiffre.

« Pour quelle raison ?

— Je l'ignore, mais ce sont les ordres.

— Bien. »

Mancuso ordonna à l'un de ses hommes d'effectuer le prélèvement. L'officier-marinier tira de sa poche une clé coudée et ôta l'écrou qui tenait l'aiguille et le cadran en place.

« Celui-ci est un peu plus gros que les nôtres, commandant, mais pas de beaucoup. Je crois que nous en avons un en réserve. Je peux le retirer et noter les données, non ? »

Mancuso lui tendit sa radio. « Appelez chez nous et dites à Jones d'apporter celui de rechange.

— Oui, commandant. » L'officier-marinier posa le cadran sur le pont et remit l'aiguille en place.

Le Sea Stallion n'essaya pas d'apponter, malgré la forte tentation du pilote. Le pont était presque assez grand. Mais l'hélicoptère s'immobilisa à quelques mètres au-dessus de la rampe des missiles, tandis que le médecin sautait dans les bras de deux matelots. Son équipement lui fut lancé un instant plus tard. Resté à l'arrière de l'hélico, le colonel referma la porte. L'appareil tourna lentement pour repartir en direction du sud-ouest, faisant gicler l'eau de la baie de Pamlico par la force de son énorme rotor.

« Est-ce que c'était bien ce que j'ai cru voir ? interrogea le pilote dans l'interphone.

— Il était à l'envers, non ? Je croyais que les sous-marins lance-engins avaient leurs missiles à l'arrière du kiosque. Ceux-là étaient à l'avant, non ? Enfin, ce n'était pas le gouvernail, qui dépassait derrière le kiosque ? répondit le copilote surpris.

— C'était un sous-marin russe ! s'exclama le pilote.

— *Quoi ?* » Trop tard pour regarder, ils avaient déjà parcouru trois kilomètres. « C'étaient des types de chez nous, sur le pont. Pas des Russes !

— Le *salaud !* » jura le commandant, étonné. Et il ne pouvait rien dire. Le colonel du service de renseignements avait été on ne peut plus clair : « Vous ne voyez rien, vous n'entendez rien, vous ne pensez à rien, et *surtout* vous fermez votre gueule. »

« Je suis le docteur Noyes », annonça-t-il à Mancuso, au central. Il n'avait jamais mis les pieds sur un sous-marin et, quand il regarda autour de lui, il vit un compartiment plein d'instruments portant des inscriptions en langue étrangère. « Qu'est-ce que c'est que ce bateau ?

— *Krasny Oktyabr* », répondit Borodine en s'approchant. Sa casquette s'ornait sur le devant d'une superbe étoile rouge.

« Que diable se passe-t-il ici ? voulut savoir Noyes.

— Docteur », Ryan le prit par le bras, « vous avez deux patients à l'arrière. Si nous nous en occupions un peu ? »

Noyes le suivit en direction de l'infirmerie. « Que se passe-t-il ici ? répéta-t-il plus doucement.

— Les Russes viennent de perdre un sous-marin, expliqua Ryan, et maintenant il nous appartient. Si jamais vous le répétez à quelqu'un...

— J'entends bien, mais je ne vous crois pas.

— Rien ne vous oblige à me croire. Quelle est votre spécialité en chirurgie ?

— Thoracique.

— Tant mieux. » Ryan pénétra dans l'infirmerie. « Il y a là un blessé par balles qui a bien besoin de vous. »

Williams gisait nu sur la table. Un marin entra avec un chargement d'équipement médical, et posa le tout sur le bureau de Petrov. La pharmacie d'*Octobre rouge* contenait des réserves de plasma congelé, et les deux infirmiers avaient déjà placé le lieutenant de vaisseau sous perfusion, et un drain thoracique s'écoulait dans un flacon.

« Nous avons une balle de neuf millimètres dans la poitrine de cet homme, annonça l'un des deux officiers après les présentations. Il a cette sonde depuis déjà dix heures, me dit-on. La tête paraît plus mal en point qu'elle n'est vraiment. La pupille droite est un peu soufflée, mais rien de tragique. Mais le thorax est mal en point. Vous feriez mieux d'y jeter un coup d'œil.

— Pouls, tension ? » Noyes chercha un stéthoscope dans sa sacoche.

« Pouls à 110, filiforme. Tension 8-4. »

Noyes déplaça le stéthoscope sur la poitrine de Williams, le sourcil froncé. « Le cœur est mal placé. Pneumothorax gauche. Il doit y avoir près d'un litre de liquide, là-dedans, et on dirait que le cœur va lâcher. » Noyes se tourna vers Ryan. « Sortez. J'ai un coffre à fracturer.

— Prenez-en soin, doc. C'est un type bien.

— Ils le sont tous, grommela Noyes en ôtant sa veste. Allez, on désinfecte, les gars. »

Ryan se demanda si une prière servirait à quelque chose. Noyes avait tout à fait l'air d'un chirurgien. Ryan espérait qu'il en était vraiment un. Il se rendit à l'arrière dans la chambre du commandant, où Ramius dormait grâce aux drogues qu'on lui avait administrées. La jambe ne saignait plus, et il était clair que l'un des infirmiers avait nettoyé la plaie. Noyes pourrait s'en occuper par la suite. Ryan retourna à l'avant.

Borodine sentait qu'il avait perdu le contrôle de la situation, et cela ne lui plaisait guère, même s'il en éprouvait un certain soulagement. Deux semaines de tension constante et le changement de programme sous la pression des événements avaient mis les nerfs de l'officier à l'épreuve, et il était plus secoué qu'il ne l'aurait cru. La situation était devenue franchement déplaisante — les Américains s'efforçaient de rester gentils, mais qu'ils étaient encombrants ! Au moins, les officiers d'*Octobre rouge* n'étaient plus en danger.

Vingt minutes plus tard, le Zodiac revint. Deux matelots

montèrent à bord pour décharger plusieurs centaines de kilos de nourriture, puis aidèrent Jones à transporter son matériel électronique. Le rangement prit plusieurs minutes, et les matelots qui portèrent le ravitaillement à l'avant revinrent très secoués, après avoir trouvé deux corps raidis dans la chambre froide, et un troisième carrément congelé. On n'avait pas eu le temps d'évacuer les deux morts récents.

« Tout est là, commandant », annonça Jones. Il tendit le cadran d'indicateur à l'officier-marinier.

« Qu'est-ce que c'est que tout cela ? voulut savoir Borodine.

— Commandant, voici le modulateur pour installer le téléphone. » Jones exhiba un petit boîtier. « Le reste, c'est un petit téléviseur couleurs, un magnétoscope et quelques films. Le commandant a pensé que vous seriez peut-être heureux de vous détendre, et d'apprendre à nous connaître un peu, vous voyez ?

— Des films ? » Borodine hocha la tête. « Des films de cinéma ?

— Bien sûr. » Mancuso sourit. « Qu'avez-vous apporté, Jonesy ?

— Eh bien, commandant, j'ai pris *E.T.*, *Star Wars*, *Big Jake* et *Hondo.* » Visiblement, Jones avait sélectionné les aspects de l'Amérique qu'il souhaitait présenter aux Russes.

« Je vous présente mes excuses, commandant. Ce garçon a des goûts très limités en matière de cinéma. »

A ce stade, Borodine se serait contenté du *Cuirassé Potemkine*. La fatigue le terrassait.

Le cuisinier s'affairait à l'arrière, les bras chargés de provisions. « Je vous sers le café dans quelques minutes, commandant, annonça-t-il à Borodine en se dirigeant vers la cuisine.

— Je voudrais quelque chose à manger, déclara Borodine. Nous n'avons rien mangé depuis vingt-quatre heures.

— A manger ! cria Mancuso vers l'arrière.

— Oui, commandant. Permettez que je m'y retrouve un peu dans cette cambuse. »

Mannion consulta sa montre. « Vingt minutes, commandant.

— Nous avons tout ce qu'il nous faut à bord ?

— Oui, commandant. »

Jones brancha une dérivation sur le contrôle d'émission de l'ampli sonar et y inséra le modulateur. C'était encore plus facile qu'il ne l'avait pensé. Il avait profité de son passage à bord du *Dallas* pour prendre un micro en plus du reste, et maintenant il le reliait au sonar avant de rebrancher le système. Il fallut attendre que l'appareil chauffe un peu. Jones n'avait pas vu tant de tubes depuis qu'il avait cessé d'aider son père à réparer des téléviseurs, et cela remontait à bien longtemps.

« *Dallas,* ici Jonesy, vous m'entendez ?

— Oui. » La réponse grésillait un peu, comme une radio de taxi.

« Merci. Terminé. » Il coupa. « Ça marche. Ce n'était vraiment pas difficile, hein ? »

Un appelé, bon sang ! et même pas formé sur du matériel soviétique ! se disait l'officier électronicien d'*Octobre.* L'idée ne l'effleura pas un instant que cet appareil était la réplique presque exacte d'un ancien système américain. « Depuis combien de temps êtes-vous opérateur sonar ?

— Trois ans et demi. Depuis que j'ai laissé tomber les études.

— Vous avez appris tout cela en trois ans ? » s'étonna l'officier.

Jones haussa les épaules. « Ça n'a rien d'extraordinaire. Je tripote des radios et des trucs depuis que je suis né ! Cela ne vous ennuie pas, si je mets un peu de musique ? »

Jones avait décidé d'être particulièrement gentil. Il ne possédait qu'une cassette de musique russe, *Casse-Noisette* de Tchaïkovski, et il l'avait apportée, avec quatre Bach. Jones aimait écouter de la musique en se régalant de diagrammes de circuits. Il était au septième ciel. Tous les engins russes qu'il avait écoutés depuis trois ans — il avait maintenant leurs schémas, leurs carcasses, et tout le temps de les étudier. Stupéfait, Bugayev continuait à regarder danser les doigts de Jones sur les pages du manuel, au rythme de la musique.

« Paré à plonger, commandant, annonça Mannion au central.

— Très bien. Avec votre permission, commandant Borodine, je m'occuperai des ballasts. Tous les clapets et les panneaux sont... fermés. » Mancuso observa que les barres de plongée utilisaient le même système lumineux que celles des bâtiments américains.

Mancuso fit une dernière fois le tour de la situation. Butler et ses quatre meilleurs officiers-mariniers s'occupaient déjà de la cafetière nucléaire à l'arrière. Tout semblait se passer bien. Le seul vrai problème à craindre, c'était le cas où les officiers d'*Octobre* changeraient d'avis. Le *Dallas* allait garder le sous-marin russe sous surveillance sonar constante. Au moindre mouvement, le *Dallas* avait un avantage de vitesse de dix nœuds pour bloquer l'entrée de la baie.

« Comme je vois les choses, commandant, nous sommes prêts à plonger », dit Mancuso.

Borodine acquiesça et mit le klaxon en marche. C'était une

sonnerie assourdie, comme à bord des bâtiments américains. Mancuso, Mannion et un officier russe manœuvraient les délicates commandes des purges de ballasts. *Octobre rouge* entreprit sa lente descente. Cinq minutes plus tard, il reposait au fond, sous vingt-cinq mètres d'eau.

A la Maison-Blanche

Pelt appela l'ambassade soviétique à 3 heures du matin.

« Alex, ici Jeffrey Pelt.

— Comment allez-vous, monsieur Pelt ? Je dois vous remercier au nom du peuple soviétique pour le sauvetage de notre marin. Je viens juste d'apprendre qu'il avait repris connaissance, il y a quelques minutes, et qu'il allait se rétablir complètement.

— Oui. Je viens moi-même de l'apprendre aussi. Comment s'appelle-t-il, à propos ? » Pelt se demandait s'il avait réveillé Arbatov. Rien ne le laissait supposer.

« André Katyskine, marinier cuisinier, originaire de Leningrad.

— Très bien. Alex, on m'informe à l'instant que l'USS *Pigeon* vient de repêcher presque tout l'équipage d'un autre sous-marin soviétique, au large de la Caroline. Il s'agissait évidemment d'*Octobre rouge*. Voilà pour les bonnes nouvelles. La mauvaise nouvelle, c'est que le bâtiment a explosé et coulé avant que nous ayons pu sauver tout le monde. La plupart des officiers, et deux des nôtres, ont péri.

— Quand cela s'est-il produit ?

— Hier matin de très bonne heure. Désolé pour le retard, mais le *Pigeon* a eu des ennuis de radio, par suite de l'explosion sous-marine, paraît-il. Vous savez comme ce genre de choses arrive.

— Bien sûr. » Pelt ne put s'empêcher d'admirer la réaction, dénuée de toute trace d'ironie. « Où sont-ils, maintenant ?

— Le *Pigeon* se dirige vers Charleston, en Caroline du Sud. Nous renverrons vos hommes de là-bas directement à Washington par avion.

— Et le sous-marin a explosé ? Vous en êtes sûr ?

— Oui, l'un des hommes dit qu'ils ont eu un grave accident de réacteur. C'est par pure chance que le *Pigeon* se trouvait par là. Il faisait route vers la côte de Virginie pour examiner l'autre que vous avez perdu. Dites-moi, Alex, je crois que votre marine a besoin d'une révision.

— Je transmettrai à Moscou, monsieur Pelt, répliqua sèchement Arbatov. Pouvez-vous nous indiquer où cela s'est produit ?

— Je peux faire mieux que cela. Nous avons un navire qui emmène un sous-marin de recherche en grande profondeur sur les lieux, pour examiner l'épave. Si vous voulez, faites envoyer un expert à Norfolk par votre marine, et nous l'embarquerons pour identifier les restes. Ça vous va ?

— Vous dites que vous avez perdu deux officiers ? » Arbatov gagnait du temps, pour dissimuler la surprise que lui causait la proposition.

« Oui, tous deux appartenaient à l'équipe de sauvetage. Nous avons repêché cent hommes, Alex, ajouta Pelt sur un ton de défense. C'est quelque chose.

— Certainement, monsieur Pelt. Je dois câbler à Moscou pour avoir des instructions. Je vous rappellerai. Vous êtes à votre bureau ?

— Exact. Au revoir, Alex. » Il raccrocha et regarda le président. « Je passe, patron ?

— Travaillez un peu votre sincérité, Jeff. » Le président était en pyjama et robe de chambre, étalé dans un fauteuil en cuir. « Ils vont mordre ?

— Ils vont mordre. Ils tiennent par-dessus tout à confirmer la destruction du sous-marin. La question, c'est : pouvons-nous les rouler ?

— Foster semble croire que oui. Cela semble assez plausible.

— Hum. En tout cas, nous le tenons, n'est-ce pas ?

— Ouais. Je suppose que cette histoire d'agent du GRU était fausse, sinon ils l'ont fichu dehors avec tous les autres. Il faut que je voie ce commandant Ramius. Nom d'un chien ! Monter toute une histoire de fuite de réacteur, pas étonnant qu'il ait pu se débarrasser de tout l'équipage ! »

Au Pentagone

Assis dans le bureau du chef des opérations navales, Skip Tyler essayait de se détendre. Le poste de garde côtière avait une caméra de télévision à haute sensibilité, et la cassette vidéo avait aussitôt été transportée à Cherry Point par hélicoptère, et de là par Phantom jusqu'à Andrews. Elle se trouvait à présent entre les mains d'un courrier spécial, dont la voiture venait de s'arrêter à l'instant devant l'entrée principale du Pentagone.

« J'ai un paquet à remettre en mains propres à l'amiral

Foster », annonça un enseigne de vaisseau quelques instants plus tard. Le secrétaire de Foster lui montra la porte.

« Bonjour, amiral. Ceci est pour vous. » L'enseigne remit à Foster le paquet contenant la cassette.

« Merci. Dégagez. »

Foster engagea la cassette dans le magnétoscope posé sur le télévisieur de son bureau. L'appareil était déjà allumé, et un instant plus tard l'image apparut.

Tyler se tenait à côté de l'amiral pendant que le réglage automatique s'effectuait. « Ouais.

— Ouais », acquiesça Foster.

L'image était mauvaise. Le système de télévision en éclairage réduit ne donnait pas une image bien contrastée, puisqu'il amplifiait également toutes les lumières ambiantes, ce qui effaçait de nombreux détails. Mais ce qu'ils voyaient leur suffisait : un énorme sous-marin lance-missiles dont le kiosque se trouvait placé beaucoup plus à l'arrière que sur aucun sous-marin occidental. En comparaison, le *Dallas* et le *Pogy* paraissaient nains. Ils contemplèrent l'écran sans échanger un seul mot pendant un quart d'heure. A part le fait que la caméra bougeait, l'image était à peu près aussi vivante qu'un cadrage d'essai.

« Eh bien, déclara Foster à la fin de la cassette, nous voilà possesseurs d'une grosse bête russe.

— Pas mal, hein ? » Tyler souriait largement.

« Skip, vous étiez candidat pour un commandement de Los Angeles, n'est-ce pas ?

— Oui, amiral.

— Nous vous sommes redevables, pour cette affaire, commandant. Nous vous devons beaucoup. J'ai procédé à quelques petites vérifications, l'autre jour. Un officier blessé dans le cadre de son travail n'est pas obligé de prendre la retraite, sauf s'il est visiblement hors d'état d'assumer ses fonctions. Un accident survenu au retour d'une période de travail à bord de votre bâtiment entre dans la catégorie des accidents du travail, à mon avis, et nous avons eu plusieurs capitaines de corvette raccourcis d'une jambe. J'irai personnellement en parler au président, mon garçon. Il vous faudra sans doute un an de travail pour reprendre la routine, mais si vous voulez toujours votre commandement, ma parole d'honneur, je vous l'obtiendrai. »

Tyler dut s'asseoir en entendant ces mots. Cela signifierait se faire poser une nouvelle prothèse, ce qu'il envisageait depuis plusieurs mois, et consacrer quelques semaines à l'adaptation.

Ensuite un an — au moins un an — pour réapprendre tout ce qu'il avait besoin de savoir avant de pouvoir prendre la mer... Il secoua la tête. « Merci, amiral. Vous ne pouvez pas imaginer ce que cela représente pour moi... mais, non. J'ai tourné la page. J'ai une autre vie, maintenant, d'autres responsabilités, et puis je prendrais la place de quelqu'un d'autre. Je vais vous proposer autre chose : vous me laissez jeter un coup d'œil sur ce monstre, et on est quittes.

— Cela, je peux vous le garantir. » Foster avait espéré qu'il réagirait ainsi, il en avait été pratiquement sûr. Mais c'était dommage. Il se disait que Tyler aurait fait un bon candidat au poste d'amiral, s'il n'y avait pas eu cette foutue jambe. Bah, personne n'avait jamais prétendu que la justice régnât en ce bas monde.

*A bord d'*Octobre rouge

« Dites-moi, les gars, vous semblez tenir la situation bien en main, déclara Ryan. Cela n'ennuie personne, si je vais piquer un roupillon quelque part ?

— Piquer un roupillon ? répéta Borodine.

— Dormir.

— Ah, prenez la chambre du docteur Petrov, en face de l'infirmerie. »

Ryan jeta un coup d'œil dans la chambre de Borodine en passant, et trouva la bouteille de vodka qui avait été libérée. Cela n'avait pas grand goût, mais ça passait assez bien. La couchette de Petrov n'était ni très large ni très confortable. Ryan s'en moquait bien. Il but une longue gorgée et s'allongea sans quitter son uniforme, qui était déjà sale au-delà de tout espoir. En cinq minutes il dormait.

A bord du Sea Cliff

Le système de purification de l'air ne fonctionnait pas bien, observa le lieutenant Sven Johnsen. Si son rhume de cerveau avait duré quelques jours de plus, il ne l'aurait peut-être pas remarqué. Le *Sea Cliff* venait de passer les trois mille mètres, et l'on ne pouvait pas commencer à bricoler le système avant de remonter en surface. Ce n'était pas dangereux — les systèmes de régénération comportaient autant de gadgets qu'une navette spatiale — simplement désagréable.

« Je ne suis jamais descendu à cette profondeur », déclara le commandant Igor Kaganovitch pour faire un peu de conversation.

L'amener jusque-là avait été toute une affaire. Il avait fallu un hélicoptère Helix pour le transporter du *Kiev* jusqu'au *Tarawa,* puis un Sea King de la marine américaine pour l'embarquer à bord de l'*Austin,* qui se dirigeait vers le point 33N 75W à la vitesse de vingt nœuds. L'*Austin* était un vaisseau de débarquement, un énorme bâtiment dont le pont arrière était un coffre couvert. Il servait habituellement à transporter des engins de débarquement, mais aujourd'hui il portait le *Sea Cliff,* un sous-marin pouvant contenir trois personnes, et qui avait été livré par avion de Woods Hole, dans le Massachusetts.

« Il faut s'y habituer, reconnut Johnsen, mais quand on y réfléchit, deux cents mètres, trois mille mètres, cela ne fait guère de différence. Une fracture de coque vous tuerait à la même vitesse, simplement, à cette profondeur, il resterait moins de lambeaux à récupérer, pour les sauveteurs.

— Accrochez-vous à ces joyeuses pensées, lieutenant, lança le mécanicien Jesse Overton. Toujours dégagé au sonar ?

— Oui, Jesse. » Johnsen travaillait avec ce mécanicien depuis deux ans. Le *Sea Cliff* était leur trésor, un petit sous-marin rustique qui servait surtout à des missions océanographiques, et en particulier le repérage et la réparation des oreilles SOSUS. A bord de ce mini-sous-marin, il n'y avait guère de place pour la discipline hiérarchique. Overton n'était pas très instruit ni très civilisé — tout au moins dans le sens de l'urbanité. Mais son talent pour manœuvrer le minisub n'avait pas d'égal, et Johnsen était ravi de lui en laisser le soin. La mission du commandant consistait à mener l'opération à bien.

« Le système de ventilation a besoin d'être révisé, observa Johnsen.

— Ouais, il faut remplacer les filtres. Je prévoyais de le faire la semaine prochaine. J'aurais pu le faire ce matin, mais je me suis dit que le circuit primaire passait avant.

— Je suis bien obligé d'être d'accord, non ? Le maniement se fait bien ?

— Une vraie pucelle. » Le sourire d'Overton se réfléchissait dans l'épaisse vitre synthétique du hublot de bâbord, devant le siège de commande. Le profil lourd du *Sea Cliff* le rendait difficile à manœuvrer. Il semblait savoir ce qu'il voulait faire, mais pas la manière dont il voulait le faire. « Quelle est la surface de la zone de recherche ?

— Assez vaste. Le *Pigeon* dit qu'après l'explosion, il y a eu des pièces dispersées depuis l'enfer jusqu'à la rédemption !

— Je le crois volontiers. Avec cinq mille mètres de fond et un courant pareil !

— Le bâtiment s'appelle *Octobre rouge,* n'est-ce pas, commandant ? Un sous-marin d'attaque de la classe Victor, disiez-vous ?

— C'est le nom que vous employez pour cette classe, répondit Kaganovitch.

— Et vous, comment les appelez-vous ? » demanda Johnsen. Il n'obtint pas de réponse. Quel était le problème ? se demanda-t-il. Qui se souciait du nom de la classe ?

« Je branche le sonar de localisation. » Johnson actionna plusieurs touches, et la tonalité du sonar à haute fréquence fixé sous le ventre du *Sea Cliff* envahit l'habitacle. L'écran jaune montrait les contours du fond en blanc.

« Rien qui dépasse, lieutenant ?

— Pas aujourd'hui, Jess. »

Un an auparavant, alors qu'ils opéraient à quelques milles de là, ils avaient failli s'empaler sur un Liberty-ship, coulé vers 1942 par un sous-marin allemand. La carcasse était dressée à angle droit, retenue par un rocher. L'abordage auquel ils avaient échappé de justesse aurait sûrement été fatal, et les deux hommes avaient appris à rester vigilants.

« Okay, je commence à recevoir des émissions en retour. Droit devant, déployé en éventail. Encore deux cents mètres jusqu'au fond.

— D'accord.

— Hum. Voici un gros morceau. Environ dix mètres de long, peut-être trois ou quatre de large, onze heures, trois cents mètres. Commençons par celui-là.

— Venir sur la gauche ; éclairage maxi. »

Une demi-douzaine de phares très intenses s'allumèrent, entourant aussitôt le sous-marin d'un globe de lumière. L'eau absorbait l'énergie lumineuse, cependant, qui ne s'étendait pas au-delà de dix mètres.

« Voilà le fond, comme vous le disiez, monsieur Johnsen », dit Overton. Il arrêta la manœuvre de descente et contrôla la pesée. Presque parfaite, bien. « Ce courant va être dur pour la batterie.

— Quelle vitesse ?

— Un nœud et demi, peut-être plutôt deux, selon les contours du fond. Même que l'année dernière. Je pense que nous pouvons manœuvrer une heure, une heure et demie maximum. »

Johnsen acquiesça. Les océanographes s'interrogeaient encore sur ce courant profond, qui semblait parfois changer de direction sans raison particulière. Curieux. Il y avait beaucoup de choses curieuses, dans l'océan. C'était pour cela que Johnsen avait fait un doctorat d'océanographie, pour tirer au clair quelques-unes de ces vacheries. C'était sacrément mieux que de travailler pour gagner sa vie. Naviguer à cinq mille mètres sous la mer, ce n'était pas travailler. Pas pour Johnsen.

« Je vois quelque chose, un éclat juste devant nous, au fond. Voulez-vous que je l'attrape ?

— Si vous pouvez. »

Ils ne le voyaient pas encore sur aucun des trois écrans vidéo qui balayaient le sol devant eux, et à quarante-cinq degrés sur la droite et la gauche.

« Okay. » Overton plaça sa main droite sur la commande du bras articulé, le waldo. C'était là sa grande spécialité.

« Vous voyez ce que c'est ? demanda Johnsen en manipulant les touches télévisuelles.

— Un genre d'instrument. Pourriez-vous éteindre le projo numéro un, commandant ? Il m'aveugle.

— Une seconde. » Johnsen se pencha pour éteindre le phare numéro un. La caméra avant cessa en même temps de filmer, puisque son éclairage s'arrêtait.

« Voilà, et maintenant ne bougeons plus... », la main gauche du mécanicien actionnait les commandes de l'hélice directionnelle, tandis que sa main droite opérait dans le gant du waldo. Maintenant, il était le seul à voir le but. Le sourire intérieur d'Overton se réfléchissait dans le hublot. Sa main droite travaillait rapidement.

« Je le tiens ! », dit-il. Le waldo saisit le cadran d'indicateur qu'un plongeur avait fixé par aimantation sous l'étrave du *Sea Cliff* avant l'appareillage. « Vous pouvez rallumer, commandant. »

Johnsen rétablit la lumière numéro un, et Overton amena sa prise devant la caméra de télévision. « Vous pouvez voir ce que c'est ?

— On dirait un indicateur de profondeur. Mais pas de chez nous, observa Johnsen. Vous le reconnaissez, commandant ?

— *Da* », répondit aussitôt Kaganovitch. Il émit un long soupir, dans l'espoir de paraître navré. « Il vient de chez nous. Je ne distingue pas le chiffre, mais il est soviétique.

— Mettez-le dans le panier, Jess.

— D'accord. » Il manœuvra le bras articulé pour placer le cadran dans un panier fixé sous l'étrave, puis le remit en position de repos. « Attention à la vase. Remontons un peu. »

Comme le *Sea Cliff* s'approchait trop du fond, le brassage des hélices soulevait un fin nuage de vase alluviale. Overton augmenta la puissance pour remonter à sept mètres.

« C'est mieux. Voyez ce que fait le courant, monsieur Johnsen ? Deux bons nœuds. Ça va raccourcir notre temps de visite. » Le courant entraînait le nuage vers bâbord, assez rapidement. « Où est le gros but ?

— Tout droit, environ cent mètres. Faisons en sorte de bien voir ce que c'est.

— D'accord. Tout droit comme ça... Il y a quelque chose. On dirait un couteau de boucher. On le prend ?

— Non, poursuivons.

— Okay. Distance ?

— Soixante mètres. On devrait bientôt le voir. »

Les deux officiers l'aperçurent sur l'écran en même temps qu'Overton. Tout d'abord une image spectrale, qui se dissipa, puis reparut.

Overton fut le premier à réagir. « Bon Dieu ! »

Cela mesurait plus de trente mètres de long, et semblait parfaitement rond. Ils approchèrent de l'arrière, et distinguèrent le cercle, à l'intérieur duquel quatre cônes plus petits dépassaient d'une trentaine de centimètres.

« C'est un missile, commandant, une saloperie de missile nucléaire russkoff !

— Stoppez, Jess.

— Oui. » Il manœuvra les commandes du moteur.

« Vous disiez qu'il s'agissait d'un Victor, déclara Johnsen au Soviétique.

— Je me trompais. » La bouche de Kaganovitch se contracta brièvement.

« Allons voir de plus près, Jess. »

Le *Sea Cliff* s'avança, longeant le corps de la fusée. Les caractères cyrilliques étaient indiscutables, même si l'on ne parvenait pas à lire les numéros de série à cette distance. C'était un nouveau trésor pour Neptune, un missile SS-N-20, avec ses huit MIRV de cinq cents kilotonnes.

Kaganovitch prit soin de relever les inscriptions gravées sur le corps du missile. On lui avait fait un topo sur le Seahawk juste avant son départ du *Kiev*. En tant qu'officier de renseignement, il en savait habituellement davantage sur les armements américains que sur ceux de son pays.

Comme c'était pratique, se disait-il. Les Américains lui avaient permis d'embarquer à bord d'un de leurs bâtiments de recherche les plus élaborés, dont il avait déjà mémorisé tout l'équipement intérieur, et ils avaient accompli sa mission pour lui. *Octobre rouge* était mort. Il ne lui restait plus qu'à transmettre l'information à l'amiral Stralbo, à bord du *Kirov,* et la flotte pourrait quitter la côte américaine. Qu'ils viennent donc jouer leurs sales jeux dans la mer de Norvège ! On verrait qui allait gagner, là-bas !

« Relevez la position de cette saloperie, Jess.

— Bien. » Overton pressa un bouton pour larguer un transpondeur sonar ne réagissant qu'à un signal sonar américain codé, et qui leur permettrait de retrouver l'engin. Ils reviendraient plus tard avec du matériel de transport lourd, pour fixer un câble au missile et le remonter à la surface.

« C'est la propriété de l'Union soviétique, fit observer Kaganovitch. Il se trouve dans les eaux internationales. Il appartient à mon pays.

— Eh bien, vous pourrez venir vous le rechercher ! », répliqua l'Américain d'un ton cinglant. Ce devait être un officier déguisé, décida Kaganovitch. « Excusez-moi, monsieur Johnsen.

— Nous reviendrons le chercher, dit Johnsen.

— Vous ne pourrez jamais le soulever. Il est trop lourd, objecta Kaganovitch.

— Sans doute avez-vous raison. » Johnsen sourit.

Kaganovitch laissa passer cette petite victoire américaine. Cela aurait pu se passer plus mal. Beaucoup plus mal. « Continuerons-nous à rechercher des restes d'épaves ?

— Non, je pense que nous allons remonter, annonça Johnsen.

— Mais vos ordres...

— Mes ordres, commandant Kaganovitch, consistaient à chercher les restes d'un sous-marin d'attaque de la classe Victor. A sa place nous avons trouvé le tombeau d'un sous-marin lance-engins. Vous nous avez menti, commandant, et notre courtoisie à votre égard s'arrête là. Vous avez eu ce que vous vouliez, je suppose. Plus tard, nous reviendrons chercher ce que *nous* voulons. »

Johnsen leva le bras et actionna la commande du lest pour remonter. La masse métallique se libéra, et le *Sea Cliff* reçut mille livres de poussée positive. Il n'était plus question de rester en immersion, à présent, même s'ils l'avaient voulu.

« On rentre, Jess.

— Oui, commandant. »

Le retour en surface s'effectua en silence.

A bord de l'USS Austin

Une heure plus tard, Kaganovitch montait à la passerelle de l'*Austin* et sollicitait l'autorisation d'envoyer un message au *Kirov*. Cela avait été prévu, sans quoi le commandant de l'*Austin* aurait refusé. La nouvelle de l'identité du sous-marin coulé s'était vite répandue. L'officier transmit par radio une série de mots codés, ainsi que le numéro de série du cadran de l'indicateur de profondeur. Il reçut aussitôt l'accusé de réception.

Overton et Johnsen regardèrent le Russe emporter le cadran d'indicateur à bord de l'hélicoptère.

« Je ne l'ai pas trouvé très sympathique, monsieur Johnsen. *Keptin Kaganovitch*. Ce nom sonne comme un cas désespéré de bégaiement. Nous l'avons bien roulé, n'est-ce pas ?

— Rappelez-moi de ne jamais jouer aux cartes avec vous, Jess. »

*A bord d'*Octobre rouge

Après six heures de sommeil, Ryan s'éveilla au son d'une musique qui lui parut étrangement familière. Il resta une minute allongé sur sa couchette, pour tenter de la situer, puis il enfila ses chaussures et se dirigea vers le carré des officiers, à l'avant.

C'était *E. T.* Ryan arriva juste à temps pour voir le générique se dérouler sur l'écran de trente centimètres, posé au bout de la table. Presque tous les Russes et trois Américains l'avaient regardé. Les Russes s'essuyaient tous les yeux. Jack se servit une tasse de café et s'assit à l'extrémité de la table.

« Ça vous a plu ?

— C'était magnifique ! » proclama Borodine.

Le lieutenant Mannion eut un petit rire. « C'est la deuxième fois que nous le repassons ! »

L'un des Russes se mit à parler rapidement dans sa langue, et Borodine traduisit. « Il demande si tous les enfants américains se comportent avec ce... Bugayev, *svobodno ?*

— Libre », répondit Bugayev, approximativement.

Ryan se mit à rire. « Cela ne m'est jamais arrivé, mais le film se passe en Californie — là-bas, les gens sont un peu fous. La vérité, non, c'est que les enfants ne se comportent pas ainsi — tout au moins, je ne l'ai jamais vu faire, et j'en ai moi-même deux. En même temps, il est vrai que nous élevons nos enfants pour les rendre beaucoup plus autonomes qu'on ne l'est en Union soviétique. »

Borodine traduisit, puis donna la réaction russe. « Donc, tous les enfants américains ne sont pas des voyous ?

— Il y en a. L'Amérique n'est pas parfaite, messieurs. Nous commettons beaucoup d'erreurs. » Ryan avait décidé de leur dire la vérité, dans la mesure où il le pourrait.

Borodine traduisit à nouveau. Les réactions autour de la table furent mitigées.

« Je leur ai dit que ce film était destiné aux enfants, et qu'il ne fallait pas le prendre trop au sérieux. C'est bien cela ?

— Oui. » Mancuso venait d'entrer. « C'est une histoire d'enfants, mais je l'ai vue cinq fois. Bienvenue, Ryan. Content de vous revoir.

— Merci, commandant. Je vois que vous tenez la situation bien en main.

— Oui. Je pense que nous avions tous besoin de cette détente. Je vais devoir écrire une nouvelle lettre de félicitations à Jonesy. C'était vraiment une bonne idée. » Il désigna le téléviseur. « Nous aurons tout le temps d'être sérieux. »

Noyes entra. « Comment va Williams ? s'enquit Ryan.

— Il s'en tirera. » Noyes se servit du café. « Il est resté ouvert trois heures et demie. La blessure de la tête est superficielle — ça saigne toujours horriblement. Mais celle du thorax était grave. La balle est passée à un poil du péricarde. Commandant Borodine, qui a donné les premiers soins à ce blessé ? »

Le *starpom* désigna un lieutenant. « Il ne parle pas anglais.

— Dites-lui que Williams lui doit la vie. C'est la pose de ce drain qui a fait toute la différence. Sans cela, il serait mort.

— Vous êtes sûr qu'il s'en tirera ? insista Ryan.

— Bien sûr, qu'il s'en tirera, Ryan. C'est à ça que je gagne ma vie. Il va rester mal en point pendant un moment, et je préférerais l'avoir dans un vrai hôpital, mais tout est en bonne voie.

— Et le commandant Ramius ? interrogea Borodine.

— Pas de problème. Il dort toujours. J'ai pris tout mon temps pour le recoudre. Demandez à ce garçon où il a appris le secourisme. »

Borodine traduisit.

« Il dit qu'il aime lire des livres médicaux.

— Quel âge a-t-il ?

— Vingt-quatre ans.

— Dites-lui que s'il veut étudier la médecine, je lui dirai comment s'y prendre. S'il sait faire ce qu'il faut quand il faut, il pourra même en faire son métier. »

Le jeune lieutenant parut ravi de ce commentaire, et demanda combien d'argent pouvait gagner un médecin en Amérique.

« Comme je suis dans l'armée, je ne gagne pas beaucoup d'argent. Quarante-huit mille dollars par an en comptant les primes de vol. Je pourrais faire beaucoup mieux en exercice libéral.

— En Union soviétique, intervint Borodine, les médecins sont payés à peu près comme les ouvriers d'usine.

— Cela explique peut-être pourquoi vos médecins ne sont pas bons, observa Noyes.

— Quand le commandant pourra-t-il reprendre son poste ? demanda Borodine.

— Je vais le tenir couché toute la journée, dit Noyes. Je ne veux pas qu'il se remette à saigner. Il pourra recommencer à circuler demain. Prudemment. Je ne veux pas qu'il se serve trop de cette jambe-là. Il ira bien, messieurs. Un peu faible à cause de l'hémorragie, mais il se remettra parfaitement. » Noyes parlait comme s'il avait cité des lois de la physique.

« Nous vous remercions, docteur », déclara Borodine.

Noyes haussa les épaules. « C'est pour ça qu'on me paie. Mais puis-je à mon tour poser une question ? Que se passe-t-il ici ? »

Borodine se mit à rire, et traduisit la question pour ses camarades. « Nous allons tous devenir citoyens américains.

— Et vous amenez un sous-marin avec vous, hein ? Nom d'un chien ! Pendant un moment, j'ai cru que c'était un genre de — je ne sais pas, quelque chose. Quelle histoire ! Mais j'imagine que je ne peux en parler à personne ?

— Exactement, docteur. » Ryan sourit.

« Dommage ! » marmonna Noyes en retournant à l'infirmerie.

A Moscou

« Ainsi donc, camarade amiral, vous nous rendez compte d'un succès ? interrogea Narmonov.

— Oui, camarade secrétaire général. » Gorchkov hochait la tête en parcourant du regard la table de conférence du centre de commandement souterrain. Tout le comité restreint était présent, ainsi que les chefs militaires et le directeur du KGB. « L'officier de renseignements de la flotte de l'amiral Stralbo, le commandant Kaganovitch, a été autorisé par les Américains à voir l'épave depuis l'un de leurs sous-marins de recherche en grande profondeur. L'engin a récupéré un fragment de l'épave, un cadran d'indicateur de profondeur. Ces instruments sont numérotés, et le numéro de celui-ci a immédiatement été transmis à Moscou. Il provenait sans aucun doute possible d'*Octobre rouge*. Kaganovitch a également pu inspecter un missile éjecté par le sous-marin. Il s'agissait d'un Seahawk. *Octobre rouge* est mort. Notre mission est accomplie.

— Par le hasard, camarade amiral, fit observer Mikhail Alexandrov. Et non par dessein. Votre flotte a échoué dans sa mission de *repérage* et de destruction du sous-marin. Je crois que le camarade Gerasimov a des renseignements à nous communiquer. »

Nikolaï Gerasimov était le nouveau chef du KGB. Il avait déjà fait son rapport aux membres politiques de ce groupe, et avait hâte de le répéter à ces dindons qui se pavanaient en uniforme. Il voulait voir leurs réactions. Le KGB avait des comptes à régler avec ces hommes. Gerasimov résuma le rapport qu'il avait reçu de l'agent Cassius.

« Impossible ! s'exclama Gorchkov.

— Peut-être, concéda poliment Gerasimov. Il existe une forte probabilité qu'il s'agisse là d'une remarquable pièce de désinformation. Nos agents enquêtent actuellement sur le terrain. Certains détails intéressants étayent cependant cette hypothèse. Permettez-moi de les énumérer, camarade amiral.

« D'abord, pourquoi les Américains ont-ils laissé embarquer notre homme à bord d'un de leurs sous-marins les plus sophistiqués ? Deuxièmement, pourquoi ont-ils collaboré avec nous, sauvant notre marin du *Politovsky* et nous le *signalant ?* Ils nous ont immédiatement laissé voir notre homme. Pourquoi ? Pourquoi ne pas l'avoir gardé, utilisé et fait disparaître ? Par sentimentalité ? Je ne le crois pas. Troisièmement, au moment même où ils repêchaient notre homme, leurs unités aériennes et navales harcelaient notre flotte de la manière la plus évidente et la plus agressive. Cela s'arrêta brusquement, et dès le lendemain ils se bousculaient littéralement pour nous aider dans notre entreprise de “ recherche et de sauvetage ”.

— Parce que Stralbo a eu le courage et la sagesse de se retenir de réagir à leurs provocations », répondit Gorchkov.

Là encore, Gerasimov acquiesça poliment. « Peut-être. C'était là une décision intelligente de la part de l'amiral. Ce ne doit pas être facile, pour un officier en uniforme, de ravaler ainsi sa fierté. Cependant, il se peut également que, vers ce moment-là, les Américains aient reçu l'information que nous a transmise Cassius. Je suppose également que les Américains redoutaient notre réaction, si nous en venions à soupçonner que toute l'affaire était montée par la CIA. Nous savons que plusieurs services de renseignements impérialistes enquêtent sur la raison de cette opération navale.

« Depuis deux jours maintenant, nous menons notre propre enquête. Nous nous apercevons — Gerasimov consulta ses notes — qu'il y a vingt-neuf ingénieurs polonais à l'arsenal sous-marin de Polyarny, et en particulier aux postes de contrôle et d'inspection de la qualité, que les procédures d'acheminement du courrier et des messages sont très relâchées, et que le commandant Ramius n'a pas, comme il avait censément menacé de le faire dans sa lettre au camarade Padorine, amené son sous-marin dans le port de New York, mais qu'il se trouvait au contraire à mille kilomètres au sud quand le sous-marin a été détruit.

— C'était un élément de désinformation évidente de la part de Ramius, objecta Gorchkov. Ramius nous appâtait, tout en nous trompant délibérément. C'est pour cette raison que nous avons déployé notre flotte tout au long de la côte américaine.

— Et que vous ne l'avez jamais trouvé, observa calmement Alexandrov. Continuez, camarade. »

Gerasimov poursuivit. « Quel que soit le port vers lequel il était censé se diriger, il se trouvait à plus de cinq cents kilomètres de tous, et nous sommes sûrs qu'il aurait pu atteindre n'importe lequel en ligne droite. En fait, comme vous le disiez vous-même dans votre premier rapport, camarade amiral, il aurait pu atteindre la côte américaine sept jours après son appareillage.

— Pour cela, comme je l'ai longuement expliqué la semaine dernière, il lui aurait fallu avancer à la vitesse maximale. Les commandants de sous-marins lance-engins préfèrent ne pas le faire, dit Gorchkov.

— Je peux le comprendre, intervint Alexandrov, à la lumière du sort du *Politovsky*. Mais on attendrait d'un traître à la *Rodina* qu'il s'enfuie comme un voleur.

— Pour tomber dans le piège que nous lui tendions, répliqua Gorchkov.

— Et qui a échoué, commenta Narmonov.

— Je ne prétends pas que cette histoire soit vraie, reprit Gerasimov d'une voix détachée et clinique, ni même qu'elle soit vraisemblable. Mais il existe suffisamment de preuves circonstancielles à l'appui pour que je recommande une enquête de fond par la commission de sécurité de l'Etat, sur tous les aspects de cette affaire.

— La sécurité sur mes chantiers relève de la marine et du GRU, rétorqua Gorchkov.

— Plus maintenant. » Narmonov annonça la décision prise

deux heures auparavant. « Le KGB enquêtera sur cette regrettable affaire suivant deux lignes. Un groupe fera des recherches sur l'information fournie par notre agent à Washington, et l'autre procédera à partir de l'hypothèse que la lettre du commandant Ramius — ou prétendue telle — était authentique. S'il s'est agi d'une conspiration visant à trahir, cela n'a pu se faire que parce que Ramius, grâce aux règlements et usages en vigueur, a pu choisir ses officiers. La commission de sécurité de l'Etat nous rendra son rapport sur l'intérêt de poursuivre ces pratiques ou non, sur le degré actuel de contrôle que les commandants de navires exercent sur la carrière de leurs officiers, et sur le contrôle de la flotte par le Parti. Je crois que nous commencerons les réformes en pratiquant des mutations plus fréquentes d'officiers d'un navire à un autre. Si les officiers restent trop longtemps à un endroit, ils risquent évidemment de développer une certaine confusion entre leurs loyautés.

— Ce que vous suggérez détruira l'efficacité de ma flotte ! » s'écria Gorchkov en frappant du poing sur la table. C'était une erreur.

« La flotte du Peuple, camarade amiral, corrigea Alexandrov. La flotte du Parti. » Gorchkov savait d'où venait l'idée. Narmonov avait encore le soutien d'Alexandrov. Cela consolidait la position du camarade secrétaire général, et cela signifiait que les positions d'autres hommes présents autour de la table étaient moins solides. Quels hommes ?

Padorine se révoltait intérieurement contre la suggestion du KGB. Qu'est-ce que ces salauds d'espions connaissaient de la marine ? Ou du Parti ? Ce n'étaient que des opportunistes corrompus. Andropov l'avait prouvé, et le Politburo laissait maintenant ce morveux de Gerasimov attaquer les forces armées, qui gardaient la nation contre les impérialistes, qui l'avaient sauvée de la clique d'Andropov, et qui n'avaient jamais été autre chose que les fidèles serviteurs du Parti. Mais tout cela se tient, n'est-ce pas ? songeait-il. De même que Khrouchtchev avait limogé Joukov, l'homme qui lui avait permis d'accéder au pouvoir après la liquidation de Beria, ces salauds allaient maintenant jouer le KGB contre les militaires qui avaient assuré la sécurité de leur position...

« Quant à vous, camarade Padorine, poursuivit Alexandrov.

— Oui, camarade académicien. » Pour Padorine, il n'y avait pas d'issue apparente. L'Administration politique centrale avait donné l'approbation finale à la nomination de Ramius. Si Ramius était vraiment un traître, Padorine serait condamné pour grave erreur de jugement, mais si Ramius n'avait été qu'un pion manipulé à son insu, Padorine et Gorchkov s'étaient laissés berner et entraîner à agir précipitamment.

Narmonov réglait sa conduite sur Alexandrov. « Camarade amiral, nous estimons que vos plans secrets pour assurer la sécurité du sous-marin *Octobre rouge* ont été exécutés avec succès — à moins bien sûr que le commandant Ramius n'ait été innocent et qu'il n'ait lui-même fait sauter son bâtiment, avec ses officiers et les Américains qui, sans doute, devaient essayer de le voler. Dans un cas comme dans l'autre, et sous réserve de l'inspection des débris de l'épave par le KGB, il semblerait que le sous-marin ne soit pas tombé entre les mains de l'ennemi. »

Padorine cilla à plusieurs reprises. Son cœur battait très vite, et il sentit une douleur vive dans la partie gauche de sa poitrine. Le tenait-on quitte ? Pourquoi ? Il ne lui fallut qu'une seconde pour comprendre. Il était l'officier politique, après tout. Si le Parti cherchait à rétablir le contrôle politique sur la flotte — non, à raffermir ce qui n'avait jamais été perdu —, le Politburo ne pouvait pas se permettre de limoger le représentant du Parti qui commandait en chef. Cela allait faire de lui le vassal de ces hommes, et en particulier d'Andropov. Padorine décida qu'il pourrait fort bien le supporter.

Et cela rendait la position de Gorchkov extrêmement vulnérable. D'ici quelques mois, Padorine était certain que la flotte aurait un autre chef, dont le pouvoir personnel ne suffirait cette fois pas à instaurer de politique sans l'approbation du Politburo. Gorchkov était devenu trop encombrant, trop puissant, et les dirigeants du Parti ne tenaient pas à avoir un homme jouissant d'un tel prestige personnel à un poste de haut commandement.

J'ai la vie sauve, songea Padorine, effaré de bénéficier d'une telle chance.

« Le camarade Gerasimov, poursuivit Narmonov, travaillera en collaboration avec la section de sécurité politique de votre service pour revoir vos procédures et vous suggérer des améliorations. »

Ainsi donc, il devenait maintenant l'espion du KGB au haut commandement militaire ? Bah, il avait gardé sa tête, son poste, sa *datcha* et sa retraite dans deux ans. C'était un prix bien modique. Padorine s'en sortait plus que satisfait.

LE SEIZIÈME JOUR

Samedi 18 décembre

Sur la côte Est

L'USS *Pigeon* entra dans son bassin de Charleston à 4 heures du matin. Les matelots soviétiques, installés dans les postes d'équipage, donnaient du fil à retordre à tout le monde. Malgré tous les efforts des officiers russes pour limiter les contacts entre leurs hommes et les sauveteurs américains, cela n'avait jamais été vraiment possible. En deux mots, ils n'avaient pas pu lutter contre l'appel de la nature. Les cuisiniers du *Pigeon* avaient bourré leurs visiteurs de bonne boustifaille, et puis le plus proche cabinet de toilette se trouvait quelques mètres plus à l'arrière : sur leur trajet, les hommes d'*Octobre rouge* croisaient des matelots américains, dont certains étaient des officiers parlant le russe et déguisés en matelots, et d'autres des recrues spécialistes de la langue russe, que l'on avait amenées par avion en même temps que l'on embarquait les Soviétiques. Le fait qu'ils se trouvaient à bord d'un bâtiment supposé hostile et qu'ils avaient rencontré des hommes cordiaux et parlant le russe avait eu raison de nombreux jeunes Soviétiques. Leurs remarques avaient été enregistrées sur des magnétophones cachés, pour être ensuite étudiées à Washington. Petrov et les trois jeunes officiers avaient mis un certain temps à comprendre mais, ensuite, ils s'étaient mis à accompagner les hommes aux toilettes, en se relayant, comme des parents très protecteurs. Ce qu'ils n'avaient pas pu éviter, c'était l'officier de renseignements qui, sous l'aspect d'un quartier-maître, offrait l'asile politique : quiconque souhaitait rester aux Etats-Unis recevrait l'autorisation de le faire. La nouvelle se répandit en dix minutes dans tout l'équipage.

Quand vint le moment du repas des Américains, les officiers russes ne purent guère empêcher le contact, et ils n'eurent même pas le temps de manger, tellement ils s'affairaient à patrouiller entre les tables. A la surprise amusée de leurs confrères américains, ils furent forcés de décliner les invitations répétées à venir au carré du *Pigeon.*

Le *Pigeon* accosta en douceur. Rien ne pressait. Dès que la passerelle fut mise en place, la fanfare postée sur le quai joua une sélection d'airs soviétiques et américains pour marquer la nature coopérative de la mission de sauvetage. Les Soviétiques s'étaient attendus à une arrivée discrète, à cette heure avancée de la nuit. Ils s'étaient trompés. Arrivé à mi-parcours de la coupée, le premier officier soviétique à débarquer fut littéralement aveuglé par cinquante projecteurs de télévision et assourdi par les questions que lui criaient les journalistes arrachés de leur lit pour venir accueillir le bâtiment de sauvetage, et avoir de joyeuses nouvelles à annoncer le lendemain matin sur les médias, en cette saison de Noël. Les Russes n'avaient encore jamais rien rencontré qui ressemble à des reporters occidentaux, et la collision culturelle qui s'ensuivit fut un chaos total. Les journalistes se jetèrent sur les officiers et leur bloquèrent le chemin, à la vive consternation des marines qui s'efforçaient de garder le contrôle de la situation. D'un seul bloc, les officiers prétendirent ne pas parler un mot d'anglais, mais pour s'apercevoir alors qu'un astucieux journaliste avait amené un professeur de russe de l'université de Caroline du Sud. Petrov se retrouva pataugeant dans des platitudes politiquement acceptables, devant une demi-douzaine de caméras, en regrettant amèrement que ce ne soit pas le mauvais rêve que cela semblait être. Il fallut une heure entière pour embarquer tous les Russes à bord de trois cars préparés pour l'occasion, et les emmener vers l'aéroport. Pendant tout le trajet, des voitures remplies de reporters roulaient à côté des cars, en continuant à harceler les Russes avec une profusion de projecteurs et de questions hurlées que personne ne pouvait comprendre. A l'aéroport, la situation ne changea guère. L'armée de l'air avait envoyé un VC-135 mais, avant de pouvoir embarquer, les Russes durent à nouveau se débattre dans une marée de journalistes. Ivanov se trouva confronté à un spécialiste des langues slaves qui parlait le russe avec un accent atroce. L'embarquement de tout l'équipage prit encore une demi-heure.

Une douzaine d'officiers d'aviation firent asseoir tout le monde, et distribuèrent à la ronde des cigarettes et des bouteilles d'alcool miniatures. Lorsque l'appareil de transport de VIP arriva à sept mille mètres d'altitude, l'atmosphère en cabine était au beau fixe. Un officier s'adressa aux passagers par l'interphone, pour leur expliquer ce qui les attendait. Ils allaient passer un contrôle médical individuel, et l'Union soviétique enverrait dès le lendemain un avion pour les rechercher, mais tout le monde espérait qu'ils pourraient rester un jour ou deux de plus, pour pouvoir découvrir ce qu'était vraiment l'hospitalité américaine. L'équipage de l'avion se surpassa, racontant aux passagers l'histoire de chaque élément du paysage, de chaque bourg, village, autoroute et arrêt de routiers qu'on pouvait voir, proclamant par l'intermédiaire de l'interprète le souhait de tous les Américains pour des relations paisibles et amicales avec l'Union soviétique, exprimant l'admiration professionnelle de l'aviation américaine pour le courage des marins soviétiques, et déplorant la mort des officiers qui étaient bravement restés en arrière, laissant partir leurs hommes en premier. Toute l'affaire était un chef-d'œuvre de duplicité visant à les confondre, et cela commençait à marcher.

L'appareil vola très bas au-dessus des banlieues de Washington, à l'approche de la base aérienne d'Andrews. L'interprète expliqua qu'ils survolaient des maisons d'employés ordinaires de l'administration et de l'industrie locale. Trois autres cars les attendaient au sol et, au lieu d'emprunter la voie périphérique expresse, leur firent traverser toute la ville de Washington. A bord de chaque véhicule, des officiers américains s'excusaient pour les embouteillages, expliquant aux passagers que presque toutes les familles américaines possédaient une voiture, et bien souvent deux ou davantage, et que les gens n'employaient les transports publics que pour éviter l'ennui d'avoir à conduire. L'*ennui* de conduire sa voiture personnelle, songeaient les marins stupéfaits. Leurs officiers politiques pourraient toujours leur dire par la suite qu'il s'agissait d'un mensonge total, mais qui pourrait nier l'existence de ces milliers de voitures sur la route ? Ce ne pouvait tout de même pas être un spectacle de propagande monté pour le bénéfice de quelques marins, en l'espace d'une heure ? En traversant le sud-est de la ville, ils remarquèrent que des Noirs possédaient des voitures — qu'ils n'avaient même pas la place de les garer toutes ! Les cars poursuivirent leur route le long du Mall, tandis que les interprètes exprimaient l'espoir que leurs nouveaux amis pourraient visiter les nombreux musées ouverts à tous. Le musée de l'Air et de l'Espace, précisa-t-on, contenait une roche lunaire rapportée par les astronautes d'Apollo... Les Soviétiques virent des joggers sur les immenses pelouses du Mall, ainsi que des milliers de promeneurs détendus. Ils bavardaient entre eux, tandis que les bus bifurquaient au nord en direction de l'hôpital Bethesda, et traversaient les quartiers élégants du nord-ouest de Washington.

A Bethesda, ils se retrouvèrent devant des équipes de télévision qui les filmaient en direct, et de gentils médecins souriants de la marine américaine, qui les firent entrer pour leur faire passer un contrôle médical.

Dix fonctionnaires de l'ambassade soviétique étaient présents et se demandaient comment contrôler le groupe, mais il leur était politiquement impossible de protester contre l'attention prodiguée à leurs hommes au nom de la détente. Des médecins avaient été amenés de Walter Reed et de plusieurs autres hôpitaux attachés au gouvernement, afin de pouvoir dispenser à chaque homme un examen rapide et complet, et vérifier en particulier s'ils avaient subi des radiations. En cours de route, chaque homme se retrouva seul devant un officier de la marine américaine, qui lui demanda poliment s'il souhaitait demeurer aux Etats-Unis, en lui signalant qu'au cas où il prendrait cette décision, il devrait en notifier personnellement un représentant de l'ambassade soviétique — mais que, s'il le désirait, il serait autorisé à rester. A la fureur des fonctionnaires de l'ambassade, quatre hommes choisirent l'exil, mais l'un d'eux se rétracta lors de la confrontation avec l'attaché naval. Les Américains avaient pris soin de filmer chaque entretien, afin de pouvoir réfuter toute accusation ultérieure d'intimidation.

Quand les contrôles médicaux furent terminés — heureusement, les taux de radiation se révélaient très bas — on servit un nouveau repas aux hommes et on les mit au lit.

A Washington, DC

« Bonjour, monsieur l'ambassadeur », dit le président. Arbatov observa que M. Pelt se tenait à côté de son chef, derrière le grand bureau ancien. Il ne s'était pas attendu à une rencontre très chaleureuse.

« Monsieur le président, je suis ici pour protester contre la tentative d'enlèvement de nos marins par le gouvernement des Etats-Unis.

— Monsieur l'ambassadeur, répliqua le président d'une voix coupante, aux yeux d'un ancien procureur général, l'enlèvement constitue un crime vil et ignoble, et le gouvernement des Etats-Unis d'Amérique ne peut être accusé d'un tel acte — certainement pas dans ce bureau ! Jamais nous n'avons enlevé personne, ni n'entendons le faire. Est-ce clair ?

— Par ailleurs, Alex, ajouta Pelt avec autorité, les hommes dont vous parlez seraient morts sans notre intervention. Nous avons perdu deux bons officiers, en sauvant vos marins. Vous pourriez au moins exprimer un peu de gratitude pour nos efforts, et peut-être faire un geste de sympathie à l'égard des Américains qui ont perdu la vie pour sauver vos compatriotes.

— Mon gouvernement a noté l'effort héroïque de vos deux officiers, et désire vivement exprimer ses remerciements ainsi que ceux du peuple soviétique pour ce sauvetage. Mais même ainsi, messieurs, des manœuvres délibérées ont été faites pour amener certains de ces hommes à trahir leur patrie.

— Monsieur l'ambassadeur, lorsque votre chalutier a repêché l'équipage de notre avion de guet l'an dernier, des officiers de l'armée soviétique ont proposé de l'argent, des femmes et d'autres appâts à nos hommes, s'ils acceptaient de fournir des renseignements ou de rester à Vladivostok, exact ? Ne me dites pas que vous l'ignoriez. Vous savez bien que c'est la règle du jeu. A l'époque, nous n'avons pas fait d'objections, que je sache ? Non, nous avions suffisamment de gratitude pour le salut de ces six hommes, et ils ont bien sûr tous repris leur travail à l'heure qu'il est. Nous demeurons reconnaissants envers votre pays pour son souci humanitaire de la vie de citoyens américains ordinaires. Dans le cas présent, chaque homme et officier s'est entendu dire qu'il pouvait rester s'il le désirait. Aucune force d'aucune sorte n'a été employée. Nous avons exigé de tout homme souhaitant rester qu'il rencontre un fonctionnaire de votre ambassade, afin de vous donner une chance de pouvoir lui expliquer ses errements. Cela me paraît équitable, monsieur l'ambassadeur. Nous ne leur avons pas proposé d'argent ni de femmes. Nous n'achetons pas les gens, et nous ne les enlevons certes pas, bon Dieu. Jamais. Les kidnappeurs sont des gens que je mets en prison. J'ai même réussi à en faire exécuter un. Ne venez plus jamais m'accuser d'enlèvement, conclut le président avec emportement.

— Mon gouvernement insiste pour que tous nos hommes soient renvoyés dans leur patrie, reprit Arbatov.

— Monsieur l'ambassadeur, toute personne qui se trouve aux Etats-Unis, quelle que soit sa nationalité ou son mode d'entrée sur le territoire, a droit à la protection de la loi. Nos tribunaux ont souvent statué sur ce point et, sous la loi américaine, aucun individu ne peut être contraint à agir contre sa volonté sans la décision d'un tribunal.

Le sujet est clos. Maintenant, j'ai une question à vous poser. Que faisait un sous-marin nucléaire lance-engins à trois cents milles de la côte américaine ?

— Un sous-marin nucléaire, monsieur le président ? »

Pelt prit une photographie sur le bureau du président et la tendit à Arbatov. Extraite du film pris par le *Sea Cliff,* elle montrait un missile balistique SS-N-20.

« Le sous-marin s'appelle... s'appelait *Octobre rouge,* dit Pelt. Il a explosé et sombré à trois cents milles de la côte de Caroline du Sud. Alex, il existe un accord entre nos deux pays, stipulant qu'aucun bâtiment de ce type n'approchera les côtes à moins de cinq cents milles — huit cents kilomètres. Nous voulons savoir ce que ce sous-marin faisait là. N'essayez pas de nous dire que ce missile est une contrefaçon — même si nous avions voulu faire quelque chose d'aussi bête, nous n'aurions pas eu le temps. C'est l'un de vos missiles, monsieur l'ambassadeur, et le sous-marin en transportait dix-neuf autres semblables. » Pelt citait délibérément un chiffre faux. « Le gouvernement des Etats-Unis demande au gouvernement de l'Union soviétique comment il se trouvait là, en violation de nos accords, avec tant d'autres de vos navires à proximité de nos côtes atlantiques.

— Ce devait être le sous-marin perdu, suggéra Arbatov.

— Monsieur l'ambassadeur, reprit très doucement le président, le sous-marin n'était pas perdu avant jeudi, sept jours après que vous en avez parlé. En bref, monsieur l'ambassadeur, vos explications de vendredi ne coïncident pas avec les faits que nous avons établis physiquement.

— Quelles accusations faites-vous ? protesta Arbatov, courroucé.

— Voyons, Alex, aucune, dit le président. Si cet accord ne tient plus, eh bien, il ne tient plus. Je crois que nous en avons déjà étudié l'éventualité la semaine dernière. Le peuple américain aura connaissance de ces faits plus tard dans la journée. Vous connaissez suffisamment ce pays pour imaginer leur réaction. J'exige une explication. Pour le moment, je ne vois aucune raison pour que votre flotte s'attarde près de nos côtes. Le " sauvetage " a réussi, et le prolongement de la présence de la flotte soviétique ne peut être qu'une provocation. Je veux que vous réfléchissiez, ainsi que votre gouvernement, à ce que me disent en ce moment même les chefs militaires — ou, si vous préférez, ce que vos dirigeants militaires diraient au secrétaire général Narmonov si la situation se trouvait inversée. Il me faut une explication. Sinon, je n'ai guère le choix des conclusions — et celles qui me restent ne me plaisent guère. Transmettez ce message à votre gouvernement, et dites-leur que, puisque plusieurs de vos hommes ont opté pour rester ici, nous apprendrons sans doute bientôt ce qui s'est vraiment passé. Au revoir. »

Arbatov tourna à gauche en sortant du bureau pour quitter la Maison-Blanche par la porte ouest. Un marine lui ouvrit la porte, avec une politesse que démentait son regard. Le chauffeur de l'ambassadeur ouvrit la portière de limousine Cadillac. Ce chauffeur était le chef de la section politique du KGB en place à Washington.

« Alors ? demanda-t-il en regardant la circulation de Pennsylvanie Avenue avant de bifurquer à gauche pour s'y engager.

— Alors, l'entretien s'est déroulé exactement comme je l'avais prévu, et nous savons maintenant pourquoi ils ont kidnappé nos hommes, répondit Arbatov.

— Et pourquoi donc, camarade amabassadeur ? » insinua le chauffeur. Il ne laissait rien paraître de son irritation. Quelques années plus tôt, ce tâcheron du Parti n'aurait certainement pas osé temporiser ainsi avec un officier supérieur du KGB. C'était une honte, ce qu'il était advenu de la commission de la sécurité de l'Etat depuis la mort du camarade Andropov. Mais les choses reprendraient le droit chemin. Il en était convaincu.

« Le président nous a pratiquement accusés d'envoyer le sous-marin près de leur côte en violation délibérée du protocole secret de 1979. Ils retiennent nos hommes pour les interroger, pour leur démonter le cerveau et découvrir ainsi quels étaient les ordres du sous-marin. Combien de temps cela prendra-t-il à la CIA ? Un jour ? Deux ? » Arbatov rageusement hocha la tête. « Ils le savent peut-être déjà — quelques drogues, une femme, peut-être, pour leur délier la langue. Le président a également invité Moscou à imaginer ce que les têtes brûlées du Pentagone l'incitent à croire ! Et lui disent de faire ! Il n'y a pas de mystère, n'est-ce pas ? Ils prétendront que nous répétions une attaque nucléaire surprise — peut-être même que nous en lancions une vraie ! Comme si nous ne nous donnions pas plus de mal qu'eux pour mener à bien la coexistence pacifique ! Ces idiots soupçonneux, ils ont peur de ce qui s'est passé et sont encore plus furieux.

— Pouvez-vous le leur reprocher, camarade ? » demanda le chauffeur tout en assimilant toute l'information, la classant, l'analysant, et composant déjà son rapport personnel pour le centre, à Moscou.

« Il a dit, également, que notre flotte n'avait plus aucune raison de rester près de leur côte.

— Comment a-t-il dit cela ? D'un ton autoritaire ?

— En termes assez calmes. Plus doucement que je ne l'aurais cru. Cela m'inquiète. Ils préparent quelque chose, à mon avis. On fait du bruit quand on traîne son sabre, mais pas quand on le sort du fourreau. Il exige une explication pour toute cette affaire. Que dois-je lui dire ? Que s'est-il *réellement* passé ?

— Sans doute ne le saurons-nous jamais. » L'agent, lui, savait — enfin, l'histoire originale, bien sûr, aussi incroyable qu'elle pût paraître. Que la marine et le GRU aient pu laisser passer une erreur aussi colossale, voilà qui le stupéfiait. L'histoire de l'agent Cassius était à peine moins folle. Le chauffeur l'avait lui-même communiquée à Moscou. Se pouvait-il que les Etats-Unis et l'Union soviétique fussent tous deux victimes d'une troisième partie ? Etait-ce une opération manquée, et les Américains essayaient-ils de savoir qui en était responsable et comment cela s'était fait, afin d'essayer de le faire eux-mêmes ? Cette partie de l'histoire était assez crédible, mais le reste ? Il fronça le sourcil en contemplant la circulation. Il avait reçu des ordres du centre de Moscou : s'il s'agissait d'une opération de la CIA, il devait s'en assurer au plus tôt. Il ne croyait pas que c'en fût une mais, sinon, la CIA se montrait d'une singulière efficacité pour la couvrir. Etait-il possible de couvrir une opération aussi complexe ? Il ne le pensait pas. Néanmoins, ses collègues et lui-même allaient consacrer plusieurs semaines à tenter de percer toute éventuelle couverture et d'apprendre ce qui se disait à Langley et sur le terrain, tandis que d'autres sections du KGB en feraient autant dans le monde entier. Si la CIA avait infiltré le haut commandement de la Flotte du nord, il le saurait. Cela, il en était sûr. Il souhaitait presque qu'ils y soient parvenus. Le GRU assumerait alors la responsabilité du désastre et tomberait en disgrâce, après avoir profité de la perte de prestige du KGB quelques années auparavant. S'il comprenait bien la situation, le Politburo lâchait le KGB aux trousses du GRU et des militaires, en permettant au centre de Moscou d'entreprendre sa propre enquête sur l'affaire. Indépendamment de ce qu'il allait trouver, le KGB en sortirait vainqueur et écraserait les forces armées. D'une façon ou d'une autre, son organisation découvrirait ce qui s'était passé, et si ses rivaux devaient en pâtir, tant mieux...

Quand la porte se referma sur l'ambassadeur soviétique, Pelt ouvrit une porte donnant sur le Salon ovale, et le juge Moore apparut.

« Voilà bien longtemps que je ne m'étais plus caché dans les placards, monsieur le président.

— Vous croyez vraiment que cela va marcher? questionna Pelt.

— Oui, maintenant j'en suis sûr. » Moore s'installa confortablement dans un fauteuil en cuir.

« N'est-ce pas un peu délicat, juge? insista Pelt. Je veux dire, de monter une opération aussi complexe?

— C'est toute la beauté de la chose, mon cher, nous ne montons rien. Les Soviétiques s'en chargeront pour nous. Oh, bien sûr, nous aurons plein d'agents qui parcourront l'Europe de l'Est en posant plein de questions! Et les gars de Sir Basil en feront autant. Les Français et les Israéliens sont déjà à la tâche, parce que nous leur avons demandé s'ils savaient ce que c'était que cette histoire de sous-marin nucléaire égaré. Le KGB s'en apercevra vite, et se demandera pourquoi les services de renseignements des quatre principales puissances occidentales posent les mêmes questions — au lieu de se replier dans leurs coquilles comme on s'y attendrait s'il s'agissait d'une opération à nous.

« Il ne faut pas négliger le dilemme devant lequel se trouvent les Soviétiques, un choix entre deux scénarios également déplaisants. D'un côté, ils peuvent choisir de croire qu'un de leurs plus brillants officiers a commis un acte de haute trahison d'une ampleur sans précédent. Vous avez vu notre dossier sur le commandant Ramius. C'est la version communiste du boy-scout d'élite, un authentique Homme Nouveau soviétique. Ajoutez à cela le fait qu'une conspiration de ce type implique nécessairement un certain nombre d'autres officiers jouissant de la même confiance. Les Soviétiques ont un blocage psychologique contre l'idée que des individus de ce niveau puissent vouloir un jour quitter le Paradis des travailleurs. Cela semble paradoxal, je l'admets, quand on considère les efforts démesurés qu'ils font pour empêcher les gens de partir, mais c'est vrai. Perdre un danseur de ballet ou un agent du KGB est une chose — mais perdre le fils d'un membre du Politburo, un officier qui a trente ans de service exemplaire, c'est tout autre chose. De plus, un officier de marine jouit de privilèges importants; son départ fait le même effet que celui d'un *self-made man* milliardaire, quittant New York pour aller vivre à Moscou. Ils ne peuvent pas le croire.

« Ou bien ils peuvent choisir de croire l'histoire que nous leur avons fait passer par Henderson, qui est tout aussi déplaisante, mais qu'étayent un certain nombre de preuves circonstancielles, et en particulier nos efforts pour inciter leurs hommes à rester chez nous.

— Alors quel bord vont-ils adopter ? demanda le président.

— Cela, monsieur le président, c'est une question purement psychologique, et la psychologie soviétique nous paraît toujours difficile à démêler. Etant donné ce choix entre la trahison collective de dix hommes et une conspiration extérieure, je pense qu'ils préféreront la seconde hypothèse. Pour qu'ils admettent la possibilité d'un passage à l'Ouest délibéré... eh bien, cela les obligerait à reconsidérer leurs propres certitudes. Personne n'aime cela. » Moore accompagna cette conclusion d'un geste ample et noble. « L'hypothèse numéro deux implique que leur sécurité a été violée par des gens de l'extérieur, mais la situation de victime est infiniment plus confortable que la nécessité de reconnaître les contradictions intrinsèques à leur philosophie gouvernementale. En plus de tout cela, nous avons le fait que ce sera le KGB qui mènera l'enquête.

— Pourquoi ? demanda Pelt, pris dans la théorie du juge.

— Dans un cas comme dans l'autre, le passage à l'Ouest ou l'infiltration de la sécurité opérationnelle de la marine, c'est le GRU qui en porte la responsabilité. La sécurité des forces navales et militaires est de leur ressort, et ce d'autant plus qu'ils ont fait un tort considérable au KGB après le départ de notre ami Andropov. Les Soviétiques ne peuvent pas faire enquêter un service sur son propre fonctionnement — pas dans leurs corps de renseignements ! Le KGB s'efforcera donc de mettre en pièces le service rival. Du point de vue du KGB, l'instigation extérieure est de loin l'hypothèse la plus alléchante : elle justifie une opération de plus grande ampleur. S'ils confirment l'histoire d'Henderson et convainquent tout le monde qu'elle est vraie — et ils le feront, bien sûr — leur victoire sera d'autant plus éclatante qu'ils auront eux-mêmes découvert le fin mot.

— Ils vont confirmer l'histoire ?

— Bien sûr ! Dans le monde du renseignement, quand on cherche quelque chose avec assez d'ardeur, on le trouve, que ce soit vraiment là ou non. Seigneur, nous devons plus à ce brave Ramius qu'il ne pourrait l'imaginer ! Une occasion pareille ne se présente pas une fois par génération. C'est simple : nous ne *pouvons* pas perdre.

— Mais le KGB en sortira renforcé, observa Pelt. Est-ce une bonne chose ? »

Moore haussa les épaules. « Cela devait arriver de toute façon. Le limogeage, et peut-être la suppression, d'Andropov a donné trop de prestige aux services secrets des armées, exactement comme avec Beria dans les années cinquante. Les Soviétiques dépendent comme nous du contrôle politique de leurs militaires — et même plus. En démontant le haut commandement militaire, le KGB se charge de la sale besogne pour eux. C'était inévitable, de toute façon, alors autant en profiter. Il ne reste plus que quelques petites choses à faire.

— Telles que ? demanda le président.

— Notre ami Henderson laissera passer une information, d'ici un mois ou deux, révélant que nous avions un sous-marin aux trousses d'*Octobre rouge* depuis l'Islande.

— Mais pourquoi ? objecta Pelt. Ils sauront alors que nous avons menti, que toute cette excitation à propos du sous-marin perdu n'était qu'un mensonge.

— Pas exactement, dit Moore. La présence d'un sous-marin lance-engins si près de nos côtes reste une violation des accords passés et, de leur point de vue, nous n'avons aucun moyen de savoir pourquoi il se trouvait là — à moins que nous n'interrogions les marins restés chez nous, qui ne nous diront sans doute pas grand-chose d'intéressant. Les Soviétiques se doutent bien que nous n'avons pas été totalement sincères avec eux dans cette affaire. Le fait que nous suivions leur sous-marin et que nous étions prêts à le détruire à tout instant leur donne précisément la preuve qu'ils cherchaient en ce qui concerne notre duplicité. Nous dirons également que le *Dallas* suivait leur problème de réacteur au sonar, et cela expliquera la proximité de notre bâtiment de secours. Ils savent, enfin, bon, ils soupçonnent sûrement que nous leur avons caché quelque chose. Cela les détournera de ce que nous leur avons vraiment caché. Les Russes appellent ce type de diversion la viande de loup. Ils vont lancer une vaste opération pour pénétrer la nôtre, quelle qu'elle soit. Mais ils ne trouveront rien. Les seules personnes à la CIA qui savent ce qui se passe vraiment sont Greer, Ritter et moi-même. Nos services opérationnels ont ordre de *trouver* ce qui s'est passé, et rien d'autre ne peut donc transpirer.

— Et Henderson ? Combien de gens connaissent l'existence du sous-marin ? voulut savoir le président.

— Si Henderson leur révèle quoi que ce soit, il signe son propre arrêt de mort. Le KGB ne plaisante pas avec les agents doubles, et ils ne voudront jamais croire que nous l'ayons coincé pour transmettre de fausses informations. Il le sait, et de toute façon nous allons le garder à l'œil. Combien de gens, chez nous, connaissent le sous-marin ? Une centaine, peut-être, et le nombre va s'accroître un peu — mais souvenez-vous qu'ils croient que nous avons deux sous-marins russes coulés au large de nos côtes, maintenant ; ils ont donc toutes les raisons de croire que les pièces de sous-marins soviétiques qui apparaîtront dans nos labos auront été repêchées au fond de l'océan. Bien entendu, nous allons remettre *Glomar Explorer* en activité dans ce but précis. Ils se méfieraient, si nous ne le faisions pas. Pourquoi les décevoir ? Tôt ou tard, ils finiront peut-être par recoller tous les morceaux de l'histoire mais, d'ici là, la carcasse dépecée aura été larguée par le fond.

— Nous ne pourrons donc pas garder le secret éternellement ? s'enquit Pelt.

— L'éternité, c'est très long. Nous devons prévoir toutes les éventualités. Dans l'avenir immédiat, le secret devrait être assez sûr, compte tenu du fait qu'une centaine de personnes seulement sont au courant. D'ici un an au minimum, et sans doute plutôt deux ou trois, ils auront peut-être accumulé assez de données pour soupçonner ce qui s'est passé, mais il ne restera plus guère de preuves à exhiber. D'ailleurs, si le KGB découvre la vérité, auront-ils bien envie de l'avouer ? Si c'était le GRU, ils le diraient sûrement, et le chaos qui s'ensuivrait dans leurs services secrets nous profiterait également. » Moore tira une cigarette d'un étui en cuir. « Comme je le disais, Ramius nous a offert une occasion magnifique à plusieurs niveaux. Et la beauté de la chose, c'est que nous n'avons pas grand-chose à faire. Les Russes vont faire tout le boulot, en cherchant quelque chose qui n'existe pas.

— Et les transfuges, juge ? demanda le président.

— Ils seront pris en main, monsieur le président. Nous savons y faire, et nous ne recevons guère de plaintes concernant l'hospitalité de la CIA. Nous allons consacrer quelques mois aux entretiens, et en même temps nous les préparerons à la vie en Amérique. Ils recevront une nouvelle identité, une formation, un peu de chirurgie esthétique s'il le faut, et ils n'auront plus jamais besoin de travailler jusqu'à la fin de leurs jours — mais ils voudront travailler quand même. Ils le veulent presque toujours. Je suppose que la marine trouvera à les employer, comme consultants rémunérés spécialisés dans leur propre matériel de guerre sous-marine, quelque chose de ce genre.

— Je veux les rencontrer, déclara impulsivement le président.

— Cela peut se faire, monsieur le président, mais il faudra que ce soit discret, avertit Moore.

— A Camp David, ce devrait être assez sûr. Et puis Ryan, juge, je veux qu'on en prenne soin.

— Compris, monsieur. Nous le faisons revenir aussi vite que possible. Il a un grand avenir chez nous. »

A Tyuratam, URSS

La raison pour laquelle *Octobre rouge* avait reçu l'ordre de plonger bien avant l'aube se trouvait en orbite autour de la terre à une altitude de huit cents kilomètres. De la taille d'un gros autobus, *Albatross 8* avait été lancé onze mois plus tôt par une énorme fusée de décollage, à partir du cosmodrome de Tyuratam. Ce gros satellite RORSAT était précisément conçu pour faire de la reconnaissance maritime par radar.

Albatross 8 passa au-dessus de la baie de Pamlico à 11 h 31 heure locale. Il était programmé pour la détection de récepteurs thermiques sur tout l'horizon, scrutant tout ce qui passait à portée de vue et se bloquant sur toute signature correspondant à ses paramètres d'acquisition. Comme il survolait des éléments de la flotte américaine en poursuivant son orbite, le *New Jersey* dressa ses systèmes de brouillage pour faire écran au signal. Le satellite enregistra le fait. Le brouillage révélerait aux opérateurs quelque chose des systèmes de guerre électronique américains. Comme il franchissait le pôle, le disque parabolique placé à l'avant d'*Albatross 8* détecta le signal porteur d'un autre engin, le satellite de transmissions *Iskra.*

Quand le satellite de reconnaissance localisa son cousin, qui volait à plus grande altitude, un relais laser transmit le contenu de la banque de données d'*Albatross.* L'*Iskra* le retransmit aussitôt à la station au sol de Tyuratam. Le signal fut également reçu par un disque de quinze mètres situé en Chine occidentale, appartenant à la National Security Agency des Etats-Unis en collaboration avec les Chinois, qui utilisaient les données ainsi reçues pour leur propre compte. Les Américains transmirent le signal au siège de la NSA à Fort Meade, dans le Maryland, par leur propre satellite de communications. Presque en même temps, et à huit mille kilomètres de distance, deux équipes de spécialistes étudiaient le signal digital.

« Temps dégagé, gémit un technicien. *Maintenant,* nous allons avoir un temps dégagé !

— Profites-en pendant que tu peux, camarade. » L'opérateur de la console voisine examinait les données d'un satellite météo géosynchrone, qui couvrait l'hémisphère occidental. Connaître le temps qu'il fait dans un pays ennemi peut être d'une grande valeur stratégique. « Voici une nouvelle vague de froid approchant de leur côte. Leur hiver a été comme le nôtre. J'espère que ça leur fait plaisir !

— Ça ne doit pas plaire à nos marins. » Le technicien frissonna mentalement à l'idée d'être en mer pendant une grosse tempête. Il avait fait une croisière en mer Noire, l'été précédent, et avait été pris d'un violent mal de mer. « Ah ! qu'est-ce que c'est ? Colonel !

— Oui, camarade ? » Le colonel qui tenait le quart s'approcha vivement.

« Regardez là, colonel. » L'opérateur suivit du doigt un tracé sur l'écran. « C'est la baie de Pamlico, au milieu de la côte américaine. Regardez là. » L'image thermique de l'eau était noire sur l'écran mais, quand le technicien régla l'appareil, elle vira au vert avec deux taches blanches, dont l'une plus grosse que l'autre. A deux reprises, la plus grosse se divisa en deux segments. L'image représentait la surface de l'eau, et une partie de cette eau était plus chaude d'un demi-degré qu'elle n'aurait dû l'être. La différence n'était pas constante, mais elle reparaissait suffisamment pour prouver que quelque chose réchauffait l'eau.

« Le soleil, peut-être ? suggéra le colonel.

— Non, camarade, le ciel est dégagé. La chaleur du soleil se répartit uniformément dans toute la zone », répondit calmement l'opérateur. Il était toujours très calme quand il pensait être sur quelque chose. « Deux sous-marins, peut-être trois, à trente mètres sous l'eau.

— Vous en êtes sûr ? »

Le technicien pressa une touche pour faire apparaître l'image radar, qui montrait uniquement les striures des petites vagues.

« Il n'y a rien *sur* l'eau qui cause cette chaleur, colonel. Ce doit donc être quelque chose *sous* l'eau. Ce n'est pas la saison des amours chez les baleines. Ce ne peut donc être que des sous-marins nucléaires, deux, peut-être trois. Je présume, colonel, que les Américains ont eu suffisamment peur devant le déploiement de notre flotte pour chercher à mettre leurs sous-marins à l'abri. Leur base de sous-marins lance-engins n'est qu'à quelques centaines de kilomètres au sud. Un de leurs bateaux de la classe Ohio a dû s'abriter là, sous la protection d'un SM d'attaque, comme on fait chez nous.

— Dans ce cas, il sortira bientôt. Notre flotte est rappelée.

— Dommage, ce serait amusant de le poursuivre. C'est une occasion rare, colonel.

— En effet. Bien joué, camarade académicien. » Dix minutes plus tard, l'information avait été transmise à Moscou.

Au haut commandement de la marine soviétique, à Moscou

« Nous allons profiter de l'occasion, camarade, annonça Gorchkov. Nous rappelons maintenant notre flotte, mais nous allons laisser plusieurs sous-marins en arrière pour ramasser de l'information électronique. Les Américains vont sûrement en lâcher pendant le redéploiement.

— Très vraisemblable, acquiesça le chef des opérations navales.

— L'Ohio partira au sud, probablement pour regagner leur base sous-marine de Charleston ou de King's Bay. Ou bien au nord, vers Norfolk. Nous avons le *Konovalov* à Norfolk et le *Shabilikov* devant Charleston. Ils resteront tous deux en place pendant quelques jours, je pense. Il faut absolument réussir quelque chose, pour montrer aux politiques que nous avons une vraie marine. Parvenir à pister un Ohio serait un début.

— Les ordres seront transmis dans un quart d'heure, camarade. » Le chef des opérations trouvait l'idée bonne. Il n'avait pas aimé le rapport de la réunion du Politburo que Gorchkov lui avait communiqué — encore que, si Sergueï devait sauter, il serait lui-même en bonne place pour lui succéder...

A bord du New Jersey

Le message de Fusée rouge était arrivé depuis quelques instants entre les mains d'Eaton : Moscou venait d'adresser par satellite un long message opérationnel à la Flotte du nord. Maintenant, les Russes étaient vraiment dans une situation difficile, se disait le contre-amiral. Trois groupes de combat rassemblés autour des porte-avions *Kennedy, America* et *Nimitz* les encerclaient, sous le commandement de Josh Painter. Eaton les tenait en vue, et il avait le contrôle opérationel du *Tarawa* pour augmenter son propre groupe d'action de surface. L'amiral braqua ses jumelles sur le *Kirov*.

« Commandant, mettez le groupe aux postes de combat.

— Bien. » Le chef des opérations du groupe prit le micro de la fréquence tactique. « Blue Boys, ici Blue King. Lumière d'Ambre, Lumière d'Ambre, exécution. Terminé. »

Eaton attendit quatre secondes que le klaxon d'alerte retentisse. Les hommes se précipitèrent à leurs postes.

« Distance du *Kirov ?*

— Trente-sept mille six cents mètres, amiral. Nous nous

sommes régulièrement glissés à portée de laser. Nous sommes parés, amiral, annonça le chef des opérations. Les tourelles de batterie sont battantes, et la désignation d'objectif est en fonction. »

Un téléphone sonna à côté du siège amiral d'Eaton, sur la passerelle.

« Eaton.

— Tous les postes sont armés et parés, amiral », annonça le commandant du cuirassé. Eaton consulta son chronomètre.

« Bien joué, commandant. Voici des hommes parfaitement entraînés. »

Au central d'information de combat du *New Jersey,* les écrans numériques montraient la portée exacte jusqu'au mât central du *Kirov.* Le premier objectif est évidemment toujours le navire amiral de l'ennemi. La seule question était de savoir quelle dose de feu le *Kirov* pourrait absorber — et ce qui le tuerait en premier, les salves de tir ou les missiles Tomahawk. L'essentiel, répétait l'officier cannonier depuis plusieurs jours, c'était de tuer le *Kirov* avant qu'aucun avion puisse intervenir.

« Ils évoluent, indiqua le chef des opérations du groupe.

— Ouais, voyons jusqu'où. »

La formation du *Kirov* avait le cap à l'ouest à l'arrivée du signal. Tous les bâtiments de l'écran vinrent à droite, à l'unisson. La manœuvre cessa quand ils eurent le cap au zéro-quatre-zéro. Vers le nord-est.

Eaton rangea ses jumelles dans leur étui. « Ils rentrent chez eux. Prévenons Washington, et laissons encore un peu les hommes aux postes de combat. »

A l'aéroport international de Dulles, à Washington

Les Soviétiques se surpassèrent pour faire quitter les Etats-Unis à leurs hommes. Un Iliouchine IL-62 d'Aeroflot fut retiré du service régulier et envoyé directement de Moscou à Dulles. Il atterrit au coucher du soleil. Copie presque conforme du VC-10 britannique, le quadrimoteur roula jusqu'à la zone de service la plus reculée pour faire le plein. Un équipage complet de relais se trouvait à bord, ainsi que plusieurs autres passagers qui ne descendirent même pas se dégourdir les jambes, pour que l'avion puisse repartir sans délai. Deux aérobus parcoururent les trois kilomètres séparant l'aérogare de l'avion en attente. De l'intérieur, les hommes d'*Octobre rouge* contemplaient la campagne poudrée de neige, sachant que c'était leur dernière vision de l'Amérique. Ils étaient calmes. On les avait tirés du lit à Bethesda et mis dans l'autocar une heure auparavant. Cette fois, aucun journaliste ne les harcelait.

Les quatre officiers, les neuf *michmaniy* et les hommes d'équipage furent séparés en groupes distincts dès l'embarquement. Chaque groupe fut conduit dans un secteur spécifique de l'appareil. Chaque officier ou *michman* avait son propre interrogateur du KGB, et les entretiens commencèrent avant même le décollage. Lorsque l'Iliouchine atteignit son altitude de croisière, la plupart des hommes se demandaient déjà pourquoi ils n'avaient pas plutôt choisi de rester en arrière avec leurs compatriote traîtres. Ces interrogatoires étaient franchement déplaisants.

« Le commandant Ramius se comportait-il bizarrement ? demanda un capitaine du KGB à Petrov.

— Pas du tout ! répondit aussitôt Petrov, sur la défensive. Ne saviez-vous pas que notre sous-marin avait été saboté ? Nous avons eu de la chance d'en sortir vivants !

— Saboté ? Comment ?

— Le réacteur. Ce n'est pas moi qui saurais vous l'expliquer, je ne suis pas ingénieur, mais c'est moi qui ai détecté les fuites. Voyez-vous, les badges de contrôle de radiation indiquaient une contamination, mais les instruments du compartiment des machines n'en montraient pas. Non seulement le réacteur avait fait l'objet d'un sabotage, mais tous les instruments de détection des radiations avaient été mis hors d'état. Je l'ai observé moi-même. L'ingénieur-chef Melekhine a dû en reconstruire plusieurs, pour pouvoir repérer la fuite dans les conduits du réacteur. Svyadov pourra vous le dire mieux que moi. Il l'a vu de ses propres yeux. »

L'officier du KGB prenait des notes. « Et que faisait votre sous-marin, si près de la côte américaine ?

— Que voulez-vous dire ? Vous ne savez pas quels étaient nos ordres ?

— Quels étaient vos ordres, camarade docteur ? » l'officier du KGB fixa un regard dur sur les yeux de Petrov.

Le médecin expliqua et conclut, « J'ai vu les ordres. Ils étaient affichés à la vue de tous, comme il est normal.

— Signé par qui ?

— Par l'amiral Korov. Qui d'autre ?

— N'avez-vous pas trouvé ces ordres un peu curieux ? demanda le capitaine, furieux.

— Mettez-vous vos ordres en doute, camarade ? » Petrov rassembla tout son courage. « *Moi* pas.

— Qu'est-il arrivé à votre officier politique ? »

Dans une autre section de l'avion, Ivanov expliquait comment *Octobre rouge* avait été repéré par des bâtiments américains et britanniques. « Mais le commandant Ramius leur a échappé brillamment ! Nous aurions réussi, s'il n'y avait pas eu ce maudit accident de réacteur. Il faut trouver qui nous a fait cela, capitaine. Je veux le voir mourir de mes propres yeux ! »

L'officier du KGB resta de marbre. « Et quelle est la dernière chose que le commandant vous ait dite ?

— Il m'a ordonné de garder le contrôle de mes hommes, de ne pas les laisser parler plus qu'il n'était nécessaire avec les Américains, et il m'a dit que jamais les Américains ne mettraient la main sur notre sous-marin. » Les yeux d'Ivanov s'emplirent de larmes au souvenir de son commandant et de son bateau, tous deux perdus. C'était un jeune Soviétique fier et privilégié, le fils d'un académicien du Parti. « Camarade, vous et vos hommes devez retrouver les salauds qui nous ont fait ce coup. »

« C'était très astucieux, expliquait Svyadov à quelques mètres de là. Même le commandant Melekhine n'a pu s'en rendre compte qu'au troisième essai, et il a juré de se venger des hommes qui avaient fait cela. Je l'ai vu moi-même », ajouta l'enseigne, oubliant qu'il ne l'avait jamais vraiment vu lui-même. Il expliqua tout en détail, et traça même un diagramme pour que ce soit plus clair. « Je ne sais rien de l'accident final. Je prenais juste mon quart. Melekhine, Surzpoï et Bugayev ont travaillé pendant des heures, pour tenter de mettre en route nos moteurs de secours. » Il secoua la tête. « J'ai voulu me joindre à eux, mais le commandant Ramius me l'a interdit. J'ai essayé une nouvelle fois, malgré les ordres, mais le camarade Petrov m'en a empêché. »

Après deux heures de vol au-dessus de l'Atlantique, les officiers du KGB se retrouvèrent à l'arrière pour comparer leurs notes.

« Si le commandant simulait, c'était un diablement bon comédien, résuma le colonel responsable des premiers interrogatoires. Les ordres qu'il donnait à ses hommes étaient irréprochables. Les ordres de mission étaient annoncés et affichés comme d'habitude...

— Mais parmi ces hommes, qui connaissait la signature de Korov ? Et nous ne pouvons plus le demander à Korov, n'est-ce pas ? » lança un autre officier. Le commandant de la Flotte du nord avait succombé à une hémorragie cérébrale deux heures après son premier interrogatoire à la Loubianka, à la grande déception de tous. « De toute façon, elle pouvait être imitée. Avons-nous une base sous-marine secrète à Cuba ? Et de quoi est mort le *zampolit* ?

— Le médecin est sûr qu'il s'agissait d'un accident, répondit un autre officier. Le commandant pensait qu'il s'était heurté la tête, mais en vérité il s'était brisé le cou. Je trouve cependant qu'il aurait dû demander des instructions par radio.

— Ordre de silence radio absolu, objecta le colonel. J'ai vérifié. C'est tout à fait normal pour les sous-marins lance-engins. Ce commandant Ramius était-il fort au combat à mains nues ? Aurait-il pu assassiner le *zampolit* ?

— C'est une possibilité, admit l'officier qui avait interrogé Petrov. Il n'avait pas de formation dans ce domaine, mais ce n'est pas difficile à faire. »

Le colonel n'était pas sûr d'être d'accord. « Avons-nous la moindre preuve que l'équipage ait soupçonné une tentative de désertion ? » Il secouèrent tous la tête négativement. « A part cela, le service à bord était-il normal ?

— Oui, colonel, répondit un jeune officier. L'officier de navigation qui a survécu, Ivanov, dit que les manœuvres d'esquive des forces de surface et sous-marines de l'ennemi ont été parfaitement effectuées — suivant les procédures établies, et brillamment exécutées par ce Ramius pendant une période de douze heures. Je n'ai même pas évoqué l'idée éventuelle d'une trahison. Pas encore. » Tout le monde savait que ces marins passeraient un certain temps à la prison de Loubianka, jusqu'à ce qu'ils aient été parfaitement étrillés.

« Très bien, dit le colonel, jusqu'à maintenant, nous n'avons aucune indication de trahison commise par les officiers du sous-marin ? Je ne le crois pas. Camarades, vous allez poursuivre vos interrogatoires de manière plus douce jusqu'à l'arrivée à Moscou. Laissez vos clients se détendre. »

L'atmosphère à bord de l'avion devint progressivement plus agréable. On servit des casse-croûte et de la vodka, pour délier les langues et encourager une bonne collaboration amicale avec les officiers du KGB, qui pour leur part buvaient de l'eau. Les hommes savaient tous qu'ils passeraient un certain temps en prison, et ils acceptaient leur sort avec un fatalisme qui aurait surpris des Occidentaux. Le KGB allait s'employer pendant des semaines à reconstruire chaque instant du sous-marin, depuis le largage de la dernière amarre à Polyarny jusqu'à l'embarquement du dernier homme à bord du *Mystic*. D'autres équipes d'agents étaient déjà à l'œuvre dans le monde entier, pour savoir si le sort d'*Octobre rouge* résultait d'un complot de la CIA ou de quelque autre service secret. Le KGB trouverait la réponse, mais le colonel chargé de l'affaire commençait à penser que la réponse ne dépendait pas de ces marins.

Noyes autorisa Ramius à parcourir les cinq mètres qui séparaient l'infirmerie du carré, sous son contrôle. Le malade n'avait pas très bonne mine, mais c'était surtout parce qu'il avait besoin de se laver et de se raser, comme tous les autres hommes à bord. Borodine et Mancuso l'aidèrent à prendre place au bout de la table.

« Alors, Ryan, comment allez-vous aujourd'hui ?

— Très bien, merci, commandant Ramius. » Ryan sourit pardessus son café. En vérité, il ressentait un immense soulagement depuis quelques heures, car il avait pu abandonner la direction du sous-marin aux hommes qui s'y connaissaient. Il comptait les heures qui le séparaient de la terre ferme, mais c'était la première fois depuis deux semaines qu'il n'éprouvait ni mal de mer ni terreur. « Comment va votre jambe, commandant ?

— Douloureusement. Il faudra que je pense à ne plus me faire tirer dessus. Mais je ne me souviens pas de vous avoir dit que je vous dois la vie, et même nous tous, d'ailleurs.

— C'était la mienne aussi, répondit Ryan, légèrement embarrassé.

— Bonjour, commandant ! » C'était le cuisinier. « Puis-je vous préparer un petit déjeuner, commandant Ramius ?

— Oui, j'ai grand faim.

— Bien ! Un petit déjeuner de la marine américaine, un ! Je vais vous servir un bon café. »

Il disparut dans le couloir. Trente secondes plus tard, il était de retour avec une cafetière fumante et une serviette pour Ramius. « Encore dix minutes pour le petit déjeuner, commandant. »

Ramius se versa une tasse de café. Il y avait une petite enveloppe dans la soucoupe. « Qu'est-ce que c'est ?

— Du lait en poudre, dit Mancuso. Pour votre café, commandant. »

Ramius déchira le sachet, et jeta un coup d'œil soupçonneux à l'intérieur avant d'en verser le contenu dans sa tasse.

« Quand partons-nous ?

— Demain », répondit Mancuso. Le *Dallas* remontait périodiquement à l'immersion périscopique pour recevoir les ordres opérationnels, et il les transmettait par téléphone à *Octobre rouge*. « Nous venons d'apprendre, voici quelques heures, que la flotte soviétique repart vers le nord-est. Nous le saurons avec plus de certitude quand la nuit tombera. Nos gars les gardent étroitement à l'œil.

— Et où irons-nous ? demanda Ramius.

— Où leur avez-vous dit que vous alliez ? voulut savoir Ryan. Que disait votre lettre, exactement ?

— Vous êtes au courant de la lettre... Comment ?

— Nous savons — c'est-à-dire, je suis au courant de la lettre, mais c'est tout ce que je puis dire, commandant.

— J'ai dit à Oncle Youri que nous faisions route vers New York pour offrir ce sous-marin au président des Etats-Unis.

— Mais vous n'avez pas pris la direction de New York, objecta Mancuso.

— Certainement pas. Je voulais aller à Norfolk. Pourquoi viser un port civil, quand il y a une base navale si près ? Vous trouvez que j'aurais dû dire la vérité à Padorine ? » Ramius secoua la tête. « Pourquoi ? Votre côte est si vaste. »

« *Cher amiral Padorine, je fais route vers New York*... Pas étonnant qu'ils aient grimpé aux rideaux ! » songea Ryan.

« Nous allons à Norfolk ou à Charleston ? insista Ramius.

— Norfolk, je crois, dit Mancuso.

— Ne saviez-vous pas qu'ils enverraient toute leur flotte à vos trousses ? lança Ryan. Pourquoi envoyer une lettre ?

— Pour qu'ils sachent, répondit Ramius. Pour qu'ils sachent. Je n'imaginais pas qu'on pourrait nous détecter. Là, vous nous avez surpris. »

Le commandant américain essaya de retenir un sourire. « Nous vous avons repéré dès la côte d'Islande. Vous avez eu plus de chance que vous ne le pensez. Si nous étions partis d'Angleterre à la date prévue, nous aurions été à quinze milles plus près de la côte, et nous ne vous aurions trouvés que refroidis. Désolé, commandant, mais nos sonars et nos opérateurs sont très bons. Vous pourrez faire la connaissance de l'homme qui vous a repérés le premier. Il travaille en ce moment avec votre lieutenant Bugayev.

— *Starshina,* dit Borodine.

— Pas un officier ? s'étonna Ramius.

— Non, juste un très bon opérateur », répondit Mancuso, surpris. Pourquoi voudrait-on faire prendre le quart à un officier devant un équipement sonar ?

Le cuisinier revint. Sa conception du petit déjeuner standard dans la marine américaine se composait d'une tranche de jambon recouverte de deux œufs, d'une montagne de pommes de terre sautées, et de quatre tranches de pain grillé agrémentées d'un pot de gelée de pomme.

« Prévenez-moi si vous en voulez encore, dit le cuisinier.

— C'est le petit déjeuner normal ? demanda Ramius à Mancuso.

— Rien de spécial, non. Pour ma part, je préfère les gaufres. Les Américains mangent de solides petits déjeuners. » Ramius attaquait déjà le sien. Après ces deux jours passés sans un seul vrai repas, et avec tout le sang qu'il avait perdu, son corps réclamait littéralement de la nourriture.

« Dites-moi, Ryan, commença Borodine en allumant une cigarette, qu'est-ce qui nous surprendra le plus, en Amérique ? »

Jack désigna l'assiette du commandant. « Les magasins d'alimentation.

— Les magasins d'alimentation ? répéta Mancuso, étonné.

— Pendant mon séjour à bord de l'*Invincible,* j'ai lu un rapport de la CIA sur les gens qui passent dans notre camp. » Ryan ne voulait pas employer de terme direct, par crainte de sembler péjoratif. « Il paraît que la première chose qui surprend les gens, ceux qui viennent de votre partie du monde, c'est l'arrivée dans un supermarché.

— Expliquez-moi comment c'est, ordonna Borodine.

— Une bâtisse de la taille d'un terrain de football — bon, peut-être un peu moins grand. Vous franchissez la porte et prenez un chariot. Les fruits et légumes frais sont à droite, et vous progressez peu à peu vers la gauche en parcourant les autres secteurs. Je le fais depuis ma plus tendre enfance.

— Vous dites fruits et légumes frais ? Mais pendant l'hiver, maintenant ?

— Quoi, l'hiver ? répondit Mancuso. Ils coûtent peut-être un peu plus cher, mais on peut toujours acheter des produits frais. C'est l'une des choses qui nous manquent le plus à bord. Nos provisions de produits et de lait frais ne durent qu'une semaine.

— Et la viande ? questionna Ramius.

— Tout ce que vous voulez, dit Ryan. Bœuf, porc, mouton, dinde, poulet. Les fermiers américains sont très efficaces. Les Etats-Unis se nourrissent eux-mêmes, et il reste beaucoup d'excédents. Figurez-vous que l'Union soviétique nous achète du blé. Bon sang, nous payons même nos agriculteurs pour qu'ils ne produisent pas plus, simplement pour garder le contrôle des surplus. » Les quatre Russes paraissaient peu convaincus.

« Quoi d'autre ? demanda Borodine.

— Qu'est-ce qui vous surprendra ? Presque tout le monde a une voiture. La plupart des gens sont propriétaires de leur maison. Quand on a de l'argent, on peut acheter pratiquement tout ce qu'on veut. La famille américaine moyenne gagne une vingtaine de milliers de dollars par an, je crois. Ces officiers gagnent tous davantage. Le fait est que, si vous avez un bon cerveau — et c'est votre cas à tous — et si vous voulez vraiment travailler — et c'est votre cas à tous —, vous pourrez vivre confortablement, même sans recevoir d'aide. Cela dit, vous pouvez être sûrs que la CIA prendra bon soin de vous. Nous ne voudrions pas que quelqu'un ait à se plaindre de notre hospitalité.

— Et qu'adviendra-t-il de mes hommes ? interrogea Ramius.

— Je ne peux pas vous le dire exactement, commandant, car je n'ai jamais été impliqué dans ce genre d'affaire. J'imagine qu'on va vous conduire en lieu sûr pour vous détendre et vous reposer. Des gens de la marine et de la CIA voudront s'entretenir longuement avec vous. Mais ce n'est pas vraiment une surprise, non ? Je vous l'ai déjà dit. D'ici un an, vous pourrez faire ce que vous voudrez.

— Et ceux qui voudront prendre du service chez nous seront les bienvenus », ajouta Mancuso.

Ryan se demanda dans quelle mesure c'était vrai. La marine ne voudrait sûrement pas de ces hommes à bord d'un 688. Cela risquerait de leur fournir des renseignements assez importants pour qu'ils puissent retourner chez eux sans craindre d'y laisser leur peau.

« Comment un homme sympathique devient-il espion ? demanda Borodine.

— Je ne suis pas espion, commandant », répondit Ryan une fois de plus. Il ne pouvait certes pas lui reprocher de ne pas le croire. « A la fin de mes études, j'ai fait la connaissance d'un type qui a mentionné mon nom à l'un de ses amis, l'amiral James Greer, qui travaillait à la CIA. Il y a quelques années, on m'a proposé de faire partie d'une équipe d'universitaires rassemblée pour contrôler quelques évaluations de renseignements pour la CIA. A l'époque, je me consacrais bienheureusement à la rédaction de mes livres sur l'histoire de la marine. A Langley — où j'ai passé deux mois d'été — j'ai fait un article sur le terrorisme. Greer l'a trouvé intéressant et, voici maintenant deux ans, il m'a proposé de travailler pour lui à plein temps. C'était une erreur », conclut Ryan, sans le penser vraiment. Ou bien si ? « L'an dernier, j'ai été transféré à Londres pour entrer dans une équipe d'évaluation de renseignements, commune avec les services secrets britanniques. Mon travail normal consiste à rester assis derrière un bureau, pour évaluer le matériel que les agents envoient. Je me suis trouvé entraîné dans cette histoire parce que j'avais compris ce que vous prépariez, commandant Ramius.

— Votre père était-il un espion ? demanda Borodine.

— Non, mon père était officier de police à Baltimore. Mes deux parents sont morts dans un accident d'avion, il y a dix ans. »

Borodine exprima sa sympathie. « Et vous, commandant Mancuso, qu'est-ce qui a fait de vous un marin ?

— Je voulais devenir marin depuis ma prime enfance. Mon père est coiffeur. J'ai choisi les sous-marins, à Annapolis, parce que je trouvais que ça avait l'air intéressant. »

Ryan assistait à une scène comme il n'en avait encore jamais vu : deux hommes provenant de différents pays et de différentes cultures, qui tentaient de trouver un terrain commun. A tâtons, chacun cherchait des similitudes de caractère et d'expérience, construisant une base pour la compréhension mutuelle. C'était plus qu'intéressant. C'était touchant. Ryan se demanda si c'était très difficile pour les Soviétiques. Sans doute plus que tout ce qu'il avait pu faire dans sa vie — ils avaient coupé tous les ponts. Ils s'étaient exclus de tout ce qu'ils connaissaient, certains d'aller vers quelque chose de mieux. Ryan espérait qu'ils réussiraient à faire la transition entre le communisme et la liberté. Au cours des deux derniers jours, il avait commencé à comprendre quel courage il fallait pour passer à l'Ouest. Faire face à une arme dans un compartiment de missiles était bien peu de chose, comparé à la décision de quitter tout son passé. Comme les Américains endossaient facilement leur liberté ! Ce serait peut-être très difficile, pour ces hommes qui avaient risqué leur vie pour s'adapter à quelque chose que Ryan et ses semblables appréciaient si rarement à sa juste valeur. C'étaient des gens comme eux qui avaient construit le Rêve américain, et des gens comme eux qu'il fallait pour le maintenir. Il était curieux que ces hommes doivent venir de l'Union soviétique ! Ou peut-être n'était-ce pas curieux du tout, bien au contraire, songea Ryan en écoutant la conversation qui se poursuivait devant lui.

LE DIX-SEPTIÈME JOUR

Dimanche 19 décembre

*A bord d'*Octobre rouge

« Encore huit heures », se murmura Ryan. C'était ce qu'ils lui avaient dit. Huit heures de route jusqu'à Norfolk. A sa propre requête, il se trouvait à nouveau chargé du maniement des manches à air. C'était la seule chose qu'il savait faire, et il fallait qu'il fasse quelque chose. *Octobre rouge* manquait encore sérieusement de personnel. Presque tous les Américains donnaient un coup de main dans les compartiments de machines et de réacteur, à l'arrière. Seuls Mancuso, Ramius et lui-même tenaient les commandes. Avec l'aide de Jones, Bugayev manœuvrait l'équipement sonar, à quelques mètres de là, et les médecins continuaient à s'occuper de Williams, à l'infirmerie. Le cuisinier allait et venait avec des sandwiches et du café, que Ryan trouvait décevant, sans doute parce qu'il avait eu le goût gâté par celui de Greer.

Ramius se tenait en position semi-assise sur la balustrade qui entourait le pied du périscope. Sa jambe blessée ne saignait plus, mais il devait souffrir plus qu'il ne l'admettait, car il laissait Mancuso manipuler les instruments et diriger la navigation.

« La barre à zéro, ordonna Mancuso.

— Barre à zéro. » Ryan tourna la barre à droite, en contrôlant l'indicateur d'angle de barre. « La barre est à zéro, cap au un-deux-zéro. »

Mancuso se concentra sur sa carte, énervé, contrarié de devoir piloter l'énorme sous-marin de manière aussi cavalière. « Il faut faire attention, par ici. Le courant produit un ensablement constant, et l'on est obligé de curer le chenal plusieurs fois par an. La tempête qui vient de balayer le secteur n'a pas dû arranger les choses. » Mancuso retourna regarder dans le périscope.

« Il paraît que c'est une zone dangereuse, dit Ramius.

— Le tombeau de l'Atlantique, confirma Mancuso. Beaucoup de bateaux ont péri le long des Bancs Extérieurs. La météo et les courants sont assez mauvais. On dit que les Allemands ont passé de très mauvais moments par ici, pendant la guerre. Votre carte ne le montre pas, mais on a repéré des centaines d'épaves par le fond. » Il regagna la table des cartes. « De toute façon, nous allons passer tranquillement au large, et nous ne virerons au nord que par ici. » Il traça une ligne sur la carte.

« Ce sont vos eaux territoriales », reconnut Ramius.

Ils étaient en formation à trois. Le *Dallas* les guidait, et le *Pogy* suivait. Les trois bâtiments avançaient à faible immersion, le pont à fleur d'eau, sans personne à la passerelle. Toute la navigation visuelle se faisait par périscope. Aucun radar en fonction. Aucun des trois bateaux n'émettait le moindre bruit électronique. Ryan jeta un coup d'œil à la table des cartes. Ils avaient dépassé l'embouchure même, mais il allait encore falloir parcourir plusieurs kilomètres parmi les bancs de sable.

Ils employaient à présent le système de propulsion par chenille d'*Octobre rouge,* qui s'était révélé presque exactement tel que l'avait prévu Tyler. Il comportait deux jeux de turbines à tunnels, une paire à environ un tiers de la longueur depuis l'étrave, et trois autres juste au-delà du milieu du corps. Mancuso et ses ingénieurs avaient étudié les plans avec beaucoup d'intérêt, puis avaient longuement commenté la qualité de la conception de la chenille.

Pour sa part, Ramius n'avait pas voulu croire qu'on l'eût détecté si tôt, et Mancuso avait fini par faire venir Jones avec sa carte personnelle pour montrer son évaluation de la route d'*Octobre rouge* depuis la côte d'Islande. Bien que décalé de quelques milles par rapport au journal de navigation du bâtiment, son estimation était trop semblable pour pouvoir n'être qu'une coïncidence.

« Votre sonar doit être bien meilleur que nous ne le pensions, grommela Ramius à quelques pas du poste de Ryan.

— Il est assez bon, admit Mancuso. Mais le mieux, c'est Jonesy — c'est le meilleur opérateur sonar que j'aie jamais eu.

— Si jeune, et si fort.

— Nous en avons beaucoup de ce genre-là. » Mancuso sourit. « Jamais autant que nous voudrions, bien sûr, mais nos jeunes sont tous des volontaires. Ils savent dans quoi ils se lancent. Nous sommes assez difficiles dans notre choix, et nous leur faisons suivre une formation d'enfer.

— Ici, sonar. » C'était la voix de Jones. « Le *Dallas* plonge, commandant.

— Très bien. » Mancuso alluma une cigarette en se dirigeant vers l'interphone. Il appuya la touche du compartiment des machines. « Dites à Mannion que nous avons besoin de lui à l'avant. Nous plongerons dans quelques minutes. Oui. » Il raccrocha et retourna devant la carte.

« Vous les avez pour plus de trois ans, hein ? questionna Ramius.

— Oh oui ! Eh, merde, sinon nous les lâcherions dès qu'ils seraient formés, non ? »

Pourquoi la marine soviétique ne pouvait-elle pas recruter et retenir des gens pareils ? songeait Ramius. Il connaissait la réponse par cœur. Les Américains nourrissaient bien leurs hommes, leur donnaient des postes confortables, les payaient bien, leur faisaient confiance — tout ce pour quoi il s'était battu pendant vingt ans.

« Vous avez besoin de moi pour manœuvrer la ventilation ? demanda Mannion en entrant.

— Oui, Pat, nous allons plonger dans deux ou trois minutes. »

Mannion jeta un rapide regard à la carte en se dirigeant vers les commandes de ventilation.

Ramius boitilla vers la carte. « On nous raconte que vos officiers sont choisis dans la bourgeoisie, pour contrôler les matelots de la classe ouvrière. »

Mannion commença la manœuvre. Il avait passé deux heures, la veille, à étudier la complexité des mécanismes. « C'est vrai, commandant. Nos officiers proviennent tous de la classe dirigeante. Il suffit de me regarder », répondit-il, impassible. Sa peau avait la couleur du café en grains, et son accent les authentiques intonations du Bronx.

« Mais vous êtes noir, s'étonna Ramius, sans déceler la gouaille.

— Nous sommes le prototype du bateau ethnique, lança Mancuso en regardant à nouveau par le périscope. Un commandant rital, un navigateur noir et un opérateur sonar cinglé !

— Je vous ai entendu, commandant ! cria Jones au lieu d'utiliser l'interphone. Message téléphone du *Dallas*. Tout va bien. Ils nous attendent. Dernier message téléphone avant un bon moment.

— Compris. C'est enfin dégagé. Nous pouvons plonger quand vous voudrez, commandant Ramius, annonça Mancuso.

— Camarade Mannion, ouvrez les purges », ordonna Ramius. *Octobre* n'avait pas vraiment fait surface, et il restait prêt à plonger.

« Oui, commandant. » L'officier actionna toutes les manettes de contrôle hydraulique de la rangée supérieure, sur le panneau central.

Ryan se renfrogna. Il lui semblait entendre un million de chasses d'eau actionnées simultanément.

« Assiette moins cinq, Ryan, ordonna Ramius.

— Moins cinq, oui. » Ryan poussa la barre.

« Il est lent à descendre, observa Mannion en regardant le cadran d'indicateur de profondeur qui remplaçait l'autre, et que l'on avait repeint à la main. C'est qu'il est sacrément gros.

— Ouais », acquiesça Mancuso. L'aiguille passa les vingt mètres.

« La barre à zéro, dit Ramius.

— Barre à zéro », répéta Ryan en exécutant l'ordre. Il fallut trente secondes au sous-marin pour se stabiliser. Il semblait réagir très lentement aux commandes. Ryan avait toujours cru que les sous-marins se manœuvraient comme les avions.

« Donnez-lui un peu de mou, Pat. Il suffit d'un degré pour trouver l'assiette, dit Mancuso.

— Hum-hum. » Mannion observait l'indicateur de profondeur en fronçant le sourcil. Les ballasts étaient pleins d'eau, et il allait falloir rétablir l'assiette avec les caisses d'assiette, beaucoup plus petites. Il lui fallut cinq minutes pour trouver l'assiette convenable.

« Désolé, messieurs, mais je crains qu'il ne soit trop gros pour se régler rapidement », déclara-t-il, embarrassé de sa lenteur.

Ramius était impressionné, et répugnait à le laisser paraître. Il avait imaginé que le commandant américain mettrait beaucoup plus longtemps à s'adapter. Manœuvrer aussi adroitement, et du premier coup, un sous-marin inconnu...

« Okay, maintenant nous pouvons remonter au nord », annonça Mancuso. Ils avaient dépassé de trois kilomètres le dernier ensablement marqué sur la carte. « Je recommande un nouveau cap zéro-zéro-huit, commandant.

— Ryan, la barre à gauche cinq, ordonna Ramius. Venir à zéro-zéro-huit.

— Bien, barre à gauche cinq », répondit Ryan, en gardant un œil sur l'indicateur d'angle, et l'autre sur le gyrocompas. « En route à zéro-zéro-huit.

— Attention, Ryan, il tourne lentement, mais une fois qu'il tourne, vous devez rencontrer...

— A l'inverse, corrigea poliment Mancuso.

— Oui, à l'inverse, pour l'arrêter au bon cap.

— Vu.

— Commandant, avez-vous des problèmes de giration ? s'enquit Mancuso, en vous suivant, il nous a semblé que votre cercle était bien ample.

— Avec la chenille, il est grand, en effet. Le flux des tunnels heurte très fort les pales, et cela vibre si vous donnez trop de barre. Lors de nos premiers essais en mer, cela nous a causé des ennuis. Cela provient de — comment dites-vous — l'assemblage des deux tunnels de chenille.

— Les opérations avec hélices en sont-elles affectées ? demanda Mannion.

— Non, seulement avec la chenille. »

Mancuso n'aimait pas cela. Peu importait. Le plan était simple, direct. Les trois bâtiments allaient filer droit sur Norfolk. Les deux sous-marins d'attaque américains fonceraient devant à trente nœuds pour renifler le secteur, tandis qu'*Octobre* suivrait paisiblement à vingt nœuds.

Ryan commença à diminuer l'angle de barre tandis que l'étrave tournait. Il attendit trop longtemps. Malgré les cinq degrés à droite, l'étrave dépassa le cap prévu, et le gyrocompas se mit à cliqueter sur un rythme accusateur tous les trois degrés jusqu'à ce qu'on revienne au cap zéro-zéro-un. Il fallut encore deux minutes pour reprendre le cap.

« Désolé, commandant. En route au zéro-zéro-huit », annonça finalement Ryan.

Ramius fut indulgent. « Vous apprenez vite, Ryan. Peut-être même qu'un jour vous serez un vrai marin.

— Non merci ! La seule chose que j'aie vraiment retenue de ce voyage, c'est que vous autres, vous méritez bien jusqu'au dernier centime qu'on vous paye !

— Vous n'aimez pas les sous-marins ? demanda Mannion en riant.

— Pas la place de courir.

— Très juste. Si vous n'avez plus besoin de moi, commandant, je suis prêt à regagner l'arrière. On manque terriblement de personnel aux machines », dit Mannion.

Ramius hocha la tête en signe d'acquiescement. Il se demandait si cet homme noir appartenait vraiment à la classe dirigeante.

A bord du V.K. Konovalov

Tupolev avait repris la direction de l'ouest. Les ordres de la flotte étaient que tout le monde, sauf son Alfa et un autre, reparte à vingt nœuds vers son port d'attache. Tupolev devait continuer vers l'Ouest pendant deux heures et demie. Il avançait maintenant à cinq nœuds, la vitesse maximale d'un Alfa s'il ne voulait pas faire de bruit. L'idée, c'était que son bâtiment se perdrait dans le redéploiement. Voilà qu'un Ohio se dirigeait vers Norfolk — ou Charleston, plus vraisemblablement. En tout cas, Tupolev allait faire des ronds tout doucement et l'observer. *Octobre rouge* était détruit. Cela, il le savait d'après les ordres opérationnels. Tupolev secoua la tête. Comment Marko avait-il pu faire une chose pareille ? Quelle que fût la réponse, il avait payé de sa vie la trahison.

Au Pentagone

« Je me sentirais mieux si nous avions une couverture aérienne, déclara l'amiral Foster en s'adossant au mur.

— C'est vrai, dit le général Harris, mais nous ne pouvons pas nous permettre d'être trop voyants, n'est-ce pas ? »

Deux P-3B balayaient maintenant la piste, depuis Hatteras jusqu'aux caps de Virginie, comme s'ils avaient effectué une mission d'entraînement de routine. La plupart des autres Orions volaient loin en mer. La flotte soviétique se trouvait déjà à quatre cents milles de la côte. Les trois groupes de surface s'étaient rassemblés, entourés de leurs sous-marins. Le *Kennedy*, l'*America* et le *Nimitz* les accompagnaient à cinq cents milles est, et le *New Jersey* fermait la marche. Les Russes allaient être reconduits jusque chez eux. Les groupes de combat les suivraient jusqu'au large de l'Islande, en maintenant discrètement leurs distances et en gardant leurs groupes d'aviation hors de la couverture radar, juste pour montrer que les Etats-Unis ne prenaient pas l'affaire à la légère. L'aviation basée en Islande se chargerait ensuite de les raccompagner jusque chez eux. Le porte-aéronefs *Invincible* était désormais sorti de l'opération, et avait parcouru déjà la moitié du trajet vers l'Angleterre. Les sous-marins américains d'attaque avaient déjà repris le cours de leurs patrouilles habituelles, et tous les sous-marins soviétiques étaient signalés partis, mais cette dernière donnée restait sujette à caution. Ils voyageaient en groupes dispersés, et le bruit qu'ils faisaient rendait leur détection par les Orions d'autant plus difficile que ces derniers se trouvaient à court de bouées sonores. Malgré tout, l'opération touchait à sa fin, estimait le J-3.

« Vous allez sur Norfolk, amiral? s'enquit Harris.

— Je me disais que je pourrais aller voir Cinclant, pour une conférence récapitulative, voyez-vous, dit Foster.

— Oui, amiral. »

A bord du New Jersey

Il marchait à douze nœuds, en ravitaillant un escorteur de chaque bord. Le contre-amiral Eaton se trouvait sur sa passerelle. Tout était terminé, et il ne s'était, Dieu merci, rien produit. Les Soviétiques étaient devant, à cent milles — à portée de Tomahawks, mais rien de plus. Dans l'ensemble, il était satisfait. Ses forces avaient collaboré utilement avec le *Tarawa,* qui faisait maintenant route au sud, vers la base de Mayport, en Floride. Il espérait qu'ils pourraient recommencer bientôt. Il y avait bien longtemps qu'aucun amiral de cuirassé n'avait eu un porte-avions sous son commandement. Ils avaient tenu le *Kirov* sous surveillance continue. S'il y avait eu combat, Eaton était certain qu'ils auraient pu maîtriser les Ivanoffs. Et, le plus important, Eaton était convaincu que les Ivanoffs le savaient. Tout ce qu'ils attendaient, maintenant, c'était l'ordre de regagner Norfolk. Ce serait bien agréable, d'être rentré pour Noël. Il estimait que ses hommes l'avaient bien mérité. La plupart d'entre eux étaient des anciens, et pratiquement tous avaient une famille.

*A bord d'*Octobre rouge

Ping. Jones nota l'heure sur son calepin, et appela : « Commandant, reçu une émission du *Pogy.* »

Le *Pogy* devançait maintenant *Octobre* et le *Dallas* de dix milles. D'après le plan, il allait devancer les autres puis écouter pendant dix minutes, et faire une seule émission sonar actif pour signaler que les dix milles jusqu'à lui étaient dégagés, ainsi que les vingt ou trente milles au-devant. Le *Pogy* manœuvrerait lentement pour confirmer l'information puis, à un mille à l'est d'*Octobre,* le *Dallas* foncerait ensuite à pleine allure pour dépasser de dix milles l'autre sous-marin d'attaque.

Jones expérimentait le sonar soviétique. L'équipement actif

n'était pas trop mauvais, mais il préférait ne pas penser aux systèmes passifs. Pendant la période d'immobilité d'*Octobre* au fond de la baie de Pamlico, il s'était trouvé dans l'impossibilité de détecter les sous-marins américains. Ils étaient immobiles aussi, avec leurs réacteurs ne tournant que sur générateurs, mais ils n'étaient pas à plus d'un ou deux kilomètres. Jones était déçu de ne pas avoir pu les repérer.

L'officier qui travaillait avec lui, Bugayev, était assez sympathique. Il avait commencé par se montrer un peu hautain — comme s'il avait été le seigneur, et moi le serf, se disait Jones — jusqu'au moment où il avait remarqué comment le traitait son commandant. Cela avait surpris Jones. Pour le peu qu'il savait du communisme, il s'était attendu à voir tout le monde se traiter sur un certain pied d'égalité. Bon, décida-t-il, voilà qui m'apprendra à lire *Le Capital* dans le cadre d'un cours de sciences politiques pour débutant ! Il valait bien mieux observer ce que construisait le communisme. De la camelote, essentiellement. Les matelots n'avaient même pas de locaux décents. Quelle saloperie ! Prendre ses repas au milieu des couchettes !

Jones avait consacré une heure — quand il était censé dormir — à explorer le sous-marin. Mannion l'avait accompagné. Ils avaient commencé par le dortoir. Les placards individuels ne fermaient pas à clé — sans doute pour que les officiers puissent les fouiller. Jones et Mannion firent exactement la même chose. Rien d'intéressant. Jusqu'aux revues pornos des matelots, qui étaient de la cochonnerie ! Les poses étaient minables, et quant aux femmes — évidemment, Jones avait grandi en Californie. De la pure camelote. Il n'avait vraiment pas de mal à comprendre pourquoi les Russes voulaient déserter.

Les missiles présentaient davantage d'intérêt. Mannion et lui ouvrirent un panneau d'inspection pour examiner l'intérieur d'un missile. Pas trop minable, décidèrent-ils. Il y avait un peu trop de fils électriques en vrac, mais cela facilitait sans doute les essais. Le missile paraissait monstrueusement gros. Ainsi donc, songea-t-il, voilà ce que ces salauds braquent sur nous. Il se demanda si la marine allait en conserver quelques-uns. S'il fallait un jour en lancer sur ces bons vieux Russkoffs, pourquoi ne pas en mettre aussi quelques-uns des leurs. Quelle idée *idiote,* Jonesy ! se dit-il. Il ne voulait jamais de sa vie voir ces trucs-là voler. Une chose était sûre : ce baquet allait être entièrement démonté, testé, mis en pièces, re-testé — et il était l'expert numéro un de la marine en matière de sonar russe. Il assisterait peut-être à l'analyse... cela vaudrait peut-être la peine de rester quelques mois de plus dans la marine.

Jones alluma une cigarette. « Vous voulez une des miennes, monsieur Bugayev ? » Il tendit son paquet à l'officier électronicien.

« Merci, Jones. Vous êtes allé à l'université ? » Le lieutenant prit la cigarette dont il avait envie, mais que sa fierté l'avait empêché de demander. Il commençait à comprendre que ce jeune marin le valait techniquement. Sans être un gradé qualifié, Jones savait se servir d'un sonar aussi bien qu'aucun spécialiste de sa connaissance.

« Oui monsieur. » On ne risquait rien à appeler un officier « monsieur », surtout s'il était un peu borné. « Institut de technologie de Californie. Cinq semestres complets avec A de moyenne. Mais je n'ai pas terminé.

— Pourquoi avez-vous quitté ? »

Jones sourit. « Voyez-vous, monsieur, il faut comprendre que " Cal Tech " est un drôle d'endroit. J'ai joué une petite blague à l'un de mes profs. Il manipulait des pinceaux radar pour faire de la photographie à grande ouverture, et j'ai bricolé un petit interrupteur pour brancher l'éclairage de la salle sur les pinceaux. Malheureusement, il y a eu un court-circuit, qui a déclenché un petit incendie. » Qui avait détruit le labo, et réduit en cendres trois mois de données et quinze mille dollars de matériel. « Infraction au règlement !

— Quelles études faisiez-vous ?

— Je préparais un diplôme d'électronique, avec une option cybernétique. Encore trois semestres. Je les ferai, puis la maîtrise, puis un doctorat, et ensuite je reviendrai travailler dans la marine comme civil.

— Pourquoi êtes-vous opérateur sonar ? » Bugayev s'assit. Il n'avait jamais conversé ainsi avec un matelot.

« Eh, parce que c'est amusant, bien sûr ! Quand il se passe quelque chose — vous savez, une simulation, une poursuite de sous-marin, ce genre de trucs — c'est *moi* le chef. Tout ce que fait le commandant c'est de réagir aux données que je lui fournis.

— Et vous l'aimez, votre commandant ?

— Evidemment ! C'est le meilleur que j'aie eu — j'en ai eu trois. Mon commandant est un brave type. Si on fait bien son boulot, il ne vous casse pas les pieds. Quand on a quelque chose à lui dire, il écoute.

— Vous dites que vous reprendrez vos études. Comment paierez-vous ? Il paraît que seuls les fils de la bourgeoisie vont à l'université.

— C'est faux, monsieur. En Californie, si on est intelligent, on y va. Dans mon cas, j'ai fait des économies — on ne dépense pas grand-chose, en sous-marin — et la marine casque aussi. J'ai de quoi terminer ma maîtrise. Et vous, quel diplôme avez-vous ?

— Je suis un ancien de l'école navale. Comme Annapolis chez vous. Je voudrais passer un vrai diplôme en électronique, dit Bugayev, donnant libre cours à son rêve intime.

— Vous en faites pas. Je peux vous aider. Si vous avez le niveau pour Cal Tech, je vous dirai à qui vous adresser. Ça vous plairait, la Californie. C'est le meilleur endroit où vivre.

— J'aimerais travailler sur un vrai ordinateur », poursuivit Bugayev, pensif.

Jones rit sans bruit. « Vous n'avez qu'à en acheter un.

— Acheter un ordinateur ?

— Bien sûr. Nous en avons deux petits, des Apple, sur le *Dallas*. Ça coûte, oh, dans les deux mille dollars, pour en avoir un bon. C'est beaucoup moins cher qu'une voiture.

— Un ordinateur pour deux mille dollars ? » L'air pensif de Bugayev devenait soupçonneux ; il pensait que Jones lui racontait des blagues.

« Ou moins. Mais pour trois mille, vous pouvez avoir un appareil vraiment bien. Bon sang, dites à Apple qui vous êtes, et je vous parie qu'ils vous en donneront un gratuit — et sinon, ce sera la marine. Si vous ne voulez pas d'Apple, il y a Commodore, TRS-80, Atari. Plein. Ça dépend de ce que vous voulez en faire. Ecoutez, rien qu'une seule compagnie, Apple : ils en ont vendu un million ! Ils sont petits, d'accord, mais ce sont de vrais ordinateurs.

— Je n'ai jamais entendu parler de ces... Apple ?

— Ouais, Apple. Ce sont deux types qui ont monté la société quand j'étais lycéen. Depuis, ils en ont vendu un million, comme je vous le disais — et ils sont devenus drôlement riches ! Je n'en ai pas personnellement — pas de place en sous-marin — mais mon frère a un ordinateur personnel, un IBM PC. Vous ne me croyez toujours pas, hein ?

— Un ouvrier propriétaire d'un ordinateur ? C'est difficile à croire. » Il écrasa sa cigarette. Le tabac américain était un peu fade, en fin de compte.

« Eh bien, monsieur, vous pouvez interroger qui vous voudrez. Comme je vous l'ai dit, le *Dallas* a deux Apple, rien que pour la distraction de l'équipage. Il y a d'autres engins pour la direction de tir, la navigation, le radar, et le sonar, bien sûr. Nous employons les Apple pour jouer — vous allez *adorer* les jeux électroniques, j'en suis sûr. On ne sait pas ce que c'est que vraiment s'amuser tant qu'on n'a pas joué à Choplifter — et aussi pour d'autres trucs, des programmes éducatifs, etc. Je vous jure, monsieur Bugayev, vous pouvez entrer dans pratiquement n'importe quel centre commercial, et trouver un endroit où l'on vend des ordinateurs. Vous verrez.

— Comment utilisez-vous l'ordinateur avec votre sonar ?

— Ce serait un peu long à expliquer, et il faudrait d'abord que j'aie l'autorisation du commandant. » Jones se rappela que ce type était encore un ennemi, en quelque sorte.

A bord du V.K. Konovalov

L'Alfa faisait route à très faible allure le long de la plate-forme continentale, à environ cinquante milles au sud-est de Norfolk. Tupolev ordonna de réduire le réacteur à cinq pour cent de sa puissance totale, juste assez pour alimenter les systèmes électriques. Son sous-marin se trouvait ainsi réduit au silence presque total. Les ordres se transmettaient oralement. La consigne était le silence absolu. Il était même interdit de cuisiner, à cause du risque de raclement des marmites sur les fourneaux. Jusqu'à nouvel ordre, le personnel était nourri de sandwiches au fromage. Pour parler entre eux, quand il le fallait, ils chuchotaient. Quiconque ferait du bruit attirerait l'attention du commandant, et tout le monde à bord savait ce que cela signifiait.

Au poste central des oreilles de mer SOSUS

Quentin recensait les données transmises digitalement par les deux avions Orion. L'USS *Georgia*, sous-marin lance-engins, regagnait Norfolk avec une panne de turbines, escorté par deux sous-marins d'attaque. On l'avait laissé au large à cause de toute l'activité russe aux abords de la côte, expliquait l'amiral, et il fallait maintenant le ramener à la base pour le réparer, et le renvoyer aussitôt que possible en opération. Le *Georgia* transportait vingt-quatre missiles Trident, une partie non négligeable de la force totale de dissuasion des Etats-Unis. La réparation du bâtiment devenait donc une priorité, maintenant que les Russes étaient partis. Le secteur était dégagé, mais on préférait néanmoins faire vérifier par les Orions qu'aucun sous-marin soviétique ne s'était attardé sur les lieux, profitant de la confusion générale.

Un P-3B croisait à trois cents mètres d'altitude, à environ cinquante milles au sud-est de Norfolk. L'infrarouge ne montrait rien, aucune signature de chaleur en surface, et le détecteur magnétique MAD ne décelait aucune variation mesurable du champ magnétique terrestre, bien que l'un de ses parcours eût amené l'appareil à moins de cent mètres de la position de l'Alfa. La coque du *Konovalov* était en titane non magnétique. Une bouée sonore lâchée à sept milles au sud de sa position manqua également le bruit du réacteur. Les données étaient transmises en continu à Norfolk, où les opérateurs de Quentin les entraient sur son ordinateur. Le problème, c'était qu'on ne retrouvait pas le compte de tous les sous-marins soviétiques.

« Bah ! se disait le commandant, c'est forcé. » Quelques-uns de leurs bâtiments avaient dû profiter de l'occasion pour s'écarter de leurs positions dûment repérées. Il y avait bien le risque, avait-il signalé, qu'un ou d'eux d'entre eux soient restés dans les parages, mais on n'en avait aucune preuve. Il se demandait ce que Cinclant avait mijoté. Il avait, sans aucun doute possible, paru enchanté de quelque chose, presque euphorique. L'opération contre la flotte soviétique avait été bien menée, ce qu'il en avait vu, en tout cas, et puis il y avait l'Alfa coulé quelque part là-bas. Quand allait-on enfin sortir le *Glomar Explorer* de la naphtaline pour qu'il descende chercher le truc ? Il se demandait s'il aurait une chance de jeter un coup d'œil sur l'épave. Quelle occasion formidable !

Personne ne prenait très au sérieux l'opération actuelle. C'était normal. Si le *Georgia* revenait avec un moteur déglingué, il rentrerait au ralenti, et un Ohio au ralenti faisait à peu près autant de bruit qu'une baleine vierge cherchant à le rester ! Et si Cinclantflt s'était vraiment inquiété, il n'aurait pas confié l'opération d'épouillage à une paire de P-3 pilotés par des réservistes. Quentin décrocha son téléphone et composa le numéro du central opérations de Cinclantflt, pour leur dire une fois de plus qu'on ne voyait pas trace d'activité hostile.

*A bord d'*Octobre rouge

Ryan consulta sa montre. Cela faisait déjà cinq heures. C'était long, quand on restait assis sans bouger et, d'après un bref coup d'œil à la carte, l'estime du point à huit heures semblait optimiste — ou bien il avait mal compris. *Octobre rouge* longeait le bord de la plate-forme continentale, et allait bientôt amorcer un virage à l'ouest en direction des caps de Virginie. Cela prendrait peut-être encore quatre heures. Ce ne serait jamais assez tôt pour son goût. Ramius et Mancuso semblaient très fatigués. Tout le monde était fatigué. Surtout les hommes qui travaillaient aux machines, sans doute —

non, le cuisinier. Il faisait sans répit la navette pour porter du café et des sandwiches à tout le monde. Les Russes paraissaient particulièrement affamés.

A bord du Dallas *et du* Pogy

Le *Dallas* doubla le *Pogy* à trente-deux nœuds, fonçant à nouveau, avec *Octobre* à plusieurs milles derrière lui. Le commandant Wally Chambers, qui était de quart, n'aimait pas beaucoup l'idée de foncer à l'aveuglette pendant trente-cinq minutes, malgré l'annonce par le *Pogy* que tout était clair.

Le *Pogy* nota son passage et fit une évolution, pour permettre à son réseau latéral de rester à l'écoute d'*Octobre*.

« Quel boucan à vingt nœuds, fit observer le chef sonar du *Pogy* à ses compagnons. Le *Dallas* n'en fait pas autant à trente. »

A bord du V.K. Konovalov

« Du bruit au sud, annonça le *michman*.

— Quoi exactement ? » Tupolev traînait près de la porte depuis des heures, rendant la vie difficile à ses opérateurs sonar.

« Trop tôt pour le dire, commandant. Le relèvement ne change pas, toutefois. Il vient vers nous. »

Tupolev regagna le central. Il ordonna de réduire encore la puissance de la propulsion. Il envisageait même de tout couper, mais les réacteurs mettaient un certain temps à démarrer, et l'on ne pouvait pas savoir à quelle distance se trouvait le contact. Le commandant fuma trois cigarettes avant de retourner au sonar. Il ne tenait pas à énerver le *michman*. C'était son meilleur opérateur.

« Une hélice, commandant, un américain, sans doute un Los Angeles, vitesse trente-cinq nœuds. Son relèvement n'a changé que de deux degrés en quinze minutes. Il va passer tout près et attendez... Ses moteurs se sont arrêtés. » Le maître principal, âgé de quarante ans, pressa les écouteurs sur ses oreilles. Il entendit les bruits de cavitation diminuer, puis s'arrêter entièrement, et le contact s'évanouit. « Il a stoppé pour écouter, commandant. »

Tupolev sourit. « Il ne nous entendra pas, camarade. Foncer puis s'arrêter. Vous n'entendez rien ? Il escorte peut-être quelque chose ? »

Le *michman* se concentra à nouveau sur ses écouteurs, et régla quelques manettes sur la console. « Peut-être... il y a pas mal de bruit de surface, commandant, et je... attendez. On dirait un bruit.

Le dernier relèvement de notre but était un-sept-un, et ce bruit est au... un-sept-cinq. Très faible, commandant... une émission, une seule émission, sur sonar actif.

— Et voilà. » Tupolev s'adossa à la cloison. « Bravo, camarade. Maintenant, patientons. »

A bord du Dallas

Le premier maître Laval déclarait le secteur dégagé. Les récepteurs BQQ-5 ne montraient rien, même après l'emploi du système de traitement de signal. Chambers tourna l'étrave de telle manière que l'unique émission parvienne au *Pogy,* qui à son tour émit une impulsion vers *Octobre rouge,* pour s'assurer que le message était bien reçu. Tout était dégagé sur les dix milles suivants. Le *Pogy* s'éloigna à trente nœuds, suivi par le plus récent des sous-marins lance-engins de la marine américaine.

A bord du V.K. Konovalov

« Encore deux sous-marins. Un à une hélice, et l'autre à deux, je crois. Encore faible. Le sous-marin à une hélice tourne beaucoup plus vite. Est-ce que les Américains ont des sous-marins à deux hélices, commandant ?

— Oui, je crois. » Tupolev s'interrogeait, en vérité. La différence des caractéristiques de signature n'était pas tellement prononcée. Ils allaient bien voir, de toute façon. Le *Konovalov* se déplaçait à deux nœuds, à cent cinquante mètres d'immersion. Quoi qu'il arrive, cela semblait arriver pile pour eux. Ah, il allait donner une leçon aux impérialistes, finalement.

*A bord d'*Octobre rouge

« Quelqu'un pourrait-il me remplacer à la barre ? lança Ryan.

— Besoin de vous dégourdir les jambes ? demanda Mancuso en s'approchant.

— Ouais, et je ferais volontiers un tour aux toilettes. Tout ce café va me faire éclater la vessie !

— Je vous relève. » Le commandant américain prit la place de Ryan, qui se dirigea vers les toilettes les plus proches. Deux minutes plus tard, il se sentait nettement mieux. De retour au central, il fit quelques flexions de jambes pour rétablir la circulation, puis examina un moment la carte. Cela faisait un drôle d'effet, presque sinistre, de voir la côte des Etats-Unis décrite en caractères russes.

« Merci, commandant.

— Pas de problème. » Mancuso se leva.

« On voit que vous n'êtes pas marin, Ryan. » Ramius l'avait observé en silence.

« Je n'ai jamais prétendu en être un, commandant, répondit Ryan courtoisement. Encore combien de temps, avant Norfolk ?

— Oh, quatre heures au maximum, dit Mancuso. L'idée, c'est d'arriver après la tombée du jour. Ils ont trouvé un moyen de nous faire entrer ni vu ni connu, mais je ne sais pas comment.

— Nous avons quitté la crique en plein jour, répliqua Ryan. Et si quelqu'un nous a vus ?

— Je n'ai rien vu mais, s'il y avait quelqu'un, il n'aura pu voir que trois kiosques de sous-marins sans aucun numéro inscrit. » Ils étaient partis en plein jour pour profiter d'un « créneau » dans la couverture du satellite soviétique.

Ryan alluma une nouvelle cigarette. Sa femme allait lui passer un savon, mais il était très nerveux, à bord de ce sous-marin. Sa place au poste central l'obligeait à rester là sans rien faire d'autre que contempler les instruments. Le sous-marin était plus facile à maintenir en immersion qu'il ne l'aurait cru, et le seul virage qu'il avait tenté montrait bien à quel point le bâtiment pouvait évoluer dans n'importe quelle direction. Trente mille tonnes d'acier, songea-t-il — rien d'étonnant à cela.

Le Pogy / Octobre rouge

Le *Pogy* dépassa le *Dallas* en ouragan, à trente nœuds, et continua pendant vingt minutes, pour s'arrêter onze milles plus loin — et à trois milles du *Konovalov,* dont l'équipage retenait son souffle, à présent. Le sonar du *Pogy,* bien que dépourvu du nouveau système de traitement de signal BC-10/SAPS, était une véritable pièce d'orfèvrerie, mais on ne pouvait évidemment pas entendre une chose qui ne faisait aucun bruit, et le *Konovalov* maintenait un silence absolu.

Octobre rouge doubla le *Dallas* à 15 heures, après avoir reçu un nouveau signal l'informant que tout était dégagé. Epuisé, l'équipage avait hâte d'arriver à Norfolk, deux heures après le coucher du soleil. Ryan se demandait s'il pourrait repartir aussitôt pour Londres. Il craignait que la CIA ne veuille d'abord l'interroger longuement. Mancuso et les hommes du *Dallas* se demandaient s'ils pourraient voir leurs familles. Ils n'y comptaient pas trop.

A bord du V.K. Konovalov

« En tout cas, c'est gros. Très gros, je crois. Sa route le fait passer à cinq kilomètres de nous.

— Un Ohio, d'après Moscou, commenta Tupolev.

— On dirait un sous-marin à deux hélices, commandant, répondit le *michman.*

— L'Ohio n'en a qu'une. Vous le savez bien.

— Oui, camarade. De toute façon, il sera là dans vingt minutes. L'autre sous-marin d'attaque file à plus de trente nœuds. Si son cap se maintient, il passera à quinze kilomètres de nous.

— Et l'autre américain ?

— Quelques kilomètres plus au large, il avance lentement, comme nous. Je n'ai pas de distance exacte. Je pourrais passer au sonar actif mais...

— Je connais les conséquences », coupa Tupolev.

Il regagna le central.

« Prévenez les ingénieurs d'être parés à manœuvrer. Tous les hommes aux postes de combat ?

— Oui, commandant, répondit le *starpom.* Nous avons une excellente solution de tir sur le bâtiment d'attaque américain... c'est-à-dire celui qui bouge. La façon dont il fonce à pleine allure nous facilite les choses. Quant à l'autre, nous pouvons le localiser en quelques secondes.

— Très bien, pour changer. » Tupolev sourit. « Vous voyez ce que nous pouvons faire, quand les circonstances nous seront favorables ?

— Et qu'allons-nous faire ?

— Quand le gros nous dépassera, nous lui tirerons dans le trou du cul ! Ils ont joué leurs petits jeux. Maintenant, à nous. Paré à donner la puissance maxi. Nous allons bientôt en avoir besoin.

— Cela fera du bruit, camarade, avertit le *starpom.*

— C'est vrai, mais nous n'avons pas le choix. Montez à dix pour cent. L'Ohio ne peut pas entendre, et peut-être que l'autre n'entendra pas non plus. »

A bord du Pogy

« D'où cela vient-il ? » Le chef opérateur sonar effectua quelques réglages. « Ici sonar, j'ai eu un contact, relèvement deux-trois-zéro.

— Oui, reçu, répondit aussitôt le commandant Wood. Pouvez-vous le classer ?

— Non, commandant. Il vient d'entrer. Bruit de moteur et de chaudière très faibles. Je n'arrive pas à lire la signature... » Il régla les potentiomètres au maximum. « Il n'est pas des nôtres, commandant, je crois que nous avons peut-être un Alfa dans le secteur.

— Oh, bon Dieu ! Signalez tout de suite au *Dallas !* »

L'opérateur essaya, mais le *Dallas* allait trop vite pour entendre les cinq émissions rapides. *Octobre rouge* était maintenant à treize kilomètres.

*A bord d'*Octobre rouge

Les yeux de Jones se crispèrent soudain. « Monsieur Bugayev, prévenez le commandant que je viens d'entendre deux émissions.

— Deux ?

— Plus d'une, mais je n'ai pas le nombre exact. »

A bord du Pogy

Le commandant Wood prit sa décision. Ils avaient prévu d'envoyer les signaux sonar sur un micro hautement directionnel et à basse puissance, afin de minimiser les chances de révéler sa propre position. Mais le *Dallas* n'avait pas reçu celui-ci.

« Puissance maximum, patron. Emettez vers le *Dallas* coûte que coûte.

— Bien. » Le premier maître poussa toutes les manettes au maximum. Plusieurs secondes s'écoulèrent avant que le système soit prêt à lancer des émissions de cent kilowatts.

Ping ping ping ping ping !

A bord du Dallas

« Oh ! s'exclama le chef Laval. Ici sonar, signal d'alerte du *Pogy !*

— Arrêtez tout ! ordonna Chambers. Silence absolu.

— Arrêtez tout. » Le lieutenant de vaisseau Goodman transmit l'ordre une seconde plus tard. A l'arrière, l'équipe de quart au réacteur diminua la demande de vapeur, augmentant la température dans le réacteur. Cela permit aux neutrons de s'échapper de la pile, ralentissant immédiatement la réaction de fission.

« Quand on sera descendu à quatre nœuds, machines à un tiers, ordonna Chambers à l'officier de quart en allant au sonar. Laval, j'ai vite besoin de renseignements.

— On va encore trop vite, commandant. »

*A bord d'*Octobre rouge

« Commandant Ramius, je crois que nous devrions ralentir, déclara Mancuso avec bon sens.

— Le signal ne s'est pas répété », objecta Ramius. Le second signal directionnel les avait manqués, et le *Dallas* n'avait pas relayé le signal d'alerte parce qu'il allait encore trop vite pour localiser *Octobre* et transmettre.

A bord du Pogy

« Okay, commandant. Le *Dallas* a tout coupé. »

Wood se mordilla la lèvre inférieure. « Bien. Débusquons ce salopard. Recherche à l'américaine, chef, puissance maximum. » Il regagna le central. « Tous aux postes de combat. » Le klaxon retentit deux secondes plus tard. Le *Pogy* était déjà en état d'alerte et, en quarante secondes, tous les postes étaient armés, avec le commandant en second Tom Reynolds au poste de tir. Son équipe d'officiers et de techniciens attendait les renseignements pour alimenter l'ordinateur Mark 117 de guidage de tir.

Le dôme sonar placé dans l'étrave du *Pogy* mitraillait l'eau d'impulsions sonores. Quinze secondes après le début, le premier signal en retour apparut sur l'écran du maître Palmer.

« Ici sonar, nous avons un contact positif, relèvement deux-trois-quatre, distance six mille mètres. Classe probable Alfa d'après la signature, annonça Palmer.

— Trouvez-moi une solution ! réclama Wood.

— Bien. » Reynolds étudia l'entrée de données, tandis qu'une autre équipe d'officiers s'affairaient sur la table des cartes avec des papiers et des crayons. Ordinateur ou non, il leur fallait un graphique. Les données défilaient sur l'écran. Les quatre tubes de torpilles du *Pogy* contenaient une paire de missiles mer-mer Harpoon et deux torpilles Mark 48. Seules les torpilles étaient utiles, pour le moment. Les Mark 48 étaient les torpilles les plus puissantes de tout le stock ; filoguidées — et capables de se diriger seules grâce à leur sonar actif autonome — elles fonçaient à plus de cinquante nœuds avec une ogive d'une demi-tonne. « Commandant, nous avons une solution pour les deux bêtes. Quatre minutes trente-cinq secondes.

— Sonar, stoppez les émissions, dit Wood.

— Oui. Emissions stoppées, commandant. » Palmer éteignit

les systèmes actifs. « Angle d'élévation-dépression du but à près de zéro. Même immersion que nous.

— Très bien, sonar. Gardez-le. » Wood tenait maintenant la position de son but. Une nouvelle émission ne ferait qu'améliorer l'évaluation de sa position à lui par l'ennemi.

A bord du Dallas

« Le *Pogy* émettait quelque chose. Ils ont reçu un retour, relèvement un-neuf-un, environ, déclara le premier maître Laval. Il y a un autre sous-marin dans les parages. Je ne sais pas quoi. Je perçois des bruits de moteur et de vapeur, mais pas assez pour une signature. »

A bord du Pogy

« La grosse bête bouge encore, commandant, annonça le maître Palmer.

— Commandant », Reynolds releva la tête de ses papiers, « sa route l'amène entre nous et le but.

— Formidable. Machines avant un tiers, à gauche vingt. »

Wood se rendit au sonar pendant qu'on exécutait ses ordres.

« Palmer, montez la puissance et soyez prêt à émettre très fort sur la grosse bête.

— Oui, commandant. Paré.

— Frappez-le de plein fouet. Je ne veux pas qu'on le rate, cette fois-ci. »

Wood regarda l'indicateur de cap sur l'écran sonar. Le *Pogy* tournait rapidement, mais pas assez rapidement pour son goût. *Octobre rouge* — lui seul et Reynolds savaient qu'il était russe, mais tout le monde à bord se perdait en suppositions folles — arrivait trop vite.

« Prêt, commandant.

— Emission sonar ! »

Palmer manœuvra la commande d'impulsion.

Ping ping ping ping ping !

*A bord d'*Octobre rouge

« Commandant ! hurla Jones. Signal d'alerte ! »

Mancuso se précipita sur le transmetteur d'ordre sans attendre la réaction de Ramius. Il tira les manettes sur STOP. Quand ce fut fait il regarda Ramius. « Désolé, commandant.

— Vous avez bien fait. » Ramius fronçait le sourcil au-dessus de la carte. Le téléphone sonna un instant plus tard. Il décrocha, parla quelques secondes en russe, et raccrocha. « Je leur ai dit que nous avons un problème, mais que nous ne savons pas quoi.

— C'est exactement cela. » Mancuso rejoignit Ramius devant la carte. Les bruits de moteurs diminuaient, mais pas assez vite au gré de l'Américain. *Octobre* était silencieux pour un sous-marin russe, mais encore trop bruyant pour Mancuso.

« Voyez si votre opérateur sonar peut localiser quelque chose, suggéra Ramius.

— Bonne idée. » Mancuso fit quelques pas vers l'arrière. « Jonesy, trouvez-moi ce qui se passe.

— Oui, commandant. Mais ce ne sera pas facile, avec ce matériel. » Il avait déjà orienté les réseaux dans la direction des deux sous-marins d'attaque qui les escortaient. Jones régla ses écouteurs et se mit à manipuler les commandes de l'amplificateur. Pas de traitement de signal, et les transducteurs ne valaient rien! Mais ce n'était pas le moment de s'énerver. Les systèmes soviétiques se manipulaient électromécaniquement, contrairement à ceux dont il avait l'habitude, qui fonctionnaient électroniquement. Lentement et soigneusement, il fit jouer les récepteurs directionnels du dôme sonar avant, la main droite crispée sur un paquet de cigarettes, et les yeux fermés. Il ne prêtait aucune attention à Bugayev, assis à côté de lui, et qui écoutait les mêmes bruits.

A bord du Dallas

« Que savons-nous, patron? demanda Chambers.

— J'ai un relèvement et rien d'autre. Le *Pogy* l'avait parfaitement, mais notre ami a coupé les machines dès qu'il a reçu l'émission, et il m'a filé entre les doigts. Le *Pogy* a eu un gros retour sur lui. Il doit être tout prêt. »

Chambers était officier en second depuis quatre mois. C'était un officier intelligent, expérimenté, et qui obtiendrait certainement un commandement par la suite, mais il n'avait que trente-trois ans, et n'était revenu à bord des sous-marins que depuis ces quatre mois. Pendant les dix-huit mois précédents, il avait dirigé un cours sur les réacteurs dans un centre de l'Idaho. La rigueur que requérait sa fonction de principale autorité à bord du bâtiment de Mancuso dissimulait plus d'insécurité qu'il n'aurait voulu l'admettre. Maintenant, sa carrière était en jeu. Il connaissait l'importance exacte de sa mission. Son avenir allait dépendre des décisions qu'il prendrait.

« Pouvez-vous localiser avec une émission ? »

Le chef sonar réfléchit un instant.

« Pas assez pour une solution de tir, mais ça nous donnera quelque chose.

— Une émission, allez-y.

— Bien. »

Laval travailla brièvement sur son tableau, alimentant les éléments actifs.

A bord du V.K. Konovalov

Tupolev cilla. Il avait agi trop tôt. Il aurait dû attendre qu'ils soient passés — mais s'il avait attendu aussi longtemps, il aurait dû bouger ensuite, et il les tenait maintenant à proximité, presque immobiles.

Les quatre sous-marins avançaient à l'allure minimale leur permettant de maintenir l'immersion. L'Alfa russe avait le cap au sud-est, et les quatre étaient disposés suivant un schéma plus ou moins trapézoïdal, s'ouvrant vers le large. Le *Pogy* et le *Dallas* se trouvaient au nord du *Konovalov,* et *Octobre rouge* au sud-est.

*A bord d'*Octobre rouge

« Quelqu'un vient de nous toucher, dit Jones tout doucement. Relèvement à peu près nord-est, mais il ne fait pas assez de bruit pour que nous l'entendions. Si je devais parier, commandant, je dirais qu'il est tout près.

— Comment le savez-vous ? demanda Mancuso.

— J'ai entendu l'émission — juste une pour avoir la portée, je pense. Ça venait d'un BQQ-5. Puis j'ai entendu l'écho sur le but. On peut calculer de deux ou trois façons, mais il y a fort à parier qu'il est entre nous et nos copains, un peu à l'ouest. Je sais que c'est vague, commandant, mais c'est tout ce que nous avons.

— Distance dix kilomètres, peut-être moins, ajouta Bugayev.

— C'est assez flou aussi, mais c'est une base valable. Pas beaucoup de renseignements. Désolé, commandant. Nous faisons de notre mieux. »

Mancuso acquiesça et retourna au central.

« Quoi de neuf? » s'enquit Ryan. Les commandes de la barre de plongée avant étaient poussées à fond pour maintenir la profondeur. Il n'avait pas saisi l'importance de ce qui se passait.

« Il y a un sous-marin hostile dans les parages.

— Que savons-nous ? demanda Ramius.

— Pas grand-chose. Il y a un contact nord-ouest, distance inconnue, mais sans doute pas très loin. Je sais avec certitude que ce n'est pas l'un des nôtres. Norfolk a dit que le secteur était dégagé. Cela ne laisse qu'une possibilité. On coupe tout ?

— On coupe tout », répondit Ramius en décrochant l'interphone. Il donna quelques ordres.

Les moteurs d'*Octobre* fournissaient l'énergie suffisante pour avancer à un peu plus de deux nœuds, à peine de quoi maintenir le cap, et pas de quoi maintenir l'immersion. Avec son assiette légèrement positive, *Octobre* remontait d'environ un mètre par minute en dépit de la position des barres de plongée avant.

A bord du Dallas

« Retournons au sud. Je n'aime pas l'idée que cet Alfa est plus près de notre ami que nous. Venez à un-huit-cinq, deux tiers, annonça finalement Chambers.

— Bien, répondit Goodman. A droite quinze, venez au un-huit-cinq. »

Les quatre tubes de torpilles du *Dallas* étaient chargées de trois Mark 48 et d'un leurre, un coûteux MOSS (simulateur mobile sous-marin). L'une de ses torpilles était braquée sur l'Alfa, mais la solution de tir était vague. Le « poisson » allait devoir calculer lui-même une partie de la poursuite. Les deux torpilles du *Pogy* étaient presque parfaitement orientées.

Le problème, c'était qu'aucun des deux bâtiments n'avait autorité pour faire feu. Les deux sous-marins d'attaque opéraient suivant les règles normales d'intervention. Ils ne pouvaient tirer qu'en cas de légitime défense, et ne pouvaient protéger *Octobre rouge* que par le bluff et la ruse. La question était de savoir si l'Alfa connaissait l'identité d'*Octobre rouge.*

A bord du Konovalov

« Cap sur l'Ohio, ordonna Tupolev. Vitesse trois nœuds. Il faut être patients, camarades. Maintenant qu'ils savent que nous sommes là, les Américains ne vont plus émettre. Nous allons nous déplacer tranquillement. »

L'hélice de bronze du *Konovalov* prit de la vitesse. En éteignant quelques circuits électriques secondaires, les ingénieurs purent accroître la vitesse sans augmenter la puissance du réacteur.

A bord du Pogy

Sur le *Pogy*, qui était le plus proche des deux bâtiments d'attaque, le contact s'évanouit, faussant légèrement le relèvement. Le commandant Wood se demanda s'il fallait ou non le préciser par une émission, mais décida que non. S'il utilisait le sonar actif, il se trouverait dans la situation du policier qui cherche un voleur dans l'obscurité d'une maison, avec une torche électrique. Les émissions sonar risquaient d'en dire plus à l'ennemi qu'à lui. Le sonar passif constituait dans ce cas la solution normale.

Le maître Palmer signala le passage du *Dallas* sur bâbord. Wood et Chambers décidèrent l'un comme l'autre de ne pas employer leurs téléphones sous-marins pour communiquer. Ils ne pouvaient se permettre de faire aucun bruit.

*A bord d'*Octobre rouge

Ils avançaient au ralenti depuis maintenant une demi-heure. Ryan fumait sans discontinuer à son poste et, tout en s'efforçant de garder bonne contenance, il avait les paumes moites. Il n'était pas entraîné à ce genre de combat, coincé dans un tuyau d'acier, sans rien voir ni entendre. Il savait qu'il y avait un sous-marin russe dans les parages, et il savait quels étaient ses ordres. Si le commandant savait qui ils étaient vraiment — eh bien, quoi? Il trouvait ses deux commandants de bord étonnamment calmes.

« Vos sous-marins peuvent-ils nous protéger? demanda Ramius.

— Faire feu sur un bâtiment russe? » Mancuso secoua la tête. « Seulement s'il tire le premier — sur eux. D'après les règles normales, nous ne le pouvons pas.

— Quoi? » Ryan était effaré.

« Vous voulez démarrer une guerre? » Mancuso sourit, comme s'il trouvait la situation amusante. « C'est ce qui arrive quand des navires de guerre de deux pays commencent à échanger des coups de feu. Il faut que nous nous tirions de là en douce.

— Calmez-vous, Ryan, ajouta Ramius. C'est le jeu habituel. Le chasseur s'efforce de nous trouver, et nous essayons de ne pas nous faire repérer. Dites-moi, commandant Mancuso, à quelle distance nous avez-vous entendus, au large de l'Islande?

— Je n'ai pas étudié votre carte de près, commandant, dit Mancuso, réfléchissant. Peut-être à vingt milles. Une trentaine de kilomètres.

— Nous avançions alors à treize nœuds — le bruit augmente plus vite que l'allure. Je pense que nous pouvons évoluer vers l'est, lentement, sans être détectés. Avec la chenille, disons six nœuds. Comme vous le savez, le sonar soviétique n'est pas aussi efficace que le vôtre. Vous êtes d'accord, commandant ? »

Mancuso acquiesça. « C'est votre bateau, commandant. Puis-je suggérer le nord-est ? Cela nous placerait derrière nos bâtiments d'attaque d'ici une heure, ou même moins.

— Oui. » Ramius se dirigea en boitant vers le panneau central pour ouvrir les vannes de tunnels, puis retourna à l'interphone. Il donna les ordres nécessaires. En une minute, les moteurs de chenille étaient en marche, et l'allure augmentait lentement.

« A droite, dix, Ryan, dit Ramius. Barre avant à zéro.

— La barre est dix à droite. Barre avant à zéro, commandant. » Ryan exécuta les ordres, heureux de voir qu'on faisait enfin quelque chose.

« Votre cap est zéro-quatre-zéro, Ryan, signala Mancuso en observant la carte.

— Zéro-quatre-zéro, en passant par trois-cinq-zéro. » De sa place de barreur, il entendait l'eau s'écouler dans le tunnel de bâbord. Toutes les minutes, il y avait un curieux gargouillement, qui durait trois ou quatre secondes. Devant lui, le loch dépassa quatre nœuds.

« Vous avez peur, Ryan ? » demanda Ramius avec un petit rire.

Jack retint un juron. Sa voix avait tremblé. « C'est aussi la fatigue.

— Je sais que c'est difficile pour vous. Vous vous en tirez bien, pour un nouveau sans formation. Nous serons en retard à Norfolk, mais nous y arriverons, vous verrez. Avez-vous déjà embarqué sur un lance-engins, Mancuso ?

— Oh, bien sûr. Détendez-vous, Ryan. C'est ce que font les grosses bêtes. Quelqu'un vient à notre recherche, et nous disparaissons, tout simplement. » Le commandant américain releva les yeux de la carte. Il avait posé des pièces de monnaie sur les positions supposées des trois autres sous-marins. Il fut tenté de les marquer plus précisément, mais décida de ne rien en faire. Il y avait sur cette carte côtière quelques notations très intéressantes — comme des positions programmées de tir d'engins. Les services de renseignements de la marine allaient grimper au plafond, en voyant cela !

Octobre rouge était cap au nord-est à six nœuds, maintenant. Le *Konovalov* au sud-est, à trois. Le *Pogy* au sud, à deux, le *Dallas* au sud, à quinze. Les quatre bâtiments se trouvaient désormais dans un diamètre de six milles, convergeant tous vers le même point.

A bord du V.K. Konovalov

Tupolev se délectait. Pour une raison inconnue, les Américains avaient choisi de jouer un jeu classique auquel il ne s'était pas attendu. Le plus intelligent, estimait-il, aurait été qu'un de leurs bâtiments d'attaque se rapproche et le harcèle, pour faire passer tranquillement le lance-engins accompagné de l'autre escorteur. Bah, en mer, jamais rien ne se reproduisait deux fois. Il but une gorgée de thé et choisit un sandwich.

Son *michman* au sonar nota un son curieux. Cela ne dura que quelques secondes avant de disparaître. Une sorte de lointain grondement sismique, lui sembla-t-il d'abord.

Octobre rouge

Ils étaient remontés à cause de la pesée positive d'*Octobre*, et maintenant Ryan avait cinq degrés à rattraper sur la barre de plongée avant pour redescendre à cent mètres. Il entendit les commandants parler de l'absence de thermocline. Mancuso expliquait que ce n'était pas rare dans la région, surtout après de violentes tempêtes. Ils admettaient tous deux que c'était dommage. Une couche thermique les aurait aidés à s'échapper.

Jones se tenait sur le seuil arrière du central, et se frottait les oreilles. Les écouteurs russes n'étaient pas très confortables. « Commandant, j'ai quelque chose au nord, ça va et ça vient. Je n'ai pas de relèvement net.

— Qui est-ce ? demanda Mancuso.

— Peux pas dire, commandant. Le sonar actif n'est pas trop mauvais, mais le système passif n'est pas à la hauteur. Nous ne sommes pas vraiment aveugles, mais presque.

— Bon, si vous entendez quelque chose, appelez-moi.

— Oui, commandant. Vous avez du café, par ici ? M. Bugayev m'a envoyé en chercher.

— Je vous en fais porter un pot.

— Bon. » Jones retourna travailler.

Le Konovalov

« Commandant, j'ai un contact, mais je ne sais pas ce que c'est », annonça le *michman* par l'interphone.

Tupolev revint en mordant dans son sandwich. Les Russes avaient si rarement acquis des Ohio — trois fois pour être précis, et dans chaque cas le but s'était échappé en quelques minutes — que nul ne connaissait très bien les caractéristiques de cette classe.

Le *michman* tendit au commandant un jeu d'écouteurs. « Ça peut prendre plusieurs minutes, camarade. Ça va et ça vient. »

Bien que presque isothermique, l'eau des côtes américaines n'était pas vraiment parfaite pour les systèmes sonar. De faibles courants et tourbillons formaient des murs mouvants qui réfléchissaient et canalisaient l'énergie sonore de manière fluctuante. Tupolev s'assit et attendit patiemment. Le signal mit cinq minutes à revenir.

Le *michman* fit un signe de main. « Là, camarade. »

Son commandant sembla pâlir.

« Relèvement ?

— Trop faible, et trop bref pour qu'on le fixe — mais à trois degrés près, un-trois-six à un-quatre-deux. »

Tupolev jeta les écouteurs sur la table et se rendit à l'avant. Il empoigna l'officier politique par le bras et l'entraîna au carré.

« C'est *Octobre rouge !*

— Impossible. Le commandement de la flotte a annoncé que la destruction était confirmée par l'inspection visuelle de l'épave. » Le *zampolit* hocha énergiquement la tête.

« On nous a bernés. La signature acoustique de la chenille est unique, camarade. Les Américains le tiennent, et il est juste là. Il faut le détruire !

— Non. Il faut demander des instructions à Moscou. »

Le *zampolit* était un bon communiste, mais sa formation se limitait aux navires de surface, il ne connaissait rien aux sous-marins, songeait Tupolev.

« Camarade *zampolit*, il nous faudrait plusieurs minutes pour remonter en surface, dix ou quinze pour faire parvenir un message à Moscou, trente pour que Moscou réponde — et ils nous réclameront une *confirmation !* En tout, une heure, ou deux, ou trois ? D'ici là, *Octobre rouge* aura disparu. Nos ordres de départ restent valables, et nous n'avons pas le temps de contacter Moscou.

— Et si vous vous trompez ?

— Je ne me trompe pas, camarade ! cracha le commandant. Je vais noter le contact dans le journal d'opérations, ainsi que mes ordres. Si vous m'interdisez cette décision, je l'inscrirai également ! J'ai raison, camarade, et ce sera votre tête — pas la mienne. Décidez !

— Vous en êtes sûr ?

— *Sûr !*

— Très bien. » Le *zampolit* parut se dégonfler. « Comment allez-vous faire ?

— Le plus vite possible, avant que les Américains aient la moindre chance de nous détruire. Regagnez votre poste, camarade. » Les deux hommes retournèrent au central. Les six tubes de l'étrave du *Konovalov* étaient chargés de torpilles filoguidées Mark-C de 533 millimètres. Il suffisait de leur dire où aller.

« Sonar, recherche active sur tous les systèmes actifs ! » ordonna le commandant.

Le *michman* alluma toutes les manettes.

Octobre rouge

« Ouch ! » La tête de Jones tressauta. « Commandant, on nous mitraille ! Bâbord par le milieu, peut-être un peu à l'avant. Pas des nôtres. »

Le Pogy

« Ici sonar, l'Alfa tient la grosse bête ! Relèvement de l'Alfa un-neuf-deux.

— Machines avant deux tiers, ordonna aussitôt Wood.

— Machines avant deux tiers. »

Les moteurs du *Pogy* s'animèrent brutalement, et l'hélice se mit très vite à brasser vigoureusement l'eau noire.

Le Konovalov

« Distance sept mille six cents mètres. Angle d'élévation zéro », annonça le *michman.* C'était donc ce sous-marin-là qu'on les avait envoyés chasser. Il venait de coiffer des écouteurs qui lui permettaient de communiquer directement avec le commandant et l'officier de guidage de tir.

Le *starpom* supervisait le guidage de tir. Il entra rapidement les données dans l'ordinateur. Ce n'était pas un simple problème de géométrie du but. « Nous avons une solution pour les torpilles un et deux.

— Préparez-vous à lancer.

— Paré à lancer. » Le *starpom* manœuvra lui-même les

commandes, passant devant l'officier-marinier. « Les portes extérieures des tubes de torpilles sont ouvertes.

— Vérifiez la solution de tir », dit Tupolev.

Le Pogy

Le chef sonar du *Pogy* fut le seul homme à entendre le bruit d'eau.

« Ici sonar, contact Alfa vient d'ouvrir les tubes, commandant! Relèvement du but à un-sept-neuf. »

Le Konovalov

« Solution confirmée, commandant, annonça le *starpom.*

— Lancez un et deux, ordonna Tupolev.

— Lancé un... lancé deux. » Un frémissement secoua le *Konovalov* par deux fois, lorsque les charges d'air comprimé éjectèrent les torpilles électriques.

Octobre rouge

Jones fut le premier à l'entendre. « Hélices grande vitesse dans l'eau à bâbord! déclara-t-il à voix forte et audible. Torpilles à bâbord!

— *Ryl nalyeva!* ordonna automatiquement Ramius.

— Quoi? jeta Ryan.

— A gauche toute! »

Ramius frappa du poing la balustrade.

« A gauche toute, exécution! dit Mancuso.

— La barre est toute à gauche. »

Ryan tourna la barre à fond et la maintint. Ramius poussa à la vitesse maximale.

Le Pogy

« Deux torpilles lancées, annonça Palmer. Relèvement change de droite à gauche. Je répète, relèvement torpille change rapidement de droite à gauche sur les deux. Elles vont sur la grosse bête. »

Le Dallas

Le *Dallas* les entendit aussi. Chambers ordonna de pousser l'allure au maximum et de venir à gauche toute. Avec deux torpilles en route, ses options étaient limitées, et il faisait ce qu'enseignait l'école américaine, changer de cap — très vite.

Octobre rouge

« Il me faut un cap ! dit Ryan.

— Jonesy, donnez-moi un relèvement ! cria Mancuso.

— Trois-deux-zéro, commandant. Deux torpilles qui arrivent », répondit-il aussitôt en manœuvrant ses boutons pour fixer le relèvement. Ce n'était pas le moment de faire une connerie.

« Trois-deux-zéro, Ryan, ordonna Ramius, si nous arrivons à tourner à cette vitesse. »

Merci bien, songea Ryan, furieux, en regardant le gyrocompas cliqueter jusqu'à trois-cinq-sept. La barre était à fond et, avec la brusque augmentation de puissance des moteurs de la chenille, il sentait la vibration en retour dans la barre.

« Deux torpilles en route, relèvement trois-deux-zéro. Je répète, le relèvement est constant, annonça Jones d'un ton beaucoup plus calme qu'il n'était en réalité. Nous y avons droit les gars... »

Le Pogy

Sur la table traçante on voyait *Octobre,* l'Alfa et les deux torpilles. Le *Pogy* se trouvait à quatre milles au nord de l'action.

« On peut tirer ? demanda le second.

— Sur l'Alfa ? » Wood secoua énergiquement la tête. « Non, bon Dieu. D'ailleurs, cela ne changerait rien. »

Le Konovalov

Les deux torpilles Mark C fonçaient à quarante et un nœuds, une allure assez lente pour la distance de tir, afin de pouvoir être guidées plus aisément par les systèmes sonar du *Konovalov*. Ils avaient calculé un trajet de six minutes, dont une était déjà écoulée.

Octobre rouge

« Okay, trois-quatre-cinq, la barre est contrée », annonça Ryan.

Mancuso se taisait à présent. Ramius employait une tactique qui ne l'enthousiasmait pas particulièrement, consistant à faire face aux torpilles. Il offrait ainsi un profil minimal, mais donnait au tireur une solution géométrique d'interception plus simple. Ramius savait sans doute ce que pouvait faire une torpille russe. Mancuso l'espérait.

« En route au trois-deux-zéro, commandant », annonça Ryan,

les yeux rivés sur le gyrocompas comme si cela avait eu de l'importance. Une petite voix dans sa tête le félicitait d'être allé aux toilettes une heure plus tôt.

« Descendez, Ryan, descendez au maximum sur la barre de plongée avant.

— Descente à fond. » Ryan poussa la barre jusqu'aux butées. Il avait terriblement peur, mais plus encore de faire une erreur. Il était bien obligé de supposer que les deux commandants savaient ce qu'ils faisaient. Il n'avait pas le choix. Au moins, se disait-il, il savait une chose. Les torpilles guidées pouvaient se laisser duper. De même que les signaux radar visant le sol, les impulsions sonar peuvent être détournées, en particulier quand le sous-marin qu'elles essaient de localiser s'approche du fond ou de la surface, où les impulsions se réfléchissent plus facilement. Si *Octobre* plongeait, il pouvait disparaître dans un champ opaque — à condition de descendre assez vite.

Le Konovalov

« L'aspect du but a changé, commandant. Il est devenu plus petit », annonça le *michman.*

Tupolev réfléchit. Il connaissait tout ce qui existait en matière de doctrine soviétique de combat — et savait que Ramius en avait écrit une bonne partie. Marko ferait sûrement ce qu'il nous a enseigné à tous, songea-t-il. Faire face à la torpille pour minimiser la surface de cible et plonger au fond pour se perdre dans la confusion des échos. « Le but va tenter de plonger dans le champ sonore du fond. Attention.

— Oui, camarade. Pourra-t-il atteindre le fond assez rapidement ? » demanda le *starpom.*

Tupolev se creusa le cerveau pour retrouver les caractéristiques de maniement d'*Octobre.* « Non, il ne peut pas plonger aussi profondément en aussi peu de temps. Nous le tenons. » « Désolé, cher vieil ami, mais je n'ai pas le choix », songea-t-il.

Octobre rouge

Ryan se contractait chaque fois que l'émission sonar frappait la coque. « On ne peut pas brouiller ce bruit ? demanda-t-il.

— Patience, Ryan », répondit Ramius. Il n'avait jamais affronté de vraies torpilles jusqu'à présent, mais il avait fait cet exercice cent fois dans sa carrière. « Faisons-lui d'abord savoir qu'il nous tient.

— Avez-vous des leurres ? s'enquit Mancuso.

— Quatre, dans le compartiment des torpilles, à l'avant — mais nous n'avons pas d'artificier. »

Les deux commandants jouaient le calme, observa amèrement Ryan, du fond de son petit univers terrorisé. Ni l'un ni l'autre ne voulait montrer d'effroi devant son égal. Mais tous deux avaient de l'entraînement.

« Commandant, appela Jones, deux torpilles, relèvement constant trois-deux-zéro — elles viennent d'être activées. Je répète, les torpilles sont maintenant en action — merde ! on dirait des 48. Commandant, on dirait des Mark 48. »

C'était ce que Ramius attendait. « Oui, nous vous avons piqué le sonar torpilles, il y a cinq ans. Mais pas les moteurs de torpilles. *Bugayev !* »

Dans le local sonar, Bugayev avait mis en fonction le brouillage acoustique au maximum dès le lancement des torpilles. Maintenant, il programmait soigneusement ses impulsions de brouillage pour les faire coïncider avec celles des torpilles qui approchaient. Les impulsions étaient programmées à la même fréquence porteuse et au même rythme de répétition. Il fallait un chronométrage précis. En émettant des échos de retour légèrement déformés, il pouvait créer des buts fantômes. Pas trop, et pas trop loin. Juste quelques-uns, et tout près, pour essayer de confondre les opérateurs de tir de l'Alfa qui attaquait. Il maniait le réglage avec précaution, tout en mâchouillant une cigarette américaine.

Le Konovalov

« Merde ! Il nous brouille. » En remarquant deux nouvelles impulsions, le *michman* laissa paraître le premier signe d'émotivité. Le bruit affaibli du contact était maintenant encadré par deux autres, l'un au nord et très près, l'autre un peu plus loin au sud. « Commandant, le but emploie un matériel de brouillage soviétique.

— Vous voyez ? lança Tupolev au *zampolit.* Et maintenant, attention », dit-il à son *starpom.*

Octobre rouge

« Ryan, montez à plus toute ! cria Ramius.

— Monté toute. » Ryan inversa la manœuvre, tirant la barre très fort contre son ventre, et espérant que Ramius savait ce qu'il faisait.

« Jones, donnez-nous l'heure et la distance.

— Oui. » Le brouillage leur donnait une image sonar tracée sur les écrans centraux. « Deux torpilles, relèvement trois-deux-zéro. Portée de la première, deux mille mètres, numéro deux à deux mille trois cents — j'ai un angle de dépression sur numéro un ! Torpille numéro un descend légèrement, commandant. » Bugayev n'était peut-être pas si bête, finalement, se dit Jones. Mais ils avaient deux bêtes à se farcir...

Le Pogy

Le commandant du *Pogy* était fou furieux. Ces saloperies de règles d'engagement l'empêchaient de rien foutre, sauf, peut-être...

« Sonar, épinglez-moi ce fils de pute ! Puissance maxi, crevez-lui les tympans ! »

Le BQQ-5 du *Pogy* envoya des ondes d'énergie programmées cingler l'Alfa. Le *Pogy* n'avait pas le droit de faire feu, mais le Russe l'ignorait probablement, et puis ces émissions interféreraient peut-être avec leur sonar de guidage.

Octobre rouge

« Attention — une torpille à notre contact, commandant. Je ne sais pas laquelle. » Jones écarta l'écouteur d'une de ses oreilles, l'autre main prête à arracher l'autre. Le sonar d'une des torpilles était dirigé sur eux, maintenant. Pas de chance. Si elles étaient comme les Mark 48... Jones savait fort bien que ces engins-là ne manquaient pas souvent leur but. Il entendit changer l'effet Doppler des hélices quand elles passèrent sous *Octobre rouge*. « Une manquée, commandant. Numéro un nous a ratés par-dessous. Numéro deux approche, intervalle d'émission rapide. » Il se pencha et tapota l'épaule de Bugayev. Il était peut-être vraiment le génie que prétendaient les Russes.

Le Konovalov

La seconde torpille Mark C fendait l'eau à quarante et un nœuds, ce qui plaçait la vitesse d'impact torpille-but aux alentours de cinquante-cinq. Le processus de guidage et de décision était compliqué. Faute de pouvoir copier le système électronique du Mark 48 américain, les Soviétiques faisaient revenir le rapport sonar de visée au bâtiment de lancement par filoguidage. Le *starpom* se trouvait devant un éventail de renseignements sonar pour guider les torpilles, ceux du sonar intégré du sous-marin, ou ceux du sonar autonome des torpilles. La première torpille avait été leurrée par les images fantômes que le brouillage avait reproduites sur la fréquence du sonar de la torpille. Pour la seconde, le *starpom* utilisait le sonar d'étrave à basse fréquence. La première avait raté par le bas, il le savait à présent. Cela signifiait que le but était l'impulsion du milieu. Grâce à un bref changement de fréquence effectué par le *michman*, l'image sonar se clarifia quelques secondes avant que le mode de brouillage s'adapte. Calme et compétent, le *starpom* commanda à la seconde torpille de sélectionner le but du milieu. Elle fonça droit au but.

La torpille de cinq cents livres arriva en oblique sur le but, légèrement en arrière du centre, juste à l'avant du central, et elle explosa un millième de seconde plus tard.

Octobre rouge

La force de l'explosion arracha Ryan de son siège, et il heurta le pont avec sa tête. Il revint à lui après un instant d'inconscience, avec un bruit de sonnerie dans les oreilles. Le choc avait court-circuité une demi-douzaine de tableaux électriques, et plusieurs secondes s'écoulèrent avant que les voyants rouges d'alerte se mettent à clignoter. A l'arrière, Jones avait ôté ses écouteurs juste à temps, mais pas Bugayev qui, jusqu'au dernier instant, avait tenté de leurrer la torpille. Il se roulait par terre dans d'atroces souffrances, avec un tympan crevé, et rendu totalement sourd. Dans les compartiments moteurs, les hommes se remettaient sur pied. Là, les lumières avaient tenu bon, et la première réaction de Melekhine fut d'examiner le tableau de contrôle des dégâts.

L'explosion s'était produite au contact de la coque extérieure, faite d'acier léger. L'intérieur était un ballast rempli d'eau, véritable ruche de cellules cloisonnées larges d'environ deux mètres. Ensuite venaient des bouteilles d'air comprimé, puis le logement de la batterie d'*Octobre*, et la coque intérieure. La torpille avait heurté le centre d'une plaque d'acier de la coque, à bonne distance de tout jointement. La force de l'explosion avait ouvert un trou de quatre mètres, déchiqueté les compartiments des ballasts, et crevé une demi-douzaine de bouteilles d'air, mais une bonne partie de sa puissance avait déjà été amortie. Les dommages, enfin, concernaient trente grosses cellules de la pile au cadmium-nickel. Les ingénieurs russes les avaient délibérément placées là, sachant qu'un tel emplacement rendrait leur usage et leur rechargement plus difficiles, et, surtout, les exposerait à la contamination de l'eau de mer. Tout cela était accepté à cause de leur objet second, qui était de renforcer la coque. Ses batteries sauvaient *Octobre.* Sans elles, la force de l'explosion aurait porté sur la coque intérieure. Mais le système de couches défensives, dont il n'existait aucun équivalent sur les bâtiments occidentaux, avait considérablement atténué l'impact. Une fissure s'était formée à la soudure jointive de la coque intérieure, et l'eau giclait faiblement dans le local radio, comme d'un jet d'eau à haute pression, mais à part cela la coque était saine.

Se ressaisissant, Ryan regagna rapidement son poste pour tenter de déterminer si ses instruments fonctionnaient encore. Il entendait l'eau couler dans le compartiment voisin. Il ne savait pas quoi faire, mais savait que le moment serait mal venu pour paniquer, même si son cerveau hurlait pour se défouler.

« Qu'est-ce que je fais ?

— Toujours avec nous ? » Le visage de Mancuso paraissait satanique, à la lumière des voyants rouge.

« Non, bordel, je suis mort... alors, qu'est-ce que je fais ?

— Ramius ? » Mancuso vit le commandant manœuvrer une torche électrique qu'il avait prise sur une étagère.

« Au fond, on plonge au fond. » Ramius décrocha l'interphone et ordonna aux ingénieurs d'arrêter toutes les machines. Melekhine avait déjà donné l'ordre.

Ryan poussa les commandes. « Dans un sous-marin de merde crevé en plein milieu, ils vous disent de *descendre au fond !* » grommelait-il intérieurement.

Le Konovalov

« Un solide coup, commandant, apprécia le *michman.* Ses moteurs sont stoppés. J'entends des craquements de coque, l'immersion change. » Il tenta quelques émissions supplémentaires, mais ne reçut rien en retour. L'explosion avait beaucoup perturbé l'eau. Des échos de l'explosion initiale continuaient à se répercuter dans la mer. Des milliards de bulles s'étaient formées, créant une zone « sonifiée » autour du but, qui l'obscurcissait rapidement. Ses émissions actives rebondissaient sur le nuage de bulles, et sa capacité d'écoute passive était fortement réduite par les échos. Tout ce qu'il savait avec certitude, c'était qu'une torpille avait touché, sans doute la seconde. En homme d'expérience, il s'efforçait de distinguer les bruits des signaux, et il avait reconstitué les événements correctement.

Le Dallas

« Un point pour les méchants », annonça le chef sonar. Le *Dallas* avançait trop vite pour bien employer son sonar, mais on ne pouvait vraiment pas rater l'explosion. L'équipage entier l'entendit à travers la coque.

Au central d'attaque, Chambers programmait leur position à deux milles de l'emplacement où *Octobre rouge* s'était trouvé. Dans le compartiment, les autres surveillaient leurs instruments sans émotion. Dix de leurs camarades venaient d'être touchés, et l'ennemi se tenait de l'autre côté du mur de bruit.

« Réduire à un tiers, ordonna Chambers.

— Machines avant un tiers, répéta l'officier de quart.

— Sonar, j'ai besoin de renseignements, dit Chambers.

— On y travaille, commandant. » Le premier maître Laval était tendu dans l'effort de discerner ce qu'il entendait. Il lui fallut plusieurs minutes, tandis que le *Dallas* réduisait l'allure à moins de dix nœuds. « Ici sonar, la grosse bête a pris un coup. Je n'entends plus ses moteurs... mais il n'y a pas de bruits de destruction. Je répète, pas de bruits de destruction.

— Entendez-vous l'Alfa ?

— Non, commandant, trop de friture dans l'eau. »

Le visage de Chambers se tordit dans une grimace. « Tu es un officier, se morigéna-t-il, on te paie pour réfléchir. Premièrement, que se passe-t-il ? Deuxièmement, que vas-tu faire ? Réfléchis bien, puis agis. »

« Distance estimée du but ?

— Quelque chose comme neuf mille mètres, commandant, répondit le lieutenant de vaisseau Goodman en lisant la dernière solution sur l'ordinateur de contrôle de tir. Il doit être de l'autre côté de la zone sonifiée.

— Venez à deux cents mètres », ordonna-t-il. L'officier de quart transmit au barreur. Chambers étudia la situation et prit sa décision. Il regrettait bien que Mancuso et Mannion ne soient pas là. Le commandant et l'officier de navigation étaient en effet les deux autres membres de ce qui tenait lieu d'état-major tactique à bord du *Dallas*. Il avait bien besoin d'échanger des idées avec d'autres officiers expérimentés — mais il n'en restait aucun.

« Ecoute bien, se dit-il à lui-même. Nous plongeons. Les remous de l'explosion vont rester assez forts et, s'ils bougent, ce sera pour remonter. Bon, nous descendons au-dessous. Avant tout, il faut localiser la grosse bête. Si elle n'est pas là, c'est qu'elle est au fond. Il n'y a que trois cents mètres, ici, de sorte qu'elle pourrait fort bien être au fond avec un équipage vivant. Qu'elle soit au fond ou non, il faut que nous nous interposions entre elle et l'Alfa. Et puis, pensa-t-il encore, si l'Alfa tire encore, cette fois, je l'abats, et merde pour les règles d'engagement. Il fallait absolument blouser ce type. » Mais comment ? Et où était *Octobre rouge ?*

Octobre rouge

Il descendait plus vite que prévu. L'explosion avait également crevé une caisse d'assiette, causant plus de pesée négative qu'ils ne l'avaient supposé.

La fuite du compartiment radio était ennuyeuse, mais Melekhine avait repéré l'inondation sur son tableau de contrôle des dégâts et aussitôt réagi. Chaque compartiment avait sa propre pompe électrique. Celle du local radio, complétée par une pompe centrale qu'il avait également mise en œuvre, parvenait tout juste à compenser l'effet de l'inondation. Les émetteurs étaient déjà détruits, mais personne n'avait l'intention d'envoyer des messages.

« Ryan, on plonge, la barre à droite, toute, dit Ramius.

— La barre à droite, toute, on plonge, répéta Ryan. Nous allons toucher le fond ?

— Essayez d'éviter ça, dit Mancuso, la fuite risquerait d'empirer.

— C'est vraiment parfait », grommela Ryan en réponse.

Octobre ralentit sa descente, virant à l'est au-dessous de la zone sonifiée. Ramius voulait la placer entre eux et l'Alfa. Mancuso songeait qu'en fin de compte, ils allaient peut-être même survivre. Dans ce cas-là, il faudrait qu'il examine d'un peu plus près les plans de ce bateau.

Le Dallas

« Sonar, donnez-moi deux émissions de faible puissance sur la grosse bête. Je veux que personne d'autre ne l'entende, patron.

— Bien. » Laval procéda aux manipulations nécessaires, et émit les signaux. « Parfait ! Ici sonar, je l'ai ! Relèvement deux-zéro-trois, distance deux mille mètres. Il n'est pas au fond, je répète, *pas* au fond, commandant.

— A gauche quinze, venir à deux-zéro-trois, ordonna Chambers.

— A gauche quinze, compris ! répondit l'homme de barre. Nouveau cap, deux-zéro-trois. Commandant, la barre est quinze à gauche.

— Laval, parlez-moi de la grosse bête !

— Commandant, je reçois... des bruits de pompe, je crois... et il bouge un peu. Le relèvement est maintenant deux-zéro-un. Je peux le suivre en passif.

— Thompson, tracez-moi sa route. Monsieur Goodman, nous avons toujours ce MOSS paré à lancer ?

— Oui, » répondit l'officier torpilleur.

Le Konovalov

« On l'a tué ? s'enquit le *zampolit*.

— Probablement, répondit Tupolev, tout en se posant la question. Il faut nous rapprocher pour nous en assurer. Machines avant lente.

— Machines avant lente. »

Le Pogy

Le *Pogy* était maintenant à deux mille mètres du *Konovalov*, et continuait à le harceler au sonar actif.

« Il bouge, commandant. Assez pour que je l'entende au passif, dit le chef sonar Palmer.

— Très bien, stoppez le sonar actif.

— Oui, sonar actif stoppé.

— Nous avons une solution ?

— Bien arrêtée, répondit Reynolds. Compte à rebours une minute dix-huit secondes. Les deux bêtes sont prêtes.

— Machines avant un tiers.

— Machines avant un tiers, oui. » Le *Pogy* ralentit. Le commandant se demandait quel prétexte il pourrait trouver pour tirer.

Octobre rouge

« Commandant, c'est un sonar à nous qui vient d'émettre, nord-nord-est. Impulsion faible puissance, il doit être près.

— Vous croyez que vous l'aurez au bigophone ?

— Oui, commandant !

— Commandant Ramius, demanda Mancuso, permission de communiquer avec mon bâtiment ?

— Oui.

— Jones, appelez-le tout de suite.

— Oui. Ici Jonesy qui appelle Laval, vous m'entendez ? » L'opérateur fronça le sourcil devant son micro. « Laval, répondez-moi. »

Le Dallas

« Ici sonar, j'ai Jonesy au bigo. »

Chambers décrocha l'appareil du central. « Jones, ici Chambers. Quelle est la situation ? »

Mancuso prit l'appareil des mains de son opérateur. « Wally, ici Bart, dit-il. Nous en avons pris une en plein milieu, mais nous tenons le coup. Pouvez-vous vous interposer ?

— Bien sûr. On se met en route immédiatement. » Chambers raccrocha. « Goodman, inondez le tube MOSS. Bon, nous allons suivre le MOSS. Si l'Alfa tire dessus, nous tirons sur eux. Programmez-le pour deux mille mètres tout droit, puis venons au sud.

— C'est fait. Panneau extérieur ouvert, commandant.

— Lancez.

— MOSS est lancé, commandant. »

Le leurre avança à vingt nœuds pendant deux minutes pour dégager le *Dallas*, puis ralentit. Il avait un corps de torpille, dont l'avant portait un puissant transducteur sonar fonctionnant à partir d'un magnétophone, et qui diffusait le bruit enregistré d'un sous-marin de classe 688. Toutes les quatre minutes, le bruit de l'opération faisait place au silence. Le *Dallas* suivait le leurre à mille mètres, en descendant à plusieurs centaines de mètres au-dessous de son niveau de route.

Le *Konovalov* s'approchait du mur de bulles avec circonspection, suivi au nord par le *Pogy*.

Octobre rouge

Ramius jugea que la zone sonifiée s'interposait désormais entre lui et l'Alfa. Il donna l'ordre de remettre les moteurs en marche, et *Octobre rouge* mit le cap au nord-est.

Le Konovalov

« Barre à gauche dix, ordonna calmement Tupolev. Nous allons contourner la zone morte par le nord, et voir s'il est encore vivant quand nous ferons demi-tour. Tout d'abord, il faut trier tout ce bruit.

— Toujours rien, annonça le *michman.* Pas d'impact sur le fond, ni de bruit de destruction... Nouveau contact, relèvement un-sept-zéro... Un bruit différent, commandant, une seule hélice... on dirait un américain.

— Quel relèvement ?

— Sud, je crois. Oui, sud... le son change. C'est un américain.

— C'est un sous-marin américain qui lance un leurre. Ignorons-le.

— L'ignorer ? s'exclama le *zampolit.*

— Camarade, si vous alliez au nord et que vous étiez torpillé, est-ce que vous changeriez de cap au sud ? Oui, vous... mais pas Marko. C'est trop simple. Cet américain lance un leurre pour essayer de nous éloigner de lui. Pas trop malin, celui-là. Marko ferait mieux que cela. Et il irait au nord. Je le connais. Je sais comment fonctionne son cerveau. Il se dirige maintenant vers le nord, peut-être le nord-est. Il ne lancerait pas de leurre s'il était mort. Maintenant, nous savons qu'il est vivant mais blessé. Nous le trouverons et l'achèverons », déclara calmement Tupolev, entièrement pris par la poursuite d'*Octobre rouge,* et se souvenant de tout ce qu'il avait appris. Il fallait faire la preuve qu'il était le nouveau maître. Il avait la conscience tranquille. Tupolev accomplissait sa destinée.

« Mais les Américains...

— Ne tireront pas, camarade, répliqua le commandant avec un sourire mince. S'ils pouvaient tirer, nous aurions déjà été tués par celui qui est au nord. Ils ne peuvent pas tirer sans permission. Ils doivent *demander* l'autorisation, comme nous — mais nous avons déjà la nôtre, ainsi que l'avantage. Nous sommes à l'endroit où la torpille l'a touché et, quand nous aurons dépassé les remous, nous le retrouverons. Et là, nous l'aurons. »

Octobre rouge

Ils ne pouvaient pas employer la chenille. La torpille en avait détruit une partie. *Octobre* avançait à six nœuds, propulsé par ses hélices qui faisaient plus de bruit que l'autre système. Cela ressemblait beaucoup à l'exercice de protection de la grosse bête. Mais l'exercice présupposait toujours que les bâtiments d'attaque qui l'accompagnaient pouvaient tirer pour chasser le méchant...

« Rencontrez. A gauche toute ! ordonna Ramius.

— Quoi ? » Mancuso était stupéfait.

« Réfléchissez, Mancuso », répondit Ramius en s'assurant du regard que Ryan exécutait l'ordre. Et Ryan obéissait, sans savoir pourquoi.

« Réfléchissez, commandant Mancuso, répéta Ramius. Que s'est-il passé ? Moscou a ordonné à un sous-marin de chasse de rester en arrière, sans doute un bateau de la classe *Politovsky* — que vous appelez Alfa. Je connais tous leurs commandants. Tous jeunes, tous, euh, agressifs ? Oui, agressifs. Il sait forcément que nous ne sommes pas morts. Et s'il le sait, il va nous pourchasser. Nous revenons donc sur nos pas, à la manière du renard, et le laissons passer. »

Cela ne plaisait guère à Mancuso. Ryan s'en rendait compte même sans regarder.

« Nous ne pouvons pas tirer. Vos hommes ne peuvent pas tirer. Nous ne pouvons pas nous enfuir — il est plus rapide. Nous ne pouvons pas nous cacher — son sonar est meilleur. Il va se diriger à l'est, faire de la vitesse pour nous dépasser, et nous chercher au sonar. En allant à l'ouest, nous avons la meilleure chance de lui échapper. Car il ne s'y attend pas. »

Mancuso n'aimait toujours pas l'idée, mais il devait reconnaître que c'était astucieux. Foutrement trop astucieux. Il se pencha une nouvelle fois sur la carte. Ce n'était pas son bateau.

Le Dallas

« Le salaud est passé sans broncher. Ou bien il a fait exprès, ou bien il n'a pas entendu le leurre. Il est à notre niveau, nous allons bientôt être dans son champ », annonça le maître Laval.

Chambers jura à voix basse. « Tant pis pour l'idée. La barre à droite quinze. » Au moins, le *Dallas* ne s'était pas fait entendre. Le sous-marin réagissait rapidement aux commandes. « Suivons-le. »

Le Pogy

Le *Pogy* était maintenant à un mille à gauche de l'Alfa. Il avait le *Dallas* au sonar, et nota son changement de cap. Le commandant Wood ne savait vraiment pas quoi faire. La solution la plus facile consistait à tirer, mais il ne pouvait pas. Il envisageait d'en assumer seul la responsabilité. Son instinct lui disait de le faire. L'Alfa pourchassait des Américains... Mais il ne pouvait céder à ses instincts. Le devoir avant tout.

Il n'y avait rien de pire que l'excès de confiance en soi, songeait-il amèrement. Tout l'opération était fondée sur la certitude qu'il n'y aurait personne dans les parages et que, même s'il restait quelqu'un, les sous-marins d'attaque auraient tout le temps d'alerter la grosse bête très à l'avance. Il y avait une leçon à tirer de cette affaire, mais Wood n'avait aucune envie d'y réfléchir en ce moment.

Le Konovalov

« Contact, annonça le *michman* au micro. Devant, presque droit devant. Marchant à l'hélice, allure très lente. Relèvement zéro-quatre-zéro, distance inconnue.

— Est-ce *Octobre rouge?* demanda Tupolev.

— Je ne peux pas dire, commandant. Ce pourrait être un américain. On dirait qu'il vient par ici.

— Merde! » Tupolev parcourut le central du regard. Se pouvait-il qu'ils aient dépassé *Octobre rouge?* ou qu'ils l'aient déjà tué?

Le Dallas

« Sait-il que nous sommes là, Laval? demanda Chambers, revenant au sonar.

— Impossible, commandant. » Laval secoua la tête. « Nous sommes juste derrière lui. Attendez un instant... » le gradé fronça le sourcil. « Nouveau contact, de l'autre côté de l'Alfa. Ce doit être notre ami, commandant. Seigneur! Je crois qu'il vient par ici. Avec ses roues, et pas ce drôle de truc.

— Distance de l'Alfa?

— Moins de trois mille mètres.

— Machines avant deux tiers! Barre à gauche, dix! ordonna Chambers. Laval, émettez à la française, mais avec le sonar à glace. Il ne sait peut-être pas ce que c'est. Faites-lui croire que nous sommes la grosse bête.

— Bien, commandant. »

Le Konovalov

« Emission arrière à haute fréquence ! lança le *michman*. Cela ne ressemble pas à un sonar américain, camarade. »

Tupolev fut soudain désemparé. Etait-ce un américain, au large ? L'autre, sur bâbord, l'était sans aucun doute. Ce devait être *Octobre*. Marko restait le renard. Il s'était tapi dans un coin, sans bouger, pour les laisser passer et pouvoir leur tirer dessus !

« Machines avant, toutes, la barre à gauche, toute ! »

Octobre rouge

« Contact ! lança Jones. Droit devant. Attendez... C'est un Alfa ! Tout près ! On dirait qu'il tourne. Quelqu'un le harcèle de l'autre côté. Bon Dieu, il est vraiment tout près. Commandant, l'Alfa n'est pas un point. J'ai une séparation du signal entre le moteur et l'hélice.

— Commandant », dit Marcuso. Les deux commandants se regardèrent et se communiquèrent une pensée unique, comme par télépathie. Ramius acquiesça.

« Distance ?

— Jonesy, émettez sur cet imbécile ! » Mancuso courut à l'arrière.

« Oui. » Le sonar était à pleine puissance. Jones émit une seule impulsion pour connaître la distance. « Quinze cents mètres. Elévation zéro, commandant. Nous sommes à la même immersion.

— Mancuso, dites à votre opérateur de nous donner la distance et le relèvement ! » Ramius manœuvrait sauvagement la poignée du micro.

« Okay. Jonesy, vous êtes notre direction de tir. Annoncez le bébé, et vite. »

Le Konovalov

« Une émission sonar sur tribord, distance inconnue, relèvement zéro-quatre-zéro. Le but situé au large vient de mesurer notre distance, dit le *michman*.

— Donnez-moi une distance, ordonna Tupolev.

— Trop loin en arrière, camarade. Je le perds. »

L'un d'eux était *Octobre* — mais lequel ? Pouvait-il prendre le risque de tirer sur un sous-marin américain ? Non !

« Solution pour le but droit devant ?

— Rien de bon, répondit le *starpom*. Il manœuvre en accélérant. »

Le *michman* se concentra sur le but situé à l'ouest. « Commandant, le contact avant n'est pas, je répète, n'est pas soviétique. Le contact avant est américain.

— *Lequel?* hurla Tupolev.

— Ouest et nord-ouest sont tous deux américains. But à l'est inconnu.

— Maintenez la barre toute à gauche.

— La barre est à gauche toute, répéta l'homme de barre en se cramponnant.

— Le but est derrière nous. Il faut le localiser et tirer en tournant. Bon sang, nous allons trop vite. Réduisez les machines à un tiers. »

Le *Konovalov* tournait rapidement, d'habitude, mais la réduction de vitesse fit agir l'hélice comme un frein, et ralentit l'évolution. Cependant, Tupolev faisait ce qu'il fallait. Il devait orienter ses torpilles près du relèvement du but, et ralentir assez vite pour que son sonar lui donne des indications de lancement précises.

Octobre rouge

« Bon, l'Alfa continue à tourner, de droite à gauche... Bruits de propulsion en diminution. Il vient de réduire l'allure », dit Jones en observant l'écran. Son cerveau s'affairait rageusement à calculer le cap, l'allure et la distance. « Distance maintenant à douze cents mètres. Il tourne toujours. On fait ce que je crois ?

— On dirait bien. »

Jones mit le sonar actif sur émission automatique. « Il faut voir ce que va donner ce virage. S'il est malin, il va foncer au sud et commencer par se dégager.

— Alors priez pour qu'il ne soit pas trop malin, lança Mancuso du couloir. Avec cette obstination !

— Avec cette obstination... répéta Ryan en se demandant si la prochaine torpille allait les tuer.

— Il continue à tourner. Nous sommes sur son flanc gauche, à présent. » Jones releva la tête. « Il va commencer par tourner. Voici les impulsions. »

Octobre rouge accéléra à dix-huit nœuds.

Le Konovalov

« Je l'ai, dit le *michman*. Distance mille mètres, relèvement zéro-quatre-cinq. Inclinaison zéro.

— Paré à faire feu, ordonna Tupolev à son second.

— Il faudrait que ce soit une inclinaison zéro. Nous tournons trop rapidement », répondit le *starpom*. Il se prépara aussi vite qu'il put. Les sous-marins se rapprochaient maintenant à près de quarante nœuds. « Paré pour le tube cinq seulement ! Tube en eau porte ouverte... Paré !

— Feu !

— Lancez cinq ! » Le doigt du *starpom* écrasa la commande.

Octobre rouge

« Portée réduite à neuf cents mètres — hélices à grande vitesse droit devant ! Nous avons une torpille en route droit devant. Une torpille, droit sur nous !

— Laissez-la, poursuivez l'Alfa !

— Oui, d'accord, relèvement de l'Alfa deux-deux-cinq, stabilisé. Il faut venir un peu plus à gauche, commandant.

— Ryan, à gauche cinq, votre cap est deux-deux-cinq.

— A gauche cinq, cap au deux-deux-cinq.

— La torpille approche vite, commandant, dit Jones.

— On s'en fout ! Poursuivez l'Alfa.

— Oui. Relèvement toujours deux-deux-cinq. Comme la torpille. »

Les deux vitesses combinées diminuaient rapidement la distance entre les deux sous-marins. La torpille approchait encore plus vite d'*Octobre rouge*, mais elle avait un système de blocage de sécurité. Pour empêcher qu'elles ne fassent exploser leurs propres lanceurs, les torpilles ne pouvaient s'armer qu'après avoir parcouru cinq cents ou mille mètres. Si *Octobre* approchait assez vite de l'Alfa, il ne serait pas endommagé.

Octobre dépassait maintenant les vingt nœuds.

« Distance à l'Alfa, sept cent cinquante mètres, relèvement deux-deux-cinq. La torpille est proche, plus que quelques secondes. » Jones se contracta, les yeux rivés sur l'écran.

Klonk !

La torpille heurta *Octobre rouge* au beau milieu de l'étrave. Il manquait encore cent mètres au verrou de sécurité pour se débloquer. L'impact la brisa en trois morceaux, qui furent écartés par le sous-marin lance-engins en pleine accélération.

« Une fausse ! » Jones se mit à rire. « Merci, mon Dieu ! Relèvement du but reste deux-deux-cinq, distance sept cents mètres. »

Le Konovalov

« Pas d'explosion ? s'étonna Tupolev.

— Les blocages de sécurité ! » Le *starpom* poussa un juron. Il avait dû lancer trop vite.

« Où est le but ?

— Relèvement zéro-quatre-cinq, camarade. Relèvement constant, répondit le michman. Il approche rapidement. »

Tupolev blêmit. « La barre à gauche, toute, machines avant toutes ! »

Octobre rouge

« Il tourne, il tourne vers la droite, annonça Jones. Relèvement deux-trois-zéro, un peu étalé. Il faudrait un peu de barre à droite, commandant.

— Ryan, la barre à droite, cinq.

— La barre à droite, cinq, répéta Jack.

— Non, barre à droite, dix ! » Ramius contredisait son ordre. Il avait suivi le but avec un crayon et un papier. Et il connaissait l'Alfa.

« La barre est dix à droite, répéta Ryan.

— Effet de proximité de champ, distance réduite à quatre cents mètres, relèvement deux-deux-cinq au milieu du but. Le but dépasse à gauche et à droite, surtout à gauche, annonça Jones rapidement. Distance... trois cents mètres. Elévation zéro, nous sommes au même niveau que le but. Distance deux cent cinquante, relèvement deux-deux-cinq au centre. On ne peut pas le manquer, commandant.

— On va l'aborder ! » cria Mancuso, pour prévenir.

Tupolev aurait dû changer d'immersion. En fait, il comptait sur l'accélération et la maniabilité de l'Alfa, oubliant que Ramius les connaissait en détail.

« Contact très étalé... retour instantané, commandant !

— Préparez-vous au choc ! »

Ramius avait oublié l'alerte de collision. Il ne la déclencha que quelques secondes avant le choc.

Octobre rouge fracassa le *Konovalov* juste à l'arrière du centre, à un angle de trente degrés. La force de la collision brisa la coque en titane et cabossa l'étrave d'*Octobre* comme une boîte de bière.

Ryan ne s'était pas suffisamment arc-bouté. Il fut projeté à l'avant, et son visage heurta le tableau des instruments. A l'arrière, Williams fut catapulté de son lit et rattrapé de justesse par Noyes au moment où sa tête touchait le sol. Les systèmes sonar de Jones furent détruits. Le sous-marin lance-engins rebondit par-dessus l'Alfa, et sa quille lui racla le pont supérieur au moment où l'élan l'emportait dans son ascension en assiette positive.

Le Konovalov

Le sous-marin était construit avec un compartimentage serré. Cela ne servit à rien. Deux compartiments furent instantanément envahis, et la cloison séparant le central des compartiments arrière céda un instant plus tard, sous l'effet de la déformation de la coque. La dernière vision de Tupolev fut un rideau d'écume blanche venant sur tribord. L'Alfa bascula sur le flanc bâbord, retourné par le frottement de la quille d'*Octobre*. En quelques secondes, le sous-marin fut entièrement retourné. Sur toute la longueur, les hommes et le matériel étaient secoués comme des dés. La moitié de l'équipage se noyait déjà. Le contact avec *Octobre* s'arrêta là, lorsque les compartiments remplis d'eau de l'arrière l'entraînèrent par le fond. L'officier politique eut un dernier geste conscient : il tira la poignée de la bouée de repérage après une catastrophe mais en vain : le sous-marin était retourné, et le câble endommagé sur le kiosque. La tombe du *Konovalov* ne fut marquée que par une masse de bulles.

Octobre rouge

« Toujours en vie ? » Le visage de Ryan saignait abondamment.

« Les barres de plongée à plus, toute, hurla Ramius.

— Jusqu'en haut à la surface. » Ryan tira la barre de sa main gauche, en gardant sa main droite sur ses blessures.

« Compte rendu d'avaries, réclama Ramius en russe.

— Réacteur intact, répondit aussitôt Melekhine. Le tableau du PC sécurité montre une voie d'eau dans le local des torpilles — je crois. J'y ai admis de l'air à haute pression, et la pompe fonctionne. Je recommande qu'on fasse surface pour évaluer les dégâts.

— *Da.* » Ramius alla en boitant chasser aux ballasts.

Le Dallas

« Seigneur ! s'exclama le chef sonar. Quelqu'un a heurté quelqu'un. J'ai des bruits de destruction qui descendent et des craquements de coque qui montent. Je ne peux pas dire qui est qui, commandant. Les machines des deux bruiteurs sont stoppées.

— Remontons vite à l'immersion périscopique ! » ordonna Chambers.

Octobre rouge

Il était 16 h 34 heure locale quand *Octobre rouge* bondit à la surface de l'océan Atlantique pour la première fois, à quarante-sept milles au sud-est de Norfolk. Il n'y avait aucun autre navire en vue.

« Le sonar est foutu, commandant. » Jones débranchait ses tableaux. « Foutu, crevé. Il nous reste des conneries d'hydrophones latéraux minables. Rien d'actif, même pas un bigophone.

— Allez à l'avant, Jonesy. Beau boulot. »

Jones sortit la dernière cigarette de son paquet. « A votre service, commandant — mais je suis de la classe l'été prochain, vous pouvez y compter. »

Bugayev le suivit à l'avant, encore assourdi et assommé par le choc de la torpille.

Octobre flottait immobile en surface, l'étrave dans l'eau avec une gîte de vingt degrés sur bâbord à cause des ballasts détruits.

Le Dallas

« Ça alors ! » s'exclama Chambers. Il décrocha le micro. « Ici le commandant Chambers. Ils ont coulé l'Alfa ! Nos hommes sont sains et saufs. Nous remontons en surface. Vite tous au poste de sécurité ! »

Octobre rouge

« Ça va, commandant Ryan ? » Jones lui tourna délicatement la tête. « On dirait que vous avez cassé du verre jusqu'à plus soif, dites donc !

— C'est quand ça ne saigne plus, qu'il faut s'inquiéter ! répondit Ryan, comme en état d'ébriété.

— Très juste. » Jones appliqua son mouchoir sur les coupures. « Mais j'espère que vous ne conduisez pas toujours comme ça, commandant.

— Commandant Ramius, permettez-vous que j'aille sur la passerelle pour communiquer avec mon bâtiment ? demanda Mancuso.

— Allez-y, nous aurons peut-être besoin d'aide pour les dégâts. »

Mancuso enfila sa veste et vérifia que sa petite radio au poste de manœuvre était toujours dans sa poche, là où il l'avait rangée. Trente secondes plus tard, il se trouvait au sommet du kiosque. A son premier tour d'horizon, le *Dallas* fit surface. Le ciel ne lui avait jamais paru si beau.

Il ne pouvait pas reconnaître le visage à quatre cents mètres, mais c'était forcément Chambers.

« *Dallas,* ici Mancuso.

— Commandant, ici Chambers. Ça va ?

— Oui ! Mais nous aurons sans doute besoin d'aide. L'étrave est en accordéon, et nous avons pris une torpille par le milieu.

— Je le vois bien, Bart. Regardez en bas !

— Bon Dieu ! » Le trou aux bords déchiquetés était à fleur d'eau, à demi visible, et le sous-marin penchait lourdement à l'étrave. Mancuso se demanda comment il flottait encore, mais ce n'était pas le moment des pourquoi.

« Approchez, Wally, et sortez l'embarcation.

— On arrive. L'équipe de secours est parée, je... voici notre autre ami », déclara Chambers.

Le *Pogy* fit surface à trois cents mètres, droit devant *Octobre.*

« Le *Pogy* dit que c'est dégagé. Personne d'autre que nous. Vous avez déjà entendu cette chanson-là, non ? » Chambers eut un rire sans joie. « Si on annonçait le retour par radio ?

— Non, voyons d'abord si nous pourrons nous débrouiller. » Le *Dallas* s'approcha d'*Octobre.* En quelques minutes, le sous-marin de Mancuso fut amené à soixante mètres sur bâbord, et dix hommes en embarcation luttaient contre le clapot. Jusque-là, seule une poignée d'hommes à bord du *Dallas* avait su ce qui se passait vraiment. Maintenant, ils savaient tous. Mancuso voyait ses hommes discuter en gesticulant. Quelle histoire !

Les avaries n'étaient pas aussi graves qu'ils l'avaient craint. Le compartiment des torpilles n'était pas inondé — un détecteur endommagé par l'impact avait fourni des indications erronées. Les ballasts avant étaient crevés, mais le sous-marin était si grand et ses ballasts si compartimentés qu'il n'était affaissé que de deux mètres cinquante à l'étrave. Quant à la gîte sur bâbord, elle ne présentait aucun danger. En deux heures, la voie d'eau du compartiment radio se trouva étranglée et, après une longue discussion entre Ramius, Melekhine et Mancuso, il fut décidé qu'ils pourraient plonger à nouveau, à condition de maintenir une allure réduite et de ne pas descendre au-dessous de trente mètres. Ils arriveraient en retard à Norfolk.

LE DIX-HUITIÈME JOUR

Lundi 20 décembre

Octobre rouge

Ryan se retrouva au sommet du kiosque grâce à Ramius, qui disait qu'il l'avait bien mérité. En contrepartie de cette faveur, Jack avait aidé le commandant à gravir l'échelle jusqu'à la passerelle. Mancuso était resté avec eux. Il y avait maintenant un personnel américain en bas, au central, et l'équipe des mécaniciens avait reçu du renfort, afin de pouvoir rétablir un semblant de tour de quart. La voie d'eau du local radio n'était pas totalement maîtrisée, mais cela se passait au-dessus de la ligne de flottaison. Avec force pompage dans le compartiment, on avait réduit la gîte sur bâbord à quinze degrés. L'étrave demeurait affaissée mais l'assèchement des ballasts en avait partiellement compensé l'effet. Le cabossage de l'étrave donnait au sous-marin un petit air franchement asymétrique, mais cela ne se voyait guère sous ce ciel nuageux et sans lune. Le *Dallas* et le *Pogy* restaient immergés, un peu à l'arrière, et reniflaient d'éventuelles interférences à l'approche des caps Henry et Charles.

Quelque part à l'arrière, un peu plus loin, un navire chargé de gaz naturel liquéfié approchait du chenal que le garde-côte avait fermé à tout trafic normal pour permettre à la bombe flottante de naviguer sans encombre jusqu'à son terminal de gaz naturel, à Cove Point, dans le Maryland — telle était tout au moins l'histoire. Ryan se demandait comment la marine avait pu convaincre le commandant du navire de feindre des ennuis de moteur, ou de retarder, d'une manière ou d'une autre, son arrivée. La marine avait dû être dans tous ses états, jusqu'au moment où ils avaient fini par refaire surface, quarante minutes auparavant, et être aussitôt repérés par un avion Orion de surveillance.

Les bouées rouges et vertes leur lançaient des clins d'œil et dansaient sur les vagues. A l'avant, ils voyaient les lumières du pont-tunnel de la baie de Chesapeake, mais il n'y avait aucune lumière mobile de voiture. La CIA avait sûrement fabriqué de toutes pièces un terrible accident, peut-être un semi-remorque ou deux, pleins d'œufs ou d'essence. Quelque chose d'inventif.

« Vous n'étiez jamais venu en Amérique, dit Ryan pour faire un peu de conversation.

— Non, jamais dans aucun pays occidental. Une fois à Cuba, il y a très longtemps. »

Ryan regarda au nord et au sud. Ils avaient dû franchir les caps, maintenant. « Bienvenue chez nous, commandant Ramius. En ce qui me concerne, je suis diablement heureux que vous soyez là.

— Et moi encore plus que *vous* soyez là », observa Ramius.

Ryan éclata de rire. « On peut parier tout ce que vous voulez ! Merci encore de m'avoir laissé monter ici.

— Vous l'avez bien mérité, Ryan.

— Appelez-moi Jack, commandant.

— C'est l'abréviation de John, n'est-ce pas ? demanda Ramius. Et John, c'est comme Ivan, non ?

— Oui, je crois. » Ryan ne comprit pas pourquoi le visage de Ramius s'éclairait soudain d'un large sourire.

« Voilà un remorqueur », leur montra Mancuso.

Le commandant américain avait des yeux perçants. Ryan n'aperçut le bateau avec ses jumelles qu'une minute plus tard. C'était une ombre qui se découpait en noir sur la nuit, à environ un kilomètre et demi.

« Allô *Sceptre,* ici le remorqueur *Paducah.* Vous m'entendez ? A vous. »

Mancuso sortit sa radio de sa poche. « *Paducah,* ici *Sceptre.* Bonjour, commandant. » Il parlait avec un accent anglais.

« Mettez le cap sur moi et suivez-nous, s'il vous plaît.

— Très bien, *Paducah.* On vous suit. Terminé. »

Sceptre était le nom d'un sous-marin de la Royal Navy britannique. Il devait se trouver quelque part, très loin au large, songea Ryan, en patrouille aux Malouines ou ailleurs, de sorte que son arrivée à Norfolk constituait un phénomène de banale routine, difficile à réfuter. Manifestement, ils craignaient l'éventuelle suspicion d'un agent à l'arrivée d'un sous-marin inconnu.

Le remorqueur approcha à quelques centaines de mètres, puis

fit demi-tour pour les précéder à cinq nœuds. Un seul feu rouge l'éclairait.

« J'espère que nous n'allons pas tomber sur des navigants civils, observa Mancuso.

— Mais vous disiez qu'ils avaient fermé l'accès du port, objecta Ramius.

— Pourrait y avoir un type en petit voilier. Le public accède librement au chantier pour rejoindre le Dismal Swamp Canal, et ils sont invisibles au radar. Ils sont tout le temps fourrés là.

— C'est fou.

— Nous sommes dans un pays libre, commandant, ajouta Ryan doucement. Il vous faudra un certain temps pour comprendre ce que signifie vraiment ce mot, libre. On l'emploie souvent à tort, mais vous vous finirez par comprendre la sagesse de votre décision.

— Vous habitez ici, commandant Mancuso ? demanda Ramius.

— Oui, mon escadrille est basée à Norfolk. J'habite à Virginia Beach, dans cette direction-là. Mais je ne suis sans doute pas près d'y aller. Ils vont me renvoyer toute de suite en mer. C'est la seule chose qu'ils puissent faire. Et je vais encore manquer un Noël chez moi. Cela fait partie du métier.

— Vous avez de la famille ?

— Oui, commandant. Une femme et deux fils. Michael, huit ans, et Dominic, quatre. Ils ont l'habitude d'avoir un papa absent.

— Et vous, Ryan ?

— Un garçon et une fille. Je pense que je serai rentré pour Noël. Excusez-moi, commandant. Voyez-vous, pendant un moment j'ai eu mes doutes. Quand tout sera rentré un peu dans l'ordre, je voudrais rassembler toute l'équipe pour faire une vraie fête.

— C'est un dîner qui vous coûtera les yeux de la tête, apprécia Mancuso ravi.

— Je le mettrai au compte de la CIA.

— Et qu'est-ce que la CIA va faire de nous ? demanda Ramius.

— Comme je vous l'ai dit, commandant, d'ici un an vous mènerez la vie que vous voudrez, où vous voudrez, comme vous voudrez.

— Vraiment ?

— Vraiment. Nous sommes fiers de notre hospitalité, commandant, et si jamais on me fait revenir de Londres, vous-même et vos hommes serez les bienvenus chez moi.

— Le remorqueur vient à gauche », fit observer Mancuso. La conversation prenait un tour trop sentimental pour son goût.

« Donnez les ordres, commandant », proposa Ramius. C'était le port de Mancuso, après tout.

« A gauche, cinq, ordonna Mancuso au micro.

— A gauche, cinq, répondit l'homme de barre. Commandant, la barre est cinq à gauche.

— Très bien. »

Le *Paducah* s'engagea dans le chenal principal, passa devant le *Saratoga* qui se trouvait sous une énorme grue, et se dirigea vers les longs quais du chantier naval de Norfolk. Le chenal était entièrement désert, à l'exception d'*Octobre* et de son remorqueur. Ryan se demanda si le *Paducah* avait un équipage normal, ou entièrement composé d'amiraux. Il n'aurait pas aimé avoir à parier.

Norfolk, Virginie

Vingt minutes plus tard, ils étaient arrivés à destination. Le bassin 8-10 était une cale sèche de construction récente, à l'usage des sous-marins lance-engins de la classe Ohio ; une immense caisse en béton de trois cents mètres de long, et recouverte d'un toit d'acier pour empêcher les satellites espions de voir si elle était occupée ou non. Ce bassin se trouvait dans la zone de haute sécurité de la base, et l'on devait franchir plusieurs barrages de gardes armés — des marines, et non les habituels gardes civils — pour pouvoir s'approcher, sans même parler d'entrer au dock.

« Stoppez, ordonna Mancuso.

— Stoppez. »

Octobre rouge avait déjà ralenti depuis plusieurs minutes, et il parcourut encore deux cents mètres avant de s'arrêter complètement. Le *Paducah* le contourna sur tribord pour pousser l'étrave. Les deux commandants auraient préféré faire leur entrée sans aide, mais l'état de l'étrave rendait les manœuvres difficiles. Le remorqueur diesel mit cinq minutes à aligner l'étrave en face du bassin rempli d'eau. Ramius donna lui-même l'ordre de faire un tour en avant, son dernier ordre à bord d'*Octobre rouge*. Le bâtiment glissa lentement sur l'eau noire, jusque sous le toit. Mancuso ordonna à ses hommes d'en haut de prendre les amarres que leur lançaient des matelots postés sur les bords du bassin, et le sous-marin fut arrêté au milieu du bassin. La grille qu'ils avaient franchie se refermait déjà, et une bâche grande comme une voile de goélette venait la recouvrir. Quand toutes les protections de sécurité furent en place, les projecteurs s'allumèrent et, soudain, une trentaine d'officiers se mirent à crier comme des fans à un match de football. Il ne manquait qu'une fanfare.

« Terminé pour les moteurs, ordonna Ramius en russe à l'équipage, dans le local des machines, puis il passa à l'anglais avec une tristesse voilée : Et voilà. Nous y sommes. »

La grue descendit vers eux et s'arrêta pour soulever la passerelle de service, qu'elle déposa ensuite soigneusement sur la rampe des missiles, à l'avant du kiosque. La passerelle était à peine en place que deux officiers couverts de galons dorés presque jusqu'aux coudes se lancèrent dessus au pas de course. Ryan reconnut le premier. C'était Dan Foster.

Le chef des opérations navales salua en passant la coupée, puis leva la tête vers le kiosque. « Demande la permission de monter à bord, commandant.

— Permission...

— Accordée, souffla Mancuso.

— Permission accordée », déclara Ramius à voix forte.

Foster sauta à bord et s'élança sur l'échelle extérieure du kiosque. Ce n'était pas facile, car le bâtiment gîtait encore beaucoup à bâbord. Foster arriva très essoufflé à la passerelle.

« Commandant Ramius, je suis Dan Foster. » Mancuso fit entrer le chef des opérations navales, et le poste de commandement fut soudain encombré. L'amiral américain et le commandant russe se serrèrent la main, puis Foster serra celle de Mancuso. Jack vint en dernier.

« On dirait que votre uniforme a besoin d'un petit nettoyage, Ryan. Et votre visage aussi.

— Oui, nous avons rencontré quelques petits problèmes.

— Je vois ça. Que s'est-il passé ? »

Ryan n'attendit pas l'explication. Il descendit sans s'excuser. Ce n'était pas son monde. Au central, les hommes échangeaient de grands sourires, mais ils gardaient le silence, comme par crainte de voir s'évaporer trop vite la magie du moment. Pour Ryan, c'était déjà fait. Il chercha le panneau de pont et sortit, emportant tout ce qu'il avait apporté à bord. Il franchit la coupée de service à contre-courant, sans que personne lui prête attention. Deux infirmiers portaient une civière, et Ryan décida d'attendre sur le quai qu'on sorte Williams. L'officier britannique avait tout manqué, n'ayant repris connaissance que depuis trois heures. En attendant, Ryan fuma sa dernière cigarette russe. La civière reparut, avec Williams sanglé dessus. Noyes suivait, avec les deux médecins de bord des sous-marins.

« Comment vous sentez-vous ? »

Ryan escorta la civière jusqu'à l'ambulance.

« Vivant. » Williams était pâle et amaigri. « Et vous ?

— Je sens sous mes pieds la terre ferme. Dieu soit loué !

— Et ce qu'il va sentir, c'est un lit d'hôpital. Ravi de vous avoir rencontré, Ryan, déclara brièvement le médecin. En route, les gars. » Les infirmiers installèrent la civière dans l'ambulance garée devant l'énorme portail. Un instant plus tard, ils étaient partis.

« Etes-vous le commandant Ryan ? » interrogea un sergent du corps des marines après avoir salué.

Ryan lui rendit son salut. « Oui.

— J'ai une voiture qui vous attend, commandant. Voulez-vous me suivre ?

— Allez-y, sergent. »

C'était une Chevrolet grise de la marine, qui le conduisit directement à la base aéronavale de Norfolk, où il monta à bord d'un hélicoptère. Sa fatigue était telle que même un traîneau tiré par des rennes ne l'aurait pas surpris. Pendant les trente-cinq minutes de vol jusqu'à la base aérienne d'Andrews, seul à l'arrière, Ryan garda les yeux figés dans l'espace. Une autre voiture l'attendait à la base, pour le conduire à Langley.

Quartier général de la CIA

Il était 4 heures du matin quand Ryan entra enfin dans le bureau de Greer. L'amiral s'y trouvait, en compagnie de Moore et de Ritter. Greer tendit à Ryan quelque chose à boire. Pas du café. Du bourbon Wild Turkey. Les trois officiers supérieurs lui serrèrent la main.

« Asseyez-vous, mon garçon.

— Sacrément réussi. » Greer souriait.

« Merci. » Ryan but une longue gorgée. « Et maintenant ?

— Maintenant, nous vous interrogeons, répondit Greer.

— Non, amiral. Maintenant, je reprends l'avion et je rentre chez moi. »

Les yeux de Greer brillèrent, tandis qu'il tirait un dossier de sa poche et le jetait sur les genoux de Ryan. « Réservation à 7 h 05, aéroport Dulles, premier vol pour Londres. Et il faut d'abord vous laver un peu, vous changer, et prendre votre Barbie skieuse. »

Ryan vida le fond de son verre. Cette soudaine rasade de whisky lui noya les yeux, mais il parvint à se retenir de tousser.

« On dirait que cet uniforme en a vu de dures, observa Ritter.

— Moi aussi. » Jack fouilla sa veste, et en tira le pistolet automatique. « Et *ça* aussi.

— L'agent du GRU ? Il n'a pas débarqué avec le reste de l'équipage ? s'étonna Moore.

— Vous étiez au courant ? Et vous ne m'avez pas prévenu, bon Dieu !

— Calmez-vous, mon vieux, dit Moore. Nous vous avons manqué d'une demi-heure. Pas de chance, mais vous vous en êtes tiré. C'est cela qui compte. »

Ryan était trop fatigué pour hurler, trop fatigué pour tout. Greer brancha un magnétophone et prit un papier couvert de questions.

« L'officier anglais, Williams, est en piteux état, déclara Ryan deux heures plus tard. Mais les médecins disent qu'il s'en tirera. Quant au sous-marin, il n'ira pas plus loin. L'avant est tout ratatiné, et il y a un joli trou là où la torpille nous a eus. Ils avaient raison, amiral. Les Russes ont construit leurs Typhons costauds, Dieu merci. Vous savez qu'il reste peut-être encore des survivants à bord de cet Alfa...

— Tant pis », dit Moore.

Ryan hocha lentement la tête. « Je m'en doutais. Je ne peux pas dire que ça me plaise de laisser des hommes mourir ainsi.

— A nous non plus, répondit le juge Moore, à nous non plus. Mais si nous sauvions même une seule personne de ce sous-marin, eh bien, tout ce que nous avons... tout ce que vous avez subi ne servirait plus à rien. Est-ce là ce que vous souhaiteriez ?

— De toute façon, ce ne serait qu'une chance sur mille, renchérit Greer.

— Je ne sais pas », conclut Ryan en terminant son troisième verre, et il en ressentait les effets. Il s'était bien attendu à voir Moore se désintéresser de l'Alfa et des éventuels survivants. Mais Greer le surprenait. Ainsi donc, le vieux marin s'était laissé corrompre par cette affaire — ou bien était-ce simplement l'influence normale de la CIA ? — au point d'oublier le code des marins. Qu'est-ce que cela annonçait pour Ryan aussi ? « Je ne sais vraiment pas.

— Il s'agit d'une guerre, Jack, intervint Ritter, plus doucement qu'à son habitude. Une vraie guerre. Vous avez été très bien, mon vieux.

— En temps de guerre, on est déjà très bien quand on rentre vivant chez soi. » Ryan se leva. « Et ça, messieurs, c'est ce que je compte faire maintenant.

— Vous trouverez vos affaires dans le cabinet de toilette. »

Greer consulta sa montre. « Vous avez le temps de vous raser, si vous voulez.

— Oh, j'oubliais. » Ryan chercha sous son col et en tira une clé, qu'il remit à Greer. « Cela n'a l'air de rien, n'est-ce pas ? Eh bien, vous pouvez tuer cinquante millions d'individus, avec cette petite clé. " Mon nom est Ozymandias, roi des rois ! Contemplez mon œuvre, ô puissants, et vous désespérez ! " » Ryan se dirigea vers le cabinet de toilette en se disant qu'il devait être ivre, pour citer du Shelley.

Ils le suivirent des yeux. Greer éteignit le magnétophone, et contempla la clé dans sa main. « Vous voulez toujours l'emmener voir le président ?

— Non, ce n'est pas une bonne idée, dit Moore. Ce garçon est à moitié ivre — non pas que je l'en blâme ! Mettez-le dans l'avion, James. Nous enverrons une équipe à Londres demain ou après-demain pour continuer l'entretien.

— Bien. » Greer regarda son verre vide. « Un peu tôt dans la journée pour boire, non ? »

Moore termina son troisième. « Sans doute, oui. Mais la journée a été bonne, et le soleil n'est pas encore levé. En route, Bob. Nous avons encore une opération à monter. »

Chantier naval de Norfolk

Mancuso et ses hommes embarquèrent à bord du *Paducah* avant l'aube, et regagnèrent le *Dallas*. Le sous-marin d'attaque 688 prit aussitôt le départ, et avait disparu sous l'eau avant le lever du soleil. Quant au *Pogy*, qui n'était pas entré au port, il allait poursuivre son déploiement sans son médecin de bord. Les deux sous-marins avaient ordre de rester en mer pendant encore trente jours, pendant lesquels l'équipage serait encouragé à oublier tout ce qu'il avait pu voir, entendre, ou supputer.

Octobre rouge demeura solitaire dans le bassin qui se vidait autour de lui, sous la garde de vingt marines en armes. Ce n'était pas inhabituel, au dock 8-10. Un groupe d'ingénieurs et de techniciens hautement sélectionnés l'examinaient déjà. Les premiers éléments prélevés furent les dictionnaires et les appareils du chiffre, qui se trouveraient dès avant midi au siège de la National Security Agency, à Fort Meade.

Ramius, ses officiers et leurs effets personnels furent conduits en car sur le même terrain d'aviation que Ryan avant eux. Une heure plus tard, ils se trouvaient dans une villa de la CIA sur un coteau situé au sud de Charlottesville, en Virginie. Ils se mirent aussitôt au lit, à l'exception de deux hommes qui préférèrent regarder la télévision, déjà stupéfaits de ce qu'ils découvraient sur la vie aux Etats-Unis.

Aéroport international de Dulles

Ryan rata le lever du soleil. Il embarqua à temps à bord du 747 de TWA qui partait à 7 h 05. Le ciel était couvert et, quand l'appareil sortit des nuages pour émerger à la lumière du soleil, Ryan fit une chose qu'il n'avait jamais faite. Pour la première fois de sa vie, Jack Ryan s'endormit en avion.

Achevé d'imprimer au Canada
Imprimerie Gagné Ltée Louiseville